ARNOLD STÖTZEL

Kirche als ›neue Gesellschaft‹

Die humanisierende Wirkung des Christentums nach Johannes Chrysostomus

ASCHENDORFF MÜNSTER

Münsterische Beiträge zur Theologie

Begründet von Franz Diekamp und Richard Stapper
fortgeführt von Hermann Volk
herausgegeben von Bernhard Kötting

Heft 51

Als Habilitationsschrift auf Empfehlung
der Katholisch-Theologischen Fakultät der Universität München gedruckt
mit Unterstützung der Deutschen Forschungsgemeinschaft

Gesamtherstellung: Aschendorff, Münster Westfalen, 1984

ISBN 3-402-03956-7

INHALT

2. Kapitel

Vorwort

Es mag, rückblickend auf die Geschichte der frühen Kirche, manchem zweifelhaft sein, ob sie für die antike Welt der ‚rettende Gedanke' gewesen ist; aber sie war der einzig neue Gedanke, der die anderen, schon etablierten, aufgeweckt, herausgefordert, bekämpft oder als ureigene beansprucht hat. In einem längeren Prozeß gewann er seine Kontur – wechselnd je nach der inneren Verfaßtheit der Kirche und der äußeren Konstellation –, in der Form der Gemeindekirche zuerst, schließlich in der Doppelgestalt des Mönchtums und der Staatskirche.
Heute, wo das Mönchtum der christlichen Gesellschaft als seines notwendigen Gegenübers und der Bedingung seines Ursprungs entbehrt, wo es mit der Staatskirche allenthalben zuende geht, und die Gemeindekirche, wie seit Jahrhunderten, durch Abspaltung und Konventikelwesen unkenntlich ist, stellt sich die Frage nach dem ‚rettenden Gedanken' neu.
Und wie in der antiken Welt steht die Kirche nicht konkurrenzlos und auch nicht als eine geeinte da; auch heute verfällt, wer nach ‚Lösungen' sucht, nicht zuerst auf die Kirche – alles vom Staat zu erwarten, lag immer schon näher.
Diese Lage der Kirche – nur scheinbar völlig der Zeit des ausgehenden 4. Jahrhunderts entgegengesetzt – und die bleibende Frage nach dem ‚rettenden Gedanken' waren mitbestimmend, mich auf Anregung meines verehrten Lehrers, Prof. Peter Stockmeier, mit der Kirche zur Zeit des Chrysostomus zu beschäftigen, speziell mit ihrem Selbstverständnis als einer in der Gesellschaft gegenwärtigen Kraft, die humanisierend zu wirken vermag.
Chrysostomus verstand die Kirche als ‚neue Gesellschaft', lebte aber in einer Zeit, als auf dem Wege der Inversion sich diese außerhalb der Gesellschaft in der Sonderform des Mönchtums neu konstituierte. Kirche als ‚neue Gesellschaft' mitten in der Gesellschaft leben – das war für ihn identisch mit der humanisierenden Wirkung des Christentums. Dieses Verständnis könnte unter den heutigen, säkularen Bedingungen neu begriffen werden als Hinweis auf den Realisierungsort und die Lebensgestalt des Christlichen.
Von der Katholisch-Theologischen Fakultät der Universität München wurde die Arbeit im Sommersemester 1980 als Habilitationsschrift angenommen; in dieser Form wird sie hier vorgelegt.

Herrn Kardinal Joseph Ratzinger und Herrn Prof. Bernhard Kötting danke ich für die Aufnahme der Arbeit in die Reihe der ‚Münsterischen Beiträge zur Theologie'.

München, am 28. August 1983 Arnold Stötzel

A. EINLEITUNG

1. Vorüberlegungen zur Themenstellung

Die Untersuchung soll in der Weise an die Frage nach der humanisierenden Wirkung des Christentums herantreten, wie sie sich Johannes Chrysostomus im ausgehenden 4. Jahrhundert stellt. Das muß nicht bedeuten, daß seine Zeit von grundsätzlich anderen Problemen bewegt gewesen sei als unsere, und daß seine Antworten deswegen auch nicht mehr aktuell wären. Wichtig scheint nur, seine Antworten nicht von vornherein auf das heutige Maß der Erwartung zu bringen.

Die Predigten und Schriften des Chrysostomus richten sich zum überwiegenden Teil an die Christen von Antiochien und Konstantinopel, wo er als Prediger und Bischof tätig war. Andere Adressaten kennt er nicht; was er sagt und als Exegese oder Paränese vorbringt, ist ihnen gesagt als seinen Hörern. Deswegen wäre es eine Erwartung in die falsche Richtung, die humanisierende Wirkung des Christentums nach ihrer gesellschaftlichen oder politischen Seite hin zu untersuchen. Das Thema auf dieser Ebene abzuhandeln, wäre nicht nur wenig ertragreich, sondern auch eine Verkennung der Möglichkeiten und der Adressaten des Christentums.

Chrysostomus richtet sich an die Christen – nicht an die Gesellschaft im allgemeinen, nicht an den Staat oder den Kaiser.

Deswegen stellt sich die Frage nach der humanisierenden Wirkung des Christentums für Chrysostomus nur so, ob und inwiefern sich das Christentum selbst unter den Christen durchsetzt. Die Wirkung ‚nach außen' auf die Heiden ist davon abhängig, ob das Christentum von den Christen selbst verwirklicht wird. Es ist die Frage nach der überzeugenden christlichen Praxis.

Zum anderen darf vorausgesetzt werden, daß es Versuche, die Probleme der Gesellschaft und die Nöte der Menschen zu mildern, zu trösten oder zu lösen, schon vor Chrysostomus und außerhalb des Christentums gegeben hat. Chrysostomus wie andere christliche Theologen und Bischöfe sind nicht die ersten; sie treten in eine Tradition ein, die zum großen Teil von der antiken Philosophie und Kultur vorgeprägt ist, und in die das Christentum erst allmählich hineinwächst – freilich mit dem Anspruch, sie beerben und legitim erfüllen zu können.

Zudem ist die Kirche selbst keine einheitliche Größe, sondern die neu gewonnene Freiheit und Anerkennung hat die in ihr ruhenden divergierenden Kräfte erst voll wirksam werden lassen. Was Christentum sei, welche Erscheinungsform beanspruchen könne, den Ursprung am treuesten zu bewahren und in der Auseinandersetzung mit der antiken Welt neu und schöpferisch zu übersetzen, scheint ebenfalls nicht ganz eindeutig. Repräsentiert es sich in der werdenden Volks- und Reichskirche?, in den Einzelasketen, die sich dem genügsamen Leben widmen und der Kontemplation?, oder in den entstehenden Mönchsgemeinden jenseits und am Rand der Gesellschaft, die Zeichen von Kulturmüdigkeit an sich hat und viele zum Auszug aus ihr drängt?
So scheint es notwendig, den geschichtlichen Ort des Chrysostomus und seine Biographie mit in die Untersuchung einzubeziehen, um sehen zu können, worin er das für seine Zeit unterscheidend Christliche erkennt, wie er es gegenüber anderen Tendenzen absetzt, wo seine Quellen und Traditionen liegen.
Ans Licht werden Lösungen kommen, die heute als Neuentdeckungen ausgegeben werden. Sie gehörten schon zum Schulstoff des Chrysostomus; in seinen Predigten finden sie sich verstreut wieder, ohne zu einem System verarbeitet oder gereinigt zu sein. Zu sehr ist der Prozeß der Anverwandlung der reichen antiken Tradition noch im Fluß, als daß eine fertige Synthese schon sichtbar wäre. Das Übergewicht der philosophischen Tradition ist überall spürbar und präsent: in der äußeren Form der diatribenartigen Predigten, in der Thematik und ihrer weitgehend vorgeformten Darbietung samt Bildern und Metaphern. Daneben und mitten darin meldet die christliche Tradition ihren Anspruch an, das humane Anliegen der Antike wirksamer zu vertreten. Worin Chrysostomus den spezifischen Beitrag des Christentums erkennt, soll im Folgenden untersucht werden.

2. Deutungen des Beitrages der alten Kirche zur Humanisierung und ihres Selbstverständnisses in der Forschung

Befragt man die kirchengeschichtliche Forschung, wie sie den Beitrag des Christentums zur Humanisierung der Alten Welt sieht, fallen die Antworten verschieden aus. In ihnen bricht sich nicht nur das gegenwärtige Vorverständnis des Christlichen, sondern das Christentum des 4. Jahrhunderts bietet Definitionen eines christlichen Selbstverständnisses, die nur schwer miteinander zu vermitteln sind.[1]

[1] K. Aland erkennt zwei divergierende Tendenzen, die in dieser Zeit wirksam sind. „Denn in jener Zeit drängt das Christentum nicht nur in die Welt vor – und zwar

Die theologische Lehrentwicklung ist gekennzeichnet durch die Auseinandersetzung mit dem Arianismus, die christliche Praxis scheidet sich in die Formen weltflüchtiger Askese und die beginnende Volks- und Massenkirche.

Daß es in den christologischen Streitigkeiten nicht um ein bloß innerkirchliches Ringen um Begriffe oder die Wahrung der Tradition ging, ist seit der Untersuchung von Erik Peterson zum ‚Monotheismus als politisches Problem' von verschiedenen Autoren bestätigt worden.[2] Die Auseinandersetzung mit dem Arianismus war gleichbedeutend mit dem Versuch, die Selbständigkeit der Kirche und ihre Eigengesetzlichkeit gegenüber dem Staat zumindest theologisch zu behaupten, auch wenn sich in der Praxis beide Größen immer mehr vermischten.

So sehr die Begünstigung der Kirche durch Konstantin und ihre endliche Erhebung zur Staatskirche als Verweltlichung und Abstieg beklagt wird,[3] das Problem des In-der-Welt-seins der Kirche ist damit nicht gelöst, sondern bleibt bestehen – nicht als Frage des Verhältnis-

endgültig – es vollzieht gleichzeitig auch die umgekehrte Bewegung der Weltflucht" (Das Konstantinische Zeitalter, 165). F. H. Geffcken deutet das Entstehen des Mönchtums als Reaktion auf die Verweltlichung der Kirche und als Ausweg aus der Vereinnahmung durch den Staat (Kirche und Staat in ihrem Verhältnis geschichtlich betrachtet, 94).

[2] In: Theologische Traktate, 49–147. Auf ihn beruft sich J. Ratzinger, Einführung in das Christentum, 116f. Auch A. Dempf erkennt eine politische Seite des Arianismus in seinem Ursprung bei Paul von Samosata: „Verzichtete man auf die Logoslehre und damit auf ein eigenes, göttliches Gesetz der Kirche, sah man Jesus nur als Propheten und als Vorbild wahrer Sittlichkeit, dann konnte die Christenheit in das Reich integriert werden unter dem einen Gesetz des Weltherrn und Weltschöpfers" (Geistesgeschichte der altchristlichen Kultur, 31). Vgl. auch S. Verosta, Johannes Chrysostomus. Staatsphilosoph und Geschichtstheologe, 196. Aus der früheren Geschichtsschreibung sieht E. Gibbon ebenfalls die Problematik. „Aber die gesetzliche Einführung des Christentums brachte die Unterscheidung von geistlicher und weltlicher Macht auf; eine Unterscheidung, welche der freye Geist von Griechenland und Rom sich nie hätte aufdringen lassen ... Konstantin ... schien eine Art von beständigem Bündnisse mit einer für sich bestehenden und unabhängigen Gesellschaft einzugehen" (Geschichte des Verfalls und Untergangs des Römischen Reiches, 1805 V,5).

[3] E. Schwartz äußert sich äußerst kritisch über die Entwicklung der Kirche: „So reich sich die Kirche dünkte, in Wahrheit war sie bettelarm geworden. Schon fingen die Ehrlichsten unter den Gläubigen an, in die Einsamkeit der Wüste hinauszugehen ... An die leer gewordene Stelle des altchristlichen Volkes Gottes, das sich heroisch in die Welt stellte, um der Welt Salz zu sein, rückte das Kloster der Asketen, deren blödes Auge in Gottes Erde nichts besseres zu sehen vermochte als des Teufels Herberge" (Kaiser Konstantin und die christliche Kirche, 171). Weniger einseitig urteilen G. Kretschmar, Der Weg zur Reichskirche, in: VuF 13 (1968), 1–30, und W. Schneemelcher, Das Konstantinische Zeitalter. Kritisch-historische Bemerkungen zu einem modernen Schlagwort, in: Kleronomia 6 (1974) 37–60.

ses zum Staat und seiner Macht, sondern des eigenen Selbstverständnisses.[4]

Daß dieses christliche Selbstverständnis im 4. Jahrhundert weitgehend in die Form der Anpassung an die übrige Gesellschaft ausmündet[5] und daneben in der Gestalt des Mönchtums eine neue Form herausbildet, ist auch als der Grund dafür anzusehen, daß die Forschung in fast gegensätzliche Lager geteilt ist. Die einen sehen das Besondere des Christentums in der ‚Liebestätigkeit', andere erkennen in ihm einen ursprünglich radikalen, gesellschaftsverändernden Impetus. Welches immer die Basis einer solchen Gesamtschau sein mag, es ergeben sich daraus verschiedene Deutungen.

Ernst Tröltsch hat sich am eingehendsten mit dem Verhalten des Christentums zur Gesellschaft auseinandergesetzt; sein Resümee für die alte Kirche ist so eindeutig wie von seinem Gesamtverständnis her folgerichtig. „Die Liebestätigkeit ist *erstlich* ihrer eigentlichen Absicht nach nicht Heilung sozialer Schäden und nicht Bestreben, die Armut aufzuheben, sondern Offenbarung und Weckung der von Christus mitgeteilten und verkörperten Gottesgesinnung der Liebe." Wenig später sagt er deutlich, worin er das Unterscheidende des Christentums erkennt: „Nur eine neue Gesinnung, keine neue Gesellschaftsordnung sollte kommen."[6]

[4] J. H. Newman differenziert, indem er das Weltverhalten der Kirche von ihrer Aufgabe her definiert: „Wollte sie (scil. die Kirche) Macht und Reichtum und Ehre suchen, so wäre das ein Abfall von der Gnade; aber es ist nicht weniger wahr, daß sie sie haben wird, obwohl sie sie nicht sucht – oder besser – wenn sie sie nicht sucht ... Solange von der Kirche Gold und Silber zu dem Zwecke, die Lobpreisungen des Herrn zu erhöhen, verwendet werden, werden sie gegeben und angenommen werden" (Predigt vom 4. 12. 1842, in: Kirche und Welt, 69f.).

[5] Vgl. L. Feuerbach: „Seitdem die Staaten christlich sind, sind die Christen keine Christen mehr" (Das Wesen des Christentums, [3]1849, 322). Noch kritischer äußert sich S. Kierkegaard über die Frage, inwieweit das Christentum des Anfangs durchgehalten wurde: „Das Christentum ist von solcher Idealität, daß anstelle des Geschwätzes von der Christenheit und der 1800jährigen Geschichte des Christentums (und davon, daß das Christentum vervollkommnungsfähig sei) man sehr wohl den Satz aufstellen könnte: das Christentum sei eigentlich gar nicht in die Welt gekommen, sondern es sei bei dem Vorbild geblieben und höchstens bei den Aposteln" (Der Augenblick. 27. Juli 1835, in: Einübung im Christlichen, 402).

[6] E. Tröltsch, Die Soziallehre der christlichen Kirchen und Gruppen, 134. Zu dieser Wertung gelangt Tröltsch aufgrund bestimmter Voraussetzungen, die er auch angibt: „Um aber diese sozialen Leistungen und Theorien der alten Kirche zu verstehen, muß man folgende Punkte fest im Auge behalten. Erstlich das Zurücktreten der Zukunftshoffnung und die Wandlung im Begriff des Gottesreiches" (Ebd. 110). Er schließt sich der Theorie von der Veränderung des kirchlichen Bewußtseins von der Parusieverzögerung an, die aber in der Weise nicht aufrechterhalten werden kann. „Das Gottesreich fließt schon in der apostolischen Zeit mit der Kirche zusammen" (Ebd.). A. v. Harnack schließt sich der Sicht von Tröltsch lobend an, in: Das Urchristentum und die soziale Frage, 251–273.

Zu einem fast gleichlautenden Ergebnis kommt Johannes Leipoldt in seiner Untersuchung. Er bezieht darin die biblische wie die heidnische Tradition mit ein; auch für ihn gipfelt das Besondere des Christentums in der „Nächstenliebe", die von der Kirche „wirksamer gepredigt werden kann als von anderen Gemeinschaften".[7] Deswegen nennt er die Leistungen auf diesem Gebiet vorbildlich.

Ähnlich äußert sich Peter Stockmeier. „Das Christentum betrachtet es offenbar nicht als seine Aufgabe, die sozialen und ökonomischen Verhältnisse zu ändern; ohne Zweifel erleichterten Appelle christlicher Prediger das Los der Sklaven, insofern als sie eben nicht mehr als Ware, sondern als Geschöpfe Gottes betrachtet werden. In diesen Tendenzen traf sich das Christentum mit humanisierenden Bestrebungen der Umwelt, insbesondere der Stoa. Es stellt sich die Frage, ob man mit dem Hinweis auf das ‚Sein in Christus' (Gal 3,28) den Menschen in seiner diesseitigen Existenz genügend ernstnahm, wenn auch theoretisch die Differenz zwischen den Klassen der Gesellschaft relativiert wurde."[8]

Ein extremes Beispiel dieser Auffassung, die in der ‚Nächstenliebe' die Form des christlich-sozialen Weltverhaltens sieht, stellt die Untersuchung von Otto Plassmann dar; er beschränkt sich auf die Frage des Almosens bei Johannes Chrysostomus und kommt zu Aussagen wie „Es kommt ihm nicht darauf an, daß dem Armen geholfen wird, sondern darauf, daß der Reiche seine Tugend bewahrt. Es wird aus persönlichen, nicht sozialen Motiven gegeben und dient persönlichen, nicht sozialen Zielen."[9] Almosen ist nach Plassmann die Form des subtilen Egoismus, dessen Sinn darin besteht, „durch die Bekämpfung der Habsucht die Seele auf die jenseitige Welt hinzulenken".[10] Adolf Martin Ritter nennt eine solche Interpretation „das schlimmste Mißverständnis, das sich denken läßt", und fordert, was Plassmann unterlassen hat und warum er zu solch einseitigen Ergebnissen kommen mußte, „die sozialen Ideen insgesamt nach ihren Motiven und ihren Konsequenzen einer sorgfältigen Analyse zu unterziehen".[11]

[7] Der soziale Gedanke in der altchristlichen Kirche, 202.

[8] Frühes Christentum und Humanismus, 25f.

[9] Das Almosen bei Johannes Chrysostomus, 92.

[10] Ebd. 96.

[11] Das Charismaverständnis bei Johannes Chrysostomus, 89 A 70. Zu ähnlich undifferenzierten Wertungen gelangt Ivo auf der Maur, wenn er sagt: „Grundlegend ist die Auffassung des hl. Chrysostomus von der Weltverachtung als Bedingung und Mittel zur Erlangung der himmlischen Güter. Weltleute, Asketen, Mönche, alle sind zur Verachtung der irdischen Güter verpflichtet" (Mönchtum und Glaubensverkündigung in den Schriften des Johannes Chrysostomus, 158). Ähnlich urteilt S. Verosta: Die Intention des Chrysostomus ziele auf „eine Spiritualisierung des irdischen

Eine solche Untersuchung, wie Ritter sie fordert, liegt speziell zu Johannes Chrysostomus nicht vor; es gibt aber einige ältere Untersuchungen, die das christliche Altertum aufgrund der Herausforderung durch den Sozialismuzs und seiner revolutionären Tendenzen neu befragt haben. Ritter deutet in seiner Kritik an Plassmann diese andere Sehweise an. „In Wahrheit nämlich hat Johannes Chrysostomus durch all die Jahre seiner Wirksamkeit als Presbyter und Bischof hindurch so beständig, eindringlich und unerschrocken wie kaum ein anderer altkirchlicher Theologe zu den Fragen der sozialen Gerechtigkeit Stellung bezogen, so daß man ihn sogar zum Vorläufer sozialistischer Ideen gemacht hat".[12]
Aufschlußreich in diesem Zusammenhang ist ein Beitrag von Karl Beyschlag, der sich mit dem Schlagwort der ‚Veränderung' hinsichtlich der alten Kirche auseinandersetzt. Auch er kommt dabei zu dem Ergebnis, daß diese letztlich in ‚Liebestätigkeit' einmündet, weil „sie die einzig legitime Tat der Liebe Gottes in der Welt" sei, „die diese denn auch allein ‚verändern' kann".[13] Letzter Grund dieses christlichen Verhaltens ist nach Beyschlag, daß ‚Veränderung' im Sinne der alten Kirche nicht diese Gesellschaft meint. „Nicht sosehr die Veränderung des Veränderlichen, also der äußeren, irdischen Welt, sondern . . . die Heimkehr des veränderlichen Menschen in die göttliche Unveränderlichkeit"[14] sei gemeint und angezielt.
Beyschlag schließt sich an Ausführungen von Tröltsch über das ‚sozial-konservative'[15] Verhältnis der Kirche zur Gesellschaft an, das auch von anderen Forschern festgestellt worden ist.[16]
‚Veränderung' im Sinne radikaler Lösungen, etwa der Eigentums- und Sklavenfrage, lasse sich innerhalb der alten Kirche nur bei Außenseitern, Gnostikern und Apokalyptikern nachweisen.[17] Dies trifft durchaus – das Mönchtum ausgenommen, auf das Beyschlag nicht eingeht – zu, wenn man die reale Wirkungsgeschichte des frühen Christentums betrachtet: Das Christentum versteht sich nicht

Lebens, wie sie den Vollkommenen in der Übung der Gottesliebe, den weniger Vollkommenen in der Übung der Nächstenliebe möglich ist" (Johannes Chrysostomus, 184).

[12] Ritter, a.a.O. 89.

[13] Christentum und Veränderung in der Alten Kirche, in: KuD 18 (1972) 26–55, hier 47.

[14] Ebd. 51.

[15] E. Tröltsch, Die Soziallehren der christlichen Kirchen und Gruppen, 80.

[16] Vgl. F. Overbeck, Über das Verhältnis der alten Kirche zur Sclaverei im römischen Reiche, 223.

[17] Beyschlag, a.a.O. 52. Er verweist auf die Karpokratiner, die Klemens von Alexandrien (Strom. III, 2,6f.) erwähnt, und auf die schon F. Overbeck (Über das Verhältnis der alten Kirche zur Sclaverei im römischen Reiche, 183) aufmerksam gemacht hatte.

im Sinne einer heutigen ‚Theolgie der Revolution'.[18] Auch Chrysostomus verwahrt sich gegen diesen Verdacht.[19] Aber mit dieser Alternative ‚sozialkonservativ' – ‚revolutionär' läßt sich die Eigenart des Christlichen nicht adäquat fassen.

Parallelen zwischen der alten Kirche und der sozialistischen Bewegung stellte Friedrich Engels fest. „Beide, Christentum wie Arbeitersozialismus, predigen die bevorstehende Erlösung aus Knechtschaft und Elend; das Christentum setzt diese Erlösung in ein jenseitiges Leben nach dem Tod, in den Himmel, der Sozialismus in diese Welt, in eine Umgestaltung der Gesellschaft."[20]

Die Frage, ob diese Alternative Erde – Himmel von Engels zu Recht aufrechterhalten ist, braucht an dieser Stelle nicht beantwortet zu werden; nur muß doch auffällig sein, daß unter dem Aspekt der Veränderung der sozialen Zustände er dem Christentum ähnliche Intentionen zugesteht, wenn er sie auch in ein ‚Jenseits' verlagert.

Aber mit der Auffassung steht Engels nicht allein, andere Forscher sehen in der alten Kirche – ohne den Dualismus von ‚Diesseits-Jenseits' in der Weise zu behaupten – Bestrebungen am Werk, die über bloß individuelle Nächstenliebe weit hinausgehen.

So führte Albert Erhard in einer Rektoratsrede aus, die er 1911 hielt: „Durch die Ausdehnung des Familiengefühls auf alle Glieder der Kirche ohne Rücksicht auf die Unterschiede des Standes und der Nation, inaugurierte sie (scil. die Kirche) im Prinzip eine neue Gesellschaftsordnung, in der Gerechtigkeit und Nächstenliebe das Tyrannentum und den Egoismus der antiken Welt überwinden sollte."[21]

Was Erhard hier allgemein als ‚neue Gesellschaftsordnung' bezeichnet, konkretisiert Overbeck bezüglich der Sklaverei. „In der Tat ist das Mönchtum der einzige Ort, an welchem die alte Kirche von einer radicalen Aufhebung der Sclaverei im Namen des Christentums reden kann; hier in der That ist der einzelne Christ in eine Sphäre erhoben, welche ihn überhaupt der des Staates und des Rechts

[18] Beyschlag, ebd. 55.

[19] Vgl. Arg. in Philemon (PG 62, 704) und Hom. 4,3 in Tit (PG 62, 684).

[20] Zur Geschichte des Urchristentums, in: Marx/Engels, Über Religion, 255.

[21] Das Christentum im römischen Reich bis Konstantin, 44; vgl. A. Biglmair, Zur Frage des Sozialismus und Kommunismus der ersten drei Jahrhunderte, in: Festgabe für A. Erhard, 77–93. Für ihn bildet die Entstehung der Reichskirche „eine Grenze, insofern sich darnach die Äußerungen über Kommunismus mehren", 90. Anders – ähnlich wie F. Engels, urteilt G. Uhlhorn: „Sowenig die Kirche daran denkt, den Staat oder das Recht des Besitzes aufzuheben, und damit den Unterschied von Arm und Reich, sowenig auch die Sklaverei. Sie erwartet die Aufhebung aller dieser Verhältnisse erst im vollendeten Gottesreiche; bis dahin muß der Christ darin seine Geduld üben" (Christliche Liebestätigkeit in der alten Kirche, 365).

enthebt und in welcher damit nun freilich auch die Institution der Sclaverei entwurzelt ist. Keine Institution der alten Kirche wie diese eine des Mönchtums, welche die Grundformen allen politischen Lebens, Familie, Besitz und Stand aufhebt, zeigt so anschaulich, daß die alte Kirche die Sclaverei im weltlichen Leben nie isoliert betrachtet, sie nie für sich negiert oder nach ihrer Aufhebung in besonderer Weise trachtet, sondern an eine solche nur gleichzeitig mit der Aufhebung des States überhaupt denkt."[22]

Wenn man bereit ist, im Mönchtum eine legitime Neuinterpretation des Christlichen zu sehen, wird vielleicht deutlich, daß die verschiedene Deutung des Christlichen daher rührt, daß verschiedene Formen der christlichen Praxis den einzelnen Forschern jeweils vor Augen stehen. Wenn Overbeck das Mönchtum betrachtet, muß er zu anderen Ergebnissen kommen, als wenn Plassmann die Aussagen des Chrysostomus über das Almosen allein interpretiert. Die widersprüchliche Auskunft, die die Forschung über das Selbstverständnis des Christlichen gibt, resultiert also aus der doppelten Form, in der es sich im 4. Jahrhundert selbst darbietet: als Volkskirche und als Mönchtum.

Dabei geht das Mönchtum nicht einfach nur quantitativ über das hinaus, was man Almosen, caritativ-soziales Christentum nennen könnte, sondern verwirklicht in einer völlig neuen Weise eine Art ‚neuer Gesellschaft', oder, wie Albert Erhard ausführte, ‚im Prinzip eine neue Gesellschaftsordnung'.

Hier wird nochmals deutlich, daß die Deutung des Selbstverständnisses der alten Kirche – und damit der humanisierenden Wirkung – davon abhängig ist, was als das Christliche überhaupt verstanden wird und von welcher Praxis ausgehend dies definiert wird.

Hinzu kommt gerade für katholische Forscher der Jahrhundertwende und später, daß sie sich genötigt sehen, sich mit Meinungen anderer Forscher auseinanderzusetzen, die in der alten Kirche ‚schon' kommunistische und sozialistische Ideen im modernen, neuzeitlichen Sinne verwirklicht sehen wollen. Diese Abwehr von als fremd empfundenen Parallelen verstellt ihnen weitgehend den Blick für die Intentionen der Kirchenväter vor allem des 4. Jahrhunderts.

Besonders Otto Schilling hat sich mit dem Verhältnis der alten Kirche zu sozialen Gegebenheiten wie dem Eigentum, der Wirtschaftsethik befaßt. Darin sieht er sich immer wieder genötigt, sich mit anderen

[22] Über das Verhältnis der alten Kirche zur Sclaverei, 214. Zur neueren Diskussion der Sklavenfrage vgl. J. Vogt, Studien zur antiken Sklaverei und ihrer Erforschung; ders. Bibliographie zur antiken Sklaverei. Vom heutigen emanzipatorischen Denken aus konzipiert ist der Aufsatz von S. Schulz. Hat Christus die Sklaven befreit? in: Evangelische Kommentare 1 (1972) 13–21.

Forschern auseinanderzusetzen, die den Kirchenvätern sozialistische Ideen unterstellen, so z. B. Lujo Brentano.[23] Dabei gesteht er in der Frage des Eigentums – bei allem Vorbehalt gegenüber der Verwendbarkeit des Begriffes – etwa Johannes Chrysostomus „wirkliche kommunistische Äußerungen" zu, kann es aber nur unter der Bedingung, daß diese Äußerungen von Chrysostomus selbst nicht ernst gemeint seien: „Man wird daher, gilt es, die eigentümlichen Aussagen endgültig zu würdigen, diese eben als *oratorische Kraftstellen* beurteilen müssen: es wird Hohes gefordert, um wenigstens das Nötigste für die Armen seitens der hartherzigen Reichen zu erlangen."[24]
Man muß Schilling vorbehaltlos zustimmen, wenn er gegenüber der ‚kommunistischen' Interpretation geltend macht, daß das christliche Verhältnis zum Eigentum bzw. zu seiner Aufhebung an das Prinzip der Freiwilligkeit gebunden ist.[25] Trotzdem stellt man fest, daß er sich in die Ausrede immer flüchtet, die Intention des Christlichen, wie sie etwa Chrysostomus vertritt, gehörten in das Gebiet reiner Rhetorik. „Sogar Chrysostomus ist weit davon entfernt, im Kommunismus das Allheilmittel für wirtschaftliche und soziale Schäden zu erblicken, er will seiner Gemeinde lediglich ‚in der Rede' ein Idealbild vor Augen stellen, wie sie auch heute der Welt noch zeigen könnte, was christliche Liebe vermag, und zwar nach dem Vorbild der christlichen Urgemeinde in Jerusalem mit ihrem freiwilligen Kommunismus."[26]
Zu einer ähnlichen Interpretation kommt auch Tröltsch, wenn er über Chrysostomus ausführt, er „möchte aber dann doch Antiochien und Konstantinopel verwandeln in eine das Klosterleben nachahmende kommunistische Liebesgemeinschaft, wobei er die zuhörenden Reichen ausdrücklich beruhigt, daß das bei der Lage der Dinge gar nicht ausführbar sei".[27]
Einen anderen, nicht minder interessanten Ausweg, um die radikalen Aussagen der Kirchenväter zu entschärfen, findet Franz Xaver Funk in der Auseinandersetzung mit Brentano. Er diskutiert die Verbindlichkeit solcher Aussagen, hier über den Reichtum (einen Spruch des Hieronymus, ep. 120 c.1: omnes enim divitiae de iniquitate descendunt, et nisi alter perdiderit, alter non potest invenire. Unde et illa vulgata sententia mihi videtur verissima) und relativiert sie dadurch, „daß wir es hier mit einem heidnischen Produkt zu tun haben". Und er fährt fort: „Demgemäß ist das Hauptzeugnis über den Reichtum, das Brentano von den Kirchenvätern anführt, nicht etwa diesen

[23] L. Brentano, Die wirtschaftlichen Lehren des christlichen Altertums, 151.
[24] O. Schilling, Der kirchliche Eigentumsbegriff, 30.38.
[25] Ebd. 38.
[26] Ders., Christliche Wirtschaftsethik, 23.
[27] E. Tröltsch, Die Soziallehren der christlichen Kirchen und Gruppen, 126.

eigentümlich oder spezifisch christlich; es reicht in die heidnische Welt zurück, und als Ausdruck einer in dieser herrschenden Anschauung ist es schwerlich als Zeugnis für eine Auffassung zu verwenden, die erst durch das Christentum in die Welt gekommen sein soll."[28]
Würde dieses Verfahren zur herrschenden Interpretationsmethode, die Folgen wären nicht auszudenken; denn wie vieles müßte nicht dahinfallen, was aus außerchristlichen Quellen aufgenommen wurde. Funk entzieht sich – wenigstens an dieser Stelle – der Notwendigkeit aufzuzeigen, was aus dem Übernommenen innerhalb des Christlichen selbst geworden ist.[29]
Demgegenüber scheint es Autoren, die nicht wie Schilling oder Funk das Christliche vor Mißverständnissen schützen müssen, leichter zu fallen, seine Eigenart positiv zu beschreiben. So kommt z. B. Robert von Pöhlmann, wenn er die Intentionen des Chrysostomus zusammenfaßt, zu der Folgerung, „daß dieses Ideal ..., wie es noch im 4. Jahrhundert ein Bischof aus der sagenhaften Glanzzeit des Christentums in die nüchterne Wirklichkeit verpflanzen wollte, seinem innersten Wesen nach ein revolutionäres war".[30] Gerade weil er fast wertfrei der Frage in der Antike nachgeht, erscheint ihm speziell das, was Chrysostomus vorträgt, als der Inbegriff dessen, was innerhalb und außerhalb des Christentums als humanes Anliegen formuliert worden ist. „So verschlingt sich bei dem Patriarchen die Romantik des urapostolischen Paradieses mit der des Menschheitsparadieses und zugleich berührt es sich aufs engste mit der sozialistischen Romantik der Dichtung, Philosophie und Historie des Heidentums. Denn was ist dieses kommunistische Paradies anders, als das goldene Zeitalter, das Reich des Kronos und Saturn, der Naturzustand der Stoa?"[31]
Die Untersuchung von Pöhlmanns kann insofern vorbildlich genannt werden, als darin der gesamte außer- und vorchristliche Raum, sofern er für das Christentum relevant wurde, befragt wird – eine Weite, die vielen Einzeluntersuchungen abgeht und so zu verkürzenden Ergebnissen führen muß.[32] Daß er darüber hinaus in dem, was Johannes Chrysostomus als christliches Selbstverständnis vorträgt, ein seinem innersten Wesen nach ‚revolutionäres' erkennt, mag nicht als Berech-

[28] F. X. Funk, Über Reichtum und Handel im christlichen Altertum, 151.
[29] R. Carter übersieht diesen Unterschied ebenfalls, obwohl richtig bleibt, daß „not every thought of a Christian is neccessarily a Christian thought" (The future of Chrysostomic studies: Theology and Nachleben, 132).
[30] Geschichte der sozialen Frage und des Sozialismus in der antiken Welt II, 621.
[31] Pöhlmann, a.a.O. II, 615.
[32] R. Carter bezeichnet es als ein dringendes Erfordernis, sich mit der antiken Umwelt und den philosophischen Traditionen auseinanderzusetzen, um das genuin Christliche überhaupt unterscheiden zu können. „In this way one can better see what in Chrysostom's thought is Christian and what is non-Christian or culturelly conditioned" (The future of Chrysostomic studies, 132).

tigung dazu dienen, Chrysostomus wieder mit einem sozialistischen Vorverständnis zu lesen, aber doch damit zu rechnen, daß er sich nicht schlechthin den Kategorien einordnen läßt, die bereitstehen.
So stellt es eine Wiederholung alter Argumente dar, wenn Beyschlag ebenso wie Schilling ausführt: „Wenn Chrysostomus zu Apg 4,32ff. die Bibel tatsächlich einmal beim Wort nimmt und seiner Gemeinde genau vorrechnet, daß, wenn jeder einzelne sein Eigentum hergäbe, es selbst in der Stadt Konstantinopel keine Armen mehr geben würde, so darf man darin doch nicht mehr als einen verstärkten Appell an die konventionelle Mildtätigkeit erblicken.“[33] Hier wird die gegenwärtige Praxis zum Maß des christlich Möglichen überhaupt erhoben, und die Diskrepanz, wie sie nach Chrysostomus zwischen christlichem Anspruch und tatsächlich bestehender Praxis begegnet, negiert.
Darin ist sich die Forschung einig zu konstatieren, daß sich der ursprünglich revolutionäre Impetus des Christlichen[34] in der Folgezeit – außer im Mönchtum – faktisch darin erschöpft, Liebestätigkeit zu üben, und daß also eine darüber hinausgehende humanisierende Wirkung wie der Ausgleich zwischen arm und reich von Kirchenvätern des 4. Jahrhunderts gar nicht mehr ernsthaft angestrebt werden konnte. Das Christentum war zwar als humanisierender Faktor

[33] Beyschlag, a.a.O. 38. Vgl. auch die Mitteilung G. Arnolds über eine Äußerung von Henricus Hammondus in seinem Buch: „Ja, wie die meisten, so sich der ersten reinigkeit (scil. der Kirche) rühmen, dennoch wider alle verbesserung einwenden, es sey weder nötig noch möglich, der ersten kirche zu folgen ... Dieses und jenes der allerersten Kirchen sey nicht mehr practicabel oder den zeiten gemäß, es sey eine Platonische Republique, usw.“ (Vorrede der Unpartheyischen Kirchen- und Ketzerhistorie, 9).

[34] Dieser wird zwar verschieden interpretiert, aber wenn auch zaghaft, doch grundsätzlich für möglich und fest gehalten, so von E. Tröltsch: „Das Christentum ist in der Tat bei aller konservativen Haltung ein Prinzip der ungeheuersten geistigen und, seit Zusammenschluß seiner kirchlich-theokratischen Kräfte, auch der materiellen rechtlichen und institutionellen Revolution geworden“ (Die Soziallehren der christlichen Kirchen und Gruppen, 80). S. Verosta interpretiert als „die eigentliche Revolution des Christentums“ die „Zerstörung des antiken Lebensgefühls“, das Auseinandertreten von „politischem und religiösem Bereich“ (Johannes Chrysostomus, 196). Daß es dem Christentum tatsächlich nicht gelungen ist, die antike Gesellschaft und die darin bestehenden Strukturen zu verändern – weder die Sklaverei aufzuheben noch einen Ausgleich zwischen Reichen und Armen herzustellen – betont polemisch F. Overbeck gegenüber schönfärbenden Deutungen, die dem Christentum das Verdienst sichern möchten, wenigstens die Sklaverei aufgehoben zu haben. „Kein Unterschied der Confessionen, kein Streit der theologischen Parteien beschränkt die Herrschaft dieser Ansicht“ (Über das Verhältnis der alten Kirche zur Sclaverei im römischen Reiche, 160). Daß Overbeck dabei ‚Aufhebung‘ im Sinne politischer Emanzipation allein versteht und gelten läßt, ist provoziert durch seine Kontrahenten, deckt sich allerdings nicht mit den altkirchlichen Intentionen in dieser Frage, sondern geht anachronistisch an ihnen vorbei.

wirksam, aber in abgeschwächter Form, nicht als anschaubare, neue Gesellschaft.[35] Nicht das Christentum hat die antike Welt verändert, sondern sich den bestehenden Verhältnissen soweit angepaßt, daß sie als die eigenen nachträglich adoptiert wurden.
Angesichts der gekennzeichneten Ergebnisse der Forschung erscheint eine spezielle Untersuchung zur Frage des Beitrages des Christentums zur Humanisierung nur dann sinnvoll, wenn darin die doppelte Gestalt des Christlichen, die Anlaß zur verschiedenen Bestimmung des christlichen Beitrages zur Humanisierung wurde, mitbedacht wird. Weil sie gleichzeitig eng mit der Biographie des Chrysostomus verknüpft ist, darüber hinaus mit der Abhängigkeit des christlichen Selbstverständnisses von der antiken Welt, kommt ihr eine Art hermeneutische Schlüsselrolle zu.
Erst dann kann untersucht werden, worin Chrysostomus den christlichen Beitrag zur Humanisierung erblickt, und unter welchen Bedingungen sie für die übrige Gesellschaft wirksam werden kann.

3. Quellenanlage – Chronologie

Von Bedeutung für den Gang der Untersuchung ist die relative Chronologie des Lebens und der Schriften des Chrysostomus. Der Stand der früheren Forschung ist von Hans Lietzmann[36] zusammengetragen worden. Seitdem ist auf dem Gebiet der historischen und philologischen Forschung außer der Neuedition authentischer Einzelwerke[37] nicht sehr viel geschehen. Die in den Migne-Bänden aufgeführten ‚Spuria' sind fast unbearbeitet – die Fülle des für authentisch

[35] K. Beyschlag wiederholt, wenn auch in abgeschwächter Form, die Hellenisierungs-These, wenn er sagt: „Es ist eine alte, freilich allzu einfache These ..., daß das werdende Weltchristentum die spätantike Welt letzten Endes nur insofern hat ‚verändern' können, als sie im Schoße des kirchlichen Zeitalters ‚fröhliche Urständ' gefeiert hat, und zwar nicht nur in sozialer, geistiger und kultureller, sondern gerade auch in politischer Hinsicht" (Christentum und Veränderung in der Alten Kirche, 26f.). Mit dem mißverständlichen Begriff ‚Sozialkonservativismus' beschreibt er die Diskrepanz zwischen ursprünglicher Intention und Praxis des Christentums, aber hält sie dadurch zumindest theoretisch offen. „Mit am augenfälligsten präsentiert sich der christliche Sozialkonservativismus freilich ... auf dem Gebiet, wo die Christenheit schon in ihrer eigenen Urgeschichte ein solennes Vorbild der Veränderung bestehender Verhältnisse besaß, das ist das Problem von Besitz und Besitzverzicht" (Ebd. 36f.).

[36] Johannes Chrysostomus, in: Kleine Schriften I, 326–347.

[37] Eine Übersicht über die Edita und Inedita findet sich in: Clavis Patrum graecorum II (Hersg. M. Geerhard), Turnhout 1974, 461–672; eine Bibliographie bis Anfang der 60er Jahre bietet D. C. Burger, A complete bibliography of the Scholarship on the life and the works of Saint John Chrysostom, Evanston 1964.

ausgegebenen Stoffes läßt eine intensive philologische Beschäftigung weniger dringlich erscheinen.[38]
Die biographischen Angaben über Chrysostomus und Anhaltspunkte innerhalb seiner Predigten erlauben eine grobe Zuordnung der Homilien und Abhandlungen zu seinem äußeren Lebensgang.[39]
Die meisten seiner Abhandlungen, außer der Schrift gegen das Syneisaktenwesen, werden der Zeit vor seiner Priesterweihe zugerechnet, also vor 386; mit seiner kirchlichen Tätigkeit in Antiochien beginnen die Homilien und Homilienreihen.
Für die Entwicklung seines Denkens erscheint ein Ereignis kennzeichnend: die Abwendung vom asketisch gelebten Christentum und der Entschluß, sich als Priester und später als Bischof in den Dienst der Kirche zu stellen. Demgegenüber kommt der Erhebung zum Patriarchen von Konstantinopel keine erkennbare Bedeutung zu.

[38] R. Carter beklagt diesen Zustand und findet als Grund, „today theology is much more pastorally oriented. It is concerned with Christian life and action. So it may be that theologians will find Chrysostom more relevant to their concerns than they have in the past“ (The future of Chrysostomic studies, 130f.).
[39] Vgl. M. v. Bonsdorff, Zur Predigttätigkeit des Johannes Chrysostomus.

B. UNTERSUCHUNG

I. Hauptteil

DER GESCHICHTLICHE ORT DES JOHANNES CHRYSOSTOMUS ALS HERMENEUTISCHER SCHLÜSSEL

1. Zur Ortsbestimmung des Christlichen

Der Versuch, das Herkommen und die Bildung des Chrysostomus wenigstens umrißhaft zu bestimmen, ist weniger durch ein biographisches Interesse bestimmt, sondern ist die Voraussetzung für ein adäquates Verständnis.
Über seine Jugend und seine Tätigkeit in Antiochien geben die Quellen fast keine oder widersprüchliche Auskünfte. Man ist vielfach auf sekundäre Quellen verwiesen, die zudem zweifelhaften Wert besitzen.[1]
Soviel scheint jedenfalls sicher, daß Chrysostomus in Antiochien in die Rhetorenschule, wahrscheinlich des Libanius, gegangen ist,[2] dann nicht die öffentliche Laufbahn angestrebt hat, sondern sich dem Kreis um Diodor von Tarsus anschloß und sich zeitweise in die Anachorese zurückzog bzw. unter der Leitung eines weisen Eremiten lebte.
Seine Heimatstadt Antiochien erhielt durch die häufigen, fast jährlichen Perserfeldzüge der römischen Kaiser immer größeres politisches Gewicht, war andererseits aufgrund des großen Anteils der christlichen Bevölkerung eine christliche ‚Metropole'[3] und gleichzeitig der Ort, wo Heidnisches und Christliches koexistierten.[4]
Die Bevölkerung Antiochiens hat sich gegenüber den Kaisern nicht eben unterwürfig verhalten; Kaiser Julian wurde, als er anläßlich

[1] So H. Lietzmann, Johannes Chrysostomus, 327.

[2] Vgl. Ad vid. iun, 2 (PG 48, 601).

[3] Chrysostomus selbst gibt an (Hom. 66, 3 in Mt), daß die Kirche in Antiochien allein 3000 Witwen zu unterhalten habe (PG 59, 630). Vgl. J. A. Festugière, Antioche paienne et chrétienne, 409.

[4] J. A. Liebschuetz beschreibt das Verhältnis als Koexistenz. „In short, Christians and pagans in the civic aristocrasies were connected by so many ties of family, education, social life and politic, that real antagonism was out of question" (Antioch city and imperial administration in the Roman Empire, 226). Vgl. auch R. Brändle, Matth. 25,31–46 im Werk des Johannes Chrysostomus, bes. Kap. 2, I A: Die soziale Lage in Antiochien 76–93.

seines Perserfeldzuges die Stadt besuchte, wegen seines Auftretens und der übertriebenen Opfertätigkeit verspottet[5] und ihm der Aufenthalt versauert; auf eine Kriegssteuer des Kaisers Theodosius reagierte die Bevölkerung mit der Zerstörung der kaiserlichen Bildsäulen.[6]
Von der Gunst oder Mißgunst der Kaiser war auch das kirchliche Leben der Christen weitgehend abhängig. Die Arianer, die von Kaiser Valens unterstützt wurden, konnten sich nach Julians Tod im Besitz der Hauptkirche Antiochiens halten und waren gegenüber den Anhängern des orthodoxen Meletius in der Überzahl. Zudem war der katholische Teil durch ein langes Schisma getrennt und bot ein Bild der Uneinigkeit. Während der 14 Jahre der Verbannung des Meletius führten prominente Mitglieder seiner Gemeinde, unter ihnen Flavian, der spätere Bischof, und Diodor die Kirche.[7] Erst nach dem Tod des Valens konnte Meletius aus dem Exil zurückkehren, aber die Arianer bildeten weiterhin eine große Gruppe, und Chrysostomus hat sich mit dieser Häresie oft auseinandergesetzt in seinen Predigten.
Auch der Anteil der Juden an der Bevölkerung muß erheblich gewesen sein; denn Chrysostomus sieht sich gezwungen, ‚gegen die Juden' und ihren Einfluß auf die Christen zu predigen.[8]
Indem Chrysostomus in einer solchen Stadt aufwächst und in ihrer heidnisch bestimmten Kultur erzogen wird, wird er mit den Bestimmungen konfrontiert, die das Christentum seiner Zeit prägen: die Abhängigkeit vom Kaiser, die Uneinigkeit der Christen selbst, der fortbestehende ‚Hellenismus' mit seiner kulturellen und philosophischen Tradition, dem das Christentum nichts Ebenbürtiges an die Seite stellen konnte.

a) Auseinandersetzung mit dem asketisch verstandenen Christentum

Daß sich Chrysostomus unter die Leitung eines Asketen begibt und ein asketisches Leben führt, nachdem er getaufter Christ geworden ist, kann für die damalige Zeit fast als der ‚normale' Weg eines Laien

[5] Darüber berichtet Ammianus Marcellinus, nicht ohne die Kritik der Antiochener zu teilen: „Er (scil. Julian) verfaßte selbst eine Schmähschrift unter dem Namen ‚Antiochien' oder ‚Misopogon', in der er allen Schimpf der Stadt gehässig aufzählt, aber in Wahrheit auch in vielem übertreibt. Freilich mußte er später erfahren, daß auch gegen ihn viele Witzreden geschleudert wurden. Man gab ihm Spottnamen ..." (22, 14, 2 Gardthausen II, 294).

[6] Dieses Ereignis war der Anlaß der ‚Säulenhomilien' des Chrysostomus, in denen sich die Dramatik der Ereignisse widerspiegelt (PG 49, 15–222). Auch der Rhetor Libanius meldet sich zu diesen Ereignissen zu Wort, vgl. die Reden 19–23 (Foerster II, 372–507).

[7] E. Eltester, Die Kirchen Antiochiens im IV. Jahrhundert, in: ZNW 36 (1937) 251–286, bes. 275ff.

[8] Vgl. die Predigten des Chrysostomus ‚Adversus Judaeos' 1–8 (PG 48, 843–944).

in der Kirche betrachtet werden, dem es nur irgend ernst mit seinem Christentum ist.[9]
Chrysostomus hat diese Möglichkeit nicht geschaffen; sie war vorgegeben und hatte im Orient, besonders in Syrien[10] und Ägypten schon eine fast 100jährige Tradition. Diesem komplexen Phänomen der alten Kirche sind viele Abhandlungen gewidmet worden, die von dem Bemühen gekennzeichnet sind, es abzuleiten teils aus der griechischen Tradition, teils aus der dadurch mittelbar oder unmittelbar beeinflußten christlichen Lebenspraxis.[11] So geschichtlich wirksam die asketische Bewegung auch geworden ist, soweit sie im Mönchtum eine Organisationsform gefunden hat – sie behält auch noch zur Zeit des Chrysostomus einen ambivalenten Charakter.[12]
So dankt Basilius in einem Brief, den er während seiner ersten Anachorese an Olympius schreibt, diesem für Geschenke, mit denen er seiner Dürftigkeit abgeholfen habe. Dabei nennt er als Gewährsmänner seiner Lebensweise Zeno, Kleanthes und Diogenes, „der seine Ehre darein setzte, daß er sich einzig mit dem begnügte, was ihm die Natur bescherte".[13] Eine Begründung seiner Lebensweise aus der

[9] Die veränderte Situation, in der sich das Christentum nach der Verfolgungszeit vorfindet – mit den Konsequenzen für den Einzelchristen – beschreibt A. J. Festugière folgendermaßen: „Du moment où la religion chrétienne ne fut persécutée, elle ne fut plus l'objet d'un choix personnel, somme toute héroique, elle devint chose permise, recomandée, depuis Théodose ordonnée. La masse devint chrétienne. Mais le vrai christianisme est autre chose" (Antioche paienne et chrétienne, 404).

[10] Vgl. A. Vööbus, History of Ascetism in the Syrian Orient I/II.

[11] Wichtige ältere Untersuchungen sind immer noch: K. Heussi, Der Ursprung des Mönchtums; R. Reitzenstein, Historia Monachorum und Vita Lausicaa. Eine Studie zur Geschichte des Mönchtums und der frühchristlichen Begriffe Gnostiker und Pneumatiker; K. Holl, Die schriftstellerische Form des griechischen Heiligenlebens; Über das griechische Mönchtum, in: Gesammelte Aufsätze II, 249–269; 283–297. An neueren Untersuchungen sind zu nennen: R. Lorenz, Die Anfänge des abendländischen Mönchtums im 4. Jahrhundert, in: ZKG 77 (1966) 1–61; J. Leipoldt, Griechische Philosophie und frühchristliche Askese, in: Berichte der Sächs. Akademie der Wiss. Phil.-Hist. Kl. 106, 1–67. Beide Untersuchungen sind in sich insofern unvergleichlich, als sie aus verschiedenen Blickwinkeln an dasselbe Phänomen herangehen: Lorenz von der schon ins Abendland übernommenen asketischen Lebensweise, Leipoldt von der antiken, philosophischen Tradition, die er unmittelbar in die Form christlicher Askese einmünden sieht. Für ihn besteht ein unmittelbarer Zusammenhang zwischen christlicher Askese und antiker Tradition.

[12] Einen eindeutigen Beleg bietet Gregor von Nazianz in Or. 2,7: „Was ich am höchsten schätze, ist die Seele einschlummern zu lassen, vom Fleisch und der Welt loszukommen, mit menschlichen Angelegenheiten mich nur im äußersten Fall abzugeben, mich mit mir und Gott zu unterhalten, über dem Sinnlichen erhaben zu leben" (PG 35, 413). Gregor beschreibt das Ideal des philosophischen Lebens, das gemein-antik und nicht spezifisch christlich ist.

[13] Ep. 4 (PG 32, 236f.) Interessant ist die Unbefangenheit und Selbstverständlichkeit, mit der Basilius seine Lebensweise in der antiken Tradition verankert und nicht in der christlichen.

biblischen Tradition, wie er sie später wenigstens z. T. in den Regeln nachliefert, hat er nicht. Vielmehr stützt er sich auf Vorbilder der stoisch-kynischen Tradition.[14]
Reitzenstein erkennt den „gewaltigen Einfluß, den die griechische Philosophie auf die Ausgestaltung des Mönchtums geübt hat", daran, „daß fast alle technischen Ausdrücke der Askese ihr entlehnt sind".[15]
Leipoldt kommt aufgrund der zahlreichen Parallelen zwischen christlicher Askese und philosophischer Tradition zu der Folgerung, „daß die frühchristliche Askese aus griechischem Geist stammt".[16]
Es kann keinem Zweifel unterliegen, daß das asketische Christentum sich mittelbar aus der philosophischen Tradition herleitet, ohne daß man es einer speziellen Schulrichtung zuordnen könnte.[17]
Seinen ambivalenten Charakter behält das asketisch verstandene Christentum solange, als es Basilius im Osten, Augustinus und Benedikt im Westen gelingt, dieses Phänomen theologisch einzuholen. Gerade die Tatsache, daß ein solcher zweiter Schritt überhaupt notwendig war, zeigt, daß diese Form gegenüber dem Christlichen zunächst als etwas Fremdes empfunden wurde. Für die Geschichte der Kirche relevant wurde die Askese im Verbund mit der Anachorese erst in dieser zweiten, unphilosophischen Gestalt des ‚gemeinsamen Lebens' von Asketen.

[14] J. Geffcken ordnet denn auch Gregor von Nazianz der stoisch-kynischen Tradition zu. „Er preist den Diogenes und Krates ... völlig kynisches Denken" (Kynika und Verwandtes, 19). Auch Kaiser Julian zieht eine Verbindungslinie zwischen Asketen und Kynikern, so in Or. 7 (An den Kyniker Herakleos, 224 C, Wright II, 122). In der Or. 6 hält er den degenerierten Schülern des Kynismus das Idealbild des Diogenes vor Augen und charakterisiert seine Lebensweise als „ohne Vaterstadt, ohne Haus, ohne Vaterland, ohne eine Obole, ohne einen Sklaven, ohne ein Brot" (Gegen die ungebildeten Kyniker 195 B, Wright II, 42). In derselben Tradition steht Epiktet. „Wie ist es möglich, daß einer, der nichts besitzt (γυμνὸν, ἄοικον, ἀνέστιον, αὐχμῶνα, ἄδουλον) glücklich leben kann" (Arrianus, Dissert. III, 22, 54 „Über den Kynismus" Oldfather II, 146). Vgl. auch den Traktat des Epiktet „Über die Askese" (Arrianus, Dissert. III, 12 Oldfather II, 81–86).

[15] Historia Monachorum und Vita Lausicaa, 96.

[16] Griechische Philosophie und frühchristliche Askese, 60.

[17] So unbestimmt glaubt R. Reitzenstein die Traditionszusammenhänge lassen zu können, weil es sich um einen komplexen Vorgang der Übernahme handelt (a.a.O. 212). Die Beziehungen sind differenzierter, als S. Frank am Ende seiner Untersuchung zu erkennen gibt: „Der Ursprung des asketischen Lebens liegt im Neuen Testament. Die Vorstellung von der vita angelica drängt mit innerer Dynamik zur Trennung von der Welt, d. h. zur Anachorese" (Ἀγγελικὸς βίος. Begriffsanalytische und begriffsgeschichtliche Untersuchung zum ‚engelgleichen Leben' im frühen Mönchtum, 201). Der faktische Verlauf läßt sich nicht in eine Notwendigkeit verwandeln. Das Neue Testament ist von der Askese im späteren Sinn und Verständnis getrennt. Vielmehr stellt die antike Tradition neue Interpretamente bereit, in die biblisches Denken eingeht, so: B. Lohse, Askese und Mönchtum in der Antike und in der Alten Kirche, 230f.

In diesem innerchristlich zu beobachtenden Vorgang der Veränderung liegt auch die Berechtigung für die These von Leipoldt, „daß die frühchristliche Askese aus griechischem Geist stammt".[18] Nicht nur „die Selbsterinnerung der Mönche und Asketen" bezeugt, daß ihr „Leben philosophisch sei".[19]
Chrysostomus hat zunächst auch die asketische Lebensweise übernommen, mußte sie aber aufgrund seiner geschwächten Gesundheit wieder aufgeben. Er zog sich ein Magenleiden zu, wahrscheinlich wegen des strengen Fastens und der ungewohnten Ernährungsweise; noch in Briefen aus der 2. Verbannung kommt er auf dieses Leiden zu sprechen, das ihn sein ganzes Leben nicht mehr verlassen hat.[20]
Trotzdem hat das asketische Ideal sein Denken wesentlich bestimmt; es war ihm als das schlechthin Christliche vorgegeben. Nur bedeutet es eine verkürzende Sicht, wenn Ritter zur Entschuldigung des Chrysostomus glaubt sagen zu müssen, daß „der Weltaspekt und Weltbezug des Glaubens eine im Christentum wohl schon zu lange verschüttete Erkenntnis war, wenn man nicht überhaupt sagen muß, daß sie erst neuzeitlichem Denken voll zugänglich ist, als daß man Chrysostomus daraus billigerweise einen Vorwurf machen dürfte".[21]
Übersehen wird bei einer solchen Wertung, daß Askese und Anachorese auch Formen des ‚Weltbezuges' sind, die darüberhinaus nicht ursprünglich dem Christentum eigen sind, sondern aus der antiken Tradition übernommen wurden; zudem muß mitbedacht werden, daß gerade die Übernahme dieses Verhältnisses zur Welt der Preis war, um das Mönchtum als geschichtlichen Ausdruck des christlichen Selbstverständnisses zu etablieren.
Die Zeit der Anachorese hat Chrysostomus dazu genutzt, sich von Diodor in die Exegese einführen zu lassen.[22] Es ist oft dargestellt worden, daß es das Christentum fast gänzlich unterlassen hat, ein eigenes Schulwesen aufzubauen; der übliche Weg bestand darin, sich nach Absolvierung der städtischen und staatlichen Bildungseinrichtungen einen Lehrer zu suchen. Diodor hat die wissenschaftlich-

[18] Griechische Philosophie und frühchristliche Askese, 60.

[19] Ebd. 61. Gregor von Nazianz steht als beredtes Zeugnis für die Kluft, die er zwischen dem asketischen Leben und dem kirchlichen Dienst in der ‚Welt' empfunden hat, und die in der Einschätzung auch objektiv bestanden hat (Or. 2, 103). Vgl. dazu J. H. W. Liebschuetz, Antioch city and imperial administration in the Roman Empire, 235ff.

[20] Vgl. Ep. 6 „An Olympias" (PG 52, 598f.); Ep. 140 „An Castor" (PG 52, 616); Palladius (De vita S. Johannis Chrysostomi 12): Ein Vorwurf der Eichensynode lautete, Johannes speise immer allein; als Grund gibt Palladius an: „Zweitens litt er an einer gewissen Magenschwäche . . ." (PG 47, 39).

[21] Das Charismaverständnis des Johannes Chrysostomus, 89f.

[22] Vgl. dazu P. Stockmeier, Aspekte zur Ausbildung des Klerus in der Spätantike, in: MThZ 27 (1976) 217–232; A. J. Festugière, Antioche paienne et chrétienne, vor allem: L'asceterion de Diodore à Antioche, 181ff.

theologische Ausbildung mit asketischer Praxis verbunden.[23] Solche freien Zusammenschlüsse sind wiederum keine christliche Sonderheit, sondern verweisen auf Vorbilder in der philosophischen Tradition.[24] Das Studium der Exegese hat für das Denken des Chrysostomus weitreichende Konsequenzen gebracht. Der Maßstab des Neuen Testamentes, den er auch an die asketische Praxis seiner Zeit anlegt, muß als der tiefere Grund dafür angesehen werden, daß er sich von dieser Lebensform abwendet.[25]

Wenn man die Herkunft und den Bildungsgang des Chrysostomus bedenkt, kann es nicht verwundern, daß er in der asketischen Tradition tief verwurzelt ist. Noch in seiner Verbannung verfaßt er eine Schrift, die einen rein stoischen Gemeinplatz zum Thema hat.[26] Seine vermutlich erste Schrift ‚Der Vergleich des Königs . . . mit dem Asketen, der nach der wahrsten und Christus-gemäßen Philosophie lebt‘[27], variiert ebenfalls einen philosophischen Gemeinplatz.[28] Interessant an dieser kleinen Schrift ist nicht, was im einzelnen zu dem Vergleich des Königs mit dem Mönch ausgeführt wird, sondern die Selbstverständlichkeit, mit welcher philosophisches Gedankengut samt Terminologie übernommen und als christlich reklamiert wird. Dies kann am ehesten dadurch erklärt werden, daß der asketische

[23] Zum Verhältnis des Christentums zur antiken Bildung vgl. P. Stockmeier, Glaube und Paideia, in: ThQ 147 (1967) 432–452, bes. 447f.; A. Wifstrand, Die alte Kirche und die griechische Bildung, 90ff.

[24] Porphyrius (De vita Plot. 49) schreibt über die Schule Plotins: „Viele Männer und Frauen . . . brachten ihre Kinder, Knaben und Mädchen, und übergaben sie mitsamt ihrer Habe ihm als einem heiligen, göttlichen Hüter“ (Harder V, 24). Auch die Akademie Platons schildert er als einen Ort der Zurückgezogenheit (De abst. I, 36). Augustinus (Sermo 355,2) beabsichtigte vor seiner Konversion, ebenfalls eine solche ‚Schule‘ zu eröffnen – als Bischof hat er dann diesen Plan zusammen mit seinen Klerikern verwirklicht (PL 39, 1569f.). Interessant in diesem Zusammenhang ist die Nachricht des Prophyrius (De vita Plot. 65f.), daß Plotin sich mit dem Gedanken trug, eine Platonopolis zu bauen, wo er die Politeia Platons verwirklichen wollte. ‚Philosophisch zu leben‘ ist der Nenner, auf den diese Versuche gebracht werden können; insofern ist einsichtig, wenn P. Stockmeier auch für das Asketerion des Diodor betont, daß „von einer gezielten Vorbereitung auf den kirchlichen Dienst“ nicht die Rede sein könne (Aspekte zur Ausbildung des Klerus in der Spätantike, 226).

[25] Eine spezielle Untersuchung zur Exegese des Chrysostomus liegt nicht vor. An neueren Untersuchungen zur ‚antiochenischen Schule‘ ist zu nennen: Chr. Stäublin, Untersuchungen zur Methode und Herkunft der antiochenischen Exegese. Er stützt sich vor allem auf die Fragmente Diodors und die Kommentare des Theodoret.

[26] Liber quod qui seipsum non laedit, nemo laedere possit (PG 52, 459–480) Zur traditionsgeschichtlichen Einordnung dieser Schrift vgl. A. de Mendieta, L'amplification d'une thème socratique et stoicien dans l'avant-dernier traité de Jean Chrysostome, in: Byzantion 36 (1966) 353–381.

[27] PG 47, 387–392.

[28] Vgl. H. Lietzmann, Johannes Chrysostomus, 328.

Weg, für den Chrysostomus nicht nur in dieser Schrift wirbt, auch tatsächlich ein philosophischer gewesen ist.[29]
In dieselbe Richtung weisen die Schriften ‚An Theodor‘. Indem Chrysostomus ihn bewegen will, das asketische Leben wieder aufzunehmen, verwendet er neben christlichen Argumenten selbstverständlich auch solche aus der philosophischen Tradition.[30]
Daß die beiden Reihen untereinander nicht zu vermitteln und zu harmonisieren sind, kann am Thema der ‚Freiheit‘, das Chrysostomus sowohl als christliches wie philosophisches Argument ins Feld führt, deutlich werden. Wenn er den weltlichen Status Theodors als ‚Knechtschaft‘[31] charakterisiert, bleibt ambivalent, welcher Tradition Chrysostomus folgt; eindeutiger redet er, wenn er dieser Knechtschaft die ‚Freiheit der Christen‘ gegenüberstellt und sie definiert: „Es gibt keinen Freien außer dem, der für Christus lebt."[32]
Wenn er in demselben Kontext Theodor zu bedenken gibt:

„Kann man das noch Leben nennen, wenn die Seele
sich zwischen soviele Sorgen teilen muß,
so vielen Notwendigkeiten unterworfen ist,
für so vieles leben muß, für sich selbst aber nie?"
(βίος οὖν οὗτος ... τοσούτοις ζῆν, ἑαυτῷ δὲ μηδέποτε;)[33],

so beruft er sich auf ein Verständnis von Freiheit, das der griechischen Philosophie eigen ist und Freiheit versteht als Loslösung von den äußeren Dingen und Hinwendung zu sich selbst.[34] In der doppelten Formulierung: μόνος ὁ Χριστῷ ζῶν ... τοσούτοις ζῆν, ἑαυτῷ

[29] J. Geffcken urteilt: „... ein kleiner Schritt seitwärts, und wir stehen im Lager der Kyniker" (Kynika und Verwandtes, 40).

[30] Chrysostomus verwendet (Ad Theod. II, 5) traditionelle Begründungen, wenn er sagt: „Sollen wir dir die häuslichen Sorgen vorhalten, die Frau, die Kinder ... Lästig ist es, Kinder zu haben, lästig, keine zu haben" (PG 47, 314). Dasselbe Wort ist überliefert von Poseidipp: „Kinder sind Lasten, aber ein kinderloses Leben ist verstümmelt" (zit. J. Geffcken, Kynika und Verwandtes, 109) und bei Diogenes Laertius VI, 3 als Ausspruch des Antisthenes (Hicks II, 247). Zur christlichen Rezeption dieses Topos vgl. Tertullian, De exh. cast. 12, 1.5 (CChr I, 1031f.).

[31] Ad Theod. I, 14 (PG 47, 298).

[32] Ad Theod. II, 5: οὐ γὰρ ἐστὶν ἐλεύθερος, ἀλλ' ἢ μόνος ὁ Χριστῷ ζῶν (PG 47, 314).

[33] Ad Theod. II, 5 (PG 47, 314). Eine ähnliche Formulierung findet sich bei Dio Chrysostomus (Or. 20,7 ‚Über die Anachorese‘): τὸν δὲ βουλόμενον πρὸς αὑτῷ εἶναι ... μὴ οὖν βελτίστη καὶ λυσιτελεστάτη πασῶν ἡ εἰς αὑτὸν ἀναχώρησις καὶ τὸ προσέχειν τοῖς αὑτοῦ πράγμασιν (Cohoon II, 252f.).

[34] Das Thema der Entfremdung begegnet bei vielen antiken Autoren, so z. B. bei Seneca (De brev. vit. XII, 3f.): „Ich höre jemand von diesen Genußmenschen ..., als er aus dem Bade getragen und in einen Sessel gesetzt worden war, habe er gefragt: Sitze ich schon? Er, der nicht weiß, ob er sitzt, meinst du, er weiß, ob er lebt, ob er sieht ..." (Rosenbach II, 210). Dio Chrysostomus exemplifiziert denselben Gedanken (Or. 6, 35ff.) anhand der Gegenüberstellung des Philosophen Diogenes und des Perserkönigs (Cohoon I, 268–280).

... offenbart sich in reiner Form die Intention der beiden Traditionen, die diese Schrift an Theodor charakterisiert und die überhaupt für Chrysostomus kennzeichnend ist: Das asketische Leben als das philosophische und damit freie wird mit dem christlichen identifiziert.
Der christliche Asket tritt an die Stelle des griechischen Weisen und reklamiert für sich, was für die Philosophen das höchste Gut war: die Freiheit, verstanden als ‚Leben für sich selbst'.
Der Konflikt, der sich schon in der unvermittelbaren Formulierung ankündigt, wird in der Schrift an Theodor nicht ausgetragen. Aber die Spannung, die zwischen der Definition des christlichen Begriffs von Freiheit und der daraus erwachsenden Lebensform und dem philosophischen Verständnis besteht und sich einer Identifizierung widersetzt, wird offenbar in den Büchern „De compunctione".[35]
Der Anstoß, an der Identität von Askese und christlichem Leben zu zweifeln, muß von der Praxis ausgegangen sein, die Chrysostomus selbst erlebt hat. Das Leben der Asketen in der Zurückgezogenheit der Wüste entspricht nicht nur nicht dem philosophischen Ideal der Apathie,[36] sondern wird darüber hinaus durch die biblische Tradition in Frage gestellt. Chrysostomus betreibt diese Konfrontation bewußt. Auch in früheren Schriften begegneten Schriftzitate, aber in diesen Büchern bietet er eine zwar frei gestaltete, aber fortlaufende Auslegung der Bergpredigt, die schon rein formal den ganzen Aufbau des ersten Buches bestimmt. Dieser formalen Neuerung, daß die biblische Tradition die Gestalt einer Schrift bestimmt, entspricht eine inhaltliche, die nicht weniger überraschend ist. Er stellt nicht nur eine Diskrepanz zwischen dem biblischen Anspruch und dem angeblich vollkommenen Leben der Asketen fest,[37] sondern negiert die Lebensweise der Anachorese überhaupt. Das Schriftwort, auf das sich die Anachoreten beriefen – „Mir ist die Welt gekreuzigt, und ich der Welt"[38] – sieht er nicht bei ihnen verwirklicht, sondern bei Paulus.
Mit Paulus als Paradigma entzieht er der Anachorese ihre theologische und praktische Berechtigung, indem er behauptet, daß dieser

[35] PG 47, 394–422.
[36] Chrysostomus kritisiert (De comp. I, 7), daß die Asketen nur auf Ruhe und Muße bedacht sind – sich also genau nach dem Muster des von der Antike aufgestellten Ideals der Apathie und Ataraxie verhalten (PG 47, 405); vgl. ebd. I, 6 (PG 47, 403).
[37] So stellt er polemisch (De comp. I, 4) fest: „Diese Lebensweise will ich sehen können; aber ich gewahre, sie steht nur in den Schriften – daß sie in der Praxis vorkommt, findet man nirgends" (PG 47, 399). Zur Auslegung von Mt 7,12 führt er (De comp. I, 6) aus: „Daß die Weltlichen diese (scil. die breite) Straße vorziehen, ist nicht verwunderlich; daß aber Männer, die vorgeben, der Welt entsagt zu haben, noch eifriger als jene auf der breiten Straße gehen, bringt mich in Verwirrung und ist mir ein Rätsel" (PG 47, 403).
[38] Die Stelle Gal 6,14 wird zitiert in De comp. II, 2 (PG 47, 413).

nicht nur das Ideal der Anachorese verwirklicht,[39] sondern daß er dabei auf die anachoretische Lebensweise verzichtet hat. Die Distanz, die Chrysostomus auch Paulus zu den äußeren Dingen (die Unangefochtenheit von den Zufällen des Lebens, die Geringschätzung der Armut, den Abstand vom gegenwärtigen Leben und dem Verkehr mit Menschen)[40] zuschreibt, resultiert nicht aus seiner äußeren Trennung von der Gesellschaft, sondern aus seiner totalen Orientierung an ‚jener Stadt'.[41]
Obwohl Chrysostomus sich weitgehend asketischer Terminologie bedient und ihre Wertmaßstäbe aufrechterhält, reduziert er diese Sonderform auf die allgemein christliche. So kann er sagen: „Das Feuer, das Christus in der Seele des Paulus entzündet hat, bedeutet mehr als die Wüste."[42]
Mit den biblischen Kriterien, die Chrysostomus aufstellt und die in dem ‚Ganz' (ὅλος)[43] verdichtet sind, begründet er ein Verhältnis zur ‚Welt' und zur Gesellschaft, das zwar auch mit „Verachtung"[44] wie in der griechischen Tradition umschrieben werden kann, aber seinen Orientierungspunkt nicht in bloßer Negation, Ablehnung hat, sondern in der positiven Hinwendung zum ‚Himmel', zu ‚jener Stadt'.
Indem Chrysostomus den Schwerpunkt der asketischen Bemühungen neu definiert und mit Agape umschreibt, verlagert er ihn und bestreitet der bloßen Askese ihr christliches Recht. Sie erreicht nicht

[39] Vgl. De comp. II, 2 (PG 47, 413); ebd. I, 7 (PG 47, 405).

[40] De comp. I, 7 (PG 47, 405) und die allgemeine Anwendung auf alle Getauften in: De comp. I, 9 (PG 47, 407f.).

[41] Chrysostomus kann diesen Gedanken in verschiedenen Wendungen und Bildern umschreiben, die teils der antiken, teils der biblischen Tradition entnommen sind, so in: De comp. I, 7: Καθάπαξ γὰρ τοὺς ὀφθαλμοὺς τῆς ψυχῆς στρέψας εἰς τὸν οὐρανὸν ... ἐπὰν ἴδῃ βασιλέα ... κατοπτεύσας τὰ ἐν οὐρανοῖς ... πρὸς οὐδὲν τῶν ἐνθάδε ἐπεστρέφετο, ἀλλ' ὅλον ἑαυτὸν πρὸς τὴν πόλιν ἐκείνην μετέθηκε (PG 47, 405).

[42] De comp. II, 2 (PG 47, 413); vgl. ebd. I, 9 (PG 47, 409).

[43] Chrysostomus verwendet dieses Kriterium polemisch, indem er (De comp. I, 6) die Leidenschaft der Liebenden der Lauheit der Asketen gegenüberstellt (PG 47, 404).

[44] Die Umschreibung des Weltverhältnisses mit ‚Verachtung', ‚Geringschätzung' ist gemein-antik und nicht spezifisch christlich. So kann Chrysostomus (De comp. II, 2) sagen: „Wer das Gegenwärtige bewundert, wird nicht gewürdigt der Schau des Künftigen; wer dieses nicht verachtet (ὑπερορῶν) und für gering hält wie Schatten und Traumgebilde, kann nicht die geistigen Güter erlangen." Und: „Eine Seele, die nicht geübt ist, die geringen und weltlichen Güter zu verachten, wird die himmlischen nicht bewundern können" (PG 47, 414). Hier umschreibt er auch exakt die Funktion der Askese, die ebenfalls gemein-antik ist. Aussagen des gleichen Weltverhaltens begegnen denn auch in der antiken Tradition, so bei Epiktet (Arrianus, Dissert. II, 16, 11): „Was bewundern wir? Das Äußerliche. Um was bemühen wir uns? Das Äußerliche" (Oldfather I, 324). Die äußeren Dinge, die nicht unter der freien Verfügung des Menschen stehen, gelten Stoikern und Kynikern gleichermaßen als verachtenswert; vgl. Diogenes Laertius VI, 104 (Hicks II, 108), Seneca, De provid. VI, 6: „Contemnite paupertatem ... mortem ... fortunam ..." (Rosenbach I, 38).

bloß nicht das vorgenommene Ziel, Ruhe zu gewähren und den „Aufruhr der Seele zu stillen“,[45] sondern vernachlässigt darüber das erste christliche Gebot und pervertiert sich selbst zum Ziel.
Nicht der Ort, wo einer als Christ lebt, ist entscheidend, sondern daß er den ganzen Anspruch des Christlichen erfüllt,[46] und dieser gilt ausnahmslos für alle Christen, nicht nur für die Asketen und Mönche.[47]
An dem Kriterium der christlichen ‚Agape‘ gemessen, erscheint die asketische Gestalt des Christentums als Verkürzung und Einseitigkeit. Sie widerspricht der Ermahnung des Paulus, „nicht das Seine zu suchen, sondern das Wohl des Nächsten“.[48] In einer späteren Homilie beklagt er denselben Zustand.[49]
In seiner Schrift ‚De sacerdotio‘[50] setzt Chrysostomus seine Kritik am Asketentum indirekt fort, wenn er im christlichen Amtsträger dasjenige vereinigt, was durch das Asketentum getrennt war: das Leben in der Welt und das Leben nach dem Evangelium. Deswegen ist diese Schrift zu Recht eine „Reformschrift“[51] genannt worden, weil sie nicht nur Kriterien für die Auswahl der Amtsträger bereitstellt, sondern der Askese ihren dominierenden Charakter und ihre Wertigkeit bestreitet.[52]
Wenn Chrysostomus soweit geht, der Askese abzusprechen, daß sie eine christliche Form des Lebens ist, kann nochmals deutlich werden, daß sie ihre Hauptwurzeln in der antiken, philosophischen Tradition

[45] De comp. II, 2 (PG 47, 413). Die Skepsis des Chrysostomus gegenüber dem Ideal der Ataraxie der antiken Tradition wird hier deutlich.

[46] Dieser Grundsatz gilt Chrysostomus als Testfall für die Realisierbarkeit des Christlichen. Wenn es nicht möglich ist, auch als Verheirateter, als ‚Weltlicher‘ das ganze Evangelium zu erfüllen, bedeutet dies die Widerlegung des Christentums, so in: Adv. opp. III, 14 (PG 47, 372f.).

[47] Chrysostomus betont ausdrücklich, daß die Absonderung der Asketen keine Einrichtung ist, die sich auf die biblische Tradition berufen kann: Sie wurde von Menschen erfunden, so in: Adv. opp. III, 14 (PG 46, 373).

[48] Adv. opp. III, 2 (PG 47, 350).

[49] Hom. 14, 6 in 1 Tim (PG 62, 578).

[50] PG 48, 623–692. H. Dörrie vermutet als Entstehungszeit dieser Schrift die Zeit vor der Priesterweihe (Erneuerung des kirchlichen Amtes, in: Bleibendes im Wandel der Kirchengeschichte, 3).

[51] H. Dörrie, Erneuerung des kirchlichen Amtes, 2.

[52] Chrysostomus findet zu dieser kritischen Sicht der Askese, weil ihm die Sorge um das Heil des Nächsten als das höhere, das eigentlich christliche Gut erscheint. So kann er (De sacerd. II, 2) sagen: „Er hätte befehlen können: Faste, schlafe auf der Erde, halte Nachtwache . . . Alles das läßt er beiseite – was sagt er: Weide meine Schafe“ (PG 48, 633). Die grundsätzliche Aussage (De sacerd. VI, 10) bestreitet dem asketischen Leben die Existenzberechtigung innerhalb des Christentums: „Ich kann nicht glauben, daß jemand selig werden kann, der am Heil des Nächsten nicht mitgewirkt hat“ (PG 48, 686). Vgl. auch ähnliche Aussagen, so in: Hom. 43,1 in Gen (PG 54, 396) und in: Hom. de beato Philog. 2f. (PG 48, 715f.); H. Dörrie, a.a.O. 22.

hatte. Dabei rückt er nicht grundsätzlich von dem asketischen Ansatz ab – dieser ist gemein-antik – sondern versucht durch seine Kritik, die Askese als Form der ‚Selbstheiligung' unter das Gesetz der christlichen Agape zu stellen, sie also zu verchristlichen.

Gleichzeitig stellt das asketische Christentum in seiner Zeit die radikalste Form christlicher Praxis dar. In der Möglichkeit, die Radikalität der Asketen, wenn sie sich christlich neu orientieren und verallgemeinern läßt, in die Stadtgemeinden und damit in die Gesellschaft zurückzubringen – darin erblickt Chrysostomus die Bedingung einer humanisierenden Wirkung des Christentums.

b) Rückholung des radikalen Christentums in die Gesellschaft

Es konnte gezeigt werden, wie Chrysostomus aus der biblischen Tradition Maßstäbe gewinnt, die es ihm ermöglichen, die etablierte Sonderform des radikal Christlichen an das allgemein-christliche Prinzip der Agape zurückzubinden und dadurch zumindest theoretisch die Trennung der Christen in asketische und weltliche aufzuheben. Insofern das ganze Evangelium für alle Christen gleichermaßen gültig ist, scheidet eine räumliche Absonderung der Christen, wie sie Asketen praktizierten, aus; denn ihr erstes Anliegen, das eigene Heil zu suchen, kann sich nicht als christlich ausweisen. Vielmehr haben die Christen eine Aufgabe gegenüber der Gesellschaft.

Deswegen ist Chrysostomus immer weniger bereit, einen Rückzug aus der Gesellschaft einer Stadt zu billigen,[53] obwohl er selbst in einer frühen Schrift angibt, daß der Grund zur Anachorese auch für ihn darin gelegen ist, der „Tugend nachzustreben".[54]

In derselben Schrift bezeichnet er das Entstehen von Monasterien als einen ‚Notstand', der aufgehoben werden müsse, „daß ihre gute Verfassung (εὐνομία) auch in den Städten zur Geltung käme, so daß niemand mehr in der Einsamkeit seine Zuflucht suchen müßte".[55]

Für Chrysostomus steht die Glaubwürdigkeit des Christentums auf dem Spiel und gleichzeitig das Wohl der Gesellschaft, wenn es um die Frage geht, welches der Ort des Christlichen sei.

[53] Innerhalb der Auslegung des 1. Korintherbriefes (Hom. 6,4) findet sich eine deutliche Absage an die Anachorese: „Und wenn sich auch nur einer findet, der eine Spur der alten Philosophie in sich trägt, so verläßt er die Stadt, . . . anstatt in der Gesellschaft zu leben. Und fragt man ihn nach dem Grund seiner Anachorese, so findet er als Vorwand, ‚daß ich in der Tugend nicht ermatte!' Um wieviel wäre es besser, daran Einbuße zu erleiden . . ." (PG 61, 53f.).

[54] So in: Adv. opp. III, 15 (PG 47, 376). Die allgemeine Formulierung, die Chrysostomus an dieser Stelle wie an vielen anderen verwendet (. . . ἀλλ' ἵνα πρὸ τῶν ἄλλων ἁπάντων φύγωσι τὴν κακίαν, ἕλωνται ἀρετὴν), ist ein ethischer Gemeinplatz und dient etwa Epiktet als Grundmuster seiner Lebensweisheit und ethischer Anweisungen (Arrianus, Dissert. III, 12, 1).

[55] Adv. opp. I, 7 (PG 47, 328).

Aus der Verteidigungsschrift für den asketischen Weg erfahren wir, daß unter den Christen erhebliche Vorbehalte gegenüber den Asketen bestanden, und sie genauso wenig wie die meisten der Zeitgenossen bereit waren, z. B. ihre Kinder in die Schule der Asketen zu schicken. Karriere, eine reiche Frau und öffentliche Ehrenstellen waren attraktiver.[56]
Die Intention des Chrysostomus, das radikal gelebte ganze Christentum unter den Christen in der Gesellschaft wieder heimisch zu machen, stößt auf Bedenken prinzipieller Art seitens der Christen. Sie halten es für unmöglich, „philosophisch zu leben",[57] weil sich diese Lebensform mit dem bürgerlichen Leben in der Stadt nicht vereinbaren lasse.[58] Insofern erscheint die Anachorese zunächst als einziger Ausweg und als Flucht im realen Sinn vor dem Bösen.[59] Die Entscheidung für den Weg der Philosophie – und das Christentum versteht sich als eine solche – schloß ein bürgerliches Leben aus.[60]
Um diese aus der Antike in das Christentum hineinwirkende Tendenz umzukehren, gab es für Chrysostomus kein anderes Vorbild als die Zeit der frühen Kirche. Hier fand er Anhaltspunkte und konkrete

[56] Vgl. Adv. opp. III, 5 (PG 47, 357).

[57] Das Christentum insgesamt, vor allem die christliche Praxis, werden schon seit dem 2. Jahrhundert unter ‚Philosophie' subsumiert. A. J. Festugière deutet eine Entwicklungslinie an, die dahin geht, daß zur Zeit des Chrysostomus vor allem das asketisch verstandene und gelebte Christentum als ‚Philosophie' verstanden wurde (Antioche paienne et chrétienne, 196 bes. A 1). Dieses allgemeine Verständnis teilt auch Chrysostomus: auch für ihn dient zur Interpretation des christlichen Selbstverständnisses und der Praxis weitgehend die philosophisch und asketisch beeinflußte Terminologie. So kann er (Adv. opp. II, 5) das Christliche insgesamt als „Tugend" definieren, weil es besteht ἐν ἀρετῇ ψυχῆς φιλοσοφίᾳ μόνον (PG 47, 340). Christliches Leben kann mit φιλοσοφεῖν identifiziert werden und ist in den Augen der Heiden gleichbedeutend mit einer Existenzweise ohne Frau und Kind, so in: Hom. 26, 4 in Rom (PG 60, 643f.).

[58] Dieses Vorverständnis ist durch die philosophische Tradition, in die das Christentum eintrat, vorgegeben. So setzt sich Chrysostomus (Adv. opp. III, 12) mit der Selbsteinrede auseinander: „Was ist mit denen, die in der Stadt wohnen, die Haus und Kinder haben – können diese gerettet werden" (PG 47, 370)? Die Antwort des Chrysostomus ist der Rat, den sicheren Weg zu wählen und das Heil in der Anachorese zu suchen (Ebd. 372). In der antiken Tradition wurde dieselbe Frage unter den „Drei Existenzweisen" (tria genera vitae) diskutiert und die Frage erörtert, welcher Ort in der Welt für den Weisen, d. h. für den philosophisch Lebenden wählbar sei. So kann Seneca (De otio VII, 1) sagen: „Si percensere singulas (scil. res publicas) voluero, nullam inveniam . . ., quia quod enim praeferri poterat otio nusquam est" (Rosenbach I, 98).

[59] Dieses Verständnis teilt Chrysostomus am Beginn seiner schriftstellerischen Tätigkeit (Adv. opp. III, 15) noch voll und ganz. Hier ist seine Eingebundenheit ist die antike Tradition am offensichtlichsten.

[60] Diese Exklusivität beschreibt Eunapius (Vit. Soph. 461) anschaulich am Beispiel des Aedesius (Wright 376).

Personen, die die Vereinbarkeit von christlichem Leben und dem Leben in der Gesellschaft darstellten. Auf sie verweist er, um glaubhaft zu machen, daß christlich zu leben jedem möglich ist, der es will.[61]

Indem Chrysostomus wegen der Glaubwürdigkeit des Christentums und dem allgemeinen Wohl der Gesellschaft daran festhält, daß jeder Christ auch in der Stadt ganz nach dem Evangelium leben kann, ist er gezwungen, einen Weg der Vermittlung zu finden, der an den geschichtlichen Gegebenheiten anknüpft. Und es bietet sich, trotz allem Vorbehalt, den er anmeldet, als Ansatz radikal gelebten Christentums nur das asketisch verstandene Mönchtum an.[62]

Obwohl Chrysostomus der Askese als solcher kritisch gegenübersteht, erkennt er im Mönchtum eine Neuinterpretation des Evangeliums, die er den Christen in der Stadt als Ansporn und Möglichkeit vor Augen stellen kann.[63]

Dabei ist es nicht seine Intention, daß alle Christen wie die Mönche leben sollen, sondern so radikal wie sie – aber innerhalb der Gesellschaft.[64] Mit diesem Anliegen befindet sich Chrysostomus mitten in der antiken philosophischen Diskussion um die Frage, wie der philosophische Weg zu verallgemeinern sei und für die Gesellschaft Nutzen bringen könne. Das Problem wird verhandelt als die drei

[61] Hier meldet sich bei aller Anknüpfung an die antike Tradition der christliche Widerspruch, so in: Hom. de studio praes.: „Siehst du, daß nicht das Handwerk, nicht die Armut die Tugend hindert“ (PG 63, 490). Das exemplarische Vorbild ist für Chrysostomus das Ehepaar Aquila und Priscilla; in Hom. 43,5 in Mt bietet er eine ausführliche Exempla-Reihe (PG 57, 464).

[62] J. A. Festugière umschreibt die Funktion des Mönchtums als ‚Gegenpol‘ (Antioche paienne et chrétienne, 320) und trifft damit genau das Verständnis und die polemische Verwendung des Möchtums, wie sie Chrysostomus vor allem innerhalb seiner Homilien zum Matthäus-Evangelium handhabt, vgl. Hom. 69, 3 in Mt (PG 58, 643f.) und Hom. 72,4 in Mt (PG 58, 671f.).

[63] Hier findet vielleicht auch die von der Forschung festgestellte Zwiespältigkeit des Chrysostomus im Verhältnis zum Mönchtum seine Auflösung und Erklärung. J.-M. Leroux findet keinen gemeinsamen Nenner für die scheinbar widersprüchlichen Aussagen des Chrysostomus. „Confrontée aux diverses formes de la vie ascétique l'attitude de Jean Chrysostome paraît ambigue, pour ne pas dire paradoxale“ (Jean Chrysostome et monachisme, in: Jean Chrysostome et Augustin, 126f.). A. M. Ritter (Das Charismaverständnis des Johannes Chrysostomus, 91) führt die oft distanzierte Haltung gegenüber dem Mönchtum auf den „biblischen Sinn“ des Chrysostomus zurück. Die „Existenzberechtigung des Mönchtums“ sieht auch er nicht in Frage gestellt, „wohl aber die Etablierung einer mönchischen Sonderwelt ausgeschlossen“. H. Dörrie (Erneuerung des krichlichen Amtes, 22) vermutet als Grund für die schwankende Haltung des Chrysostomus, er „sei noch nicht zu einer sicheren Lösung gelangt“, halte es aber für möglich, den Ansatz des „Mönchtums in ein ganz anderes Erdreich zu verpflanzen“.

[64] Vgl. Adv. opp. III, 14 (PG 47, 374).

möglichen Lebensformen[65] und als Frage des Verhältnisses des einzelnen Philosophen zur Gesellschaft.[66]
So verschieden die Antworten auch ausfallen – der philosophische Ausgangspunkt war gekennzeichnet durch ein höheres oder geringeres Maß an Distanz und Nichtidentifikation mit dem Zustand der Gesellschaft.
Dieses Verhältnis zur Gesellschaft kennzeichnet gleichermaßen die asketische Bewegung. An dem Punkt setzt Chrysostomus mit seiner Kritik an: Sie sind nur auf ihr eigenes Heil bedacht und sorgen für niemand sonst. Aufschlußreich ist in diesem Zusammenhang die Kritik, die Chrysostomus in seiner Homilie auf den hl. Babylas an Diogenes übt. Er beschreibt die ‚Parrhesie' des Heiligen, und dazu fällt ihm als Parallele die Anekdote ein, wie Alexander dem Philosophen einen Wunsch erfüllen möchte, und Diogenes ihn auffordert, ihm aus dem Licht zu gehen.[67] Rhetorisch fragt er, ob dieser Freimut der Rede zu bewundern sei, und gibt als allgemeines Kriterium an:

> „Der rechtschaffene Mann muß alles zu gemeinem Nutzen tun und das Leben der übrigen bessern."[68]

Diogenes habe weder eine Stadt, noch ein Haus, noch einen Mann oder eine Frau gerettet – welcher Gewinn (κέρδος) also aus seinem Freimut! Chrysostomus mißt an dieser Stelle den kynischen Philosophen mit demselben Maß, das er an die Asketen anlegt sowie an alle Christen, die wegen ihrer eigenen Sicherheit in der Tugend sich aus den Städten zurückziehen.
Das Fehlen eines allgemeinen Nutzens ist nach Plutarch aber das Kennzeichen des βίος θεωρητικός,[69] wogegen er die tätige Lebensform charakterisiert als „der Philosophie entbehrend, ohne Bildung, fehlerhaft".[70] Themistios, der nicht die Tradition der Lebensweisen auf-

[65] Aristoteles, Eth. Nic. I, 5; Seneca, De otio VIII, 2 (Rosenbach I, 94); Plutarch, De lib. educ. 3 (Babbit I, 10).

[66] Die Skala der Lösungsversuche reicht von totaler Verweigerung bis zum Versuch Platons, den Philosophen die Lenkung des Staates zu übergeben. Das tätige Leben allerdings schien der Aufwertung und Rehabilitierung bedürftig, um neben dem philosophischen bestehen zu können. So berichtet Plinius (Ep. I, 10) als Ausspruch des Euphates: „Etiam hanc esse philosophiae et quidem pulcherrimam partem, agere negotium publicum, . . . iudicare . . ." (Melmoth I, 36).

[67] Hom. de S. Babyla 8 (PG 50, 545).

[68] Ebd. Τὸν γὰρ ἄνδρα, πρὸς τὸ κοινοφελὲς ἅπαντα πράττειν χρὴ, καὶ τὸν τῶν ἄλλων βίον ὀρθοῦν. Seneca (De otio VI, 1ff.) sieht sich genötigt, den ‚Nutzen' Zenons und Chrysipps zu rechtferitgen: „. . . nos certe sumus qui dicimus et Zenonem et Chrysippum mairoa egisse, quam si duxissent exercitus, gessissent honores, leges tulissent: quas non uni civitati, sed toti humano generi tulerunt" (Rosenbach II, 93f.).

[69] De lib. educ. 3: ὁ δὲ θεωρητικὸς τοῦ πρακτικοῦ διαμαρτάνων, ἀνωφελής (Babbit I, 10).

[70] Ebd.: ἀμοιρήσας φιλοσοφίας, ἄμουσος καὶ πλημμελής.

nimmt, kennt aber innerhalb der Philosophie zwei Wege: einen göttlicheren und einen, der für die Allgemeinheit von Nutzen ist; der ‚göttlichere' ist auf das Eigene aus, der zweite stellt den Versuch dar, die Philosophie in das öffentliche Leben der Stadt einzuführen.[71] Den Typ der Philosophen, die auf das allgemeine Wohl und die Besserung der Menschen bedacht sind, stellen Dio Chrysostomus und Epiktet dar; sie haben dabei den kynischen Wanderprediger vor Augen, der zu den Menschen in die Stadt geht und ihnen Moralpredigten hält. Dio beschreibt seine Aufgabe folgendermaßen:

„Wenn der Philosoph in eine Stadt kommt,
soll Folgendes geschehen:
Man soll die jungen Leute regelmäßig um ihn versammeln,
ebenso die Alten und das solange, bis sie weise und
Liebhaber der Gerechtigkeit geworden sind,
bis sie das Gold und Silber verachten gelernt haben und
es gering achten, ebenso die reiche Tafel, wohlriechende
Salben und die geschlechtliche Liebe –
dann leben sie als Herren über sich selbst und schließlich
auch als Herren über die anderen Menschen."[72]

Epiktet kann das Auftreten eines Kynikers geradezu als ‚Sendung' beschreiben:

„Der wahre Kyniker ... muß wissen,
daß er als Bote des Zeus zu den Menschen geschickt ist,
um ihnen in bezug auf das Gute und das Böse zu zeigen,
daß sie sich verirrt haben und das Wesen des Guten und
Bösen an einem Ort suchen, wo es nicht ist."[73]

Der Nutzen, den solche Philosophen durch ihre Bildungsaufgabe erbrachten, wird allerdings nicht nur bösartigerweise von Christen, sondern auch von Vertretern des Heidentums grundsätzlich in Frage gestellt. Bezweifelt wird, ob die Philosophen durch ihre eigene Praxis das Gesagte und Geforderte decken.[74] Besonders die kynischen Philosophen waren Ziel solcher Kritik.[75]

[71] Or. 31, 352 bc „Über den Vorrang": Τὴν δὲ λυσιτειλοῦσαν προετίμησα τῆς μόνον τὸ ἐμὸν ἴδιον ἐξεταζούσης καὶ ἐν πολιτείᾳ φιλοσοφίαν εἱλόμην ... οἱ τὰ ἔργα τοῖς λόγοις ἐγκαταμίξαντες οὔτε ἀλυσιτελῆ τοῖς κοινοῖς ἐπεδείξαντο φιλοσοφίαν (Downy II, 190).

[72] Or. 13, 33 (Cohoon II, 118). Zu den meisten ethischen Anweisungen, die von den Philosophen vorgetragen werden, bietet sowohl Chrysostomus wie seine christlichen Zeitgenossen Parallelen. Zudem ist die christliche Homilie auch formal ohne die Tradition der antiken Rhetorik und Diatribe undenkbar, vgl. H.-G. Beck, Antike Beredtsamkeit und byzantinische Kallilogie, in: Antike und Abendland 15 (1969) 91–101, bes. 98ff.

[73] Arrianus, Dissert. III, 23, 4 Über den Kynismus (Oldfather II, 136f.).

[74] Eunapius (Vit. Soph. 471) kritisiert die professionellen Philosophen, „die Gewinn schlagen aus ihrer Nähe zum Philosophieren und dabei die meiste Zeit in den Gerichten zubringen ... So sieht ihre Verachtung des Goldes aus" (Wright 416).

[75] So Julian in seiner Polemik (Or. 7, 198 b–f) Gegen die Kyniker (Wright II, 51f.).

Chrysostomus selbst hat wegen dieser Diskrepanz die christlichen Asketen kritisiert und unterstellt den heidnischen Philosophen überhaupt, daß ihre Philosophie nur in Worten besteht. Von welcher Art die christliche Philosophie sei, erläutert er innerhalb der Säulenhomilien anhand des konkreten Verhaltens der christlichen und heidnischen Philosophen: Die heidnischen, unter ihnen auch Libanius, flohen aus der Stadt vor den Sanktionen, die wegen der umgestürzten Säulenbilder der kaiserlichen Familie jedem drohten;[76] in dieser höchsten Gefahr kamen Mönche vom Gebirge in die Stadt und verhandelten mit den Behörden. Wichtig in diesem Zusammenhang ist die Unterscheidung, die Chrysostomus bezüglich der ‚Philosophie' anbringt: Die heidnische qualifiziert er als „Mythos, Schattengebilde und Hochmut";[77] die christliche ist dadurch ausgezeichnet, daß sie sich durch Taten ausweisen kann.[78]
Auf diesem Zusammenhang insistiert Chrysostomus immer in seinen Homilien – darin erblickt er das spezifisch Christliche, das Unterscheidende von den Heiden.[79]
So verwendet er an vielen Stellen ‚Philosophie' absolut,[80] weil dieser Gebrauch und – darin eingeschlossen – ihre Reklamation schon seit der frühchristlichen Zeit üblich war; aber besonders in der aktuellen Absetzung von den heidnischen Philosophen, die er in seinen Predigten immer wieder für nötig hält, versieht er den Begriff mit Zusätzen, die noch von dem Bewußtsein bestimmt sind, daß ursprünglich übernommenes Gut vorliegt.[81]

[76] Hom. 17, 2 ad pop. Ant. (PG 49, 173f.).
[77] Ebd.: ... πὰρ' αὐτοῖς μῦθος καὶ σκηνὴ καὶ ὑπόκρισις. Auch an anderen Stellen disqualifiziert Chrysostomus (Hom. 12, 3 in Phil) die antiken Philosophen – allerdings mit einem Argument, das er gleichfalls auf die Christen polemisch wendet: daß die Philosophie nur in Worten besteht (ἐν λόγοις φιλοσοφεῖν) (PG 62, 273). Vgl. auch Hom. 63, 1 in Joh (PG 59, 349).
[78] Chrysostomus benutzt diesen Anlaß, um heidnischen Gerüchten und dem offensichtlich weit verbreiteten Argwohn, der den ‚Philosophen' und deshalb auch den christlichen Asketen gleichermaßen galt, entgegenzutreten und die Asketen zu rehabilitieren: „Von jetzt an ist offenbar, daß alles früher Verbreitete nur Lügen waren; aufgrund der Ereignisse ist deutlich, daß das von uns Gesagte wahr gewesen ist."
[79] Chrysostomus kann Johannes den Täufer fast in Analogie zu den kynischen Philosophen schildern (Hom. 10, 4 in Mt), weil er auch ohne Dach, ohne Bett und Tisch gelebt hat; aber als unterscheidendes Merkmal hebt er hervor, daß er „seine Lebensform auch an seinem Fleisch erweist" (... ἀλλ' ἀγγελικόν τινα βίον ἐν τῇ σαρκὶ ταύτῃ ἐπεδείκνυτο), d. h. daß der behaupteten Philosphie auch eine reale Praxis des Lebens, und nicht bloß Worte entsprechen (PG 57, 188).
[80] Vgl. Expos. in Ps 4, 11: πενία φιλοσοφίας μήτηρ (PG 55, 57). Expos. in Ps 41,7: ἐν εὐλαβείᾳ καὶ φιλοσοφίᾳ ἀταράχως (Ebd. 166).
[81] Hom. 21, 6 in Eph: ὄντως φιλοσοφία (PG 62, 153); Hom. 18, 4 ad pop. Ant.: φιλοσοφίαν μέτελθε τὴν κατὰ θεὸν (PG 49, 186); Hom. 1, 1 de Dav. et Saule: τὴν

Mit der bewußten Übernahme und Uminterpretation des Begriffs ‚Philosophie', so daß er vor allem die christliche Praxis als neue Lebensform kennzeichnet,[82] erreicht Chrysostomus ein Doppeltes: Er kann sie für alle Christen verbindlich machen – nicht nur für die Asketen und Mönche; und er kann an Tendenzen innerhalb der antiken Philosophie selbst anknüpfen, die auch von dem Philosophen einen Nutzen für die Allgemeinheit erwarten und diesen darin sehen wollen, daß er seine Lehre durch seine Taten auch glaubhaft macht. Insofern stellt Chrysostomus das Christentum unter dieselben Bedingungen, unter denen zumindest teilweise auch die antike Philosophie angetreten war, nämlich die Gesellschaft durch das Beispiel und die Kraft einer besseren Lebensweise zu verändern. Daß er wie andere seiner christlichen Zeitgenossen bei diesem Versuch von der asketischen Lebensform herkommt und davon weitgehend bestimmt bleibt, kann kein Zufall sein. An Radikalität und Unangepaßtheit an die bestehenden Verhältnisse hat diese Gestalt des Christlichen die größte Affinität zum Kynismus, der extremsten Blüte der antiken Kultur.

Chrysostomus behauptet, „die Torheiten der Kyniker seien überwunden",[83] es bedürfe nicht mehr ihrer Extravaganzen, seitdem durch die Zöllner und Fischer „alle Unwissenden und Ungelehrten zu Philosophen geworden sind".[84]

Damit hört die Philosophie auf, das Vorrecht einiger weniger zu sein; Chrysostomus unternimmt den Versuch, sie zu verallgemeinern und ihr humanes Anliegen in christlicher Gestalt zu verwirklichen. „Ist es nicht möglich, in der Ehe zu tun, was in der Einsamkeit möglich ist, so ist alles dem Untergang geweiht und die Tugend ist in die engsten Grenzen verwiesen."[85]

Der ursprüngliche Ort des Christentums ist die Gesellschaft; denn „diejenigen, die zuerst von den Aposteln unterrichtet wurden, wohn-

ἀποστολικὴν … φιλοσοφίαν (PG 54, 678); ebd. 3,3: πρὸς κορυφὴν τῆς ἐν τῇ χάριτι φιλοσοφίας (ebd. 689); Hom. 17, 2 ad pop. Ant.: μόνοι δὲ οἱ διὰ τῶν ἔργων ἀληθῶς τὴν φιλοσοφίαν ἐπιδεικνύμενοι … Τοσοῦτον ἐστὶ ἡ παρὰ τοῦ Χριστοῦ τοῖς ἀνθρώποις εἰσενεχθεῖσα φιλοσοφία (PG 49, 174).

[82] E. Novak versucht, den Begriff von Philosphie, wie er bei Chrysostomus begegnet, im Zusammenhang mit dem antiken Verständnis als Einheit von Theorie und Praxis zu definieren. „Il identifie philosphie à l'art pratique de vivre; elle est un effort vers la vertu et la perfection" (Le chrétien devant la suffrance, 71). In die gleiche Richtung des umfassenderen Verständnisses deutet M. Pohlenz' Bemerkung. „Schon im Altertum hat man auch festgestellt, daß der Kynismus gar keine Philosophenschule sei, sondern eine Lebensform" (Grieschische Freiheit. Wesen und Werden eines Lebensideals, 81).

[83] Hom. 33, 4 in Mt (PG 57, 392).

[84] Hom. 4, 3 in 1 Cor (PG 61, 34).

[85] Hom. 7, 4 in Hebr (PG 63, 67f.).

ten ja auch in den Städten und zeigten eine Frömmigkeit, als lebten sie in der Wüste ... auch die Propheten hatten ohne Ausnahme Frauen und Häuser wie Jesaia und Ezechiel, der große Moses, und doch litt ihre Tugend darunter nicht".[86] Der Rückzug aus der Gesellschaft wird als Notstand gekennzeichnet, der deswegen aufgehoben werden muß, weil er kein christliches Recht hat und weil die Gesellschaft auf die Präsenz des Christlichen zu ihrem Wohl wartet. Die Kritik an der Sorge um das eigene Heil und die eigene Tugend ist Ausdruck dafür, daß die Christen nicht für sich selbst leben, sondern eine Aufgabe gegenüber der Gesellschaft zu erfüllen haben: ihr vorzuleben, was es heißt „Christ zu sein" (φιλοσοφεῖν) und dadurch zu bewirken, daß „die Städte wirklich werden, was sie sein sollten".[87]
„Die Weisheit der Wüste in die Städte einführen"[88] – so umschreibt Chrysostomus an anderer Stelle den Auftrag; das heißt nichts anderes als „das Christentum in die Städte einführen".
Nicht von staatlicher Begünstigung und auch nicht von der großen Zahl der Christen, sondern von der vorgelebten christlichen Praxis erhofft sich Chrysostomus eine verändernde, humanisierende Wirkung.
Dem Versuch der Vermittlung der verschiedenen Traditionen, die für Chrysostomus bestimmend sind, mit dem Zustand der Gesellschaft soll im Folgenden nachgegangen werden, um erheben zu können, worin das Christliche besteht und inwiefern seine Verwirklichung identisch wäre mit dem humanen Anliegen der antiken Tradition.

2. *Zur Methode einer traditionsgeschichtlichen Untersuchung*

Um die Frage nach dem christlichen Beitrag zur Humanisierung beantworten zu können, ist es notwendig, damit zu rechnen, auf Aussagen zu stoßen, die teils der biblischen und teils der philosophischen Tradition entstammen; denn die Form des ganzen Christentums, das Chrysostomus in die Städte aus der Wüste zurückbringen will, stellt schon in sich eine Neuinterpretation des Christentums mittels der antiken Tradition dar. Deswegen findet sich auch kaum eine Untersuchung innerhalb der patristischen Wissenschaft, die ganz darauf verzichten könnte, sich mit Fragen der Traditions- und Rezeptionsgeschichte zu befassen.[89]

[86] Hom. 55, 6 in Mt (PG 58, 448f.).
[87] Hom. 26, 4 in Rom (PG 60, 644).
[88] Hom. 55, 6 in Mt (PG 58, 549). Daß die Laien wie die Mönche zur gleichen Vollkommenheit der Lebensweise verpflichtet sind, ist keine spezielle Forderung des Chrysostomus. Auch Basilius (Hom. de renunt. saeculi 2) teilt sie (PG 31, 629), nur wird sie von ihm auf die entstehenden Mönchsgemeinden angewendet.
[89] In älteren Untersuchungen ist dieses Bewußtsein noch viel ausgeprägter als teilweise in neueren, die glauben, auf Vergleiche und Heranziehen der Tradition verzichten zu

In der Beurteilung dieser Gleichzeitigkeit gehen die Meinungen auseinander; teils wird sie als ‚Hellenisierung' beklagt,[90] teils mit Mitteln gerechtfertigt, die den frühen Apologeten alle Ehre gemacht hätten.[91] Die frühchristlichen Theologen und Schriftsteller selbst nehmen schon Positionen gegenüber der antiken Tradition ein, die untereinander widersprüchlich erscheinen.[92] Nur darin herrscht faktische Übereinstimmung, daß niemand auf sie verzichten kann.
Franz Overbeck umschreibt dieses Verhältnis, wie es sich für die Väter des 4. Jahrhunderts darstellt. „Je mehr namentlich die Kirchenlehrer die alleinigen Erben der antiken Bildung werden, je tiefer ihre Theologie in Abhängigkeit von der nichtchristlichen Philosophie gerät, und je vollständiger sie deren Begriffe in sich aufnimmt, um so schroffer wird ihr dogmatisches Verdammungsurteil über Bildung und Philosophie der classischen Zeit."[93]

können. Man vergleiche etwa die Arbeit von J. Stelzenberger (Die Beziehungen der frühchristlichen Sittenlehre zur Ethik der Stoa, 1933) mit der Untersuchung von W. Jaeger (Die Sklaverei bei Johannes Chrysostomus, Diss. 1974). Beispielhaft bleibt eine Arbeit wie von D. D. Amand (Fatalisme et liberté dans l'antiquité grecque), weil sie einen Überblick über die griechische und christliche Tradition zu einem Thema gewährt.

[90] A. Grillmeier (Mit ihm und durch ihn. Christologische Forschungen und Perspektiven) bietet im 4. Kapitel (432ff.) die neuere Diskussion samt Literatur zu diesem vielverhandelten Thema. Vgl. den Beitrag dess., Zur Diskussion über die Hellenisierung des Christuskerygma, in: Kerygma und Logos (Festschrift für C. Andresen) 226–257, in dem er Phasen der „Hellenisierung" und „Enthellenisierung" unterscheidet.

[91] Vgl. die Begründung, die J. Stelzenberger, a.a.O. 111, zur Übernahme des stoischen Naturrechts vorträgt.

[92] Die Literatur zu diesem Thema ist sehr umfangreich und hat in der Forschung auch bezüglich der Positionen der einzelnen Autoren nicht zu einem Konsens geführt. An neueren Arbeiten und Aufsätzen zu einzelnen Autoren vgl. E. F. Osborn, Justin Martyr, Tübingen 1973; N. Hydahl, Philosophie und Christentum. Eine Interpretation der Einleitung zum Dialog Justins, Kopenhagen 1966; H. Chadwick, Early Christian thought and the classical tradition. Studies in Justin, Clement and Origen, Oxford 1966; S. R. C. Lilla, Clement of Alexandria. A study in Christian Platonism and Gnosticism, Oxford 1971; F.-P. Hager, Die Bedeutung der griechischen Philosophie für die christliche Wahrheit und Bildung bei Tertullian und Augustin, in: AA 24 (1978) 76–84. Auch im 4. Jahrhundert ist der in der Apologetik vorgegebene Standpunkt nicht aufgegeben, weil der Grundkonflikt noch nicht ausgetragen ist. Gregor von Nazianz (Or. 4, 100) vermittelt einen Widerhall davon, welchen Eindruck das Lehrverbot Kaiser Julians auf die Christen machte (PG 35, 633f.); faktisch konnten die Christen das Kulturerbe der Antike nicht entbehren. Auch Basilius (Sermo de leg. libr. Gent.) ist sich dessen bewußt (PG 31, 564–589); vgl. dazu die Interpretation von E. Lamberz, Zum Verständnis von Basileios' Schrift ‚Ad adolescentes', in: ZKG 90 (1979) 75–95.

[93] Über den pseudo-justinischen Brief an Diognet, in: Studien zur Geschichte der alten Kirche, 59. A. Wifstrand sinniert über die Tatsache, daß die christlichen Mönche das Enchiridion des Epiktet kaum verändert übernommen haben als christliches Handbuch der Ethik: „Hier gerät man in das am schwersten zu beurteilende Gebiet der

So zutreffend dieses Urteil im allgemeinen geblieben ist, es müßte für Chrysostomus dahingehend modifiziert werden, daß er gegenüber den meisten der klassischen Philosophen und ihren Lehren seine Bedenken erhebt; daß er die griechische Bildung ablehnt oder ihr kritisch gegenübersteht, teilt er mit einer ganzen Reihe antiker, heidnischer Autoren.[94] Diese Skepsis scheint ihren Ursprung in der Auseinandersetzung Platons mit der Sophistik zu haben.[95]
Eine Ablehnung der ‚Philosophie' als solcher war nicht mehr möglich, seit sich das Christentum selbst darunter verstand.

Beziehungen von Kirche und griechischer Wissenschaft. Was hat die griechische Philosophie für die christliche Theologie bedeutet" (Die alte Kirche und die griechische Bildung, 60)? A. Danassis (Johannes Chrysostomus. Pädagogisch-psychologische Ideen in seinem Werk, 123ff.) bietet eine Übersicht über die direkten Zitate und indirekte Erwähnungen philosophischer Autoren im gesamten Werk des Chrysostomus. A. Warkotsch (Antike Philosophie im Urteil der Kirchenväter) präsentiert eine Auswahl von Texten, ohne allerdings den Versuch zu unternehmen, die Äußerungen der Kirchenväter zur antiken Bildung und Philosophie zu werten oder kritisch einzuordnen. Chrysostomus wird übergangen.

[94] Die kritische Haltung gegenüber der Schulweisheit als Vorbereitung auf einen einträglichen Beruf übernimmt Chrysostomus (Adv. opp. III, 11) aus der Tradition: „Setzen wir die Bildung herab? (διδασκαλεῖα) Nein! sondern wir dürfen das Haus der Tugend nicht zerstören" (PG 47, 367). Deutlicher wird der Gegensatz, wenn er (Hom. 21, 2 in Eph) ausführt: „Bemühe dich nicht, aus ihm (scil. deinem Sohn) einen Rhetor zu machen, sondern lehre ihn, philosophisch zu leben" (PG 62, 152). Vgl. auch Hom. 59, 7 in Mt (PG 58, 584). Dieser Vorbehalt gegenüber der Bildung zugunsten der Philosophie als praktischer Lebenslehre und Anweisung begegnet schon bei Aristipp (SVF I, 78) und gleichlautend bei Ariston (Hense I, 246). In dieser Tradition kann Seneca (Ep. 88, 20) lapidar behaupten: „Artes liberales ad alia multum, ad virtutem nihil" (Reynolds I, 317).

[95] Chrysostomus nimmt Platon und Sokrates in diesem Sinne (Adv. opp. III, 11) für seine Argumentation gegenüber seinen fingierten heidnischen und damit griechisch gebildeten Adressaten zu Hilfe (PG 47, 367f.).

II. Hauptteil

DER VERSUCH, DAS HUMANE ERBE DER ANTIKE CHRISTLICH ZU VERMITTELN UND ZU VERWIRKLICHEN

Daß die Christen das Erbe der Philosophen antreten und verwirklichen können, leitet Chrysostomus auch aus der Wirkungsgeschichte beider Traditionen ab. Diese zeigt ein Doppeltes: Die heidnischen Philosophen konnten bei aller Weisheit und Freiheit ihre Lehren und ihre Lebensweise nicht verallgemeinern;[1] das Christentum des Anfangs setzte sich in der ganzen Welt durch – als eine „neue Lebensweise",[2] trotz Verfolgung und Anfeindung.
Dieses paradoxe Verhältnis von menschlicher Möglichkeit und äußerem Erfolg dient Chrysostomus an vielen Stellen seiner Homilien dazu, den Impetus zur Humanisierung, den er auch der Philosophie zugesteht, auf ihren Grund zurückzuführen: Die Griechen „wollen sich alles selbst verdanken, daher vergöttern sie auch den Menschen"[3], die Ausbreitung des Evangeliums am Anfang offenbart die Macht Gottes und gilt ihm als der einzige ‚Gottesbeweis'.[4]
Der philosophische Weg kennt als Subjekt und Ziel den Menschen und ist als Ausdruck menschlicher Weisheit für Chrysostomus ein Holzweg; der christliche Weg stammt nicht von Menschen, sondern wurde von Gott in die Welt gebracht als ein neuer, der als der bessere mit demjenigen der Philosophen in Konkurrenz getreten ist und ihn schon grundsätzlich als irrig und nicht zum Ziel führend erwiesen hat.
Der Konvergenzpunkt der christlichen und der antiken Tradition kann in dem Versuch, ‚philosophisch zu leben' gesehen werden. Daß Chrysostomus beide Stränge nicht identifiziert, konnte anhand seiner Kritik der Askese deutlich werden.

[1] Als paradigmatischen Fall führt Chrysostomus immer wieder den Versuch Platons an, seine Politeia in Sizilien einzuführen, vgl. Hom. 4, 3 in 1 Cor (PG 61, 34); Hom. 1, 4 in Mt (PG 57, 19); Hom. 4 de laud. Pauli: „Und damals stand diesem Philosophen kein Hindernis im Weg" (PG 50, 495).

[2] Vgl. Hom 5, 2. 3 adv. Jud. (PG 48, 885f.).

[3] Hom. contra Jud. et Gent. 1, 2: „Was ist es also, was jener nicht leugnen kann: daß er selbst das Geschlecht der Christen gepflanzt hat und überall auf der Erde die Kirchen gegründet hat" (PG 48, 813).

[4] Vgl. Hom. 63, 5 in Joh (PG 59, 352); Hom. 3, 1 in Phil (PG 62, 197).

Wenn das Spezifische des Christentums darin gelegen ist, daß der Philosophie auch eine Praxis entspricht, erhält der angemeldete Anspruch, die heidnische Tradition zu beerben, erst seinen Sinn und seine Berechtigung; zudem erscheint es nicht inkonsequent, die bereit liegende Begrifflichkeit samt den Problemen, vor die sich die philosophische Tradition gestellt sah und die sie zu lösen versuchte, mit zu übernehmen.

Als methodische Folgerung aus diesem komplexen geschichtlichen Vorgang ergibt sich die Notwendigkeit einer traditionsgeschichtlich orientierten Untersuchung. Denn wenn das Christentum mit dem Anspruch auftritt, die ‚wahre' Philosophie zu sein, impliziert dies auch das Versprechen, die antike humane Tradition zu erfüllen.

Insofern erscheint die Tatsache, daß Chrysostomus – ähnlich wie Basilius, Gregor von Nazianz und Gregor von Nyssa – in der philosophischen Tradition fest verwurzelt ist und auch als Christ bleibt, nicht als ein Mangel, der beklagt werden müßte, sondern als die Bedingung dafür, in Auseinandersetzung mit dieser Tradition und Kultur zu artikulieren, worin der christliche Weg zur Humanisierung bestehen würde.

Die Probleme der Gesellschaft zur Zeit des Chrysostomus sind keine wesentlich anderen als zur Zeit Senecas. Sie werden weitergereicht samt den Lösungen, und oft begegnen sie in der Gestalt fester Tropen und Formeln. Das Christentum konnte hier anknüpfen und versuchen, seinen Beitrag zur Lösung der gesellschaftlichen Probleme zu leisten.

Wegen dieser schon vorhandenen, nicht-christlichen humanen Tradition ist es sinnvoll, sie von der hinzukommenden christlichen zu unterscheiden, aber nicht zu trennen. Dies führt zu einer Gliederung, die jeweils in bezug auf einen gesellschaftlichen Bereich zunächst die philosophische Antwort bietet, die Chrysostomus mit dieser Tradition teilt, und fügt dann die christliche Antwort hinzu.

Indem Chrysostomus den christlichen Weg in bewußter Parallelisierung zur philosophischen Tradition als ‚βίος'[5] oder als ‚πολιτεία'[6] bezeichnet, zeigt er ein Selbstverständnis des Christlichen, das nicht geschichtslos ist, sondern für sich reklamiert, das uneingelöste Versprechen der antiken Tradition zu erfüllen.[7] So kann auch seine Polemik gegen die Philosophen und ihre Abwertung verständlich werden.[8] Sie ist nicht Ausdruck blinder Feindschaft, sondern resultiert

[5] Vgl. Hom. 33, 4 in Mt (PG 57, 18); Aristoteles, Eth. Nic. I, 5 (1095, 14).

[6] Vgl. Hom. 16, 3 in Mt (PG 57, 242); Hom. 5, 3 adv. Jud. (PG 48, 886).

[7] So kann Chrysostomus (Hom. 2, 6 in Rom) sagen: „Auch von den Übeln des irdischen Daseins können wir auf keine andere Weise befreit werden als durch den Glauben" (PG 60, 410).

[8] Vgl. Hom. 3, 1 in Phil (PG 62, 197); aus dem Bewußtsein der Überlegenheit des

aus der Einsicht in einen theologisch begründeten Sachverhalt: daß die Humanisierung der gesellschaftlichen Verhältnisse, die immer auch eine Veränderung des Menschen impliziert,[9] nicht im Bauen auf den Menschen allein möglich ist, sondern an die Tat Gottes geknüpft ist.

Dadurch kann zweierlei deutlich werden: Chrysostomus versteht die Intention des Christentums als Fortsetzung der antiken humanen Tradition, durch die Einführung einer neuen Lebensform die Verhältnisse real zu verändern und zu verbessern; das apologetische Verfahren, das Christentum an die Stelle der Philosophie zu setzen, entstammt dem Wissen, das durch geschichtliche Erfahrung belegt ist, daß Humanisierung durch den Menschen allein nicht möglich ist. Das Christentum ist vielmehr der von Gott gestiftete neue Weg, der die früheren und anderen Wege als Sackgassen offenbar macht.[10]

Ähnlich wie der Begriff ‚Philosophie' werden ‚βίος' und ‚πολιτεία' durch Zusätze, meist adjektivischer Art, uminterpretiert[11] oder finden sich in Zusammenhängen, die durch Verben und Substantive der Veränderung gekennzeichnet sind.[12]

Denselben Sachverhalt kann Chrysostomus mittels christlich geprägter Terminologie umschreiben.[13] Kennzeichnend für diese Begrifflichkeit ist, daß sich darin das Bewußtsein der Neuheit und gleichzeitig

Christentums kann er (Hom. 2, 6 in Rom) formulieren: „Der dünkelhafte und eingebildete Man, der selbstbewußte Philosoph, wird gegen den Glauben nicht ankommen. Man kennt ja die Natur der philosophischen Systeme: verworrene Labyrinthe, Gebäude ohne Ausgang, der Gedanke findet kein sicheres Fundament, ihre Basis ist Eitelkeit" (PG 60, 409); ähnlich in: Hom. 3, 1 in Phil (PG 62, 197).

[9] Als Exegese von Mt 5, 18 führt er aus (Hom. 16, 3 in Mt): „Hier deutet er uns an, daß die ganze Welt verändert wird (μετασχηματίζεσθαι). Und das sagte er in der Absicht ... zu zeigen, daß er mit Recht eine neue Lebensordnung einführe, da die ganze Schöpfung umgeändert, das ganze Menschengeschlecht in eine neue Heimat berufen und für ein höheres Leben vorbereitet werden sollte" (PG 57, 242). ‚Veränderung' in der alten Kirche bedeutet etwas anderes als nach heutigem Verständnis, insofern der Begriff theologisch verstanden ist.

[10] Die Auseinandersetzung steht unter einem ähnlichen theologischen Vorzeichen wie die Unterscheidung, die Paulus bezüglich Gesetz und Evangelium trifft: Der menschliche Heilsweg, den der Mensch sich selbst verdankt, erscheint gegenüber dem Heilsangebot Gottes als Irrweg, ob er nun als Religion oder als Weisheit verstanden ist.

[11] Zumeist verwendet Chrysostomas καινή, neben ξενή und ἕτερα, so in: Hom. 16, 5 in Mt (PG 57, 242); Hom. 5, 3 adv. Jud. (PG 48, 886).

[12] So bringt Chrysostomus den Begriff der πολιτεία in einen inhaltlichen Konnex (Hom. 8, 4 in 2 Cor) mit καινοτομία ... καινοτομῇ (PG 61, 458); ähnlich Hom. 4, 3 in 1 Cor: πάλαια ἔθη κινοῦντες ... μεταίρουντες (PG 61, 36).

[13] Vgl. Hom. de futurae vitae delic. 3: κομίζων πολιτείαν ἀγγελικὴν καὶ τὴ γὴν οὐρανὸν ἐποίησε ... ἀνθρώπους ἀγγέλους ... (PG 51, 350); Hom. 54, 5 in Mt: τοὺς ἀνθρώπους ἀγγέλους εἰργάσατο (PG 58, 338).

der Kontinuität manifestiert, das das christliche Selbstverständnis mit der philosophischen Tradition verbindet.
Dies gilt ebenfalls für ein Moment, das mit Distanz zu den irdischen Dingen der Welt umschrieben werden könnte. Auch hierin konnte das christliche Selbstverständnis an eine formale Analogie anknüpfen. Die Bedingung, philosophisch zu leben, bedeutete, der Tugend und – damit als ihrem Telos – der eigenen Glückseligkeit den absoluten Vorrang zu geben;[14] dies implizierte ein Abstandnehmen von den äußeren Dingen, das mit „Verachtung" begrifflich fixiert ist.[15]
Diese philosophische Grundhaltung – als die Kehrseite des Vorranges der eigenen Glückseligkeit – der ‚Weltverachtung' war offen für eine neue Interpretation; dabei wird die Haltung der Distanz nach biblischer Tradition zwar beibehalten,[16] aber der Vorrang wird neu orientiert: Er gilt nicht mehr der eigenen Glückseligkeit, sondern neben der Sorge um das Heil des anderen richtet er sich darauf, „Gott zu gefallen"[17], „nach seinem Willen zu leben".[18]

1. Kapitel

Aufnahme der Themen philosophischer Gesellschaftskritik

Der Zusammenhang des christlichen Selbstverständnisses mit der philosophischen Tradition, wie er anhand einiger Begriffe und des Verhältnisses zu den Dingen der Welt wenigstens angedeutet werden konnte, wird noch offensichtlicher, wenn man die kritische Position und ihre Bedingung ins einzelne verfolgt.
Zunächst ist sie gekennzeichnet durch Distanz, die der Christ genauso selbstverständlich für sich beansprucht wie ein heidnischer Philosoph. Ermöglicht ist sie durch eine Sehweise, die für sich beansprucht, entgegen der Meinung der Menge[19] das wahre Wesen der Dinge und

[14] Klemens v. Alexandrien referiert (Strom. II, 21) die divergierenden Auffassungen der Philosophenschulen zu diesem zentralen Thema der Antike (PG 8, 1072ff.).
[15] Vgl. Diogenes Laertius VI, 104 (Hicks II, 108).
[16] Das christliche Selbstverständnis, ein Fremder in der Welt zu sein, nimmt seine Interpretamente z. T. aus der philosophischen Einschätzung der Dinge der Welt als ‚Äußerlichkeiten'. Die Aussagen des Chrysostomus (Hom. 9, 5 in Mt) über die Fremdlingschaft der Christen in der Welt (PG 57, 181) sind dem Weltverständnis eines Epiktet (Dissert. II, 16, 11) durchaus verwandt.
[17] Vgl. Hom. 22, 3 in Mt (PG 57, 303); Hom. 21, 6 in Gen (PG 53, 183).
[18] Vgl. Hom. 10, 2 in 2 Cor (PG 61, 469).
[19] Zur Tradition dieser Unterscheidung vgl. H. Perls, Lexikon der Platonischen Begriffe, bes. 380–385; Aristoteles, Eth. Nic. I, 5 1095, 15ff.; Dio Chrysostomus (Or. 68, 5): „Wer aber Weisheit erstrebt und zur Einsicht gekommen ist, . . . unterscheidet sich von der Menge . . . und erlangt seine Glückseligkeit" (Crosby V, 132); Chrysostomus antwortet auf die Frage, ob die Tugend schwer oder leicht sei (Hom. 14, 4 in 1 Cor):

Verhältnisse zu durchschauen.[20] Ob er als Wissender den Abstand als räumliche Trennung realisiert wie die Asketen oder als dauernden Protest wie die Kyniker[21] oder als Schau,[22] bleibt unerheblich. Nur soviel ist festzuhalten, daß eine Kritik der Gesellschaft eine räumliche oder theoretische Trennung von dem zu Kritisierenden voraussetzt. Eine solche Haltung nimmt Chrysostomus auch für das Christentum in Anspruch. Wie immer der Standort ‚außerhalb' der Gesellschaft umschrieben sein mag, auch er bietet formal gleich wie für den Weisen die Möglichkeit, neu und kritisch zu sehen und das wahre Wesen der Dinge aufzudecken. Und er fordert die Christen auf, sich ebenfalls auf den Standpunkt der Philosophie zu stellen[23] und das Leben der Menschen zu beurteilen.[24]
Aber auch hier läßt sich beobachten, wie Chrysostomus über das Übernommene hinausgeht. Indem er den Standpunkt nicht nur außerhalb und über die Welt verlegt, sondern ‚in den Himmel',[25]

„Wir dürfen auch hier nicht nach der Begierde der vielen urteilen – nicht nach dem Kranken, sondern nach dem Gesunden muß man entscheiden" (PG 61, 119). Die oppositionellen Begriffe ‚die Vielen' – ‚die Wenigen' sind analog zu ‚der Weise' – ‚der Tor' gebildet und verwandt.

[20] Die Differenz der Bedeutungsinhalte tritt sprachlich in Erscheinung; so definiert Chrysostomus (Hom. 71, 1 in Joh) den Begriff von ‚Sklave' – ‚freier Mann' aufgrund der kritischen Sehweise als bloß äußerlich gültig, dem in der Sache nichts entspricht: ὀνομάτων ἐστὶ διαφορά (PG 59, 386); ähnliche Korrekturen finden sich in der Stoa, Stobaeus (Ecl. II, 101, 14): κατ' ἀλήϑειαν πλοῦτον (SVF III, 155).

[21] Lucian läßt den „Kyniker" (12) selbstbewußt sagen: „Wenn ich aber wie ein Tier zu leben scheine . . ." (Macleod VIII, 400). Der Kyniker realisiert die ‚ursprüngliche', ‚primitiv-natürliche' Lebensweise im Gegensatz zur als dekadent empfundenen Zivilisation der übrigen.

[22] Seneca beschreibt (De vita beat. XXVIII, 1) diesen Standpunkt: „At ego, ex alto prospiciens video, quae tempestates aut immineant" (Rosenbach II, 74f.); Jamblich (Protrept. IX, 59 A) verwendet die Insel der Seligen als Metapher für den Abstand, aus dem διανοεῖσϑαι καὶ ϑεωρᾶσϑαι möglich sind (Pistelli 53).

[23] Chrysostomus fordert seine Hörer auf, sich die Perspektive der Philosophie zu eigen zu machen (Hom. 15, 4 in 1 Tim): „Wähle den Standpunkt der Philosophie (ἐμφιλοσόφησον τῇ ϑέᾳ . . .). Steige hinauf zum Himmel und blicke auf die glänzenden Paläste, und du wirst sehen, daß sie nichts sind als Kinderspielzeug" (PG 62, 585).

[24] Exemplifiziert wird dies z. B. anhand des Verhaltens des Weisen und Toren gegenüber dem Armen (Hom. 9, 1 in Col): Dieser „füttert seine Hunde und läßt das Ebenbild Gottes verhungern; der Weise hat erkannt, daß alle eine gemeinsame Natur besitzen und teilt deswegen barmherzig seinen Besitz. Er ist ein Philosoph und verachtet deswegen den Ruhm; er weiß um die menschlichen Dinge; denn die Philosophie besteht in dem Wissen um die göttlichen und menschlichen Dinge" (τῶν ϑείων καὶ ἀνϑρωπίνων πραγμάτων γνῶσις ἡ φιλοσοφία) (PG 62, 361). Diese Definition ist ein Stück stoischer Lehrtradtion (vgl. SVF II 36), die auch Cicero öfter zitiert, so in Off. I 43, 153, und II 2, 5; Tusc. IV 26, 57 und V 3, 7. Daß sie übernommen werden konnte, zeigt an, wie weitgehend sich das Christentum in der Philosophie wiederfand.

[25] Was er darunter versteht, wird einsichtig, wenn man Aussagen wie (Hom. 1, 1 in Mt): „Gott auf der Erde, der Mensch im Himmel: jede Ordnung ist umgestürzt" (PG 57,

erreicht die Möglichkeit der Kritik eine Form, die innerhalb der philosophischen Tradition nur in der Utopie eine Analogie findet.[26] Die Bedingung einer solchen radikalen Kritik ist eine theologische. Weil die Christen in die Lage versetzt sind, „schon auf der Erde das gleiche Leben zu führen wie die Bewohner des Himmels“[27] und dadurch „die Erde zum Himmel machen“,[28] ist ihre Kritik nicht bloß mehr eine Theorie, sondern eine reale Alternative zur bestehenden Gesellschaft.[29] ‚Himmlisches denken‘ oder in den Himmel hinaufsteigen, ist keine Form der Weltflucht oder Sehnsucht nach einem Jenseits, sondern die theologische Umschreibung des christlichen Auftrages, innerhalb der bestehenden Gesellschaft eine Alternative vorzuleben, die als solche humane Gesellschaft ist.
Insofern kann für Chrysostomus geltend gemacht werden, daß er sich in seiner Begrifflichkeit zwar weitgehend dem antiken Weltbild anschließt und einen Dualismus von ‚Himmel‘ und ‚Erde‘ als vorgegeben benützt und verwendet,[30] aber damit sein Verständnis nicht adäquat umschrieben ist.
An einer Stelle seines umfangreichen Werkes umschreibt er sein Verständnis, das seine theologische Denkrichtung zutiefst prägt:

> „Der Himmel ist wegen des Menschen,
> nicht der Mensch wegen des Himmels.
> Und dies erhellt aus den Taten Christi,
> der keinen himmlischen Leib angenommen hat.“[31]

Die Fluchtbewegung aus der Gesellschaft wird hier aus einer theologisch verstandenen Grundtendenz umgekehrt: Sie hat nicht die

15) und (Hom. 16, 3 in Hebr): „Das Leben auf der Erde oder im Himmel hängt an der Lebensweise und dem Willen ... wenn wir in der Nähe Gottes leben, sind wir im Himmel“ anzieht (PG 63, 125f.). Das Weltanschauungsschema ist hier durchbrochen.

[26] Zur Unterscheidung der Begriffe und zur Utopiediskussion vgl. G. Friedrich, Reich Gottes und Utopie, bes. 74ff.; H. Flashar, Utopisches Denken bei den Griechen, bes. 10–14.

[27] Hom. 19, 5 in Mt (PG 57, 279).

[28] Ebd.

[29] So kann Chrysostomus aus dieser Perspektive des Himmels sagen (Hom. 16, 3 in Hebr.): „Wir werden keinen Armen und Reichen, ... keinen Privatmann und keinen König erkennen können, ... dort ist kein Lärm, kein Aufruhr, kein Geschrei“ (PG 63, 126). Das bedeutet, daß es aus dieser Sicht keine Klassen und keine Armen in der Gesellschaft geben soll.

[30] Vgl. Hom. 15, 4 in 1 Tim: „Gott hat uns einen Leib von der Erde gegeben, daß wir ihn zum Himmel emporgetragen.“ Aber es folgt auch hier die Wendung, die das Weltbildhafte und Begriffliche eines Dualismus aufhebt: „Ich, sagt er gleichsam, habe Himmel und Erde geschaffen; ich gebe auch dir Schöpferkraft: Mache die Erde zum Himmel, du kannst es“ (PG 62, 585). Von einem an der Gnosis oder platonisierenden Tendenzen orientierten Dualismus scheint Chrysostomus unberührt zu sein.

[31] Hom. 6, 2 in illud, vidi dom. (PG 56, 122). Die ekklesiologische Variante dieses Gedankens findet sich in: Hom. ante exil. 2 (PG 52, 429).

Gestalt einer fraglosen Identifikation, sondern die der Identifkation Gottes in Jesus Christus,[32] aber nicht mit dem Himmel, sondern mit dem Menschen und seiner Welt. Insofern gilt für ihn, daß jede Ordnung umgestürzt ist, seitdem ‚Gott auf der Erde', und dadurch der Mensch im Himmel leben kann.

So gewinnt Chrysostomus, wenn er in die Tradition philosophischer Gesellschaftskritik eintritt, eine Basis, die es ihm erlaubt, alles Vorhandene zu rezipieren und doch dabei nicht stehen zu bleiben. Der Status der Gesellschaft ist durch die Präsenz des Christentums grundsätzlich ein anderer, weil mit ihm eine Alternative auch zu philosophischen Entwürfen gegeben ist.

Dieses Bewußtsein kann eine Stelle verdeutlichen, an der sich Chrysostomus einerseits mit den Gesellschaftsentwürfen Platons und Zenons auseinandersetzt, andererseits selbst aber eine Themenliste zusammenstellt, die weitgehend mit dem übereinstimmt, worüber auch Philosophen geredet und geschrieben haben. Er führt an „Reichtum und Armut, Freiheit und Sklaverei, Leben und Tod, Kosmos und Politeia".[33]

Aufschlußreich ist der Zusammenhang, innerhalb dessen Chrysostomus diese Themen der antiken Tradition nennt; er bietet sie als Inhalt der apostolischen Predigt und rückt sie unter eine neue Perspektive:

> „Die Apostel haben, nachdem sie die Welt verlassen haben,
> alles über die Dinge des Himmels mitgeteilt,
> indem sie bei uns ein anderes Leben und eine andere Lebensweise einführten,
> einen anderen Reichtum und eine andere Armut,
> eine andere Freiheit und Knechtschaft,
> ein anderes Leben und einen anderen Tod,
> einen anderen Kosmos und eine andere Politeia –
> alles war verändert."[34]

[32] Plotin (De virt. I, 2) schließt sich der Grundrichtung Platons an und zitiert ihn als Gewährsmann: „Da das Böse hier unten ist und ‚diesen Ort notwendig umwandelt, die Seele aber das Böse fliehen will, so müssen wir fliehen von hier' (φευκτέον ἐντεῦθεν) Und was ist das für eine Flucht? ‚Gott gleich werden', heißt es" (Harder I, 332). Ähnlich wie die christlichen Theologen sieht sich auch Plotin durch die Auseinandersetzung mit gnostisierenden Gruppen herausgefordert, den Kosmos und das In-der-Welt-Sein zu verteidigen. Vgl. dazu V. Schubert, Pronoia und Logos. Die Rechtfertigung der Weltordnung bei Plotin, 14. 25. 51. 78.

[33] Diogenes Laertius bietet in den Übersichten über die Werke der philosophischen Autoren die entsprechenden Belege und Titel. Vor allem die Themen „Reichtum", „Armut", „Sklaverei" und „Freiheit" waren immer wieder Gegenstand von Reden und Abhandlungen.

[34] Hom. 1, 4 in Mt (PG 57, 18).

Die überkommenen Themen der antiken Tradition zu Problemen der Gesellschaft und des einzelnen werden zwar aufgenommen, aber gleichzeitig uminterpretiert (ἄλλος, ἕτερος). Auf sie fällt ein neues Licht, insofern die christliche Praxis als eine alternative Möglichkeiten eröffnet, dieselben Probleme anders zu lösen. Dabei ist es wichtig festzuhalten, daß die Lösung nicht darin besteht, die Welt zu verlassen. Mit τὴν γὴν ἀφέντες wird vielmehr die Bedingung dafür genannt, daß die Apostel πάντα περὶ τῶν ἐν οὐρανοῖς mitteilen konnten. Inhaltlich besteht diese Mitteilung in einer alternativen Lebensform, die auch die Bereiche des gesellschaftlichen Lebens umgreift und verändert.
Dieselbe Intention verfolgten auch die Philosophen seit Jahrhunderten. Darin liegt eine Gemeinsamkeit und Affinität vorgegeben, die es Chrysostomus nahelegt, an dieser Tradition anzuknüpfen.
Ein Beispiel für solche Anknüpfung bietet Chrysostomus in der Exegese der Römerbriefstelle 12,2 (Εἰς τὸ δοκιμάζειν ὑμᾶς τὰ διαφέροντα, τί το θέλημα τοῦ θεοῦ τὸ ἀγαθὸν καὶ εὐάρεστον καὶ τὸ τέλειον).[35]
Zunächst ist auffällig, daß Chrysostomus in der Auslegung durchgängig διαφέροντα mit συμφέροντα interpretiert, δοκιμάζειν mit μανθάνειν, und daß er schließlich ‚das Nützliche' mit dem ‚Willen Gottes identifiziert:

τὰ τὲ γὰρ συμφέροντα ἡμῖν ὁ θεὸς βούλεται·
καὶ ἃ βούλεται ὁ θεός,
ταῦτα καὶ συμφέροντα ἡμῖν.[36]

Aus dem Vorgang der Unterscheidung wird so ein Lernprozeß, der in einem Zweischritt ausgefaltet wird; negativ zunächst wird ausgeführt, wer das Nützliche und damit den Willen Gottes nicht kennt:

„Die nach irdischen Dingen haschen,
die den Reichtum für erstrebenswert halten,
die die Armut für etwas Geringes ansehen,
die nach Ehrenstellen jagen,
die nach äußerer Ehre trachten,
die sich groß vorkommen,
wenn sie glänzende Häuser bauen,
wenn sie teure Grabmäler errichten,
wenn sie einen Troß von Sklaven mit sich führen
und einen Schwarm von Eunuchen beschäftigen.

[35] Hom. 20, 3 in Rom (PG 60, 598): „. . . daß wir erkennen das Wesentliche, was der Wille Gottes ist, was das Wohlgefällige, was das Vollkommene."
[36] Ebd.: „Das uns Entsprechende nämlich will Gott; und was Gott will, ist das auch uns Nützliche."

Solche kennen nicht (ἀγνοοῦσι) das für sie Nützliche
und den Willen Gottes.“[37]

Die positive Reihe steht unter dem Vorzeichen: „Wenn du aber dies (scil. die Identität des Nützlichen mit dem Willen Gottes) gesehen hast und die Natur der Dinge zu durchschauen gelernt hast, dann hast du den Weg, der gemäß der Tugend ist, schon betreten.“

Nachdem er die positive Reihe ausgeführt hat („in Armut leben, in Demut, die Verachtung des Ruhmes, in Mäßigkeit, nicht in Genüssen ...“) deutet er an, daß „die Masse“ (οἱ πολλοί) sich deswegen von den Mühen der Tugend (τῶν τῆς ἀρετῆς ... πόνων) entfernt hält: „Weil sie nicht wissen, was Tugend ist, sondern statt jener die Schlechtigkeit bewundern (τὴν κακίαν ἀντὶ ταύτης θαυμάζοντες), deswegen ist es erforderlich vor allem anderen, daß ein Urteil über die Dinge ausgesprochen ist:

Auch wenn wir die Tugend nicht üben,
muß die Tugend gelobt werden;
auch wenn wir die Schlechtigkeit nicht fliehen,
muß sie Schlechtigkeit genannt werden.“

Die Exegese, die Chrysostomus an dieser Stelle bietet, knüpft in vielfältiger Weise an die philosophische Tradition an. Dabei wird die Absicht, τὰ συμφέροντα und τὸ θέλημα τοῦ θεοῦ in dem Weg κατ' ἀρετήν konvergieren zu lassen, schon von der paulinischen Terminologie[38] in 12,2 unterstützt; so wird auch der Wechsel von διαφέροντα in συμφέροντα verständlich.[39]

Daß ‚Tugend‘ der Oberbegriff ist, erhellt aus der Beispielreihe, die den Zustand der ‚Unkenntnis‘ veranschaulicht. Sie wird kontrastiert durch eine positive Reihe und erweist sich als Explikation des oppositionellen Begriffspaares ἀρετή – κακία/πονηρία.[40]

[37] Ebd.

[38] Die substantivisch gebrauchten Adjektive τὸ ἀγαθὸν, τὸ (εὐ)αρεστόν begegnen in der stoischen Tradtion als synonyme Umschreibungen für den Begriff der ἀρετή, so nach Stobaeus (Ecl. II, 100, 15): τὴν δ'ἀρετὴν πολλοῖς ὀνόμασι προσαγορεύουσιν. ἀγαθὸν τὲ γὰρ λέγουσιν αὐτὴν, ὅτι ἄγει ἡμᾶς ἐπὶ τὸν ὀρθὸν βίον· καὶ ἀρεστὸν (SVF III, 208).

[39] Ebd. καὶ σύμφερον, φέρειν γὰρ ... πρὸς εὖ ζῆν (SVF III, 208). Das τὰ διαφέροντα der paulinischen Vorlage eignete sich für das spezielle Anliegen an dieser Stelle, auch begrifflich die Identifikation vorzubereiten.

[40] Im Hintergrund steht die allgemein philosophische Ansicht, daß der Weg der Tugend ausschließlich Sache der Wissenden ist. Unwissenheit wird gleichgesetzt mit dem Zustand der Schlechtigkeit, so von Seneca (Ep. ad Lucil. 31, 8): „Huc et illud accedat, ut perfecta virtus sit aequalitas ac tenor vitae omnia consonans sibi, quod non potest esse, nisi rerum scientia contingit et ars, per quam humana et divina noscantur“ (SVF III, 200). So kann Chrysostomus ebenfalls sagen, daß derjenige, der das Wesen der Dinge erkannt hat, schon den Tugendweg beschreitet. Andererseits gilt in der Stoa Unwissenheit als Tun des Bösen, so nach Stobaeus (Ecl. II, 68, 11): Ἔτι δὲ λέγουσι πάντα φαῦλον μαίνεσθαι, ἄγνοιαν ἔχοντα αὑτοῦ καὶ τῶν καθ' αὑτὸν, ὅπερ ἐστὶ μανία (SVF III, 163).

Formelhaft ist die Erwähnung der ‚vielen' ebenso wie ihre Bewunderung der Schlechtigkeit.[41] Die Art und Weise, wie Chrysostomus den Zustand des Nicht-wissens charakterisiert, ist ebenfalls in der Tradition vorgegeben.[42]

Indem Chrysostomus seine Exegese innerhalb des philosophischen Denkens stellt und auf darin Vorgegebenes appliziert, erweitert er es an einer entscheidenden Stelle: Er behauptet, das für den Menschen Nützliche – die Tugend – sei identisch mit dem Willen Gottes, auch im christlichen Sinne. Mit dieser Gleichsetzung wird das philosophische Grunddogma ‚aufgehoben', nach dem der Weg der Tugend gleichbedeutend ist mit der Übereinstimmung mit der ‚Natur';[43] ihr zu folgen war die Bedingung, das Ziel des Lebens und die Glückseligkeit zu finden.[44]

Das christliche Prinzip der Orientierung am Willen Gottes gibt keines der humanen Anliegen preis, die von der philosophischen Tradition vertreten wurden; auch das ‚Naturgemäße' hat darin bei Chrysostomus einen legitimen und wichtigen Platz behalten.

Seine Intention wäre am besten wiedergegeben, wenn man als Gleichung aufstellte: Der Wille Gottes ist das für den Menschen Naturgemäße.

In der Kritik an den bestehenden Verhältnissen und dem Versuch, einen Weg zur Humanisierung zu zeigen, kann Chrysostomus auf das philosophische Grundprinzip nicht verzichten, wenn wahr bleiben

[41] Chalcidicus (Ad Tim. cp. 166): „Vulgus vero imperitum propter ignorantiam rerum pro honore gloriam popularemque existimationem colunt. pro virtute vero vitam consectantur voluptatibus delibuta ..." (SVF III, 229); vgl. die Definition der Philosophie bei Dio Chrysostomus (Or. 70, 10): τὸ γὰρ ταῦτα (αἰσχρὸν, φαῦλον, ἀργεῖν ...) μὴ θαυμάζειν καὶ τὴν τούτων ἐπιθυμίαν ἐξαιρεῖν (Crosby V, 158).

[42] Plutarch (De virt. et vit. 4) schildert dieses Fehlverhalten sehr anschaulich als Raffen nach Reichtümern, als Prunken mit Sklaven und Nichterreichen der Freiheit von Leidenschaften (Babbitt II, 100); ähnlich kritisch äußert sich Chalcidicus (Ad Tim. cp. 166).

[43] Zu den verschiedenen Nuancen und Interpretationen dieses stoisch-kynischen Grunddogmas vgl. J. Stelzenberger, Die Beziehungen der frühchristlichen Sittenlehre zur Ethik der Stoa, 158ff.

[44] An diesem Ziel hält Chrysostomus ebenfalls als einem christlichen fest, wobei offensichtlich ist, daß er antike, speziell epikureische Tradition und Terminologie übernimmt (Hom. 1, 4 in Rom): „Wer die Sohnschaft bewahrt und seine Heiligung sorgfältig bewacht, ist herrlicher als ein Purpurträger und glückseliger ... und erlangt beständige Lust (ἡδονήν). Ruhe des Gemütes und Freude (εὐθυμία καὶ χαρά) stammen nicht von der Herrschaft, nicht von der Größe des Besitzes, nicht von der Macht, nicht von der Körperstärke, nicht von Tafelfreuden, nicht vom Kleiderprunk – von nichts, was Menschen hervorbringen, sondern einzig von dem Rechttun im Geist" (κατόρθωμα μόνον πνευματικόν) (PG 60, 400). Interessant an dieser Stelle ist, daß Plutarch dieselbe Sache mit gleichen negativen Formulierungen als epikureische Tradition (De aud. poet. 14) überliefert (Usener, Epicurea 326f.).

soll, daß das Christliche mit dem für den Menschen Naturgemäßen identisch ist.[45]
Die Adressaten der Homilien des Chrysostomus sind seine christlichen Zeitgenossen in Antiochien und Konstantinopel. Wenn er vor sie hintritt mit der Forderung, philosophisch zu leben, in ihrer Praxis und ihren Werken den Glauben als wirklich zu erweisen; ein Leben zu führen, das unterschieden ist von dem der übrigen Gesellschaft; die Tugend zu üben und den Willen Gottes als verbindlich anzuerkennen, befindet er sich als Bischof in einer anderen Lage als philosophische Lehrer und Prediger vor ihm: Er kann seinen Zuhörern mit der Exkommunikation drohen, wenn sie seinen Worten nicht folgen,[46] aber er besitzt ebensowenig wie seine philosophischen Vorgänger Zwangsmittel, sondern ist auf ihre Freiwilligkeit angewiesen.
Er erhält oft spontanen Applaus,[47] manche nehmen ihm seine Predigten übel;[48] man wirft ihm vor, er halte gegen die Reichen zu den Armen. Verändert haben seine Predigten vielleicht manche von seinen Zuhörern. Aber ihre Wirkungsgeschichte ist nicht nachprüfbar. Überliefert ist ein Entwurf, der nicht – oder nur geschichtlich nicht faßbar – verwirklicht wurde.
Chrysostomus hat den Versuch unternommen, das ganze Christentum mit dem profanen Leben der Christen in der Stadt zu vermitteln. Wegen dem Konflikt, der daraus entstanden ist, wurde er schließlich wieder in die Wüste verbannt.[49]

[45] Diesen Zusammenhang verdeutlicht E. Tröltsch: „Die Lehre von dem Verhältnis der lex naturae zur lex Christi als eines Fundamentaldogmas ist das völlige Korrelat zu der allgemeinen Unterscheidung von Vernunft und Offenbarung und wendet diese Unterscheidung nur nach der Seite des Aufbaus eines praktischen Kulturganzen“ (Die Soziallehren der christlichen Kirchen und Gruppen, 173).

[46] Vgl. Hom. 7, 5 in Col (PG 62, 350f.).

[47] Vgl. Hom. in illud, si esuriet inimic. (PG 51, 172).

[48] Chrysostomus erwähnt dies als Einleitung einer Homilie (Hom. 8, 1 in Col), wo er sich auf die voraufgehende bezieht, in der er heftig gegen den Luxus geredet hatte (PG 63, 351).

[49] D. Savramis kennzeichnet die Situation der kritischen Theologie zur Zeit der Reichskirche: „Eine kritische, geschweige denn sozialkritische Funktion der Theologie war nicht mehr denkbar. Und die besten Kräfte unter den Geistlichen, die sich zu einer innerkirchlichen Opposition entschlossen, wurden von beiden Gewalten, weltlicher und geistlicher, verfolgt“ (Theologie und Gesellschaft, 49). Am Beispiel des Chrysostomus sei ablesbar, daß solche Kritik nur ausüben konnte, wer bereit war, „Konflikte zwischen der weltlichen und geistlichen Gewalt zu riskieren, die die Interessen des institutionalisierten Christentums und seiner Vertreter gefährden könnten“ (Ebd.). Chrysostomus hält mit seiner kritischen Einstellung gegenüber der vom Staat anerkannten und privilegierten Kirche nicht zurück (Hom. 24, 3 in Act): „... fragt doch die Heiden, die uns verfolgten, wann die Sache des Christentums wirksamer war ... In der geringen Zahl bestand ihre Stärke, aber reich war sie an Tugend“ (PG 60, 189); vgl. auch Hom. 59, 4 in Joh (PG 59, 320).

1. *Die gesellschaftlichen Verhältnisse unter den Christen*

Der Versuch des Chrysostomus, das ganze Christentum bei den Christen in der Stadt einzuführen, fällt in die Zeit der Staatskirche: Das Christentum ist anerkannt, Theodosius hat es mit Gesetzeserlaß sanktioniert,[50] die Christen bilden in Antiochien und Konstaninopel die Mehrheit.[51]

Wenn Chrysostomus sich in seinen Homilien kritisch über die sozialen Verhältnisse äußert, dann immer unter der Voraussetzung, daß sie nicht nur bei den Heiden angetroffen werden, sondern bei den Christen: Die Christen spiegeln die allgemein-gültigen und bestehenden Verhältnisse wider.[52] Wenn er sich zu ihrer Beschreibung und Analyse an philosophische Vorbilder anlehnt, dann kann dies auch bedeuten, daß sich der Zustand der Gesellschaft auch durch das Christentum nicht verändert hat.

a) Freie und Sklaven

Die Polarisierung der antiken Gesellschaft in Freie und Unfreie kennzeichnet auch die Verhältnisse unter den Christen. Sie ist vorgegeben, und sowenig wie die alte Kirche denkt Chrysostomus daran, sie als soziologisch und rechtlich fixierten Zustand aufzuheben.[53]

[50] E. Enßlin umschreibt die Bedeutung dieses Erlasses vom 28. 2. 380: „Als Vorkämpfer und Schirmer der Rechtgläubigkeit tritt er (scil. der Kaiser) mit einer Glaubensformel ... zur Bestimmung des ‚nomen Christianum' hervor. Eindeutiger als zuvor wird die unter dem Schutz des Kaisers stehende Kirche jetzt endgültig Staatskirche" (Die Religionspolitik des Kaisers Theodosius, in: Die Kirche angesichts der Konstantinischen Wende, 87–111, hier 109). Chrysostomus sieht in dem neuen Status der Kirche keinen Fortschritt (Liber in S. Babyl. 8): „Wenn ein Kaiser, der in der Ehre Gottes mit uns übereinstimmt, den Thron besteigt, wird die Sache des Christentums träger; sie ist weit davon entfernt, durch menschliche Privilegien befördert zu werden" (PG 50, 544). Ähnlich kritisch äußert er sich an anderer Stelle (Hom. de bapt. Christi 1): „Wir haben gottesfürchtige Kaiser, die Christen ... erhalten hohe Ämter, genießen Ruhe und Freiheit, aber wir tragen keine Siege mehr davon" (PG 49, 364). Die kritischsten Äußerungen fallen in die Zeit des Aufenthaltes in Konstantinopel, als er die Macht des Staates am deutlichsten spürte und ihm der Zustand der Kirche bewußt wurde.

[51] Vgl. A. J. Festugière, Antioche paienne et chrétienne, 404; A. Momigliano (Hrsg.), Paganism and Christianity in the fourth century, bes. H. Bloch, The Pagan Revival in the West, 193–218. Der Rhetor Libanius (Or. 5, 42f.) beschreibt an einem Detail des öffentlichen Lebens – dem Ausfall der Faustkämpfe zum Festtag der Artemis – das veränderte Klima (Foerster I, 1 317).

[52] E. Tröltsch macht den Übergang von der „kleinen Gemeinde" des Anfangs in die Volks- und Massenkirche dafür verantwortlich, daß eine Veränderung nicht mehr möglich war. „Als all dies aufhörte (scil. vor allem der Druck von außen), und die Kirche ... extensiv mit der ganzen Gesellschaft sich deckte, und deren Differenzen alle im eigenen Schoß trug, da gewann auch die Liebestätigkeit ein anderes Gesicht" (Die Soziallehren der christlichen Kirchen und Gruppen, 137).

[53] Es ist vor allem das Verdienst von F. Overbeck (Über das Verhältnis der alten Kirche zur Sclaverei im römischen Reiche), durch seine Polemik gegen die bis dahin

Aufgrund seiner Homilien läßt sich ein sehr konkretes Bild der Verhältnisse gewinnen[54] und keinen Anlaß zu der Meinung, die Lage der Unfreien habe sich seit Beginn der Kaiserzeit aufgrund stoischer und christlicher Einflüsse wesentlich gebessert.[55] Chrysostomus hat als Prediger in Antiochien und Bischof in Konstaninopel vor allem städtische Verhältnisse vor Augen; seine Aussagen stimmen mit dem überein, was für die antiken Städte kennzeichnend ist: Die Sklaven sind vor allem genutzt zur Dienstleistung, weniger zu produktiver Arbeit, und gelten als Luxusartikel und Symbol des Reichtums – eine Verwendung, die daher bedingt ist, daß die produktive Arbeit in den Städten wesentlich von den „Armen", den Handwerkern, geleistet wird.[56] Die Sklaven können keinen Besitz erwerben,[57] sind dem

geltende Meinung, „dass die Aufhebung der Sclaverei in der modernen Welt ein Werk des Christentums sei, sofern sie der christliche Glaube an die Gleichheit der Menschen herbeigeführt habe" (159f.), auf den Unterschied zwischen der vom Neuen Testament „gelehrten Gleichheit" (182) und der „politischen Freiheit" (225) hingewiesen zu haben. Die Tatsache, „dass die alte Kirche an ein Verbot des Sclavendienstes eines Christen bei einem Glaubensgenossen nie gedacht hat", zeige auch, „dass man sich in der Kirche in einer völlig anderen Welt befindet, als in der, welcher der Gedanke an politische Emanzipation entstammt" (221). Dieser Unterschied und eigene Qualität der „christlichen Freiheit" geht bei S. Schulz wieder verloren, wenn er etwa sagt: „Denn für Paulus hat die Gemeindeordnung nichts mit der Sozialordnung und die Weltordnung nichts mit der Heilsordnung zu tun" (Hat Christus die Sklaven befreit? in: Evangelische Kommentare 1 (1972) 15.

[54] W. Jaeger (Die Sklaverei bei Johannes Chrysostomus) bietet eine detaillierte „Darstellung der Sklaverei als soziales Institut" (9–156) und ihre „theologische Deutung" (157–201).

[55] Vgl. A. Puech, St. Chrysostome et les moers de son temps, 146ff.; W. Jaeger kommt zu dem allgemeinen Ergebnis: „Auch unter Berücksichtigung der gesetzlichen Unterbindung der lebensvernichtenden Willkürakte der Herren . . . kann von einer entscheidenden Humanisierung der Sklaverei . . . zur Zeit unseres Kirchenvaters nicht gesprochen werden" (a.a.O. 111). Vgl. J. Vogt, Wege zur Menschlichkeit in der antiken Sklaverei (Rektoratsrede vom 9. 5. 1958), 38.

[56] Libanius (Or. 31, 11) veranschaulicht die schlechte Lage der antiochenischen Rhetoren durch die Tatsache, daß sie im Gegensatz zu den reichen Bürgern nur zwei bis drei Sklaven besitzen (Foerster II, 552). Sklavenbesitz signalisiert Reichtum der Herren, deswegen gehört es zu den Standardthemen der Popularphilosophie wie der christlichen Prediger, gegen den Sklavenluxus zu polemisieren – nicht aus sozialen Motiven, sondern wegen der Prunksucht. Chrysostomus steht auch in dieser Tradition, vgl. Hom. 15, 9 in Mt (PG 57, 235); Hom. 63, 4 in Mt (PG 58, 608); Hom. 1, 11 de Lazaro (PG 49, 979); Expos. in Ps 4, 9 (PG 55, 55) u. ö. Das Gegenargument gegen den Sklavenluxus ist die Genügsamkeit: Seneca (Ad. Helv. 12, 4) berichtet wie andere antike Autoren auch, Homer habe sich mit einem, Platon mit drei Sklaven begnügt, Zeno habe keinen Sklaven besessen (Rosenbach I, 332). In dieser Tradition fordert Chrysostomus (Hom. 40, 5 in 1 Cor), sich mit einem bis zwei Sklaven zur Bedienung zu begnügen (PG 61, 353f.). Ein anderes Argument ist, daß die Natur jeden Menschen so geschaffen hat, daß er sich selbst bedienen kann und keiner Sklaven bedarf: Die Natur hat jedem einen Leib gegeben, der hinreicht für die eigene Versorgung. So fordert es Dio Chrysostomus (Or. 10, 11 Über die Sklaven), und deswegen kann auch Chrysostomus (Hom. 40, 5 in 1 Chor) seine Zuhörer auffordern,

Gehorsam gegenüber ihrem Herrn zwangsmäßig ausgeliefert,[58] gelten deswegen als schwer zu beherrschen,[59] auch als gefährlich.[60] Das Verhältnis zu den Freien ist deswegen gekennzeichnet durch Distanz,[61] Feindschaft[62] und Furcht. Sie werden von ihren Herren für die geringsten Vergehen gezüchtigt und bestraft[63] und werden überdies als schwere, aber notwendige Last empfunden, die ständige Unkosten verursachen und bei Krankheit besonders gepflegt werden müssen.[64] Im Hintergrund steht die Sorgepflicht des Besitzers, die er jedem Teil seines Eigentums schuldig ist.[65]

keinen Sklaven mehr für die persönliche Bedienung zu verwenden, höchstens aber einen oder zwei: „Deswegen gab uns Gott Hände und Füße, damit wir keine Sklaven benötigen" (PG 61, 353).

[57] Vgl. De virg. 9, 2 (PG 48, 552); W. W. Buckland, Roman Law of Slavery bes. 187 zur Definition des ‚peculium'.

[58] Vgl. Hom. 10, 1 in Joh (PG 59, 73); Expos. in Ps 109, 4 (PG 55, 270).

[59] Vgl. Hom. 4, 3 in Tit (PG 62, 685); Hom. 15, 3 in Eph (PG 62, 109); Expos. in Ps 48, 4 (PG 55, 506).

[60] Chrysostomus erzählt (Hom. 11, 3 in 1 Thes) die Geschichte von einem Sklaven, von dem die Herrin, die Witwe war, fürchtete, er werde das ganze Haus zugrunde richten, und ihn deshalb verkaufen wollte (PG 62, 484).

[61] Die Sklaven sitzen rein äußerlich von den Freien getrennt am Dienstbotentisch, wo es übel riecht und wo es laut zugeht: so beschreibt Chrysostomus (Hom. 4, 3 in Col) die normale Situation in den Häusern; auch weiß jeder, daß vom Umgang der Sklaven mit den freien Kindern großer Schaden zu befürchten ist, so in: Hom. 9, 2 in Col (PG 62, 364).

[62] Vgl. Hom. 16, 2 in 1 Tim (PG 62, 588); Hom. 22, 2 in Eph (PG 62, 157).

[63] Chrysostomus beschreibt anschaulich (Hom. 15, 3f. in Eph) die Szene einer Züchtigung (PG 62, 109f.). Die Gründe sind unterschiedlichster Art, vgl. W. Jaeger, Die Sklaverei bei Johannes Chrysostomus, 114f. Ammianus Marcellinus empört sich (28, 4, 16) über die unverhältnismäßige Strenge und Unsinnigkeit der Bestrafungen (Gardthausen II, 146), ähnlich Plutarch (De coh. ira 11) über die Strafen bei nichtigsten Anlässen (Helmbold VI, 130).

[64] Darauf wird verschiedentlich hingewiesen, von Chrysostomus (Hom. 19, 5 in 1 Cor): „Du dienst einem Menschen? Aber dein Herr dient (δουλεύει) dir auch, indem er dir Nahrung gibt, für deine Gesundheit, Kleidung, Schuhwerk und anderes sorgt" (PG 61, 158), ebenso von Seneca (De tranqu. an. VIII, 8): „Das Gesinde verlangt Kleidung und Lebensunterhalt, so viele Bäuche gierigster Lebewesen sind zu unterhalten, kaufen muß man Kleidung . . ." (Rosenbach I, 136); Dio Chrysostomus (Or. 10, 9) berichtet von der ständigen Klage der Reichen, auch bei Krankheit für die Sklaven sorgen zu müssen (Cohoon I, 424).

[65] Vgl. F. Overbeck, Über das Verhältnis der alten Kirche zur Sclaverei im römischen Reiche, 180; W. W. Buckland, Roman Law of Slavery, 36; H. Bellen (Studien zur Sklavenflucht im römischen Kaiserreich, 131) referiert die kaiserliche Gesetzgebung – des Antonius Pius zur Sicherung des Unterhaltes, das Edikt des Claudius zur Freilassung kranker und dienstunfähiger Sklaven im Falle der Aussetzung – zugunsten der Sklaven. Sklaven sind Teil des Besitzes: So äußerte sich Aristoteles (Eth. Nic VIII, 11 1161b) im Zusammenhang der Frage, ob zwischen Freien und Sklaven Freundschaft denkbar sei, eindeutig, daß der Sklave nur ein „lebendiges Werkzeug" (ἔμψυχον ὄργανον) sei. Demgegenüber hält es Chrysostomus (Hom. 10, 1 in Col) durchaus für möglich, daß sich zwischen Herrn und Sklave eine Art Freundschaft

Die Polarisierung, die im allgemeinen für die Gesellschaft gültig ist, bestimmt auch die Struktur der Familie: Sie besteht aus Freien und Unfreien, eine Ordnung, die Chrysostomus als selbstverständlich voraussetzt und gutheißt.[66] Im Bereich des Hauses[67] wie im öffentlichen Leben üben sie die Berufe aus,[68] die als unehrenhaft gelten. An eine allgemeine Aufhebung der Sklaverei als sozialer Institution ist nicht gedacht; Chrysostomus weist solche Versuche, wie sie in seiner Zeit von den Circumcellionen in Afrika und den Anhängern des Eustathius in Kleinasien mit Berufung auf biblische Aussagen[69] unternommen und propagiert wurden, mit dem Argument zurück, das in der heidnischen Gesellschaft umging: „Das Christentum hat alle Verhältnisse auf den Kopf gestellt; es nimmt den Herren die Sklaven und geht überhaupt gewalttätig vor."[70] In der Auseinandersetzung mit solchen revolutionären Tendenzen, die unter dem „Vorwand der Enthaltsamkeit" (τῇ προφάσει τῆς ἐγκρατείας)[71] Eheleute zur Trennung und Sklaven zum Verlassen ihrer Herren aufriefen, formuliert Chrysostomus nochmals den kirchlichen Standpunkt. Der christliche Weg, die Polarisierung der Klassen aufzuheben, ist kein sozialrevolutionärer. Daran hält er fest, auch wenn die Lage der Sklaven in der Realität bei Heiden und Christen gleich hoffnungslos ist; denn er führt ihre Verelendung zwar auch auf Mängel der Gesellschaftsstruktur zurück,[72] aber die Schuld gibt er dem einzelnen Herrn und seinem Verhalten, das den Sklaven keine andere Möglichkeit gibt, als das allgemeine Urteil zu bestätigen.[73]

(φιλτρόν) entwickeln könne (PG 62, 367). Aber auch er übernimmt grundsätzlich die Auffassung, daß der Sklave ähnlich dem Geld und Haus einzuschätzen ist, vgl. Hom. 55, 3 in Mt (PG 58, 544).

[66] Aussagen von Aristoteles (Pol. I, 2 1252a 31f.) und Chrysostomus (Hom. 22, 1 in Eph) unterscheiden sich nicht grundsätzlich (PG 62, 155).

[67] W. Jaeger, Die Sklaverei bei Johannes Chrysostomus, 62ff.

[68] Ebd. 73ff. 77ff.; vgl. Hom. 37, 5 in Mt (PG 57, 425).

[69] Vgl. H. Bellen, Studien zur Sklavenflucht im römischen Kaiserreich, bes. Kap. 6 „Die religiös motivierte Flucht als Problem für Kirche und Staat, 82ff.

[70] Arg. in Philem (PG 62, 704); Hom. 4, 3 in Tit (PG 62, 684f.).

[71] Hom. 4, 3 in Tit (PG 62, 684). Die Formulierung steht in Zusammenhang mit der Bestimmung der Synode von Gangra, die gegenüber ähnlichen Phänomenen (Conc. Gang. can. 1) das Verbot mit προφάσει θεοσεβείας (Bruns I, 106) begründete.

[72] Teilweise (Hom. 4, 3 in Tit) führt er als Grund ihre Tätigkeit an.

[73] In derselben Homilie führt er im einzelnen aus, daß sowohl bei Christen als bei Heiden die Sklaven von jeder Bildung abgeschnitten sind, daß sie unter Ihresgleichen verbannt sind, weil die Herren nicht an ihnen selbst, nur an ihrer Arbeit Interesse haben. Ihre Lage ist keine Naturnotwendigkeit (οὐ διὰ τὴν φύσιν), sondern resultiert aus dem Desinteresse (ἀμελία) der Herren. Darum hält es auch Chrysostomus für unmöglich, daß ein Sklave ein rechtschaffener Mensch werden kann, so daß die herrschende Meinung immer wieder bestätigt wird, daß die Sklaven eine freche und schwer zu lenkende Bande sind (PG 62, 685).

Daß die bestehende Klassengesellschaft nicht ‚natürlich'[74] ist, wird in der Antike von vielen vertreten und hat sich auch bei römischen Rechtsgelehrten durchgesetzt.[75] Aber diese Einsicht führte nicht zu ihrer Aufhebung.[76]

b) Reiche und Arme

Die Widersprüche der Gesellschaft zeigen sich am deutlichsten in dem Gegensatz von arm und reich. Über kein Thema hat Chrysostomus öfter und leidenschaftlicher gepredigt.[77] Die Reichen verachten die Armen – die Armen bedauern sich und bewundern und beneiden die Reichen.[78] Die Gründe sind verschiedener Art. Der Gegensatz erwächst zum einen aus dem extremen Unterschied der Besitzverhältnisse,[79] zum anderen aus dem daraus sich ergebenden Lebensstil und Standard. Obwohl die ‚Armen' ihrer rechtlichen Stellung nach zu den Freien gehören, geraten sie in der spätantiken Gesellschaft ihrer sozialen Stellung nach immer mehr in die Nähe der Unfreien und Sklaven;[80] denn mit ihnen haben sie die körperliche Arbeit gemein-

[74] Aristoteles (Pol. I, 3 1253b 20) referiert eine kontroverse Meinung über die Rechtmäßigkeit der Sklaverei: τοῖς δὲ (δοκεῖ) παρὰ φύσιν τὸ δεσπόζειν (νόμῳ γὰρ τὸν μὲν δοῦλον εἶναι τὸν δ'ἐλεύθερον, φύσει δ'οὐδεν διαφέρειν)· διόπερ οὐδὲ δίκαιον, der er seine eigene Meinung (Pol. I, 4 1254a 13ff.) entgegensetzt.

[75] Vgl. Dig. I, 5, 4 § 1: „Servitus est constitutio iuris gentium, qua quis domino alieno contra naturam subiicitur" Ulpian (Dig. I, 1, 4) sagt über die Freilassung: „Quae res a iure gentium originem sumpsit, utpote quum iure naturali omnes liberi nascerentur" (zit. F. Oberbeck, a.a.O. 169).

[76] So folgert J. Vogt trotz aller naturrechtlichen Überlegungen: „Daß es Sklaven geben müsse, war und blieb die allgemeine Überzeugung, auch in den Reihen der revolutionären Bürger" (Zur Struktur der antiken Sklavenkriege, in: Sklaverei und Humanität. Studien zur antiken Sklaverei und ihrer Erforschung, 25–60, hier 58).

[77] Der Sturz des Eutropius, des Günstlings am Hof des Kaisers Arkadius, bot Chrysostomus Gelegenheit zu seiner wohl eindrucksvollsten Rede (Hom. in Eutrop. Eun.) zu diesem Thema (PG 52, 391–396).

[78] Chrysostomus gibt als allgemeine Meinung wieder (Hom. 2, 5 in Hebr): „Der Arme ist verächtlich" (PG 63, 26); er zählt die Nachteile der Armut auf (Hom. 2, 5 in Phil), wie sie von den Armen vorgebracht werden: „Keine Schar von Dienern, die Haushaltsgeräte sind nicht kostbar oder aus Silber, sie sind nicht ehrfurchtgebietend, leicht der Verachtung und übler Behandlung ausgesetzt" (PG 62, 197). Dagegen wendet er ein (Ebd. 4): „Weil du nach solchen Dingen schmachtest, sie bewunderst und leidenschaftlich begehrst, bist du neidisch . . .; so verdienst auch du, beweint zu werden" (PG 62, 195). Vgl. dazu Plutarch, De vit. Cat. 18.

[79] Die Gegensätze kann Chrysostomus sehr plastisch veranschaulichen (Hom. 11, 5 in 1 Cor): „Daß der Arme am Abend auf dem Markt herumschleicht . . . alle anbettelt, von Hunger gequält . . . und du kommst aus dem Bad, in warme Kleider gehüllt, und begibst dich zum Mahl . . . Wenn du nach Hause kommst . . . dann gedenke jenes Armen . . ., der nicht nach Hause, nicht zu seiner Frau gehen kann, sondern auf einen Strohhaufen, wie wir es bei Hunden sehen" (PG 61, 93f.).

[80] Vgl. Hom. 20, 5 in 1 Cor: . . . καὶ ὡς ἀνδροπόδοις τοῖς ἐλευθέροις . . . (PG 61, 168). Den Sklaven geht es insofern besser, als ihr Lebensunterhalt gesichert ist, vgl. Hom. 11, 3

sam: „Der Arme ist in der landläufigen erbaulichen Literatur gleichbedeutend mit dem Begriff des Werktätigen.“[81] Die Reichen leben von ihrem Besitz,[82] die Armen von ihrer Hände Arbeit als Handwerker und Kleinunternehmer[83] oder versuchen, als Saisonarbeiter oder Tagelöhner ihren Lebensunterhalt zu verdienen.[84] Die gemeinantike Ansicht, daß Handarbeit erniedrigt,[85] bildet den Hintergrund der Parteinahme des Chrysostomus für die Armen. Als Arbeitende sind sie verachtet,[86] führen ein klägliches Leben,[87] sind den Preistreibereien

in Hebr (PG 63, 93). Die Freien geraten in Abhängigkeit durch Wucher und schlaue Gläubiger, vgl. Hom. 56, in Mt (PG 58, 555.

[81] I. Hahn, Freie Arbeit und Sklavenarbeit in der spätantiken Stadt, in: Annales Univ. Scient. Sect. hist. III, 1961, 23–29, hier 25.

[82] Das Kennzeichen des Reichen ist sein Nichtstun, vgl. Hom. in illud, salut. Prisc. et Aquil. 5 (PG 51, 189). Zum Zusammenhang von Nichtstun und der Schlechtigkeit, vgl. Dio Chrysostomus, Or. 7, 109 (Cohoon I, 346).

[83] In der sozialen Stellung des Armen hat sich ein Wandel vollzogen. Xenophon (Mem. IV, 2, 37) definiert den Armen als einen, der nicht genug zum Leben hat: τοὺς μή ἱκανὰ ἔχοντας εἰς ἃ δεῖ τελεῖν πένητας. Daraus wird in der römischen und spätrömischen Zeit der ‚Arme‘, der nur seine Arbeitskraft zum Lebensunterhalt besitzt. So versteht ihn Dio Chrysostomus (Or. 7, 160): μηδὲν ἄλλο κτῆμα ἔξω τοῦ σῶματος κεκτημένος (Cohoon I, 344) und Chrysostomus (Hom. in illlud, salut. Prisc. et Aquil. 2): ἐκ τῆς χειρῶν ἐργασίας ζῶντες (PG 51, 189). Die bei Libanius verstreuten Nachrichten über die verschiedenen Berufe, die Lebensbedingungen und sozialen Gegebenheiten hat I. Hahn zusammengetragen und interpretiert (Freie Arbeit und Sklavenarbeit in der spätantiken Stadt, 25f.).

[84] Vgl. Hom. 3, 5 de diab. tent. (PG 49, 270); Hom. de eleem. 1 (PG 51, 261f.).

[85] So Aristoteles, Pol. I, 11 1258b 38f.; Cicero sagt (De off. I, 42): „Wer für Geld arbeitet, erniedrigt sich zum Sklaven“ (Ax 48, 68). Daneben finden sich auch positivere Wertungen der Handarbeit, insofern sie dem einzelnen die Basis der persönlichen Unabhängigkeit und Freiheit ermöglicht. So berichtet Xenophon von einem Arbeiter (Mem. II, 8, 1): ἀναγκίζομαι νῦν ἐπιδημήσας τῷ σώματι ἐργαζόμενος τὰ ἐπιτήδεια πορίζεσθαι· δολεὶ… κρεῖττον ἢ δεῖσθαι τινός. Dio Chrysostomus als Vertreter der kynischen Richtung benutzt in der Euboischen Rede den Gegensatz von Stadt und Land und bietet nicht nur Einblicke in die realen Verhältnisse, sondern sieht parteiisch und sicher auch realistischerweise in der Lebensform der städtischen Handwerker eine adäquatere Möglichkeit, selbständig und vor allem tugendhaft zu sein als im Leben der Reichen (Or. 7, 103): πενίαν ὡς οὐκ ἄπορον. βίον… ἄνδρασιν ἐλεύθέροις αὐτουργεῖν ἐθέλουσι (Cohoon I, 342).

[86] Chrysostomus führt bei dem Versuch, vor seinen Hörern die Handarbeit aufzuwerten, die Apostel Petrus und Paulus als Beispiele an (Hom. 20, 5. 6 in 1 Cor): „Sage nicht: der ist bloß Schuster, Färber, jener Schmied…; denn sie sind Schüler jener Fischer, Zöllner und Zeltmacher.“ Und er stellt die Frage, wer den Aposteln ähnlicher sei, „der von seiner täglichen Arbeit sich nährt, wer keinen Sklaven besitzt, kein Haus… oder jener (scil. Reiche), der mit solchem Prunk umgeben ist. Verachte also nicht länger den Bruder. Wenn du also einen Holz sägen, den Hammer schwingen oder mit Ruß bedeckt siehst, so verachte ihn deswegen nicht“ (PG 61, 168f.). Ähnlich bemüht er das Beispiel der Priscilla und Aquila (Hom. in illud, sal. Prisc. et Aquil. 2), um der offensichtlich üblichen Verachtung der Arbeiter entgegenzuwirken: „Nicht schämte sich Paulus und empfand es nicht als Erniedrigung… aufzutragen, die Handarbeiter zu grüßen… Dagegen schrecken wir vor der Bekanntschaft und dem Umgang mit Verwandten zurück, wenn sie nur wenig ärmer sind als wir“ (PG 51, 189).

der reichen Importeure und Händler ebenso ausgeliefert[88] wie den reicheren Handwerkern.[89]
Innerhalb der Predigten des Chrysostomus findet sich keinerlei Anhaltspunkt dafür, daß unter den Christen andere Zustände geherrscht hätten; vielmehr spiegeln sie die allgemeinen, die Gesellschaft bestimmenden Gegensätze wider.[90] Sie stellen ihren Reichtum zur Schau,[91] sind um die Erhaltung und Mehrung ihres Besitzes besorgt,[92] vernachlässigen deswegen die Erziehung der Kinder[93] und überlassen die Sorge um die Armen der institutionellen Fürsorge der Kirche.[94]

[87] Vgl. Libanius, Or. 33,32 (Foerster III, 181).

[88] Vgl. Hom. 39, 9 in 1 Cor (PG 61, 345f.); Dio Chrysostomus, Or. 7, 100 (Cohoon I, 340).

[89] Vgl. Hom. 10, 4 in 1 Thes (PG 62, 461).

[90] Chrysostomus beschreibt die Verhältnisse sehr anschaulich (Hom. 82, 4 in Joh): „Wenn jemand auf einer Anhöhe sitzend das menschliche Treiben überschauen könnte – wieviel Unsinn, Lächerliches würde er entdecken: ... einer verschwendet unermeßliches Gold, um steinerne Menschen zu machen, aber achtet nicht auf den wirklichen, durch Elend versteinerten Menschen; ein anderer bekleidet mit goldenen Verzierungen die Wände, sieht aber den Armen hungern und wendet sich ab; einige ersinnen Kleider für ihre Kleider, und ein anderer hat nicht soviel, seinen nackten Leib zu bedecken. Einer ruiniert den anderen durch Prozesse, ein anderer mit Huren und Parasiten ... Auf Unnützes und Verbotenes verwendet man großen Fleiß, vom Notwendigen ist nicht die Rede, ja beim bloßen Anblick der Kirche werden solche schon ungehalten“ (PG 59, 446); vgl. Hom. in Eliam et vid. 2 (PG 51, 244f.); Hom. 13, 5 in 1 Cor (PG 61, 113f.).

[91] Die Kritik am Auftreten der Reichen in der Öffentlichkeit bietet schon Seneca (De ira III, 29); Chrysostomus übernimmt sie wie die extreme Gegenüberstellung von arm und reich (Hom. 40, 5 in 1 Cor): „Denn was bedeutet wohl dein stolzes Einherschreiten auf dem Markt? Wandelst du unter wilden Tieren, daß du jene, die dir in den Weg kommen, vertreiben läßt“ (PG 61, 354); vgl. auch Hom. 11, 4 in 1 Cor (PG 61, 93).

[92] In seiner Kritik übernimmt Chrysostomus den gemein-antiken Standpunkt, daß übermäßiger Reichtum nur durch Unrechttun erworben sein kann (Hom. 13, 5 in 1 Cor): „Andere (Reiche) reden von Zinsen und Wuchergeschäften, erdichten Schuldbriefe und steigern so die Schuld zu einer unerschwinglichen Summe und nehmen hier ein Haus weg, dort das Feld, dort einen Sklaven, dort sämtliche Habe. Und was soll ich von den Testamenten sagen ... Übersteigt das nicht die Wut und Raubgier der wilden Tiere“ (PG 61, 113f.)?

[93] Plutarch (De lib. educ. 4) beschreibt das Verhalten der Reichen so: „Sie geben den tüchtigsten Sklaven die Aufsicht über ihre Äcker, Schiffe, den Handel und den Haushalt ... Ist aber ein zur Arbeit untauglicher Fresser und Säufer vorhanden, so übergibt man ihm ohne Bedenken die Kinder“ (Babbit I, 16f.). Chrysostomus (Hom. 9, 2 in 1 Tim) muß diese Form der Kritik gekannt haben und wendet sie auf die Christen an: „Daß unser Besitz in Ordnung ist, daß wir ihn einem zuverlässigen Mann anvertrauen, scheuen wir keine Mühe; wir suchen den besten Eseltreiber, den besten Maultierwärter, den besten Aufseher und Verwalter ... Für den Besitz unserer Kinder sind wir besorgt, für sie selbst aber nicht“ (PG 62, 546f.).

[94] Vgl. Hom. 21, 6f. in 1 Cor (PG 61, 178f.); Hom. 7, 5 in Col (PG 62, 351.

Untereinander verhalten sie sich wie Räuber; die christliche Praxis steht in krassem Widerspruch zu dem vorgegebenen Glauben, so daß das Christentum den Heiden als Märchen erscheint.[95]

c) Ursachen der Klassengegensätze

Die Unterschiedenheit der Menschen in Arme und Reiche, Freie und Sklaven ist nicht der natürliche Zustand der Gesellschaft, sondern zeigt an, daß ihre ursprüngliche Ordnung verlorengegangen ist.
Das Denkschema von bestehenden Verhältnissen und imaginierten, ‚natürlichen' übernimmt Chrysostomus aus der philosophischen Tradition, und diese wachgehaltene Differenz kann als ein wesentliches Moment der Gesellschaftskritik bezeichnet werden;[96] denn in ihrer Gegenüberstellung machen sie erst offenbar, welches der wahre Zustand der gegenwärtigen Gesellschaft ist.
Die Funktion eines Gegenbildes kann ein Gesellschaftsentwurf erfüllen, der entweder der Vergangenheit angehört,[97] der Gegenwart[98] oder dem Jenseits[99] bzw. der Zukunft,[100] immer enthüllt es in seiner inhaltlichen Auffüllung den Angriffspunkt in der Gegenwart.

[95] Chrysostomus wendet damit die Kritik an den Philosophen und ihren Systemen auf die Christen und ihre Lehre selbst an (Hom. 7, 5 in Col): „Wir werden von den Heiden verlacht; unsere Sache erscheint ihnen als Märchen" (PG 62, 350); Hom. 8, 8 in Rom (PG 60, 465).

[96] Plutarch (De esu anim. rat. sive Gryllus 4) kontrastiert die ‚natürlichen' Verhältnisse bei den Tieren den unter Menschen bestehenden: οὐδὲ δουλεύει λέων λέοντι καὶ ἵππος ἵππῳ, δι' ἀνανδρίαν ὥσπερ ἄνθρωπος ἀνθρώπῳ, τὴν τῆς δειλίας ἐπώνυμον εἰκόλως ἐνασπαζόμενος (Cherniss XII, 502).

[97] Justinus (Historiae Phil. XLIII, 1) beschreibt die frühen Verhältnisse in Italien: „Italiae cultores primi Aborigines fuere, quorum rex Saturnus tantae iustitiae fuisse dicitur, ut neque servierit quisquam sub illo neque quisquam privata rei habuerit, sed omnia communia et individua omnibus fuerint, veluti unum cunctis patrimonium esset" (Granvovio II, 706). Lucian (Saturnalia 21) bezieht sich nur auf den Gegensatz zwischen reich und arm: „Entweder du stellst die frühere Gleichheit wieder her oder befiehlst wenigstens den Reichen, nicht allen Besitz für sich allein zu behalten" (Kilburn VI, 118).

[98] Lucian (Hermot. 22–31) entwirft ein umfassendes Kontrastbild als ‚Stadt der Tugend', in der alle Gegensätze der Klassen und Rassen versöhnt sind. Primärer Zweck ist allerdings ein polemischer, nämlich die Unmöglichkeit festzuhalten, daß die verschiedenen Philosophenschulen wahrhafte Tugend vermitteln können. Deswegen wird dem nach Weisheit Suchenden am Ende (84) der Rat erteilt, ins bügerliche Leben zurückzukehren (Kilburn VI, 204). Dieselbe Funktion des Kontrastbildes gegenüber den Christen in der Welt erfüllt bei Chrysostomus das Mönchtum, vgl. Hom. 14, 4 in 1 Tim (PG 62, 575).

[99] So definiert auch Platon (Respl. IX, 592a 10–b3) Funktion und Ort seiner Politeia: „Aber im Himmel ist sie vielleicht als Paradigma aufgestellt für den, der sie anschauen und gemäß dem Erschauten sich selbst erbauen will". Vgl. dazu D. Nestler, Eleutheria. Studien zum Wesen der Freiheit bei den Griechen und im Neuen Testament I, 91.

[100] Diogenes Laertius (VII, 4) berichtet über den Entwurf des Zukunftsstaates der Stoa; vgl. dazu J. Leipoldt, Der soziale Gedanke in der alten Kirche, 49. In diesen

Unter diesem typologischen Gesichtspunkt betrachtet, erscheint bei Chrysostomus weder ‚Sklaverei' noch ‚Armut' als Gegenstand der Kritik, sondern allein die ἁμαρτία.[101] Die Verfehlung des Menschen ist der Grund, warum „Herrschaften"[102] notwendig wurden, und die ursprüngliche „Gleichheit"[103] unter den Menschen verlorenging.
Daß Chrysostomus die Entstehung der Sklaverei der Unterordnung der Frau unter die Herrschaft des Mannes und der Macht des Staates über die Bürger zuordnet, läßt als seine Absicht erkennbar werden, die bestehenden Herrschaftsverhältnisse ätiologisch zu begründen: Sie sind notwendig für den Bestand der Familie und des Staates,[104] solange die Menschen nicht den Grund für ihre Notwendigkeit, also die Sünde, beseitigen.[105]

Zusammenhang gehören auch die ‚Zwei Staaten' der Stoiker, vgl. Seneca, Dial. VIII, 4.

101 Chrysostomus teilt die Grundüberzeugung (Hom. 29, 6 in Gen), daß alle Unordnung in den gesellschaftlichen Verhältnissen durch das Fehlverhalten des Menschen verursacht ist (PG 53, 269). So erscheint ἁμαρτία, wenn Chrysostomus die Entstehung der Herrschaften begründet, als Subjekt – als eine Mächtigkeit, die handelt (Ebd.): ἐπειδὴ δὲ εἰσῆλθεν ἡ ἁμαρτία, ἐλυμήνατο τὴν ἐλευθερίαν καὶ διέφθειρε... δουλείαν εἰσήγαγε (270). Dadurch wird die Sünde nicht zu einer mythischen Größe, sondern wird auf ihren Ursprung im Menschen zurückgeführt (τῇ μοχθηρίᾳ τῆς προαιρέσεως) (269) und dient auch (Sermo 4, 4 in Gen) zur Entlastung Gottes und zum Erweis dafür, daß das Böse in der Welt nicht durch ihn verursacht ist. Vgl. dazu E. Novak, Le chrétien devant la suffrance, 39. 67.

102 Zur Erklärung der Herrschaft des Staates übernimmt Chrysostomus Theorien aus der epikureischen Tradition, wonach der Staat als die bessere Alternative zur Anarchie erscheint (Fragm. 523), „weil der Mensch von Natur aus kein Gemeinschaftswesen und kein gesittetes Wesen" sei (Usener, Epicurea 318); Plutarch (Adv. Colot. 1124 D) überliefert als Weisheit Epikurs: „Die Urheber der gesetzlichen Ordnung haben das Leben zu großer Sicherheit geführt und von Unruhe befreit. Wenn man diese aufhebt, werden wir das Leben von wilden Tieren führen und einander möglicherweise auffressen, wenn wir uns begegnen" (Einarson XIV, 294). Chrysostomus sagt in Anlehnung daran (Sermo 4, 4 in Gen): „Deswegen gibt es Herrscher, damit wir uns nicht wie Reptilien verhalten; deshalb eine Regierung, damit wir uns nicht wie Fische gegenseitig auffressen" (PG 54, 569). Vgl. R. Müller, Die epikureische Gesellschaftstheorie, 74f.

103 Mit ἰσοτιμία bzw. ὁμοτιμία umschreibt Chrysostomus (Hom. 29, 6 in Gen) den ursprünglichen Zustand unter den Menschen – und damit implizit die Bedingung seiner Wiederherstellung (PG 53, 270), ähnlich Lucian (Primi verb. 13), wenn er als Forderung aufstellt: ἰσοτιμία πᾶσιν ἔστω δούλοις καὶ ἐλευθέροις καὶ πένησι καὶ πλουσίοις (Kilburn VI, 112), die freilich als utopisch gilt. Vgl. ThWNT III, 346–348 (Stählin).

104 Die Stelle, die Chrysostomus (Gen 9, 23ff.) als biblische Begründung der Sklaverei anzieht, verwendet er darüber hinaus zur Begründung der Ordnung in der Familie und im Staat. Dadurch wird deutlich, daß er diesen Text benützt, um einen theologischen Ort – neben und zusätzlich zur antiken Tradition – für alle Herrschaft von Menschen über Menschen vorweisen zu können; vgl. S. Verosta, Johannes Chrysostomus. Staatsphilosoph und Geschichtstheologe, 344f.

105 Vgl. Hom. 29, 7 in Gen (PG 53, 270).

Die Sklaverei als Herrschaft von Menschen über andere ist eine Folge der Sünde – an ihr kommt eine Störung der ursprünglichen Ordnung zur Erscheinung.[106] Obwohl Chrysostomus auch andere Gründe und Ursachen, die zur Versklavung führen, kennt,[107] mißt er ihnen kaum Gewicht bei, weil Sklaverei nicht primär ein soziales Phänomen darstellt. Sie resultiert aus dem faktischen Verhalten der Menschen, das Klassen schafft,[108] und deswegen auch andauert, weil die Menschen sich weiterhin ‚fehlverhalten'.[109]
Die sozial verfestigte Sklaverei verweist auf die tieferliegende Versklavung des Menschen; sie erscheint nicht in erster Linie als gesellschaftlicher Zustand, sondern als Befindlichkeit des Menschen. Das soziale Problem wird so reduziert auf ein philosophisches und theologisches: ‚Sklaverei' im soziologischen Sinn verstanden, ist gegenüber der allgemeinen Versklavung und Unfreiheit der Menschen ein Scheinproblem.[110] In dieser Analyse der Gründe für die Sklaverei stimmt Chrysostomus mit der philosophischen Tradition weitgehend überein; Humanisierung kann deswegen nicht primär als Emanzipation des Sklaven, sondern als ‚Befreiung' des Menschen von der Sünde verstanden werden.

Die Tatsache, daß die einen reich, die anderen arm sind, hat die Antike ungleich mehr bewegt als die Sklaverei. Dieses Interesse spiegeln auch die Kirchenväter des 4. Jahrhunderts wider, die sich in der Tradition der antiken Philosophie mit diesem Phänomen, seinen Ursachen und Folgen für die Gesellschaft auseinandersetzen.

[106] Diesen Sachverhalt kann Chrysostomus in doppelter Weise aussagen: Zum einen, indem er die ursprüngliche Absicht Gottes bei der Schöpfung den bestehenden Verhältnissen kontrastiert (Hom. 6, 6 de Lazaro): „Im Anfang gab es keinen Sklaven; Gott schuf ihn nicht als Sklaven, sondern als Freien" (PG 48, 1037); zum anderen, indem er die dem Menschen von Natur aus zukommenden Attribute nennt und ihren Verlust konstatiert (Hom. 29, 6 in Gen): ἐλευϑερία, εὐγένεια (PG 53, 270); noch deutlicher (Sermo in Gen 4,2): τῆς φύσεως τὴν εὐγένειαν ... τὴν ἀπὸ τῆς φύσεως προεδρίαν (PG 54, 495).

[107] Soziale und politische Gründe deutet Chrysostomus nur an (Hom. 6, 6 de Lazaro): Sklaverei sei entstanden durch περιστάσεις (PG 48, 1037); vgl. auch Hom. 16, 2 in 1 Tim (PG 62, 590). Ähnliche Gründe kennt auch Dio Chrysostomus und führt sie an (Or. 15 „Über die Sklaverei" I, 25ff.); W. Jaeger, Die Sklaverei bei Johannes Chrysostomus, 24ff.

[108] Chrysostomus stellt dem ursprünglichen Verhalten des Menschen, daß jeder sich selbst versorgte und keine Sklaven benötigte, den gegenwärtigen Hochmut und die Prunksucht entgegen als die eigentlichen Gründe für das Fortbestehen der Sklaverei.

[109] Der Wortgebrauch ist teils theologisch (ὑπακοή – παρακοή) geprägt, teils philosophisch (Hom. 29, 5 in Gen): ἁμαρτήματα – κατορϑώματα. Zum stoischen Gebrauch vgl. SVF III, 135f.

[110] Dio Chrysostomus (Or. 6, 8) reduziert die soziale Differenz von ‚frei' und ‚unfrei' auf eine bloße Bezeichnung (ὀνόματα) (Cohoon II, 172), ebenfalls Chrysostomus (Hom. 6, 8 de Lazaro): τί ἐστιν δοῦλος; ὄνομα ψίλον (PG 48, 1039).

Auch hier ist zu beobachten, daß der Ansatzpunkt zur Kritik der faktisch bestehenden Verhältnisse der polemische Entwurf eines Gegenbildes ist: Die gegenwärtige Verteilung des Besitzes entspricht nicht der natürlichen Ordnung,[111] sie beruht auf unrechtmäßiger Usurpation seitens der Reichen,[112] die die für den gemeinsamen Gebrauch bestimmten Güter zweckentfremdet haben. Deshalb gilt Reich-sein als Unrecht.[113] Dem Naturzustand, wo alles gemeinsam war, stehen die jetzigen Verhältnisse gegenüber, die durch ‚Mein-' und ‚Dein'-Sagen gekennzeichnet sind.[114]

[111] Als der der Natur entsprechende Zustand wird der gemeinsame Besitz und der gemeinsame Nutzen an den Gütern der Erde beschrieben. Das κοινὰ πάντα hat den Charakter eines polemischen Programms, nicht eines fixierten Zieles. So kann Jamblich (Vit. Porph. 5, 29) feststellen: κοινὰ γὰρ πᾶσι πάντα καὶ ταῦτα ζῆν; ἴδιον οὐδεὶς οὐδὲν ἔκτητο. Diogenes Laertius (VIII, 8) überliefert als Ausspruch des Pythagoras, daß unter Freunden alles gemeinsam sei; ähnliche Vorstellungen kennt und fordert Platon für den idealen Staat (Resp. IV 464c–d) und überliefert sie als Praxis des versunkenen Staatswesens (Crit. 110c 6): ἴδιον μὲν αὐτῶν οὐδεὶς κεκτημένος, ἅπαντα δὲ πάντα κοινὰ νομίζοντες αὐτῶν. Als ursprüngliche Naturordnung stellt Cicero (De off I, 21) den gemeinsamen Besitz an den natürlichen Gütern dar: „Ex quo, quia suum cuique fit eorum, quae natura fuerant communia, quod cuique optigit, ista quisque teneat, e quo si quis appetat, violabit ius humanae societatis" (Popp 139). Plato ordnete diese Vorstellung dem Gedanken zu, wie eine Polis gelingen könne; die Stoiker begründen diese Form der Besitzverhältnisse aus der Natur, ebenso die Kyniker; so überliefert Philostrat (Vit. Apoll. I, 15) als Ausspruch des Apollonius, daß die Erde die gemeinsame Mutter aller Menschen sei, und deswegen Gütergemeinschaft in der Natur selbst fundiert und vorgegeben sei (Conybeare III, 15). Dieselben Gedanken finden sich bei den Kirchenvätern, vgl. H. Rahner, Kommunismus der Kirchenväter, in: Reden und Aufsätze, 173f.; H. Hengel (Eigentum und Reichtum in der frühen Kirche. Aspekte einer frühchristlichen Sozialgeschichte, 9) verweist ebenfalls auf den Zusammenhang mit der philosophischen Tradition. Chrysostomus selbst verwendet diesen Gedanken oft und meistens polemisch (Hom. 12, 4 in 1 Tim): „Gott erschuf am Anfang den einen nicht als Reichen, den anderen nicht als Armen, ... sondern übergab ihnen allen die Erde zum Besitz." Und in rhetorischer Wendung fährt er fort: πόθεν οὖν κοινῆς οὔσης ... (PG 62, 563); an anderer Stelle (Expos. in Ps 48, 4) folgert er aus dem ursprünglichen Zustand, wie er noch bei den Tieren ablesbar ist (πάντα κοινά), für die Menschen: So haben wir nicht nur die Natur gemeinsam, sondern vieles mehr als die Natur, nämlich Himmel, See, Luft, Feuer, Wasser u. a. (PG 55, 517).

[112] So sagt Cicero (De off. I,20): „Sunt enim privata nulla natura, sed aut vetere occupatione..." (Popp 11), Eunapius (Vit. Soph. 460): „Sage mir, Philosoph, Reichtum – entweder ist er unrechtmäßig oder unrechtmäßig erworben. Etwas Drittes gibt es nicht" (Wright 372). Vgl. Chrysostomus: Hom. 15, 5 in 1 Cor (PG 61, 127f.) u. ö.

[113] R. v. Pöhlmann, Geschichte der sozialen Frage und des Sozialismus in der antiken Welt II, 610. Chrysostomus (Hom. de capt. Eutr. 3) differenziert zwischen dem Reichen und einem Dieb (PG 52, 399).

[114] Diese Substantivierung begegnet erstmals bei Platon (Resp. V 462c) im Zusammenhang mit der Frauengemeinschaft: ἆρ' οὖν ἐκ τοῦδε τὸ τοιόνδε γίγνεται, ὅταν μὴ ἅμα φθέγγωνται ἐν τῇ πόλει τὰ ῥήματα, τὸ τὲ ἐμὸν καὶ τὸ οὐκ ἐμόν; Als Meinung der Gnostiker Karpokrates und Epiphanes berichtet Klemens von Alexandrien (Strom. III, 2) Ähnliches: „Die Begriffe ‚Mein' und ‚Dein' sind erst durch die Gesetze in die

Der Grund für das Entstehen der Klassen von reich und arm wird deshalb in der gesamten Antike in der Habsucht des Menschen gesehen.[115] Sie ist die Quelle allen Übels in der Gesellschaft, der Grund zu Aufruhr und Kampf der Menschen untereinander.[116] Deshalb gilt der Beseitigung der Ungleichheit am Besitz das lebhafteste Interesse, weil darin der Hebel für die Humanisierung und Befriedigung der Gesellschaft gelegen ist.

Die Übereinstimmung, die in dieser Sicht von Reichtum und Armut die Kirchenväter mit der philosophischen Tradition verbindet, rührt daher, daß ihr schon der Charakter der Kritik eigen ist. Weil unter den Christen selbst die Klassengegensätze weiterbestehen, werden sie mit den alten Argumenten bekämpft.

Das Anknüpfen der Kirchenväter an die philosophische Tradition und ihre Kritik der Eigentumsverhältnisse[117] besagt nun nicht, daß sie sich in der Übernahme der Argumente erschöpfen. Es ist verschiedentlich

Welt gekommen" (PG 8, 1108). Aus dieser Tradition muß auch Chrysostomus die Wortverbindung übernommen haben: vgl. Adv. opp. III, 11 (PG 47, 366); Hom. 33, 3 in Gen (PG 53, 309); die platonische Fassung kennt er ebenfalls (De virg. 68): τὶ δέ ἐστὶν ὅλως, ἐμὸς καὶ οὐκ ἐμὸς ... ῥήματα μόνον ψίλα (PG 48, 584).

[115] Der führende Begriff ist πλεονεξία: Platon (Gorg. 508a); Dio Chrysostomus (Or. 17, 6f.) nennt die „Habsucht die Ursache der größten Übel" (Cohoon II, 192); Diogenes Laertius überliefert als Ausspruch des Diogenes (VI, 51): „Die Liebe zum Geld nannte er die Metropole aller Übel" (Hicks II, 52); vgl. Cicero (De fin. II, 27) und Seneca (Ad Lucil. 90, 3), die alle in dieser Meinung über das menschliche Grundlaster übereinstimmen. Für Chrysostomus ist dies ebenfalls ein zentraler Begriff für die Entstehung der Klassen. Er gibt (Hom. 11, 5 in Rom) im Anschluß an das Zitat aus 1 Tim 6,10 als Deutung des Begriffes χρημάτων τύραννις, μανία, ὅτι ἁρπάζεις καὶ πλεονεκτεῖς (PG 60, 491).

[116] Dieses Motiv ist ebenfalls ein Topos. Aristoteles (Pol. V, 1 1302 a 24) verwendet es schon. Dio Chrysostomus (Or. 17, 10) beschreibt die Folgen der Habsucht: „Sie bringt weder Vorteile für die privaten Angelegenheiten noch für die öffentlichen; im Gegenteil: Sie zerstört die Wohlfahrt der Familien und der Städte und bringt alles durcheinander" (Cohoon II, 194f.). Chrysostomus (Hom. 11, 6f. in Rom) zählt als Folgen der Habsucht auf u. a. „Kampf, Feindschaft, Krieg ... Was du wahrnimmst an Unheil, sei es im Haus oder auf dem Markt oder in den Gerichtssälen oder in den Rathäusern oder in den Palästen oder wo auch immer: alles ist die Frucht der Habsucht" (PG 60, 491). Die Folgen der Habsucht sind auch in der Kirche zu spüren (Hom. 27, 4 in 2 Cor): „Wir haben den Namen von Brüdern, aber die Werke von Feinden" (PG 61, 588).

[117] P. Christophe (L'usage chrétienne du droit de propriété dans l'Ecriture et la tradition patristique) bezieht wenigstens ansatzweise die philosophische Tradition mit in die Überlegungen mit ein, im Gegensatz zu S. Zincone (Ricchezza e povertà nelle omelie di Giovanni Chrysostomo), der ganz darauf verzichtet. M. Hengel ordnet die Aussagen des Chrysostomus sehr eindeutig der antiken Tradition zu, wenn er sagt: „Hier wird das uns vertraute Bild der Wiederherstellung des vollkommenen ‚Urstandes' gekennzeichnet, das bis in die Formulierungen hinein Analogien zur Gütergemeinschaft der Skythen, der Staatslehre Platons oder der ‚Urgemeinde' der Pythagoräer in Süditalien enthält" (Reichtum und Eigentum in der frühen Kirche, 17).

auf den tropischen Charakter, das Schematische in den Homilien und Exegesen hingewiesen worden.[118] Ambrosius beruft sich ausdrücklich auf stoische Traditionen,[119] bei anderen Kirchenvätern des 4. Jahrhunderts sind sie offensichtlich wirksam gewesen.[120]
Für Chrysostomus soll im folgenden gezeigt werden, wieweit seine Übereinstimmung mit der antiken Tradition reicht, und wo er eine eigene, von dieser Tradition verschiedene christliche Lösung aufzeigt. Nur scheint die Übernahme der schon fixierten Einschätzung von Reichtum und Armut als ‚Topos' nicht ein isoliertes traditionsgeschichtliches Problem zu sein; vielmehr kommt daran ein Moment der umfassenderen Frage zum Vorschein, inwieweit das christliche Selbstverständnis auch in speziellen, gesellschaftlich relevanten Fragen wie Sklaverei und Eigentum an die antike humane Tradition sich anschließen konnte. Daß diese in der ‚Naturordnung' als einem Gegenbild zu den bestehenden Verhältnissen einen Kontrast bereitstellte, ermöglichte es, diese mit der ‚Schöpfungsordnung' zu identifiziren – eine Übereinstimmung, die wesentlich in der Kontrastfunktion besteht, um daraus Maßstäbe für richtiges, angemessenes Verhalten und den rechten Gebrauch abzuleiten.

2. *Der philosophische Weg zur Humanisierung*

Versuche theoretischer und praktischer Art, die Klassengegensätze der antiken Gesellschaft zu mildern und zu beseitigen, begegnen nicht erst mit dem Christentum. Die Gemeinsamkeit zwischen christlichen und antiken Bemühungen wird dadurch vergrößert, daß der Grund für die bestehenden ungerechten Verhältnisse im Verhalten des Menschen, des einzelnen gesehen wird.[121]

[118] A. Natali verweist anhand der faktisch bestehenden kurialen Funktionen der Reichen, die freiwillige Bautätigkeit und Stadtgestaltung implizierte, auf den rein rhetorischen Inhalt der Anklagen des Luxus und der Prunksucht in der Bautätigkeit (Christianisme et Cité à Antioche à la fin du IVe siècle d' après Jean Chrysostome, in: Jean Chrysostome et Augustin, 50f.). Rein methodisch ist dem entgegenzuhalten, daß das Allermeiste, was Chrysostomus als Kulturkritik vorbringt, übernommen ist und nicht originell genannt werden kann. Aber die Basis der Kritik ist nicht eine juristische, sondern meist die philosophische, die eine völlig andere Perspektive voraussetzt.

[119] De off. I, 28, 132 (PL 16, 62).

[120] J. Stelzenberger, Die Beziehungen der frühchristlichen Sittenlehre zur Ethik der Stoa, 118ff. 123ff.

[121] Tacitus (Annal. III, 26) begründet die Entstehung der Herrschaft dadurch, daß eine Veränderung mit den Menschen seit der Vorzeit vor sich gegangen ist: „Vetustissimi mortalium nulla adhuc libidine sine probro scelere eoque sine poena aut coercitationibus agebant; neque praemiis opus erat, cum honesta suopte ingenio peterentur ... At postquam exui aequalitas et pro modestia ac pudore ambitio et vis incedebat, provenere dominationes" (Klostermann 100). In ähnlicher Weise führt

Humanisierung beginnt beim einzelnen und seiner Veränderung, nicht bei der Gesellschaft. Und hier richtete sich die philosophische Tradition vor allem auf die ethische ‚Weltanschauung'; sie versuchte einen Umdenkungsprozeß jenseits der sozialen Verhältnisse einzuleiten, der gleichbedeutend war mit einer Umwertung im umfassenden Sinn. Ablesbar wird der Versuch in der Neu- und Uminterpretation ursprünglich sozial definierter Begriffe in ethische. Diese Ablösung bzw. Metaphorisierung gesellschaftlicher Begriffe von ihrer ursprünglichen Basis kann überhaupt als das Eigentümliche der antiken humanen Tradition angesehen werden: Sie ist nicht primär an der Gesellschaft, sondern am Menschen orientiert. Insofern könnte sie als ‚unpolitisch' in dem Sinn bezeichnet werden, als es außerhalb ihrer Intention lag, mit politischen Mitteln ihr Anliegen durchzusetzen. Auch das Christentum versteht die Möglichkeit zur Humanisierung nicht im sozialrevolutionären Sinne,[122] sondern erwartet sie ebenfalls von der Veränderung des einzelnen. Von diesem gemeinsamen Ansatz her ergeben sich Gemeinsamkeiten auch inhaltlicher Art.

a) Transponierung der sozialen Gegensätze

Wenn die bestehenden inhumanen Verhältnisse Folgeerscheinungen des menschlichen Verhaltens sind, richtet sich der Veränderungswille nicht auf die Symptome, sondern die Ursachen. Diese Blickrichtung teilt Chrysostomus mit der philosophischen Tradition und übernimmt ihre Konsequenzen, insofern die Gegensätze der Klassen zurückgeführt werden auf den tiefer liegenden Gegensatz der Gesinnung und des Willens des Menschen.[123]

Themistius (Or. 32 363cd) das Böse auf die Leidenschaften des Menschen zurück: ὅτι ὁ φιλότεκνος ἀξιέπαινον πάθος ἐστὶ καὶ οὐκ ἔοικε τῷ φιλοχρηματῳ ἢ τῷ φιλαργύρῳ. ἐκεῖνα μὲν γὰρ τὰ ὀνόματα εἰκότως παρὰ τοῖς ἀνθρώποις ὀνειδὴ λέγεται καὶ ἔστιν. οὐ ποιεῖ γὰρ αὐτὰ ἡ φύσις, ἀλλ' ἡ μοχθηρία ἡ ἡμετέρα (Dindorf 438f.).

[122] Julian (Or. 7 208D) vergleicht die Kyniker mit Piraten und unterstellt ihnen, daß sie die allgemeine Ordnung des sozialen Lebens untergraben (Wright I, 83). Ähnliche Vorwürfe werden gegenüber dem Christentum erhoben. Chrysostomus (Hom. 4 de laud. Pauli) erkennt diesen Argwohn in den Anfängen des Christentums (PG 50, 439f.) und in der Gegenwart (Hom. 4, 3 in Tit), vor allem im Zusammenhang mit der Sklavenemanzipation (PG 62, 648). vgl. S. Verosta, Johannes Chrysostomus. Staatsphilosoph und Geschichtstheologe, 105f.

[123] Auch diesen Gedanken übernimmt Chrysostomus aus der antiken Tradition. Seneca (Ep. 4, 2): „Bona mens omnibus patet" (Reynolds I, 114). Ders. (Ep. 31, 11): „Animus, sed hic rectus, bonus, magnus. hic animus tam in equitem Romanum quam libertinum, quam in servum potest cadere. quid est enim eques Romanus aut libertinus aut servus? nomina ex ambitione aut ex iniuria nata" (Reynolds I, 91). So kann Chrysostomus ebenfalls behaupten (Hom. de studio praes. 4): „Der Unterschied besteht nicht darin, daß einer ein Sklave, der andere ein Freier ist, der andere arm, der eine reich, sondern in der Gesinnung: im Eifer und in der Lauheit, in der Schlechtigkeit und in der Tugend" (PG 63, 487). Vgl. J. Stelzenberger, a.a.O. 150f.

In der philosophischen Tradition war jenseits der äußeren Merkmale der Klassenzugehörigkeit wie Sklaverei oder Reichtum ein übergreifender neuer Gegensatz etabliert worden, der zwischen dem ‚Weisen' und dem ‚Schlechten'.[124] Dieser Versuch stellt eine Irritierung der bestehenden sozialen Zuordnung dar,[125] weil er quer zu den äußerlich sichtbaren Kriterien der Wertung einen neuen, am Menschen selbst gewonnenen Maßstab aufstellt.[126] Dadurch verlieren Begriffe wie ‚Sklaverei' und ‚Freiheit', ‚Armut' und ‚Reichtum' ihren eindeutig sozial definierten Inhalt[127] und werden jenseits der Klassenzugehörig-

[124] Vgl. SVF III, 147ff.

[125] Der Anfang der Rede des Libanius „Über die Sklaverei" (Or. 25) kann dies belegen, gerade weil dieser Rhetor sich soviel Mühe gibt, sich an traditionelle Muster anzulehnen: Τῷ δὲ ὀνόματε τούτῳ πολλῷ πανταχοῦ τῆς γῆς ... καὶ δοκεῖ τὸ μὲν εὐδαιμονίας εἶναι ὁ ἐλεύθερος, τὸ δὲ ἐναντίον, ὁ δοῦλος (Foerster II, 545). Alle Güter, die neben den materiellen Dingen den Menschen etwas bedeuten wie Schönheit, Freiheit, Herrschaft, Priestertum, Freundschaft werden in der stoischen Tradition für den Weisen reklamiert (SVF III, 154. 157), dagegen wird alles Üble und Schlechte auf den Bösen Menschen gehäuft (Ebd.). Auch Chrysostomus vollzieht auf dem Hintergrund dieser Tradition eine Umwertung (Hom. 6, 6 de Lazaro): Ἐγὼ καὶ δοῦλον εὐγενῆ καλῶ, καὶ δεσπότην ἄλυσιν περικείμενον ... ἐμοὶ καὶ ὁ ἐν ἀξιώματι δυσγενὴς, ἐὰν δούλην ἔχῃ τὴν ψυχὴν. Τίς γάρ ἐστιν δοῦλος, εἰ μὴ ὁ ποιῶν ἁμαρτίαν (PG 48, 1037).

[126] Chrysostomus ist in dieser Tradition beheimatet. Ein Vergleich kann dies verdeutlichen. Seneca (De benef. III, 20, 1) äußert sich darüber, „daß die Sklaverei nicht über den ganzen Menschen Macht gewinnt: Sein edlerer Teil ist davon ausgenommen (pars melior eius excepta). Allein der Körper ist ihr unterworfen ... der Geist ist autonom (sui iuris)" (Prèchac I, 79). Chrysostomus behauptet dasselbe (Hom. 10, 2 in Col): Τὸ κρεῖττον σοῦ ἡ ψυχὴ ἐλευθέρωται, πρόσκαιρος ἡ δουλεία (PG 62, 367).

[127] Philostrat (Vit. Apoll VII, 23) erzählt zum Thema ‚Umwertung der Sklaverei' ein Beispiel von einem cilicischen Reichen, der von sich sagt, er sei „von der Angst um den Reichtum versklavt" (ἐδουλώθην) (Conybeare II, 123); hierher gehört auch der Topos von der „Sklaverei des Tyrannen" vgl. Dio Chrysostomus Or. 14, 18; Libanius Or. 25, 68. Epiktet (Arrianus, Dissert. III, 22, 44) hat als neuen Gegenbegriff zur Sklaverei im spirituellen Sinne einen ganz verinnerlichten Begriff von Freiheit: τὶ ἐν ὑμῖν ἐλεύθερον φύσει ἀκόλυθον (Oldfather II, 146); Dio Chrysostomus (Or. 14, 28) intellektualisiert den Freiheitsbegriff: er ist identisch mit dem Wissen (ἐπιστήμη) des Verbotenen und Erlaubten (Cohoon II, 138). Asketisch (Dissert. IV, 1, 4) versteht Epiktet Freiheit als Wegwerfen dessen, das nicht unter der Selbstbestimmung des Menschen steht: „Sieh dich nach allen Seiten um und wirf weg, was nicht dein ist. Und sage nicht, daß du philosophierst, sondern daß du dich aus der Sklaverei befreist" (Oldfather II, 328). Der Zusammenhang mit der christlich-asketischen Bewegung wird hier unmittelbar deutlich: Sie ist nicht primär eine Bewegung der Weltverachtung, sondern der Befreiung aus der Entfremdung unter die Dinge der Welt. Ähnlich erfährt die Armut eine neue Definition, so durch Seneca (Ad. Helv. XI, 5): „Animus est, qui divites facit" (Rosenbach I, 330); Libanius (Or. 8, 5) definiert Armut unabhängig vom Besitz äußerer Güter als Fehlen von Freunden (Foerster I, 2 387); Diogenes Laertius (VI, 104) kennt als Deutung der freiwilligen Armut der Kyniker die Verähnlichung mit der Bedürfnislosigkeit der Götter (Hicks II, 108), die ebenfalls von den Christen rezipiert wurde. Nach Apollonius sind Reichtum und Tugend solche Gegensätze, daß sie sich ausschließen (Vit. Apoll. IX, 35): „Wie ist es möglich, daß beides bei demselben zusammenkommt? Nur in der Vorstellung der

keit zu Bestimmungen der ethischen Haltung des Menschen selbst.[128] Im Idealbild des Weisen, der sich von den äußeren Verhältnissen befreit hat, erreicht diese Umwertung ihre verdichtete Gestalt.[129] Unabhängig von der Frage, wie viele Menschen dieses Ziel faktisch erreicht haben, kann festgehalten werden, daß der philosophische Weg auf eine Aufhebung der Klassengegensätze hinzielte, indem er als den Weg zur Glückseligkeit die ‚Tugend für alle lehrte'[130] und demgegenüber alles übrige für irrelevant erklärte.
Dieses Ziel der ‚Eudaimonie' bzw. der Autonomie des einzelnen[131] führte zur Aufstellung eines Wertsystems, das mit dem geltenden nicht konform ging, aber von sich behauptete, das wahre zu sein.
Diese Umdeutung der sozialen Probleme in ethische wurde teils theoretisch propagiert,[132] teils praktisch und polemisch vorgelebt.[133] Chrysostomus übernimmt diese Verschiebung im vollen Umfang als das Gerüst seiner eigenen Aussagen. Die sozialen Gegensätze führt er auf ethische Ursachen zurück und erhofft sich ebenso wie die Philosophen eine Veränderung nur, wenn die Menschen anfangen, die Tugend zu üben.[134] So befindet er sich in der Bestimmung dessen,

Unwissenden" (Conybeare II, 432). In der Stoa wird nach Stobaeus (Ecl. II, 101) der in Wahrheit Reiche mit dem Guten identifiziert (SVF III, 155).

[128] Stobaeus (Ecl. II, 101): „... daß der Eifrige der einzig Reiche sei und Freie, der schlechte dagegen der Arme" (SVF III, 155).

[129] Vgl. J. Stelzenberger, a.a.O. 277ff.

[130] Vgl. Diogenes Laertius, VII, 174 (SVF I, 106); Lactantius übernimmt (Div. inst. III, 25) den stoischen Satz, daß Männer wie Frauen tugendhaft sein könnten (SVF III, 59).

[131] Vgl. Dio Chrysostomus Or. 80, 3.

[132] Diese Umdeutung geschieht als Vorstellung der Tugend als Höchstwert, der an keine Klassen gebunden ist. So kann Seneca (De benf. III, 18) sagen: „Nulli praeclusa virtus est; omnibus patet, omnes admittit, omnes invitat, et ingenuos et libertinos, et servos et reges et exules ... nudo homine contenta est" (Gertz 48). Algemein zur Stoa stellt E. Elorduy fest: „Die Stoa begnügt sich damit, den Sklaven den Eintritt in die Philosophie mit den gleichen Rechten wie dem freien Bürger zu ermöglichen. Der Umstand, ob einer frei oder Sklave war, sollte ihr eine gleichgültige Sache sein" (Die Sozialphilosophie der Stoa, 202).

[133] So berichtet Diogenes Laertius (X, 21), daß zur Schule Epikurs auch Sklaven gehörten. Chrysostomus (Hom. 11, 6 in Rom) erzählt die Anekdote, wie ein Kyniker in das Haus eines reichen Mannes kommt, um das Verhältnis (d. h. die Verachtung) zum Reichtum zu veranschaulichen (PG 60, 493). Vgl. Lucian, „Der Kyniker" 19; Epiktet (Arrianus, Dissert. III, 22) über das philosophisch-kynisch bestimmte Verhältnis zum Reichtum.

[134] Deutlich sagt Chrysostomus (Hom. 2, 5 in Phil), daß die Klassen von arm und reich vom Menschen, näherhin seinem Willen, verursacht sind: αἱ προαιρέσεις καὶ τοὺς πλουτοῦντας καὶ τοὺς πενομένους ἐργάζεται ... οὐδὲ ἡ ἐνδεία ποιεῖ (PG 62, 196). Ähnlich wie Philostrat glaubt auch Chrysostomus (Hom. 8, 9 ad pop. Ant.) nicht, daß Reichtum und Philosophie nebeneinander koexistieren können (PG 49, 46). Der eigentliche Vorzug des Menschen besteht auch nach ihm (Expos. in Ps 48, 11) in der Tugend: ἀνθρώπου γὰρ δόξα ἡ ἀρετή (PG 55, 540).

was ‚Reich' und ‚Arm',[135] was ‚Freiheit' und ‚Sklaverei'[136] bedeuten, ganz in der antiken Tradition. Darüberhinaus benützt er in seinen Homilien die fertigen Bilder und Begriffe, um der philosophischen Sicht der Dinge Nachdruck zu verleihen. So erscheint das gegenwärtige Leben als ein Krankheitszustand,[137] Reichtum und Armut als Theaterrollen,[138] die ihre Vorläufigkeit und ihren Schein offenbar machen. Die Vergänglichkeit alles Irdischen findet nur im sicheren Hafen der Tugend eine Zuflucht.[139]

Der Reiche ist in Wahrheit der Ärmste, weil ihm sein ganzer Reichtum nichts anderes beschert als schlaflose Nächte, Sorgen[140] und ihn zudem unfähig macht zur Tugend.[141]

[135] Auch Chrysostomus (Adv. opp. II, 4f.) identifiziert den Armen mit dem Tugendhaften: Ihm gehört wie dem stoischen Weisen die ganze Welt: ὁ τῆς ἀρετῆς πλοῦτος ... πλουτεῖ πλοῦτον ἀλεθῆ, ἐκεῖνος δὲ, ἅτε πάσης τῆς γῆς οὔσης αὐτοῦ καὶ τῆς θαλάσσης, οὕτως εὐκόλως καὶ ἀλύπως ... (PG 47, 337f.). Chrysostomus übernimmt (Hom. 2, 5 in Phil) die stoisch-kynische Definition von ‚arm' und ‚reich': arm ist, wer der anderen bedarf, reich, wer nicht reich sein will: οὗτος ἐστὶν ὁ πλουτῶν, ὁ μὴ θέλων πλουτεῖν· ὁ μὴ θέλων πενέσθαι, οὗτος πενόμενος (PG 62, 196). Analog ist Freiheit definiert, vgl. Hom. 80, 3 in Joh (PG 59, 437).

[136] Maßgebend bleibt auch für Chrysostomus (Expos. in Ps 59, 9) die Abhängigkeit oder Freiheit von den Dingen der Welt: οὐδὲν γὰρ οὕτω ποιεῖ δοῦλον, ὡς τὸ πολλῶν δεῖσθαι (PG 55, 279). Das philosophische Leben allein gewährt Freiheit. So sagt Chrysostomus (Adv. opp. II, 5): ἐν ἀρετῇ ψυχῆς καὶ φιλοσοφίᾳ μόνον und Seneca (Ep. 8, 7): „Philosophiae servias oportet, ut tibi contigat vera libertas" (Reynolds I, 16).

[137] Die Interpretation des menschlichen Verhaltens als ‚Krankheit', besonders seiner Begierden und Leidenschaften, begegnet in der Stoa. Cicero (Tusc. IV, 10, 23) übersetzt die dafür typischen Begriffe νόσημα und ἀῤῥώστημα (SVF III, 102). Die Krankheitszustände der Seele werden in Analogie zu körperlichen Krankheiten beschrieben, vgl. Diogenes Laertius VII, 115. Zur stoischen Tradition und Bildersprache vgl. K.-H. Rolke, Die bildhaften Vergleiche in den Fragmenten der Stoiker von Zenon bis Panaitios, 77. Chrysostomus übernimmt diese Metaphorik. So kann er (Hom. cum Sat. et Aurel.) als Ursache für den Aufruhr in Konstantinopel angeben: ὁ τῶν χρημάτων ἔρως, ἡ περὶ τὴν φιλαργυρίαν μανία, τὸ νόσημα ἀναίτιον (PG 52, 415). Auch Gregor von Nazianz (Or. 14, 25) kennt diesen Sprachgebrauch: „Armut und Reichtum, der Gegensatz von frei und unfrei sind Krankheitserscheinungen (ἀῤῥωστήματα), die erst durch die Sünde in die Welt gekommen sind" (PG 35, 890f.). Demgegenüber erscheint die Philosophie bzw. das Christentum als Medizin, der Philosoph als Arzt, der die Krankheit heilt. Eine andere Reihe bildet der Vergleich mit den unvernünftigen Tieren, in deren Nähe der Mensch mit seinem Fieber und Wahnsinn der Leidenschaften gerät (Hom. in dict. illud proph. David, ne timueris 1): ὅταν γὰρ ἴδω σὲ ἀλόγως βιοῦντα, πῶς ... ἄνθρωπον (PG 55, 500). Zur Tradition der Krankheitsmetapher vgl. auch A. Knecht, Gregor von Nazianz. Gegen die Putzsucht der Frauen, bes. 71f.

[138] Vgl. Seneca, Ad. Marc. X, 1 (Rosenbach I, 336) mit Chrysostomus, Hom. 6, 5 de Lazaro (PG 48, 1034f.).

[139] Chrysostomus (Hom. 17, 3 in 2 Cor) nennt die Armut einen Hafen (PG 61, 521). Traditionell wird die Philosophie als Hafen interpretiert.

[140] Vgl. J. Geffcken, Kynika und Verwandtes, 19f; Dio Chrysostomus, Or, 10, 9f; Plutarch, De superst. 164; Chrysostomus, Hom. 47, 3 in Joh (PG 59, 272); Hom. 2, 4 in Phil (PG 62, 195).

[141] Vgl. Hom. 2, 8 ad pop. Ant. (PG 49, 46); Hom. cum Sat. et Aurel. 5 (PG 52, 416).

Das Idealbild des Verhältnisses zu den irdischen Dingen wie dem Reichtum ist auch für Chrysostomus die Bedürfnislosigkeit; der freiwillig Arme ist der wahrhaft Reiche, so wie der Freie definiert ist nicht durch seine rechtlich-soziale Stellung, sondern seine Gesinnung.
Die Umwertung der sozialen Gegensätze in ethische entnimmt Chrysostomus der antiken Tradition; er unterbaut diese Lehre ebenso wie die philosophische Tradition durch die Wertung der äußeren Dinge als indifferente Äußerlichkeiten.

b) Die Lehre von den ‚Adiaphora' und dem rechten Gebrauch der Dinge

Die aus der philosophischen Tradition übernommene Beschreibung des Naturzustandes der Verhältnisse unter den Menschen und die Ätiologie der gegenwärtigen Gegensätze kann nicht so interpretiert werden, als sei es die Absicht des Chrysostomus, den ursprünglichen Zustand der Gütergemeinschaft und der rechtlichen Gleichheit der Menschen wiederherzustellen.[142] Chrysostomus ist kein Verfechter sozialistischer Ideale, auch wenn er Schlagworte, die von der antiken Tradition her bereit lagen, als Möglichkeit zur Kritik aufgriff.
Es ist nun interessant festzustellen, daß er gleichermaßen nicht die asketisch-mönchische Lösung vertritt, weder in der Frage von Reichtum und Armut, noch bezüglich von Sklaverei und Freiheit, auch wenn er sie den Christen in der Stadt oft polemisch vorhält; denn es ist seine Intention, eine allgemein realisierbare Lösung zu bieten, und dies schloß das Mönchtum gerade als ‚Sondergesellschaft' aus. Es liegt vielmehr in der Konsequenz des Ansatzes, Humanisierung primär als Humanisierung des Menschen zu verstehen, eine Aufhebung der sozialen Gegensätze mittelbar von dem veränderten Verhalten des einzelnen zu erwarten.
Die völlige Entsagung vom Besitz war seit den Tagen des Antonius zur Regel für die christlichen Asketen geworden;[143] daß dies durch Worte Jesu begründet werden konnte, kann nicht deren ursprünglicher Intention zugeschrieben werden, sondern vielmehr dem zeitge-

[142] Ein solches Ansinnen weist Kronos nach Lucian (Saturnalia 25) entschieden zurück: „Bist du denn ganz toll, daß du mir wegen der gegenwärtigen Zustände vorstellig wirst und befiehlst die Neuverteilung der Güter. Große Dinge wie die Aufhebung der Ungleichheit (ἀφελεῖν τὸ ἄνισον), daß jeder gleichermaßen reich und arm sein soll (καὶ ἐκ τῆς ὁμοίας ἢ πενέσθαι ἢ πλουτεῖν), gehören in die Zuständigkeit des Jupiter (Kilburn VI, 122).

[143] Vgl. Athanasius, Vit. Antonii 2. 5. 17 (PG 26, 846. 848. 868f.) H. Bacht vermerkt zum Versuch des Pachomius, die Gütergemeinschaft unter den Mönchen einzuführen, „daß die ersten Gefährten, die sich um ihn scharten, für diese Form ‚evangelischer Armut' keinerlei Verständnis zeigten" (Das Vermächtnis des Ursprungs. Studien zum frühen Mönchtum, 234). Hier wird die Differenz zwischen asketisch und monastisch verstandener Armut deutlich.

schichtlichen Kontext der antiken Tradition, die als einzige solche Beispiele radikalen Verzichts auf Besitz kannte.[144]

Obwohl Chrysostomus gegenüber dem Reichtum eine extrem kritische Haltung bewahrt,[145] führt dies doch nicht zu der Forderung, Besitz überhaupt aufzugeben. Gerade weil er sich an Christen wendet, die in der Gesellschaft leben, wäre die grundsätzliche Bestreitung des Rechts auf Privatbesitz, auch an Sklaven, eine Unmöglichkeit.[146]

Er schließt sich vielmehr an eine Tradition an, die christlicherseits erstmals Klemens von Alexandrien in dieser Ausdrücklichkeit zur Interpretation des christlichen Verhältnisses zu den Dingen der Welt, speziell zum Reichtum, verwendet hat. In der Auslegung der Geschichte vom ‚reichen Jüngling' (Lk 18,18f.) beschreibt Klemens ein Verständnis des Wortes Jesu „Verkaufe alles was du hast", das der radikal-asketischen Auslegung gegenüber sich nicht durchgesetzt hat. Dabei ist sich Klemens bewußt, daß er eine Auslegung vertritt, die der weithin herrschenden nicht entspricht,[147] aber für die Adressaten die einzig praktizierbare scheint.

Klemens übernimmt aus der antiken Tradition die Lehre vom ‚Gebrauch' der Dinge, die in sich indifferent sind und deren Wertigkeit aus dem Verhalten des Menschen resultiert.[148] Sie bietet die Möglichkeit, die Besitzverhältnisse humaner zu gestalten, indem der

[144] Nach Lucian (De morte Peregr. 15) erfuhr der radikale Verzicht auf Besitz des Peregrinus seitens der Augenzeugen die Deutung: ἕνα φιλόσοφον ... ἕνα Διογένους καὶ Κράτητος ζηλότην (Harmon V, 16f.). Ähnliches berichtet Diogenes Laertius (VI, 87) von Crates. Auch Chrysostomus (Hom. 15,8 in Mt) würdigt den Besitzverzicht der heidnischen Philosophen (PG 57, 235).

[145] Weil Armut und Tugend nahezu identifiziert werden, kann Chrysostomus (Hom. post terrae motum) die Ursache eines Erdbebens im Verhalten der Reichen sehen, die Garantie für den Bestand der Stadt dagegen in den Armen und ihrer Tugend (PG 50, 716). An anderen Stellen wird deutlich, daß nicht die schlechterdings Armen unter diesen Begriff fallen, sondern die ‚freiwillig' Armen, d. h. die bewußt arm sind um der Tugend willen.

[146] M. A. Ritter mißversteht die Kritik am Privateigentum als ‚Diebstahl' als die „spektakuläre Seite" des „sozialen Programms" des Chrysostomus. „Schließlich hat er sich zu Fragen des Eigentums in einem solchen Sinne äußern können, als hielte er das Eigentum schlechthin für Diebstahl" (Das Charismaverständnis bei Johannes Chrysostomus, 89). Die Ätiologie des Privatbesitzes zeichnet für Chrysostomus nicht den Weg zu seiner Beseitigung vor, sondern legt primär und kritisch die Wurzeln seiner Entstehung im Menschen bloß. Die Heilung soll radikal geschehen.

[147] Klemens (Quis div. salv. 11) legt die biblische Tradition differenziert aus: „Verkaufe was du hast – was bedeuten diese Worte. Er befiehlt ihm nicht, wie manche das Wort des Meisters wörtlich auffassen, das Vermögen, das er besitzt, wegzuwerfen und auf seinen Besitz zu verzichten, sondern aus seiner Seele die Gedanken an den Besitz zu verbannen, die leidenschaftliche Liebe ... Denn keinen Besitz zu haben, ist nichts Großes" (PG 9, 611).

[148] So kann Klemens (Ebd. 15) sagen: „Zum Nutzen der Menschen sind die Güter von Gott geschaffen. Der Mensch, der gut und rechtschaffen geworden ist, wird auch sein Vermögen gut und rechtschaffen gebrauchen" (PG 9, 620).

tiefste Grund ihrer faktisch ungerechten Verteilung offengelegt wird.
Die Anknüpfung des Chrysostomus an diese Tradition impliziert ein Doppeltes: Er bejaht grundsätzlich Reichtum und Eigenbesitz und kann sie gleichzeitig zusammen mit der antiken Tradition zu den Gütern rechnen, die in sich weder gut noch schlecht sind.[149] Sie erhalten ihre Qualität erst durch den Gebrauch, den die Menschen von ihnen machen.[150]
Dabei läßt sich beobachten, daß bei Chrysostomus das Schwergewicht dieser Lehre verschoben ist. In der philosophischen Tradition ist sie ein wesentlicher Teil der Ataraxie des Weisen; er kann durch keine äußeren Dinge, die nicht das eigentliche Ziel des Strebens, die Tugend, berühren, erschüttert werden.[151] Dieses Moment bleibt auch für Chrysostomus bestimmend: Der Christ kann durch Äußerlichkeiten keinen Schaden erleiden, sondern allein durch die Sünde.[152]
In der philosophischen Tradition ist die Lehre von den Adiaphora und dem Gebrauch der Dinge eingebunden in die Frage nach der

[149] Die Lehre führt Diogenes Laertius (VII, 37) auf Ariston, einen Schüler Zenons zurück, ihren Inhalt umschreibt er (VII, 102) so: τῶν δὲ ὄντων φασὶ τὰ μὲν ἀγαθὰ εἶναι, τὰ δὲ κακά, τὰ δὲ οὐδέτερα ... οὐδέτερα δὲ ὅσα μήτε ὠφελεῖ μήτε βλάπτει· οἷον ζωή, ὑγίεια, ἡδονή, κάλλος, ἰσχύς, πλοῦτος, εὐδοξία, εὐγένεια· καὶ τὰ τούτοις ἐναντία, θάνατος, νόσος πόνος ... πενία, ἀδοξία (Hicks II, 206). Eine ähnliche Reihe bietet Chrysostomus (Hom. 5, 2 ad pop. Ant.): οὐ πενία, οὐ νόσος, οὐχ ὕβρις, οὐκ ἐπηρεία, οὐκ ἀτιμία ... θάνατος (PG 49, 70). Die ausdrücklichste Stelle für die Übernahme dieses Schemas und der Inhalte lautet (Hom. de pecc. fratr. 2): τῶν γὰρ πραγμάτων ... τὰ μὲν ἐστὶ φύσει καλά, τὰ δὲ τὸ ἐναντίον· τὰ δὲ οὔτε καλά, οὔτε κακά, ἀλλὰ τὴν μέσην τάξιν ἐπέχει ... καλὸν ἡ ἀρετή, κακὸν ἡ πονηρία· ὁ δὲ πλοῦτος καὶ ἡ πενία καθ' ἑαυτὰ μὲν οὔτε τοῦτό ἐστιν, οὔτε ἐκεῖνο (PG 51, 158). Interessant ist, daß Chrysostomus (Hom. 19, 5 in 1 Cor) die trationellen Adiaphora um die Sklaverei erweitert (PG 61, 158).

[150] So überliefert Diogenes Laertius (VII, 103): „Was man gut oder schlecht gebrauchen kann, ist kein Gut. Den Reichtum oder die Gesundheit kann man gut oder schlecht gebrauchen; also sind Reichtum und Gesundheit kein Gut" (Hicks II, 208); von Diogenes berichtet er (VI, 55): „Zu einem, der sagte, das Leben sei schlecht und ein Übel, sagte er: ‚nicht das Leben', sondern schlecht zu leben" (Hicks II, 56). Ähnliches wird von Epiktet (Arrianus, Dissert. II, 6, 1) und von Metrocles (Diogenes Laertius VI, 95) berichtet: „Er sagte, Reichtum sei verderblich, wenn man ihn nicht richtig gebraucht" (Hicks II, 98): In dieser Tradition sagt Chrysostomus (Hom. 2, 5 in Hebr): οὐδὲ πενία καθ' ἑαυτὸν καλὸν, ἀλλὰ παρὰ τοὺς χρωμένους τούτῳ γίγνεται ... ὁ κακῶς ... κεχρημένος ... (PG 63, 26) und ähnlich (Hom. 1, 2 in princ. Act): οὐ τοίνυν πλοῦτος κακόν, ἀλλ' ἡ παρανόμος αὐτοῦ χρῆσις κακόν (PG 51, 69).

[151] Auch diesen Gedanken übernimmt Chrysostomus (Hom. 4, 4 in Hebr): „Wer den Tod nicht fürchtet – wessen Sklave ist er? Niemand fürchtet er ... über alles ist er erhaben und freier als alle" (PG 63, 42).

[152] Vgl. Hom. 5, 2 ad pop. Ant. (PG 69, 70). Die strukturell gleiche Aussage findet sich bei Cicero (Fam. 5, 21, 5): „... tibique persuade praeter culpam ac peccatum, qua semper caruisti ... homini accedere nihil posse quod sit inhonorabile" (Moricca 185).

freien Selbstbestimmung des Weisen – er entledigt sich ihrer,[153] verachtet sie,[154] findet sein Genügen in sich selbst;[155] denn nichts muß er mehr fürchten, als durch die äußeren Dinge in seiner Freiheit eingeschränkt oder versklavt zu werden. In dieser Unabhängigkeit liegt das Kriterium des Gebrauchs der Dinge.[156]
Chrysostomus nimmt dieses Kriterium zwar auf;[157] auch er betont die Notwendigkeit, gegenüber dem Reichtum seine Freiheit zu wahren. Darüberhinaus legt er auch Gewicht auf den ‚Gebrauch‘ des Reichtums. Sosehr der Reichtum den einzelnen versklaven kann, sosehr verpflichtet sein Besitz, davon mitzuteilen. In seinen Homilien leitet Chrysostomus den rechten Gebrauch des Reichtums von dem gebräuchlichen Terminus (χρήματα) selbst ab, um seinen Richtungssinn und Verpflichtungscharakter aufzuzeigen.[158] Aber auch dafür lassen sich Parallelen in der Antike nachweisen.[159]

[153] Der Besitzverzicht war nicht sozial motiviert, sondern war ein Akt der Selbstbefreiung. So lehrt Epiktet als Weg der Befreiung (Dissert. I, 1, 4): „Und wie werde ich mich befreien? Hörtest du nicht oft genug ..., daß du alles aufgeben mußt: den Leib, den Besitz, den guten Ruf, die Bücher, die Geschäftigkeit, die Ämter und die Ämterlosigkeit. Denn zu welcher Sache du dich auch hinneigst, so bist du ein Sklave – unterworfen, verhinderbar, zwingbar, ganz von anderen abhängig“ (Oldfather II, 334); ders. (Arrianus, Dissert. IV, 1, 1 „Über die Freiheit“): „Frei ist, wer lebt, wie er will, den nichts nötigen, nichts hindern, nichts zwingen kann“ (Oldfather II, 244).

[154] Vgl. Dio Chrysostomus, Or. 13, 33 (Cohoon II, 118).

[155] Am deutlichsten äußert sich Seneca zu dieser Seite der ‚Weltverachtung‘ als der Bedingung der Einkehr bei sich selbst (De brev. vitae XIX, 1): „recipe te ad haec tranquilliora, tutiora, maiora“. (De tranquil. an. XIV, 2): „utique animus ab omnibus externis in se revocandus est, sibi confidat, se gaudeat, sua suscipiat et se sibi applicat“ (Rosenbach II, 156ff.). Als Bedingung nennt Seneca (De vit. beat. IV, 3): „quid enim prohibet nos beatam vitam dicere liberum animum et erectum et interritum ac stabilem, extra metum, extra cupiditatem positum“ (Rosenbach II, 12). Der individuelle Freiheitsbegriff hat keine soziale Dimension.

[156] Für die philosophische Tradition wie für Seneca entscheidet sich alles am Wissen, an der grundsätzlich gewonnenen Einsicht – auch hinsichtlich des Besitzstrebens und der Form des Besitzens (De vit. beat. XXVI, 1): „quid ergo inter me et stultum et te sapientem interest, si uterque habere volumus? Plurimum. divitiae enim apud sapientem virum in servitute sunt, apud stultum in imperio; sapiens divitiis nihil permittit, vobis divitiae omnia“ (Rosenbach II, 116). Das Entscheidende bleibt die innere Einstellung zu den Gütern, insofern diese nicht folgenlos bleibt für die eigene Freiheit.

[157] Der Ton liegt auf dem freien Verfügen-können des Menschen; deshalb sind ihm die Güter übergeben worden – nicht damit er von ihnen beherrscht wird (Hom. 2, 2 in princ. Act): διὰ τοῦτο χρήματα λέγεται, ἵνα ἡμεῖς αὐτοῖς χρησώμεθα, καὶ μὴ ἐκεῖνα ἡμῖν (PG 51, 69); vgl. die polemische Anklage gegenüber den Reichen (Hom. 20, 3 in Mt): „Ein Sklave anstelle eines Freien bist du geworden und dadurch unfähig, etwas Höheres zu denken“ (PG 57, 290).

[158] So fordert er (Hom. 80, 3 in Joh): „Deshalb heißen sie Gebrauchsgüter (χρήματα), damit wir sie zur Linderung des Bedürfnisses gebrauchen (χρώμεθα), nicht damit wir sie bewachen und zurückhalten. Das heißt nicht besitzen, sondern von ihnen besessen sein“ (PG 59, 438); die Güter sind zum Mitteilen bestimmt (Hom. 20, 3 in

Mit der antiken Tradition teilt Chrysostomus die Ansicht, daß weder dem Reichtum noch der Armut eine Bedeutung in sich zukommt, die Armut hat sogar den Vorzug, naturgemäßer[160] und näher dem tugendhaften Leben zu sein. Besitz als solcher wird nicht als ‚Sünde' verurteilt, sondern wie bei indifferenten Dingen der falsche Gebrauch. Dabei läßt sich bei Chrysostomus nicht viel mehr als ein spezielles Interesse und Schwergewicht seiner Aussagen bezüglich der sozialen Verpflichtung der Reichen erheben. Obwohl er auch andere Argumente der Tradition als Begründung herbeizieht,[161] bewegt er sich mit seiner Forderung, von dem Reichtum mitzuteilen, nicht grundsätzlich außerhalb des vorgegebenen antiken Rahmens;[162] wenn die Besitzverhältnisse letztlich gleichgültig sind, ist ihre Veränderung nicht das dringendste Anliegen, sondern des Menschen. So wahr es ist, daß sich Chrysostomus wie kaum ein anderer Kirchenvater zum Anwalt der Armen macht und den Reichen ins Gewissen redet, so konvergiert doch sein sozialer Eifer in dem Begriff der ‚Freiheit'; denn der Erweis des ‚rechten Gebrauchs' des Reichtums liegt nicht im Bewachen, sondern im Mitteilen; die soziale Verwendung des Besitzes

Joh): „Güter heißen sie deswegen, damit wir sie für den lebensnotwendigen Aufwand verwenden . . . damit du sie austeilst, damit wir einander davon mitteilen" (PG 59, 123). So kann Chrysostomus zwischen Besitzen, das Sünde ist, und Besitzen, das keine Sünde ist, unterscheiden (Hom. 13, 5 in 1 Cor): „Nicht Besitz als solcher ist schon Sünde, sondern Sünde ist, den Bedürftigen nicht mitzuteilen von dem Besitz und ihn schlecht zu gebrauchen" (PG 61, 113).

159 Als stoische Auffassung überliefert Cicero (De off. I, 21): „atque ut placet Stoicis, quae in terra gignantur, ad usum hominum omnia creari, homines autem hominum causa esse generatos, ut ipsi inter se aliis alii prodesse possent . . . dando accipiendo" (Popp 12). Das Recht auf Privateigentum verteidigt Aristoteles (Pol. II 1263a 13f) mit dem Hinweis auf die nur so gesicherte Freigiebigkeit: ἐν τῇ γὰρ χρήσει τῶν κτημάτων τὸ τῆς ἐλευθεριότητος ἔργον ἐστὶ. Philostrat (Vit. Soph. II, 1) erzählt von Herodes, dem Athener: „Am überzeugendsten unter den Menschen gebrauchte er seinen Reichtum; er berücksichtigte nämlich die Freunde . . . die Städte, die Volksgenossen. Er sagte nämlich, so komme es dem Reichen zu, der seinen Besitz recht zu gebrauchen wisse, daß er ihn für die Bedürftigen verwende, damit ihre Bedürftigkeit aufhöre" (Wright 138f).

160 Dio Chrysostomus (Or. 7, 103) nennt ebenfalls die Armut μᾶλλον κατὰ φύσιν (Cohoon I, 342).

161 Das Motiv der Vergänglichkeit (Expos. in Ps 48, 3): Reichtum als Flüchtling (PG 55, 515) begegnet auch bei Lucian (Saturn. 30). Darüberhinaus gilt Reichtum als Fremdgut (Hom. 2, 4 in Hebr): als ἀλλώτρια (PG 63, 25); die Menschen sollen sich verstehen als Herren über Dinge, die ihnen nicht gehören (Hom. 11, 2 in 1 Tim): τῷ δὲ ἔργῳ πάντες τῶν ἀλλωτρίων ἐσμὲν κύριοι (PG 62, 556). Ähnlich sagen Epiktet (Arrianus, Dissert IV, 5, 15) und Seneca (Ep. 41, 7): Eigentum ist Leihgabe an den Menschen (Rosenbach III, 330).

162 Demokrit fordert schon das Mitteilen (Fr. 225): „Wenn die Reichen es über sich bringen, den Armen vorzustrecken und ihnen beizuspringen und wohl zu tun, so liegt darin Erbarmen . . . und Verbrüderung und gegenseitige Hilfeleistung und die Eintracht der Bürger und anderes Gute" (Fragmente der Vorsokratiker II, 196f).

resultiert aus einem veränderten Verhältnis zum Besitz.[163] Und dies ist von Reichen und Armen gleichermaßen gefordert.
So erweist sich die Lehre von den ‚Adiaphora' als ein Mittel, unmittelbar den Menschen in ein Verhältnis der Freiheit gegenüber den äußeren Dingen zu versetzen,[164] und mittelbar zur Humanisierung der sozialen Verhältnisse ihn instand zu setzen. Das Soziale ist eine Funktion des Humanen, nicht umgekehrt: Hörte das Haben- und Besitzen-wollen auf, wäre ein Ausgleich möglich.[165]
Voraussetzung dafür wäre, daß sich die Menschen gleichermaßen nicht um die ‚äußeren', ‚vergänglichen' Dinge bemühten, sondern um die wahren Güter, die Tugend und das Gute.[166] Insofern ist auch verständlich, warum die Antike das Extrem der Bedürfnislosigkeit als Ideal aufrechterhält: weil darin – bei aller möglichen Kritik[167] – das soziale Problem des Besitzes mit der Freiheit vermittelt schien.
An dieser Zielvorstellung als einer möglichen Lösung hält auch Chrysostomus, soweit er antike Traditionen aufnimmt, fest,[168] obwohl er das grundsätzliche Recht auf Eigenbesitz nicht bestreitet. Auch für ihn ist die Frage der Besitzverhältnisse nur lösbar über das Problem

[163] In die Darlegung über die Adiaphora (Hom. de pecc. fratr. 2) schiebt Chrysostomus eine Parenthese ein, die diese Seite betont: Τῶν γὰρ πραγμάτων (προσέχετε δὲ μετὰ ἀκριβείας τούτῳ τῷ λόγῳ· ἱκανὴν γὰρ ὑμῖν ἐνθεῖναι φιλοσοφίαν δυνήσεται, καὶ πάντα διεφθαρμένον λογισμὸν ἐκβαλεῖν, καὶ ποιῆσαι περὶ τῶν ὄντων ὀρθὴν ἔχειν τὴν κρίσιν) τῶν τοίνυν πραγμάτων... (PG 51, 355). Auch Chrysostomus zielt zunächst auf ein verändertes Bewußtsein hin. Wie die antike Tradition umschreibt Chrysostomus dieses Verhältnis negativ als ‚Verachtung' (Hom. 2, 5 in Phil): „Laßt uns die Güter der Welt verachten. Derjenige ist nämlich der Reiche, der nicht reich sein will" (PG 62, 196); so kann er seine Hörer ermahnen (Hom. 2, 5 in Hebr): „Fliehen wir also nicht die Armut, als wäre sie ein Übel ... und jagen wir nicht hinter dem Reichtum her, als wäre er ein Gut" (PG 63, 261).

[164] Als Ergebnis für den einzelnen nennt er (Hom. 2, 5 in Phil): τοῦτο μακαριότης διηνεκής, τοῦτο φροντίδος ἐλευθερία (PG 62, 197).

[165] Chrysostomus formuliert (Ebd.), wie ein Reicher gut sein kann: πῶς ὁ τοῦ πλούτου ἔχων ἀγαθός; οὐκ ἔνι τοῦτο,... ἀλλ' ἐὰν ἑτέροις μεταδῷ (PG 62, 254). Besitz als solcher wird also nicht von ihm verurteilt.

[166] Diesen Punkt hat auch Dio Chrysostomus im Auge, wenn er über die Reichen spricht (Or. 7, 118): ὡς πρὸς τοὺς πλουσίους ἡμεῖς ἀγωνιζόμεθα χορῷ νῦν, οὐχ ὑπὲρ εὐδαιμονίας προσκειμεμένου τοῦ ἀγῶνος· οὐ γὰρ πενίᾳ τοῦτό γε πρόκειται τὸ ἆθλον οὐδὲ αὖ πλούτῳ, μόνης δὲ ἀρετῆς ἐστιν ἐξαίρετον (Cohoon I, 352). Sachlich dasselbe sagt Chrysostomus (Hom. 11, 2 in 1 Tim): ἐκεῖνα μόνα ἐστὶν ἡμέτερα, ὅσα τῆς ψυχῆς ἐστὶν κατορθώματα (PG 62, 556).

[167] Julian stellt den alten Kynikern die Dekadenz der gegenwärtigen entgegen (Or. 6 198B): „Sie lieben den Reichtum, hassen die Armut, dienen dem Magen und nehmen wegen dem Leib alle Mühen auf sich und mästen das Gefängnis der Seele, bereiten sich eine reiche Tafel und schlafen keine Nacht allein – bestrebt, dies alles im Dunkel zu tun" (Wright II, 50).

[168] Rhetorisch einprägsam und eindringlich redet er auf seine Zuhörer ein (Hom. 2, 5 in Phil): „Arm ist nicht, wer nichts besitzt, sondern wer viel begehrt; nicht ist ein Reicher, der viel besitzt, sondern der nichts nötig hat" (PG 62, 197).

des freiwilligen Verzichts, letztlich also der Freiheit, jenseits der sozialen Zugehörigkeit zu den Armen oder Reichen.[169]

Die strukturell gleiche Problemlage zeigt auch das Verhältnis zur Sklaverei. Wie Armut und Reichtum ordnet sie Chrysostomus auch den Adiaphora zu.[170] Dazu findet sich innerhalb der antiken Tradition zwar keine direkte Parallele, doch trifft sich diese Erweiterung mit einer weit verbreiteten – zumindest rhetorisch vorgebrachten – Skepsis gegenüber der Freiheit im bürgerlich-rechtlichen Sinne.[171] Hinzukommt, daß die so verstandene Freiheit überlagert ist von der philosophischen Bedeutung – und dieser gilt die weitaus größere Aufmerksamkeit, entsprechend der Sklaverei im ethischen Sinn. Aufschlußreich in diesem Zusammenhang ist die Auslegung von 1 Kor 7, 17–24. Ohne daß Chrysostomus die Sklaverei, über die Paulus schreibt, ein Adiaphoron nennt, ergibt sich diese Zuordnung aus dem Wortgebrauch.[172] Gleichermaßen wechselt er dauernd von der wirkli-

[169] Diese scheinbare Verschiebung findet sich z. B. bei Cicero (De fin. V, 8): „Paupertas si malum est, mendicus esse beatus potest, quamvis sit sapiens. At Zeno eum non beatum modo, sed divitem dicere ausus est" (Schicke 165f.). Senca (De vit. beat. XXI, 2) läßt einen reichen Philosophen, dem seine Existenz als widersprüchlich ausgelegt wird, sagen: „Ait ista debere contemni, non ne habeat, sed ne sollicitus habeat, non abigit illa a se, sed abeuntia securus prosequitur" (Rosenbach II, 52). Die innere Distanz, das Wissen um die größeren Werte ist auch von Chrysostomus vorgestellt als ein Weg zur Freiheit vom Besitzen-wollen (Hom. 11, 3 in 1 Tim): „Du siehst einen Mann, der stolz über den Markt stolziert. Ein Troß von Dienern folgt ihm, er trägt seidene Kleider, prunkt mit den Pferden ... laß dich nicht blenden – lache über ihn" (PG 62, 557). Auch Klemens von Alexandrien (Quis div. salv. 20) verbleibt weitgehend innerhalb dieser philosophischen Perspektive, wenn er sagt: „Er (scil. der ‚reiche Jüngling') verstand nicht, daß man gleichzeitig arm und reich, ein Millionär und ein Bedürftiger ... sein kann" (PG 9, 624). Solche reine Gesinnungstechnik hat Plutarch (Comp. arg. Stoic. abs. 1058 A) kritisiert: „Wer als ... Armer oder Bettler ... oder Sklave schlafen ging, steht am Morgen als König und Reicher ... und von allem krankhaften Wahn befreiter Mann wieder auf ... Die Tugend bringt ihm Reichtum ... sie macht denjenigen, der nur eine einzige Drachme im Hause hat, zum glückseligen Menschen, der nichts bedarf und sich selbst genug ist" (Cherniss XIII, 2 615f.).

[170] Das Ungewohnte dieser Zuordnung wird (Hom. 54, 1 in Joh) in der Syntax deutlich: εἰσὶ γὰρ νῦν πολλοὶ, οἱ μὲν τοῖς ἀδιαφόροις αἰσχύνονται καὶ ἐπὶ τῇ δουλείᾳ (PG 59, 297). An anderer Stelle gewinnt er die Indifferenz der Sklaverei (Hom. 19, 5 in 1 Cor) am Beispiel des ägyptischen Josef (PG 61, 158).

[171] Epiktet (Arrianus, Dissert. IV, 1, 34f.) desillusioniert den Traum des Sklaven von der Freiheit, weil sie ihm statt eines, dann viele Herren beschere (Oldfather II, 254). Libanius (Or. 25, 6.30) behauptet nur eine Differenz von Mehr oder Weniger an Sklaverei (Foerster, II, 540f). Seneca (De tranquil. an. X, 3) verallgemeinert: „omnis vita servitium est" (Rosenbach II, 142).

[172] Ein Vergleich von Diogenes Laertius (VII, 103): οὐ μᾶλλον δὲ ὠφελεῖ ἢ βλάπτει ὁ πλοῦτος καὶ ἡ ὑγίεια· οὐκ ἄρα ἀγαθὸν οὔτε ... (Hicks II, 106) mit Chrysostomus (Hom. 19, 4 in 1 Cor): ὥσπερ οὐδὲν ὠφελεῖ ἡ περιτομὴ, οὐδὲ βλάπτει ἡ ἀκροβυστία, οὕτως οὐδὲ ἡ δουλεία οὐδὲ ἡ ἐλευθερία βλάπτει ... (PG 61, 156) kann das Gemeinte verdeutlichen. Wenige Zeilen später behauptet er sogar, „daß die Sklaverei nicht nur

chen[173] zur inneren, von der Sünde und den Leidenschaften herstammenden Sklaverei,[174] von der Freie und Sklaven in ähnlicher Weise bestimmt sind.[175] So wird es gleichgültig, ob einer ein Freier oder Sklave ist, angesichts der schlimmeren Sklaverei,[176] der – wie er exemplarisch beweist – nicht der versklavte Josef, sondern die Frau des Potiphar und die Brüder des Josef unterworfen waren.[177] Sklavesein kann die Tugend nicht hindern:[178] Josef ist das Beispiel höchster Freiheit.[179]

Freiheit und Sklaverei sind wie Reichtum und Armut irrevelante Zuständlichkeiten; sie werden durch das Verhalten des einzelnen außer Kraft gesetzt und neu definiert, indem ein anderer Maßstab als der gesellschaftliche angelegt wird: ob der Mensch sich der Tugend oder der Schlechtigkeit zuwendet.[180] Die dadurch sich ergebende

nichts schadet, sondern sogar von Nutzen ist". Obwohl diese Einschätzung aus dem theologischen Gedankengang des Paulus abgeleitet ist und nur sinnvoll ist unter der Voraussetzung, daß in Christus beide gleich sind (ἀμφότεροι ἴσοι), die Sklaven und die Freien, übersetzt Chrysostomus diese Begriffe in das Schema der Adiaphora; vgl. auch Hom. in illud Jes. 9 (PG 56, 147).

173 Hom. 19, 4 in 1 Cor: τῆς ἔξωθεν δουλείας, δουλεία τὸ πρᾶγμα (PG 61, 157).

174 Ebd. in der positiven Wendung als Freiwerden und Freiheit des Sklaven, obwohl er sozial gesehen ein Sklave bleibt: ὅταν παθῶν ἀπηλλαγμένος ᾖ καὶ τῶν τῆς ψυχῆς νοσημάτων, ὅταν χρημάτων καταφρονῇ... Umgekehrt gilt vom Freien, daß er trotz seiner Freiheit ein Sklave ist: ὅταν διακονῆσαι ἀνθρώποις πονηράν τινα διακονίαν... ἢ διὰ χρημάτων ἐπιθυμίαν. Besessenheit von Besitz (Hom. 18, 2 in Eph) d. h. von den Leidenschaften, ist keine geringere Sklaverei (PG 62, 123).

175 Die Uminterpretation nötigt Chrysostomus (Ebd.) zu einer paradoxen Form der Aussage: ἔστι γὰρ καὶ δοῦλον ὄντα μὴ εἶναι δοῦλον, καὶ ἐλεύθερον ὄντα δοῦλον εἶναι.

176 Ebd.: „Nicht schadet diese Sklaverei, Geliebter, sondern die wirkliche Sklaverei, die Sklaverei der Sünde... wenn du ihr Sklave bist, seist du auch tausendmal ein Freier, ist dir die Freiheit zu nichts nütze."

177 Ebd. 4: „Jene (scil. die Frau des Potiphar) war eine Freie, aber sie war mehr versklavt als alle" und „(die Brüder) waren sie nicht mehr versklavt als wirkliche Sklaven?"

178 Ebd.: „Inwiefern konnte jener durch die Sklaverei an der Tugend gehindert werden?"

179 Ebd. 5: ὁ ἀκριβῶς ἐλεύθερος; ebd. 4: ἐλευθερία ἡ ἀνωτάτω. Sklaverei und Freiheit definiert Chrysostomus (Hom. 54, 2 in Joh) von dem tatsächlichen Verhalten des Menschen (PG 59, 297). Zur innerchristlichen Exempla-Tradition des Josef vgl. P. Allard, Les esclaves Chretiens, 191f.

180 Diese idealtypische Polarisierung der Menschen und ihrer Verhaltensweisen war in der philosophischen Tradition präformiert und in der Stoa zu einem fixen Schema ausgebildet, Stobaeus (Ecl. II, 7, 11 g): ἀρέσκει γὰρ τῷ Ζήνωνι... δύο γένη τῶν ἀνθρώπων εἶναι, τὸ μὲν τῶν σπουδαίων, τὸ δὲ τῶν φαύλων· καὶ τὸ μὲν τῶν σπουδαίων διὰ παντὸς τοῦ βίου χρῆσθαι ταῖς ἀρεταῖς, τὸ δὲ τῶν φαύλων ταῖς κακίαις· ὅθεν τὸ μὲν ἀεὶ κατορθοῦν ἐν ἅπασιν οἷς προστίθεται, τὸ δὲ ἁμαρτάνειν (SVF I, 52). Daß es nicht kritiklos blieb, dafür steht Plutarch. Cicero (De fin. V, 73) reflektiert diese Polarisierung: „Hoc unum Aristo tenuit: praeter vitia atque virtutes rem esse ullam aut fugiendam aut expetendam" (SVF I, 84). Diese Polarisierung übernimmt Chrysostomus im vollen Umfang (Expos. in Ps. 61, 6): τοιούτου γὰρ ἡ κακία... ἡ ἀρετὴ τουναντίου (PG 55, 299).

Überlagerung führt zum Paradox als adäquater Aussageform, um die Suspendierung der Zuordnung zu gesellschaftlichen Wertmaßstäben zugunsten ethischer artikulieren zu können.[181]
Indem Chrysostomus dieses System der Zuordnung übernimmt, das sich mit den sozialen Verhältnissen nicht deckt, läßt er den Christen die Stelle des philosophischen Weisen einnehmen; denn die Weise, wie Chrysostomus im Zusammenhang der Auslegung der Korinther-Stelle Sklaverei definiert und die Bedingung ihrer Aufhebung formuliert, ist bis auf wenige Ausnahmen ganz der philosphischen Tradition entnommen.[182] Josef erfüllt das Ideal des Weisen.[183]
Wenn es nicht schadet, ein Sklave zu sein, und wenn Freiheit keinen Vorteil bedeutet – ebenso wenig wie Reichtum und Armut – ist eine unmittelbare Einwirkung auf die Humanisierung der bestehenden Klassengegensätze nicht denkbar. Sie liegt außerhalb des Gesichtskreises der antiken Tradition, wie sie Chrysostomus teilweise übernimmt. Verändert werden soll der einzelne; denn in der fortbestehenden Habsucht nach mehr Besitz, der grundlosen Bewunderung des Reichtums und der daraus resultierenden Knechtschaft der äußeren Dinge liegt der eigentliche Grund der sozialen Gegensätze: Sie sind vom Willen des Menschen verursacht und können auch nur von ihm selbst in einem Akt der Befreiung beseitigt werden, wenn er das wahre Wesen der Dinge als ‚Adiaphora' erkennt und sich um die einzig erstrebenswerten Güter bemüht.
Humanisierung wäre so zu definieren als ein Prozeß der Befreiung, der die Ursache der Klassengegensätze aufhebt, indem an die Stelle der ‚Scheingüter' das ‚Gute' oder die ‚Tugend' treten, und diese von dem einzelnen gewählt werden.[184] Deswegen versteht sowohl die

[181] So formuliert Cicero im Referat stoischer Tradition (De fin. III, 75): „Recte (sapiens) solus liber nec dominationi cuiusquam parens nec oboediens cupiditati, recte invictus, cuius etiamsi corpus constringatur, animo tamen vincula inici nulla possint" (SVF III, 154); ders. (Paradoxa Stoic. 33): ὅτι μόνος ὁ σοφὸς ἐλεύθερος καὶ πᾶς ἄφρων δοῦλος (Rackham IV, 284). In dieser Tradition sagt Chrysostomus (Expos. in Ps. 48, 10): οὐδὲν γὰρ οὕτως ἐλεύθερον ὡς ἀρετή (PG 55, 237) und (Hom. 19, 4 in 1 Cor): πῶς οὖν ὁ δοῦλος ἀπελεύθερος; ... καὶ πῶς ἐλεύθερος ὁ δοῦλος, μένων δοῦλος: ... ἢ πῶς πάλιν ἐλεύθερός τις ὤν, γίνεται δοῦλος; ... ὁ γὰρ τοιοῦτος πάντων ἐστὶ δουλικώτερος, κἂν ἐλεύθερος (PG 61, 156). Acro (Ad Hor. serm. I, 3, 124) überliefert als stoischen Satz: „dicunt Stoici sapientem divitem esse, si mendicet, et nobilem esse, si servus sit" (SVF III, 155).

[182] Negativ ist Sklaverei definiert als Abhängigkeit von den Leidenschaften und dem Bösen, positiv die Freiheit als Ungehindert-sein, die Tugend zu üben.

[183] Von ihm gilt trotz seiner Versklavung (Hom. 19, 4 in 1 Cor): οὐδὲν αὐτὸν δουλώσασθαι ἠδυνήθη, οὐ δεσμὸς, οὐ δουλεία, οὐ δεσποίνης ἔρως, οὐ τὸ ἐν ἀλλοτρίᾳ εἶναι· αλλ' ἔμενεν ἐλεύθερος πανταχοῦ. τοῦτο γὰρ μάλιστα ἐλευθερία, ὅταν ἐν δούλειᾳ διαλάμπη (PG 61, 157).

[184] Epiktet (Arrianus, Dissert. III, 12, 1 Über die Askese) handelt darüber, was begehrt und was gemieden werden muß (Oldfather II, 80). Dieselbe Unterscheidung trifft nach Seneca (Ep. 94, 5) Aristo (SVF I, 82); dasselbe Schema kennt nach Diogenes

antike Philosophie wie auch Chrysostomus als Prediger die Aufklärung als wesentliches Moment der Bildungsaufgabe:[185] Die Menschen sollen zu neuen Einsichten und zu einem neuen Tun bewegt werden, damit sie das Ziel ihres Lebens nicht verfehlen.
Daß dies nicht in den ‚Äußerlichkeiten' gelegen ist, darin ist Chrysostomus mit der antiken Tradition einig. Trotzdem sind gerade in diesem Bereich die Folgen der ‚Verfehlungen'[186] der Menschen am deutlichsten zu spüren. Welche Möglichkeiten, sie zu mildern, Chrysostomus aus der antiken Tradition aufnimmt, soll im folgenden untersucht werden.

c) Milderung der Klassengegensätze

aa) Arme und Reiche

Die christliche Liebestätigkeit wird allgemein als das Spezifische des Beitrages der alten Kirche zur Humanisierung angesehen.[187]
Der heidnische Staat hatte dem ebensowenig wie der christlich gewordene etwas Adäquates entgegezusetzen.[188] Der Versuch Kaiser Julians, mit der Restauration des Heidentums gleichfalls caritative Einrichtungen zu schaffen, beleuchtet und bestätigt indirekt die Beispiellosigkeit der kirchlichen Bemühungen um die Armen, Kran-

Laertius (X, 30) Epikur. Chrysostomus trifft eine ähnliche Unterscheidung anhand der Differenz von gegenwärtigen – zukünftigen, von zeitlichen – ewigen Gütern.

[185] Dio Chrysostomus (Or. 13, 34) praktiziert diese Aufgabe etwa so: „Je mehr bei euch Mannhaftigkeit, Gerechtigkeit und Weisheit gelten, um so weniger gilt Gold und Silber, Elfenbeingeschirre, Bernstein und Kristalle ... der Schmuck der Frauen, Stickereien und farbige Stoffe" (Cohoon II, 118); auch Chrysostomus (Hom. 29, 6 in 1 Cor) redet so (PG 61, 449).

[186] Deswegen darf in der utopischen Stadt der Tugend, die Lucian (Hermot. 24) entwirft, das Wort ‚vornehm' und ‚gering', ‚Sklave' und ‚Freier' nicht einmal genannt werden, weil hier die Tugend allein herrscht, und deshalb diese Gegensätze nicht mehr gelten (Kilburn VI, 302f.).

[187] K. Beyschlag würdigt dieses christliche Engagement: „Diese soziale Liebestätigkeit war eben keineswegs bloß eine Art Ersatzbefriedigung für ein aus sozial-konservativen Gründen nicht recht zustande gekommenes Gesellschaftsprogramm, sondern war die einzig legitime Tat der Liebe Gottes in der Welt, die diese dann auch allein verändern kann" (Christentum und Veränderung in der Alten Kirche, 47). Ähnlich äußert sich J. Leipoldt (Der soziale Gedanke in der alt-christlichen Kirche, 59f.). Interessant ist die Untersuchung von P. Rentinck (La cura pastorale in Antiochia nel IV seculo), weil er Antiochien so beschreiben kann, als handele es sich um eine gegenwärtige Großstadtpfarrei. So findet sich am Ende auch noch ein angehängtes Kapitel über die christliche ‚Caritas'.

[188] Chrysostomus entwirft (Hom. 66, 3f. in Mt) ein Programm zur Aufhebung der Armut in Antiochien, wie sie christlich möglich wäre. Gregor von Nazianz erwähnt (Or. 4, 111) christliche Armenhäuser und andere christliche Einrichtungen.

ken und Fremden.[189] Sosehr die caritative Tätigkeit auch in der Antike als Propagandamittel verstanden wurde[190] – befragt man zu diesem Komplex die Aussagen des Chrysostomus, bietet sich ein etwas differenzierteres Bild.
Aus seinen Homilien, besonders zum Matthäus-Evangelium, die er in Antiochien gehalten hat,[191] geht hervor, daß die christliche Liebestätigkeit weitgehend eine Institution der amtlichen Kirche geworden ist und sich vom Almosen der Christen selbst abgelöst hat.[192] Die Kirche ist gezwungen, Vermögen anzusammeln, selbst als Unternehmer tätig zu werden, um den großen Bedarf an Mitteln für die vielfältige Form der Hilfeleistung aufzubringen.[193] Dabei gehört sie, wie Chrysostomus ausdrücklich betont, nur zu den mittelmäßig Reichen.[194]
Aus diesen Andeutungen ergibt sich als Folgerung, daß die Christen selbst nur ungenügend oder gar nicht zu einem Ausgleich zwischen Reichen und Armen beigetragen haben: der Grund, warum Chrysostomus immer wieder vom Almosengeben spricht.[195] Dabei lassen sich seine Forderungen im einzelnen nicht harmonisieren: Manchmal verlangt er die Hälfte des Vermögens,[196], zuweilen einen kleinen

[189] Darauf verweist J. Kabiersch: „Als Vorbild für die Ausübung der Philanthropie verweist Julian seine Priester ausdrücklich auf die christliche Liebestätigkeit" (Untersuchungen zum Begriff der Philanthropie bei Kaiser Julian, 3); vgl. G. J. M. Bartelink, Christliche Ausdrücke bei Julian, in: VigChr 11 (1957) 37–48, bes. 37.

[190] So z. B. Fulgentius, Sermo de carit. dei ac proximi (PL 65, 739).

[191] Zur genaueren Datierung vgl. H. Lietzmann, Johannes Chrysostomus, 333.

[192] Dies sagt Chrysostomus deutlich (Hom. 85, 3 in Mt): „Jetzt muß die Kirche wegen euch und eurer Unmenschlichkeit Äcker, Häuser und Mietwohnungen besitzen, Fuhrwerke, Maultiertreiber halten und Esel. Dieser Schatz der Kirche sollte in euren Händen liegen, und in eurer Willigkeit sollte die Bürgschaft der Mittel gegeben sein" (PG 58, 761f.). Als Entschuldigung für private Liebestätigkeit führt Chrysostomus (Hom. 21, 6 in 1 Cor) die Redensart der Christen an: ἔχει τὸ κοινὸν τῆς Ἐκκλησίας (PG 61, 179).

[193] Chrysostomus beklagt diesen Zustand (Hom. 85, 4 in Mt): „Jetzt sind unsere Bischöfe mit solchen Dingen noch mehr in Anspruch genommen als die Aufseher, Verwalter und Kaufleute . . . müssen sich täglich ärgern mit Geschäften, wie sie nur Steuereinnehmern, Zöllnern und Zahlmeistern zukommen" (PG 58, 762). Dabei werden auch Verdächtigungen gegen Priester laut (Hom. 21, 6 in 1 Cor), sie veruntreuten das Kirchengut und gäben zu wenig an die Armen weiter (PG 61, 179). Deshalb ermahnt Chrysostomus die Christen (Ebd. 7), Spenden nicht den Priestern zu bringen, sondern sie eigenhändig zu verteilen.

[194] Vgl. Hom. 66, 3 in Mt (PG 58, 629).

[195] Chrysostomus ist sich bewußt, daß er mit seinen Predigten seinen Zuhörern lästig wird (Hom. 88, 3 in Mt): „Aber vielleicht wird jemand einwenden: ‚Tag für Tag predigst du uns über das Almosen und die Nächstenliebe'. Allerdings, und ich werde immer wieder davon reden" (PG 58, 779); vgl. auch Hom. 66, 3 in Mt (PG 58, 629).

[196] Nach jüdischem Vorbild verlangt er teils (Hom. 64, 4 in Mt) die Hälfte des Vermögens (PG 58, 615), teils (Hom. 43, 4 in 1 Cor) den Zehnten aus den Erträgen (PG 61, 374).

Teil[197] oder er geht soweit, alles für die Armen zu verlangen[198]. Nur in einem Punkt bleibt sich Chrysostomus stets gleich, für das Almosen einen Lohn im Himmel vor Augen zu stellen.[199] Der Lohngedanke ist so fest mit dem Almosen verbunden, daß sich die Vermutung nahelegt, hier eine fixierte innerchristliche Tradition anzunehmen.[200] Nun findet sich bei Chrysostomus eine Stelle, wo die Almosenforderung mit einer völlig anders gearteten Form von Ausgleich zwischen reich und arm kollidiert. Es scheint sinnvoll, auf diese Stelle – die durchaus nicht isoliert innerhalb der Homilien steht – näher einzugehen, um überhaupt einen Maßstab für die Einordnung des Almosens als Lösungsversuch zu gewinnen.

In der 15. Homilie zum 1. Korinther-Brief nimmt Chrysostomus V 7 des 6. Kapitels („Entfernt den alten Sauerteig") zum Ausgangspunkt des zweiten, paränetischen Teils der Homilie: Er interpretiert ihn mit πλεονεξία[201] und gerät damit notwendig auf die Frage des ungerechten Besitzes und der Rückerstattung.[202] Wenn die ursprünglichen Besitzer nicht mehr bekannt sind, soll man das Gut unter die Armen verteilen oder es halten wie Zakchäus, sonst droht das Gericht. Die Theodizee-Frage deutet er kurz an, um dann den πονηροί die ‚heiligen Männer' gegenüberzustellen. Petrus und Paulus führt er je mit einem kurzen Zitat ein,[203] das er selbst mit einem interpretierenden Satz zusammenfaßt: „So besaßen sie nichts und hatten doch alles."[204] Diesem Resümee stellt Chrysostomus nun den fiktiven Ausspruch eines normalen Reichen gegenüber, der sich seines riesigen Besitzes rühmt, und stellt ihm wieder eine Lehre des Petrus entgegen, die gelautet habe, „daß die Armut eine Mutter des Reichtums sei",[205] und erläutert das Gemeinte mit den Wundern, die in der Apostelgeschichte von Petrus berichtet werden und bringt es wiederum auf eine Art Formel:

[197] Vgl. Hom. 1, 4 in 2 Tim (PG 62, 606).

[198] Vgl. Hom. 17, 3 in 2 Cor (PG 61, 522).

[199] Entsprechend droht er Strafen an, vor allem im Zusammenhang mit dem ‚Weltgericht' nach Mt 25, 31ff. (Hom. 21, 7 in Cor): Dabei legt er diese Stellt so aus, daß die aufgestellten Kriterien für die Christen, und nicht für die Heiden Gültigkeit haben (PG 61, 179).

[200] Vgl. J. Kabiersch, Untersuchungen zum Begriff der Philanthropie bei dem Kaiser Julian, 48; ThWNT IV, 699ff. (Presiker/Würthwein); Cyprian, De ope et eleem. 20f. 26; Ambrosius, De off. I, 11.

[201] Hom. 15, 5 in 1 Cor (PG 61, 127).

[202] Dieser Gedanke ist die konsequente Fortführung und Interpretation von πλεονεξία und wird im folgenden ergänzt durch ἁρπαγές/ἀδικεῖν.

[203] Zitiert werden 2 Cor 11, 27 und Apg 3,6, wohl um ihre Bedürftigkeit zu veranschaulichen.

[204] Hom. 15, 5 in 1 Cor (PG 61, 128).

[205] Ebd. 6. Ist hier Reichtum noch im übertragenen Sinne als ‚Wunderkraft' verstanden, so entstammt die Formulierung der philosophischen Tradition; deswegen folgt unmittelbar die Gegenüberstellung des Königs als Bild des Reichen schlechthin.

„So kann einer, der nichts hat, aller Güter besitzen;
so einer, der nichts besitzt, aller Besitz erwerben."[206]

Er fährt nun fort, diese abstrakte Formel am Leben des Paulus als zutreffend zu erweisen und beschließt mit der Forderung:

„Entsage also dem eigenen Besitz, wenn du willst,
daß dir fremder wie eigener zum Gebrauch diene."

Und er unterbricht sich selbst und den Gedankengang – eine rhetorische Selbsteinrede, wie er häufig Fremdeinreden zur Verlebendigung der Rede einschiebt – und scheint alles vorher Gesagte damit aufzuheben:

„Ich weiß aber nicht, wie es zu dieser Übertreibung
gekommen ist, vor Menschen solches zu verlauten,
die schon alles getan glauben, wenn sie ein wenig
von ihrem Besitz mitteilen."[207]

Als Ausweg bietet er eine Differenzierung an: Das Gesagte soll für die τέλειοι gelten, Almosen-geben für die ἀτελέστεροι[208]

Man wird sich bei der Interpretation einer solchen Stelle gleichermaßen vor einer Abschwächung[209] wie vor einer eindeutigen Festlegung auf kommunistische Vorstellungen hüten müssen.[210] Vielmehr legt der Kontext nahe, daß Chrysostomus das Problem der πλεονεξία, von dem er ausgegangen war, radikal zu Ende gedacht hat.[211]

Nur soviel darf festgehalten werden: Neben dem Almosen als einer Form des Ausgleichs von ungleichen Besitzverhältnissen kennt Chrysostomus einen anderen Lösungsweg, der nicht der mönchische sein kann; Paulus war kein Mönch und kein Asket. Almosen-geben erscheint demgegenüber als ein Kompromiß.

Betrachtet man unter dieser Hinsicht, daß bei Chrysostomus Traditionen kollidieren oder es zumindest scheinen, das Almosen, wie es in seinen Homilien behandelt wird, dann rückt es – wenn man von den traditionell ihm anhaftenden Elementen wie Lohn und Strafe einmal

[206] Ebd.: οὕτως ἔστι μηδὲν ἔχοντα, τὰ πάντων κατέχειν· οὕτως ἔστι (μηδὲν κτώμενον) τὰ πάντων κεκτῆσθαι.

[207] Hom. 15, 6 in 1 Cor (PG 61, 129).

[208] Ebd. 130.

[209] So O. Schilling, Reichtum und Eigentum in der altkirchlichen Literatur, 113f.

[210] K. Farner glaubt, gegenüber Schilling die wahren Intentionen des Chrysostomus zu erkennen, „trotz aller Abschwächung, Zerstückelung und Verdrehung. Johannes Chrysostomus ist besonders lichtvoll und klar, und wenn er auch das Eigentumsproblem nicht systematisch behandelt hat, so doch unzweideutig. Er hat zweifellos im Laufe seines Lebens eine gewisse gedankliche Entwicklung durchgesmacht: vom ‚negativen' zum ‚positiven' Kommunismus" (Theologie des Kommunismus? 62).

[211] Aristoteles (Pol. II, 2 1302a 26) definiert die Habsucht als πλέον ἔχειν, dem im Kontext entgegengesetzt sind: οὐδὲν εἶχον, μηδὲν ἔχοντα: πάντα κατεῖχον, τὰ πάντων κατέχει, τὰ πάντων... κατέχει. Unterschieden davon ist nochmals die Vorstellung von μηδὲν, ὀλίγων δεῖσθαι.

absieht – sehr viel näher an die antike philosophische Tradition, als es zunächst scheinen mag.
Auch hier ist es sinnvoll, einen Kontext zu behandeln; denn die Möglichkeit, sich bei Chrysostomus die passenden Zitate herauszusuchen, ist verlockend und liegt nicht zuletzt darin begründet, daß er ein Rhetor war und kein System erstellt hat.
Als Beispiel mag die Auslegung von Kol 3, 16 dienen (ἐν πάσῃ σοφίᾳ διδάσκοντες).[212] Zunächst interpretiert Chrysostomus σοφιά durch ἀρετή, fügt weitere Synonyme an: ταπεινοφροσύνη, ἐλεημοσύνη und den Gegenbegriff ἄνοια, den er expliziert als die Ursache von ὠμότης als Pendant zu ἐλεημοσύνη. Resümierend faßt er zusammen: „Deswegen nennt er jede Sünde (ἁμαρτία) eine Torheit“ (ἀφροσύνη) und zitiert als Beleg Pss. 13, 1 und 37, 6.
Er läßt darauf drei kurze Exempel von unvernünftigem Verhalten (τί γὰρ ἀνοητότερον) folgen: Ein Mann, der sich selbst in Kleider hüllt und seine Brüder in ihrer Nacktheit übersieht, der Hunde füttert und das Ebenbild Gottes verhungern läßt, der fest davon überzeugt ist, daß die menschlichen Dinge nichtig sind, und doch daran festhält, als wären sie ewig (οὐδὲν – ἀθάνατα).
Dem Unvernünftigen (ἀνοητότερον) stellt er den Vernünftigen (σοφώτερον) gegenüber, der dadurch gekennzeichnet ist, daß er unbedingt die Tugend übt (τοῦ τὴν ἀρετὴν κατορθοῦντος); er ist identisch mit dem Weisen (σοφός).
Diente zur Kennzeichnung des Unvernünftigen und seines Verhaltens ὠμότης, so erscheint jetzt neben ἐλεήμων zusätzlich noch φιλάνθρωπος als Folgerung seines entgegengesetzten Handelns (μεταδιδόναι τῶν ὄντων). Als Begründung des vernünftigen, menschlichen Verhaltens wird nun nicht auf die Ebenbildlichkeit des Menschen oder die Brüderlichkeit verwiesen, sondern auf die gemeinsame Natur (τὴν φύσιν κοινὴν), den Gebrauch des Besitzes ohne Rücksicht auf seinen Wert (τὴν τῶν χρημάτων χρῆσιν) und den Vorrang der Sorge um den eigenen Leib vor der Sorge um den Besitz.
Ein solcher schätzt den Ruhm gering, ist ein Philosoph, achtet das gegenwärtige Leben für gering, ist unabhängig vom Widrigen und Angenehmen, hält sich an das Göttliche und vermeidet das Menschliche (οἶδα ποῖα θεῖα, ποῖα ἀνθρωπίνα, καὶ τῶν ἀπέχεται, ταῦτα δὲ ἐργάζεται).
Der ganze Abschnitt ist gekennzeichnet durch die für Chrysostomus – und die Popularphilosophie – charakteristische antithetische Struktur; sie dient dazu, das Begriffspaar ‚Weiser-Tor‘ zu illustrieren. Die gewählten Beispiele[213] machen den ‚Toren‘ offenkundig als einen, der

[212] Hom. 9, 1 in Col (PG 62, 361).
[213] Chrysostomus entnimmt sie oft (Hom. 21, 5 in 1 Cor) dem Verhalten der Menschen gegenüber Mensch und Tier (PG 61, 176) und variiert ständig (Hom. 82, 4 in Joh):

sich ‚unmenschlich'[214] verhält; vor allem das zweite Beispiel soll dies eindringlich vor Augen stellen. Nur – und das zeigt das dritte – ist dieses Verhalten die Folge einer grundlegenderen Einstellung zu den Dingen der Welt. Insofern erscheint das Fehlverhalten gegenüber dem Nackten und Hungernden[215] nur als Moment eines den ganzen Menschen bestimmenden Irrtums.
Dies wird am Weisen veranschaulicht, auf den deswegen alles Gegenteilige gehäuft werden kann, weil er die richtige Erkenntnis besitzt und richtig handelt.[216] Auch hier ist das ‚Mitteilen' nur eine Folge seiner richtigen Grundeinstellung zu den Dingen der Welt und zum Göttlichen.[217]
Die Auslegung von Kol 3,6 kann deutlich machen, daß Chrysostomus die Definition dessen, was ‚menschlich' und was ‚unmenschlich' ist, aus der idealtypischen Gegenüberstellung des Weisen und des Toren gewinnt, wie sie in der philosophischen Tradition vorgegeben war: Nähert sich der Tor in seinem Verhalten den Tieren,[218] so erfüllt der Weise den Begriff ‚Mensch' in vollkommener Weise.[219] Gleichzeitig

„Jener füttert Hunde, um Tiere zusammenzutreiben, und wird selbst zum Tier . . ." (PG 59, 446), um die Unsinnigkeit und Unmenschlichkeit in einem kritisieren zu können (Hom. 11, 7 in Rom): „Der Hund genießt sorgfältige Pflege, den Menschen oder vielmehr Christus läßt man wegen des Hundes verhungern" (PG 60, 492).

214 Ὠμότης wie θηριωδία sind ursprünglich Charakteristika für das Verhalten der wilden Tiere und dienen allgemein dazu, unmenschliches Verhalten von Menschen zu bezeichnen, so Seneca (De benef. I, 25, 4): „ferina rabies . . . abiectio hominis" (Gertz 180); ders. (De ira III, 17, 3); Aristoteles (Eth. Nic. II, 6 1148b 19) verwendet das adjektivische θηριωδές für den Fall, daß Menschen ihre eigenen Kinder verzehren; allgemein gilt (Ebd. 1145a 17), daß man fliehen soll κακία, ἀκραστία, θηριότης. Chrysostomus verwendet die beiden Begriffe gerne und oft; er stellt gegenüber (Hom. 48, 7 in Mt): φιλανθρωπία-ὠμότης; ähnlich umschreibt er das vom Egoismus oder vom Nutzen für andere bestimmte Handeln (Hom. 66, 5 in Mt): μηδὲ ἀπάνθρωποι καὶ ὠμοὶ περὶ ἡμᾶς γινώμεθα . . . (PG 58, 632).

215 Chrysostomus hat offensichtlich die Beispiele dieser Art (‚nackt' – ‚bekleiden', ‚hungern' – ‚füttern') aus der Grundstelle in Mt 25, 31ff. entwickelt.

216 Insofern der ἁμαρτία das τοῦ τὴν ἀρετὴν κατορθοῦν sachlich entgegengesetzt ist, ergibt sich ein Verständnis von Sünde, das dem der antiken Tradtion nahe kommt und wenigstens in diesen Zusammenhängen vorherrschend scheint; so stehen sich etwa bei Aristoteles (Eth. Nic. II, 6 1142b 11) gegenüber ἁμαρτάνειν-κατορθοῦν, ἁμαρτία – ὀρθότης.

217 Diogenes argumentiert nach Dio Chrysostomus (Or. 10, 21) ähnlich: Wenn ein Mensch in bezug auf sich selbst sich in Unwissenheit befindet, kann er sich gegenüber anderen Menschen unmöglich richtig verhalten (Cohoon I, 432).

218 In der Tradition des Cleanthes, von dem Cicero (De fin. II, 69) berichtet: „iubebat eos, qui audiebant, secum ipsos cogitare pictam in tabula voluptatem" (SVF I, 125), entwirft Chrysostomus vor seinen Zuhörern ein Bild der ἁμαρτία (Hom. 9, 1 in 1 Cor) und charakterisiert sie als θηριομορφόν, βάρβαρον (PG 61, 80). An anderer Stelle fordert er sie auf (Expos. in Ps 48,4): μὴ γινώμεθα τῶν ἀλόγων θηριωδέστεροι (PG 55, 517).

219 Für Chrysostomus ist der Mensch wesentlich gekennzeichnet durch das Mitleid und Erbarmen (Hom. 9, in 1 Cor): χαρακτῆρα τοῦ ἀνθρώπου ἀπὸ τοῦ ἐλεεῖν (PG 61, 81).

können der Wortgebrauch, die Argumentationsweise und die Herkunft der Beispiele zeigen, daß sich bei Chrysostomus auch bezüglich des Almosens die christliche und philosophische Tradition überlagern.

Erst wenn man dies in Rechnung stellt, kann gefragt werden, welche Funktion dem ‚Almosen' im Zusammenhang der Humanisierung zukommt.

Wie vielfach die gelehrte Forschung, bezeichnet auch Chrysostomus ‚Almosen' neben der Menschenfreundlichkeit Gottes als das charakteristische Kennzeichen des Christentums.[220] Gegenüber der philosophisch-humanen Tradition war die christliche Liebestätigkeit dadurch ausgezeichnet, daß sie sich ohne Beschränkung an alle richtete,[221] daß sie das Verhör und die Prüfung des Bedürftigen ausschloß,[222] daß darüber hinaus reichlich, bereitwillig und umsonst gespendet werden sollte.[223] Chrysostomus hat sich auch weitergehende Gedanken gemacht, um soziale Verelendung zu beheben. So hat er angeregt, für Süchtige, Gefangene und Hilfsbedürftige spezielle Vereinigungen zu gründen.[224] Auch in der Tatsache, daß der gestürzte Eutropius in der Kirche Asyl gefunden hatte, obwohl er sie angefeindet hatte,[225] sieht er ein Zeichen ihrer ‚Menschenfreundlichkeit'.[226] Der Aufstand in Antiochien gegen die Kriegssteuer des Kaisers ging dank der Vermittlung des Bischofs Flavian am kaiserlichen Hof glimpflich zugunsten Antiochiens aus, weil er an die kaiserliche Philanthropie appellierte.[227]

[220] Vgl. Hom. 71, in Mt (PG 58, 666).

[221] Chrysostomus fordert seine Hörer auf (Hom. 10,4 in Hebr), Gefangene zu besuchen, allen Unglücklichen, auch Heiden, beizustehen, auch Sündern (PG 63, 88). Daß dies auch ausgenutzt werden konnte, berichtet Lucian (De mort. peregr. 12) von ahnungslosen Christen. Chrysostomus bittet auch um Hilfe (Hom. de eleem. 1) für Saisonarbeiter, (Ebd. 6) für Landflüchtige (PG 51, 261). Vgl. dagegen Seneca (De benef. IV, 11, 1), der kritisches Auswählen empfiehlt.

[222] Das Gauklerunwesen führt Chrysostomus (Hom. 21, 5 in Cor) darauf zurück, daß sich die Schausteller durch ihre zweifelhaften Künste und ihren jämmerlichen Zustand den peinlichen Verhören der Reichen entziehen wollen und ohne Bitten ihr Almosen erhalten (PG 61, 177); ähnlich Hom. 11, 3 in 1 Thes (PG 62, 463).

[223] J. Kabiersch (Untersuchungen zum Begriff der Philanthropie bei Kaiser Julian, 53) wertet die Begriffe εὐκόλως, προθύμως im Zusammenhang des Mitteilens bei Julian als christlichen Einfluß.

[224] Vgl. Hom. 1, 4 in 2 Tim (PG 62, 606).

[225] Nach der Aussage des Chrysostomus (Hom. in Eutrop. Eunuch. 1. 3.) wollte Eutropius gerade das Asylrecht beschneiden (PG 52, 292, 294).

[226] Ebd. 3.

[227] Der Zusammenhang von kaiserlicher Philanthropie und Glauben wird von Chrysostomus (Hom. 6, 3 ad pop. Ant.) deutlich herausgestellt: Bischof Flavian scheint den erzürnten Kaiser Theodosius selbst auf christliche Grundsätze hingewiesen zu haben, um seine Drohung, die Stadt zu zerstören, abzumildern: τῶν οἰκείων ἀναμνήσει αὐτὸν νόμων... οἴκοθεν ἔχεις τὸ παράδειγμα τῆς φιλανθρωπίας...

Chrystostomus benutzt spektakuläre Ereignisse[228] und alltägliche[229] dazu, die Christen aufzufordern, sich mitleidig und menschenfreundlich zu verhalten. Aber das eigentliche Problem stellt sich durch den Gegensatz von arm und reich. Darüber hat Chrysostomus am meisten gepredigt und nachgedacht, auch wenn er sich über die geringen Erfolgsaussichten, etwas zu verändern, im klaren war.[230]
Während ‚Almosen' im Verständnis der jüdisch-christlichen Tradition auf die Werke der Barmherzigkeit hinausläuft[231] und in dieser Form über Jahrhunderte seine humanisierende Kraft entfaltet hat, läßt sich bei Chrysostomus beobachten, wie er im Bezug auf den Ausgleich von arm und reich Gedankengänge entwickelt, die aus der philosophischen Tradition der Antike stammen bzw. sich mit christlichen Traditionen verbinden.

κράτησον καὶ θυμοῦ βασιλικοῦ (PG 49, 84). Auf die Ereignisse zurückblickend, äußert sich Chrysostomus sehr kritisch über den Kaiser: „Er hatte befohlen, die Stadt vollständig zu zerstören mit Männern, Kindern und Häusern. Solcher Art sind die Zornesausbrüche der Kaiser, von ihrer Macht machen sie den willkürlichsten Gebrauch. Ein solches Übel ist die Macht" (PG 62, 348). Zum Zusammenhang von Philanthropie und Frömmigkeit bei Themistius verweist J. Kabiersch (Untersuchungen zum Begriff der Philanthropie bei Kaiser Julian, 55) auf die Tatsache, daß bei Themistius – ähnlich wie bei Flavian – Philanthropie und Frömmigkeit nahezu identisch sind.

[228] Er benützte die Erschütterung durch ein Erdbeben (Hom. 6, 1 de Lazaro), um seinen Hörern die positive Seite eines solchen Ereignisses nahezubringen: „Wo sind Raub, Habsucht, Bedrückung, Ausbeutung der Armen ... alles das war verschwunden" (PG 48, 1027); vgl. Hom. 41, 2f. in Act (PG 60, 291).

[229] Als eindrucksvollstes Beispiel gilt die Rede, die Chrysostomus anscheinend aus dem Stehgreif aufgrund der Begegnung mit Bettlern gehalten hat (Hom. de eleem. 1). Dem steht nicht nur der systematische, d. h. überlegte Aufbau der Rede entgegen, sondern auch die Ähnlichkeit mit der Einleitung der Rede des Libanius (Or. 7) darüber, „Daß durch Unrecht Reich-sein schlimmer ist, als in Armut leben" (Foerster I, 2 273). Beide beschreiben die Situation der Bettler im Winter, ihren mitleiderregenden Zustand, nur Libanius bleibt zunächst (I, 4. 8.) beim Thema ‚Bettler', während Chrysostomus sehr bald zu seinem Thema, nämlich der Not der arbeitslosen Saisonarbeiter, kommt. Diese Inkongruenz der Einleitung mit dem Folgenden spricht für eine Abhängigkeit von Libanius (PG 51, 261).

[230] Vgl. die resignierte Feststellung: „Vielleicht hört niemand auf mich, vielleicht nur ein Sklave" (Ebd. 262).

[231] Als Formen des Almosengebens nennt Chrysotomus (Hom. 25, 4 in Act): Geld geben, Zuspruch und Ermahnung für die Habsüchtigen, Tröstung der Traurigen (PG 60, 196). Vor allem von Mt 25, 31ff. leitet Chrysostomus (Hom. 59, 4 in Joh) eine ganze Reihe guter Werke ab; von den Reichen erwartet er Geldspenden, aber auch an die Armen stellt er Forderungen: „Sie besitzen Brot und kaltes Wasser, sie haben zwei Obolen (d. h. die Möglichkeit der armen Witwe nach Lk 21,1ff., auf die sich Chrysostomus ebenso wie auf die Witwe von Zareptha als das Maß für Arme und Reiche immer wieder beruft) und Füße, um Kranke zu besuchen, Zunge und Sprache, um den Gedrückten zu trösten, Haus und Dach, um Fremde aufzunehmen" (PG 59, 327). Allgemein formuliert er (Hom. 15, 10 in Mt): „Wirken wir viel Erbarmen und erzeigen wir vielfältige Menschenfreundlichkeit, sowohl durch Güter wie durch Taten" (PG 57, 236).

Ausgangspunkt ist die Überzeugung, daß die Güter der Erde Gaben der Götter[232] oder Gottes sind,[233] daß sie allen Menschen zum gemeinsamen Gebrauch bereitet sind,[234] und daß deswegen das Mitteilen der Güter, gegenseitiges Wohltun nicht nur eine sittliche Pflicht ist,[235] sondern ein Akt der Nachahmung der Menschenfreundlichkeit der Götter;[236] denn weder Armut noch Reichtum ist eine Einrichtung der Götter (Gottes), sondern entstehen aus der Habsucht der Reichen und der Ungerechtigkeit.[237] Hinzu kommt als weiteres Argument die Verbundenheit der Menschen untereinander,[238] das Chrysostomus ebenfalls aufnimmt[239] um zu begründen, warum Mitteilen eine menschliche Pflicht ist und allen Menschen gleichermaßen gilt.[240]

[232] Diesen Gedanken kennt Xenophon (Mem. IV, 3. 5), und Julian (Ep. 89b 289c) ist unmittelbar davon beeinflußt, ebenso Cicero (De benef. IV, 3–8); vgl. J. Kabiersch, Untersuchungen zum Begriff der Philanthropie bei Kaiser Julian, 58f.

[233] Philo (De hum. 168ff.) und Gregor von Nazianz (Or. 14, 23) applizieren diesen Gedanken auf die jüdisch-christliche Tradition, ebenso Chrysostomus (Hom. de eleem. 6): „Gott gab als Gemeinsames die Sonne, den Regen, die Früchte der Erde und erwies damit seine Philanthropie" (PG 51, 270); vgl. Expos. in Ps. 48, 4 (PG 55, 517).

[234] Das κοινόν als Form der ursprünglichen Besitz- und Nutzungsverhältnisse hat polemischen Charakter, insofern es in Opposition zu den real bestehenden Verhältnissen steht, vgl. Hom. 2, 5 in Rom (PG 60, 407); Hom. 12, 4 in 1 Tim: „Die göttlichen Gaben sind alle Gemeingüter" (PG 62, 503).

[235] Stobaeus (Ecl. II, 96) nennt als nach der Stoa gebotenes Werk das „Wohltun" (SVF III, 136); vgl. Hom. 78, 3 in Joh (PG 59, 418).

[236] J. Kabiersch, a.a.O. 52f. Interessant ist in diesem Zusammenhang, daß Apollonius (Ep. 26) bezüglich dessen, was den Göttern wohlgefällt, religions- und kultkritisch denkt, wenn er sagt, daß Wohltun den Göttern gefällt, nicht Opfer (Conybeare II, 426). Chrysostomus leitet den Gedanken der Verähnlichung von Mt 5,45 ab und verbindet ihn mit der Nachahmung Gottes (Hom. 61, 5 in Mt): „Denn du wirst Gott ähnlich ... Gott nachahmen" (PG 58, 596).

[237] Dio Chrysostomus (Or, 1, 41) führt die Verteilung der Güter ätiologisch auf Zeus zurück: (Ζεὺς) Κτήσιος τὲ καὶ 'Επικάρπιος, ἅτε τῶν καρπῶν αἴτιος καὶ δοτὴρ πλούτου καὶ κτήσεως, οὐ πενίας (Cohoon I, 22), ähnlich Chrysostomus (Hom. 15, 3 in Joh) auf Gott (PG 59, 101f.).

[238] Hier sind die Begründungen ganz verschieden: Xenophon (Mem. II, 6, 21) sieht sie in der gegenseitigen Bedürftigkeit der Menschen gegeben; Platon (Lysis 210c–d) schränkt sie insofern ein, als sie erst mit dem Zustand der Weisheit real wirksam wird; Apollonius von Tyana (Ep. 44) hält sie für naturgegeben und dehnt sie auf die Gattung Mensch aus (Conybeare II, 438), Ähnlich Cicero (De fin. III, 19, 62f.) und Seneca (Ep. 95, 32): „Membra sumus corporis magni; natura nos cognatos edidit" (Hense 452).

[239] Dieselben Gedanken finden sich bei Chrysostomus: der vorherrschende ist, daß alle Menschen untereinander durch die gemeinsame Natur (Hom. 21, 5 in 1 Cor): κοινὴ φύσις (PG 61, 176) verbunden sind und sich deswegen das Mitteilen auf die Gattung (Hom. 47, 1 in Joh) ὁμοφύλον ... ὁμογενές ... ὁμοπαϑές als Schicksalsgenossen (PG 59, 101) erstrecken muß oder (Hom. 15, 3 in Joh) entsprechend der Nähe bzw. Entfernung der natürlichen Bande: φίλος ... συγγενής ... γείτων ... ἄνϑρωπος τῆς αὐτῆς σοῦ ἔχει μετέχων φύσεως (PG 59, 101); vgl. Hom. 15, 10 in Mt (PG 57, 236).

[240] Seneca (De vit. beat. XXIII, 2) zieht zumindest theoretisch die Konsequenzen aus dem Natur-Gedanken: „Hominibus prodesse natura me iubet, servi liberine sint hi,

Dabei ist zu beobachten, daß Chrysostomus sich zwar an philosophische Traditionen anlehnt und sie verwendet, aber darüber hinausgeht und das Christliche hinzufügt. Nur soweit er sich in der humanen Tradition der Antike bewegt – und nur dieser Zusammenhang kann hier betrachtet werden – übernimmt er sie, so weit sie ihm für sein Anliegen passend erscheint.

Die Funktion nun, die Chrysostomus der so gewonnenen Philanthropie und Freigebigkeit der Menschen untereinander zuweist, erschöpft sich nicht im bloßen Almosengeben, sondern steht in unmittelbarem Zusammenhang mit der Ursache der Klassengesellschaft: der πλεονεξία.

Chrysostomus bietet nun eine doppelte Lösung an, wie die Klassengegensätze aufzuheben seien und verwendet dazu Elemente der antiken Tradition.

Die erste Lösung ist eher eine Andeutung und findet sich innerhalb der 9. ‚Säulenhomilie', wo Chrysostomus die Frage beantwortet, „warum die biblischen Schriften uns nicht von Anfang an übergeben wurden".[241] Er verweist auf die Gotteserkenntnis durch die Schöpfung, die deswegen den Vorzug verdiene, weil sie glaubwürdiger und sicherer sei[242] und weil sie niemanden übergehe oder benachteilige; „denn hätte er durch Bücher und Schriftliches gelehrt, hätte es der Schriftkundige zwar verstanden, der Ungebildete aber hätte keinen Nutzen davon gehabt, außer es hätte ihn jemand eingeführt".[243]

Der Gedanke, daß die Gaben Gottes, das Wort gemeinsam für alle Menschen sind, begegnet häufig bei Chrysostomus; hier präzisiert er ihn überraschend darin, daß er den gleichen Anteil der Reichen und Armen an dieser Möglichkeit der Gotteserkenntnis betont: „Der Reiche hätte sich das Buch kaufen können, ein Armer hätte es nicht besitzen können (εὔπορος-πενής)." Von der Erkenntnis der Welt im allgemeinen lenkt Chrysostomus den Blick auf die ‚Botschaft' von Tag und Nacht; sie lehren kein Geringeres als der Himmel, sondern zeigen ein Ebenmaß der Bewegung und Zuordnung, das mit aller

ingenui an libertini ... Ubicumque homo est, ibi beneficii locus est" (Rosenbach I, 60); ders. (De ira III, 43, 5): „Interim, dum trahimus, dum inter homines sumus, colam humanitatem" (Rosenbach II, 312). Zum antiken Verständnis des Begriffsfeldes ‚humanitas' vgl. H. Pétre, Caritas. Étude sur le vocabulaire latin de la charité chretiénne, 200ff. Chrysostomus (Hom. 82, 3 in Joh) differenziert je nach der natürlichen oder gesellschaftlichen Verbundenheit: „Wieviele Anstöße zum Wohltun gab uns Gott, uns des einen zu erbarmen als Verwandten ... als Freund ... als Nachbarn ... als Bürger ... als Menschen" (PG 59, 445).

[241] Hom. 9, 2 ad pop. Ant. (PG 49, 105). Zur Herkunft der Frage- und Antwort-Form der Exegese vgl. Chr. Schäublin, Untersuchungen zur Methode und Herkunft der antiochenischen Exegese, 94f.

[242] Ebd. 106.

[243] Ebd. 106.

Genauigkeit eingehalten ist (ῥυθμὸν, τὴν τάξιν τὴν μετ' ἀκριβείας).[244] Diesen Gedanken der Proportion veranschaulicht er durch den Begriff διανέμειν, der für das Verhältnis von Tag und Nacht im Verlaufe eines Jahres kennzeichnend ist und vergleicht damit die Erbteilung zweier Schwestern, die nicht von gegenseitiger Drohung und Übervorteilung überschattet ist: „So sind auch Tag und Nacht mit Genauigkeit auf das Jahr mit solch gleichem Anteil (ἰσομοίρᾳ) verteilt und halten sich innerhalb ihrer Grenzen, und eine wird die andere nicht verdrängen." Bei aller Verschiedenheit innerhalb des Jahreskreislaufs hat die eine vor der anderen nichts voraus.

Πλεονεκτέω bildet den Gegenbegriff zu διανέμειν, dem er im folgenden ἰσότης zuordnet als Interpretation: „Deshalb rief der Psalmist, über ihre Gleichheit staunend, aus: ‚Die Nacht verkündet dem Tag die Kunde'."

Die Folgerung, die Chrysostomus aus dem Gesagten zieht, ist zwar nicht ausführlich, erlaubt aber doch, seine Intention zu erheben: „Wenn du verstehst, dies (philosophisch) zu begreifen, wirst du den bewundern, der auf solche Weise von Anfang an diese Grenzen unverrückbar festgesetzt hat." Und er fährt fort:

„Das sollen die Habsüchtigen
und die nach fremden Gütern Strebenden hören
und sollen nachahmen die ἰσότητα
von Tag und Nacht;
hören sollen es auch die Aufgeblasenen
und Hochmütigen, die sich weigern,
anderen den Vorrang einzuräumen:
Tag und Nacht räumen jeweils den Platz
und nicht überschreiten sie fremde Grenzen;
du aber, der immer der Ehre genießt,
läßt es nicht zu,
diese den Brüdern mitzuteilen" (μεταδοῦναι).

Den Hintergrund dieser Ausführungen bildet die Vorstellung, daß die Welt auf einer harmonischen Gleichheit gebaut ist:[245] Chrysostomus veranschaulicht dies durch die differenzierte Abfolge von Tag und Nacht und das Einhalten der unverrückbaren Grenzen. Dadurch entsteht keine Nivellierung, sondern die Eigentümlichkeit des einzel-

[244] Dio Chrysostomus entwickelt (Or. 17, 11) denselben Gedankengang und kann deshalb als unmittelbare Quelle für Chrysostomus gelten (Cohoon II, 196).

[245] Diesen Gedanken entwickelt Platon (Gorg. 508a): ἀλλὰ λέληθεν σέ, ὅτι ἡ ἰσότης ἡ γεωμετρικὴ καὶ ἐν θεοῖς καὶ ἐν ἀνθρώποις μέγα δύναται. Die Konsequenzen für die gesellschaftlichen Verhältnisse machen Cicero (De leg. I, 18, 48): „societas quoque hominum et aequalitas et iustitia per se est expetenda" (Vahlen 46) und Philo (Rer. div. her. 162): ἰσότης εἰρήνην ἔτεκε (Whitaker IV, 362) deutlich.

nen findet innerhalb der Ordnung des größeren Ganzen zu ihrer Gestalt. Jedes ‚Mehr-haben-wollen' oder Festhalten an dem, was dem einzelnen in Relation zum gleichberechtigten Anderen zukommt, zerstört die Ordnung. Insofern sind ‚Habsucht', ‚Hochmut' und Insistieren auf der eigenen bevorzugten Stellung Fehlhaltungen, die die anderen benachteiligen und sie um den berechtigten Anspruch, die gleiche Ehre[246] zu genießen, betrügen.
‚Den Platz räumen', ‚mitteilen' ist deswegen ein Erfordernis, um die gestörte Ordnung unter den Menschen wieder herzustellen. So ist es nur folgerichtig, wenn Chrysostomus sich an die Habsüchtigen und Aufgeblasenen wendet, und warum seine Vorliebe den Armen gilt: Das Mitteilen ist kein bloßes Almosen, das der Reiche dem Armen gibt, sondern sein schuldiger Beitrag zur gottgewollten Harmonie unter den Menschen. Nur so ist auch verständlich, warum Chrysostomus unter den Empfängern von Almosen die Gruppe der Gaukler ausschließt; sie schänden durch die willkürlichen Eingriffe die menschliche Natur, um sich auf diese Weise der Gaben der Zuschauer sicher zu sein.[247] Einsichtig ist auch, warum der Habsüchtige den Tieren gleichgestellt wird, und ihm als einzige Möglichkeit, Mensch zu sein, vorgehalten wird, von seinem Reichtum mitzuteilen.[248]
So kommt das Gebot zur Nächstenliebe dem Menschen zu Hilfe, das Hindernis des Reichtums und seine Gefährlichkeit aufzuheben;[249] so ist schließlich der Geber, und nicht der Empfänger der Gabe, der Beschenkte.[250] Das ‚wilde Tier', der Tyrann Reichtum kann nur so gezähmt werden, indem er an die Armen verteilt wird;[251] denn aller Besitz muß als ‚Fremdgut' und nicht als Eigengut betrachtet werden – ihn festhalten, widerspricht seinem Wesen.[252]
So erscheint das Almosen, wie es die christlich-jüdische Tradition kennt, verbunden mit dem Gedanken der ἰσότης, wie ihn die philosophische Tradition ausgebildet hat: Sie konvergieren in der Intention, die Verhältnisse unter den Menschen humaner zu gestalten, indem der Grund ihrer Perversion aufgehoben wird; so wird ‚Mitteilen' zur humanen und christlichen Tat in einem.

[246] Für die Umschreibung der Gleichheit verwendet Chrysostomus meistens ἰσοτιμία.
[247] Vgl. Hom. 21, 6 in 1 Cor (PG 61, 177); daß es überhaupt solche Gaukler gibt, ist für Chrysostomus ein Zeichen der Unmenschlichkeit der Reichen.
[248] Vgl. Hom. 9, 4 in 1 Cor (PG 61, 81).
[249] So kann er sagen (Hom. 6, 2 in Tit): „Weil nämlich die Güter für dich ein Hindernis sind, deshalb befahl er, den Armen mitzuteilen, die Seele zum Erbarmen erziehend und sie von der Habsucht befreiend" (PG 62, 697).
[250] Vgl. Hom. 16, 4 in 2 Cor (PG 61, 516–18); Hom. 77, 5 in Joh (PG 59, 420).
[251] Vgl. Hom. 35, 6 in 1 Cor (PG 61, 306).
[252] Chrysostomus entwickelt diesen Gedanken (Hom. 9, 4 in 1 Cor) speziell für die Reichen als die ‚Räuber' und ‚Habsüchtigen', nicht für die Armen (PG 61, 60).

Galt der Gedanke der ‚Gleichheit' der Wiederherstellung der naturgemäßen Ordnung, die durch die Habsucht zerstört wurde, und ist er deswegen notwendig polemisch gegen den Reichtum und die Reichen gerichtet, so läßt sich bei Chrysostomus eine Gedankenreihe finden, die von einem speziellen Verständnis der Armut ausgeht: Danach besteht ‚Armut' in einer naturgegebenen Verwiesenheit der Menschen aufeinander, die die Abhängigkeit des einzelnen offenbar macht.[253] Der einzelne lebt nicht autark, sondern bedarf des anderen, vieler, um menschlich leben zu können.[254]
Diese Anschauung übernimmt Chrysostomus aus dem Verständnis der Polis, die dadurch begründet wird, daß Menschen wegen ihrer Bedürftigkeit zusammenkommen und ihre Künste und Fertigkeiten einander mitteilen.[255] Dieser natürliche Zwang zur Vergesellschaftung kennzeichnet das Verhältnis der Geschlechter, der Verwandtschaft ebenso wie der Klassen von Armen und Reichen.[256] Chrysostomus erläutert und veranschaulicht diese Tatsache anhand des Bildes von den zwei Städten – der Armen und der Reichen.[257]

[253] Dieses Verständnis findet sich durchgehend (Hom. 4, 2 in 1 Tim): ὥστε ἕως ἂν δέηται, οὐδὲν τοῦ πένητος ὁ βασιλεὺς διενήχοιε· πενία γάρ τοῦτό ἐστι τὸ δεῖσϑαι ἑτέρων (PG 62, 556) bei Chrysostomus in der idealtypischen Form oder in allgemeiner Formulierung (Hom. 17, 2 in 2 Cor): ... ἐν χρείᾳ ἀλλήλων καϑεστήκαμεν· οὐχ ὁρᾷς, ὅτι πάντες ἀλλήλων χρήζομεν ... εἰ τὸ ἑτέρων δεῖσϑαι αἰσχρὸν ... (PG 61, 520).

[254] Chrysostomus sieht in dem Prinzip der gegenseitigen Verwiesenheit der Menschen das Strukturprinzip der Gesellschaft überhaupt (Hom. 34, 4 in 1 Cor): Es soll zur „Eintracht" unter den Menschen in der Familie und im Staat führen; so kommt z. B. dem Meer eine verbindende Funktion zu: Es ermöglicht den Handel, so daß die Menschen das Notwendige untereinander austauschen können (PG 61, 290f.). Eine Variante dieses Gedankens ist die notwendige Ergänzung, die Chrysostomus (Hom. 10, 4 in 1 Cor) anhand der verschiedenen Handwerke exemplifiziert (PG 61, 86).

[255] Platon (Resp. II, 369b 5f.) begründet mit der gegenseitigen Abhängigkeit der Menschen die Entstehung der Städte, die auf das Prinzip der gegenseitigen Mitteilung und Arbeitsteilung aufgebaut sind: Γίγνεται τοίνυν ... πόλις, ὡς ἐγᾦμαι, ἐπειδὴ τυγχάνει ἡμῶν ἕκαστος οὐκ αὐταρκὴς, ἀλλὰ πολλῶν (ὢν) ἐνδεής· ἤ τίν' οἴει ἄλληνε πόλιν οἰκίζειν; ... οὕτω δὴ ἄρα παραλαμβάνων ἄλλος ἄλλον, τὸν δ' ἐπ' ἄλλου χρείᾳ, πολλῶν δεόμενοι ... ποιήσει δὲ αὐτὴν (πόλιν), ὡς ἔοικεν, ἡ ἡμετέρα χρεία; Dio Chrysostomus (Or. 1, 40) begründet das Zusammenkommen der Menschen durch Zeus als Φίλιος καὶ Ἑταῖρος (Cohoon I, 22).

[256] Chrysostomus zielt im Zusammenhang der 34. Homilie zum 1 Korintherbrief auf den exemplarischen Fall der Abhängigkeit der Reichen und Armen, alles Voraufgehende ist Einleitung dazu und dient dem Zweck, diesen extrem scheinenden Fall als allgemein-gültig zu erweisen. Daß Chrysostomus hier wie an vielen Stellen aus der antiken Tradition Übernommenes auf Gott als Urheber zurückführt (Ebd. 4: „Du siehst daraus, welche Bande der Liebe Gott einführte"), zeigt sein Verständnis der Kontinuität des Christentums mit der antiken Tradition.

[257] Ein Zusammenhang mit den „duae civitates" der Stoiker ist nicht erkennbar; er könnte angeknüpft haben an Aristoteles (Pol. V 1316b 6): ἄτοπον δὲ καὶ τὸ φάναι δύο πόλεις εἶναι τὴν ὀλιγαρχικήν, πλουσίων καὶ πενήτων.

Kriterium ist ihm dabei, welche der beiden Städte die größere Abhängigkeit aufweist.[258] Und es fällt Chrysostomus nicht schwer, anhand der für die Armen kennzeichnenden Tätigkeiten, dem Handwerk, darzutun, daß die Armen viel weniger von den Reichen, als umgekehrt die Reichen von den Armen abhängig sind.[259] Beide bedürfen einander, wenn anders gesellschaftliches Leben möglich sein soll.[260]

Die Reichen leiden nach diesem Verständnis ebenfalls ‚Armut' und sind deswegen real auf die Armen angewiesen; so ergibt sich notwendig ein gegenseitiger Austausch von Geben und Empfangen.[261] Chrysostomus kann aufgrund dieses Verständnisses die Armen die Retter der Stadt nennen – ohne sie wäre sie nicht lebensfähig.[262] ‚Mitteilen' erscheint so als ein Grundprinzip der Gesellschaft, die auf Gegenseitigkeit aufgebaut ist: Almosen-geben ist ein Moment dieses Austausches, die Realisierung der tatsächlich bestehenden gegenseitigen Abhängigkeit der Reichen von den Armen. Deswegen sind die Armen für das Heil der Reichen lebensnotwendig – im sozialen und im theologischen Sinne.[263]

[258] Hom. 34, 5 in 1 Cor: „Auch wollen wir sehen, welche der Städte eher für sich sorgen kann; es liegt auf der Hand, daß die Reichen jene (scil. die Armen) dringender benötigen" (PG 61, 292).

[259] Ebd.: „Siehe, die Bedürftigkeit, ohne daß wir es wollten, rief sie herbei und führte sie in die Stadt. Von daher ist ersichtlich, daß ohne Arme eine Stadt unmöglich Bestand haben kann."

[260] Dieser Gedanke scheint mit der Polis-Erfahrung verbunden und von dort her formuliert; Aristoteles (Eth. Nic. V, 5 1133a 8f.) trägt ihn vor, ebenso Platon (Resp. II 369c 6–371e) im Zusammenhang mit den Handwerkern, ohne die eine Stadt nicht bestehen kann. Die verallgemeinerte Formulierung Platons (369c 6): μεταδιδόναι δὴ ἄλλος ἄλλῳ ἢ καταλαμβάνειν οἰόμενος αὑτῷ ἄμεινον εἶναι übernimmt auch Chrysostomus (Hom. 10, 4 in 1 Cor) als Maxime: πανταχοῦ γὰρ τὸ διδόναι καὶ μεταλαμβάνειν ἀρχὴ πολλῶν ἀγαθῶν ἐστίν (PG 61, 86).

[261] Zu diesem Verhältnis führt Chrysostomus (Hom. 17, 2 in 2 Cor) aus: „Alle sind wir aufeinander angewiesen ... wer nichts arbeiten kann, braucht den, der ihm Almosen gibt; der Geber braucht den Empfänger; dabei erfüllt der Empfänger die Befriedigung des größten Bedarfes ..." (PG 61, 520).

[262] Im Zusammenhang der Autarkie diskutiert Chrysostomus auch die Jungfräulichkeit, das Fasten und Schlafen auf dem Erdboden. Dem Mitteilen erkennt er deswegen den größeren Wert zu, weil es sich auf alle erstreckt, vgl. Hom. 6, 2 in Tit (PG 62, 698).

[263] So kann Chrysostomus paradox (Hom. 16, 4 in 2 Cor) formulieren: „So sollst du dir nicht einbilden, etwas zu geben ... auch nicht, jemand eine Wohltat zu erweisen, sondern vielmehr selbst Gewinn zu haben und nicht zugrunde zu gehen" (PG 61, 518), und auch polemisch (Hom. 77, 5 in Joh): „Warum bringst du dich selbst um solche Güter? Nicht nämlich jenen, vielmehr dir selbst erweisest du eine größere Wohltat, wenn du dich ihnen gegenüber wohltätig zeigst" (PG 59, 420). Die Milde gegenüber Menschen (Hom. 61, 5 in Mt) erwirbt sich die Philanthropie Gottes (PG 58, 595) und die Vergebung der Sünden.

Chrysostomus wäre mißverstanden, würde man in ihm einen bloßen Vertreter der Almosenfrömmigkeit sehen. Es konnte deutlich gemacht werden, wie er neben der traditionellen Forderung, Almosen zu geben, dahin tendiert, den Grund der Klassengegensätze, πλεονεξία, aufzuheben, um die in der Natur (bzw. der Schöpfung) angelegte Gleichheit wieder herzustellen.[264] Daneben übernimmt er Vorstellungen antiker Gesellschaftstheorien, etwa Platons, um den Ausgleich zwischen Armen und Reichen als die Bedingung für den Bestand der Gesellschaft aufweisen zu können. Die Kontinuität der humanen Tradition der Antike wird vielleicht am deutlichsten, wenn man neben diese, für die soziale Ebene gedachten ‚Lösungen', die individuelle Lösung hinstellt. Diese scheint den übrigen konträr entgegengesetzt, steht aber in unmittelbarem Zusammenhang mit der ‚Habsucht' und ihrer Beseitigung.
In den Homilien zum Titus-Brief führt Chrysostomus eine Weise der Ähnlichkeit mit Gott ein, die sich mit derjenigen, die dem Menschen aus dem Nachahmen der Philanthropie Gottes erwächst, nicht harmonisieren läßt:

„Wer nämlich dahin geführt worden ist,
dem, der nicht hat, mitzuteilen,
wird mit der Zeit dahin geführt werden,
auch nicht mehr anzunehmen von den Besitzenden:
Dies macht Gott ähnlich."[265]

Dadurch scheint alles sonst von Chrysostomus Vertretene und Geforderte sowohl bezüglich der Reichen wie der Armen aufgehoben und ins Unrecht gesetzt; der zu einem solchen Ende Gekommene nähert sich dem bedürfnislosen Zustand an, der Gott auszeichnet.[266] Aber die Auflösung dieser scheinbaren Widersprüche liegt nicht innerhalb der Frage von äußerem Reichtum und Armut und ihres Ausgleichs, sondern verweist auf das Problem der Anthropologie und die Werte, die Armut und Reichtum transzendieren.[267] Chrysostomus hält die Armut, die ohne ‚Philosophie' bestanden werden muß, für etwas Schreckliches[268] und fordert deswegen Mildtätigkeit zu ihrer Milde-

[264] Vgl. Hom. 88, 3 in Joh (PG 59, 482).
[265] Hom. 6, 2 in Tit (PG 62, 698). Hier trägt Chrysostomus jenseits der Forderung nach Almosen die radikal-kynische Lösung des Ausgleichs vor. Bedürfnislosigkeit als philosophisches Ideal wird als Ähnlichkeit mit Gott verstanden – in der Antike und im Christentum.
[266] Wenn die ungerechte Besitzverteilung aus dem ‚Mehr-haben-wollen' resultiert, kann die Lösung nur im freiwilligen Verzicht liegen.
[267] Vgl. Hom. 35, 6 in 1 Cor (PG 61, 304).
[268] Unfreiwillige Armut ist etwas Schreckliches, das weiß Chrysostomus auch (Hom. 1, 9 de Lazaro). ‚Armut' als positiver Begriff meint deswegen nicht schlechthin soziale Bedürftigkeit, sondern freiwilliger Verzicht (PG 48, 975).

rung; aber eine Aufhebung kann er in der Tradition der Antike nur von der Veränderung des Menschen, und das bedeutet, von der Befreiung des einzelnen von den äußeren Dingen wie Reichtum und Armut erwarten.

Deswegen besteht das Äußerste, was Chrysostomus im Zusammengehen mit der antiken Tradition formulieren kann, darin, den äußeren Ausgleich – ob er nun eintritt oder nicht – für irrelevant zu erklären gegenüber dem einzig ins Gewicht fallenden Unterschied unter Menschen: Ob sie entgegen dem äußeren sich des inneren Reichtums bewußt sind[269] und die einzig gültige Trennungslinie zwischen reich und arm wahrnehmen, die durch Philosophie und Tugend markiert ist.[270]

So führt die Frage nach dem Ausgleich der Klassengegensätze zurück zu dem Ort, wo sie Chrysostomus zusammen mit der antiken Tradition ansiedelt und als einzig lösbar hinstellt: zum Problem der Befreiung.

bb) Sklaven und Freie

Die Vielfalt der Traditionen, die Chrysostomus zur Begründung und Realisierung des Ausgleichs zwischen Reichen und Armen heranzieht, kennzeichnet auch die Weise, wie er das Verhältnis zwischen Freien und Sklaven humaner gestalten möchte. Die Aussagen und Forderungen, die im Zusammenhang dieses Komplexes begegnen, unterscheiden sich insofern grundlegend von den entsprechenden Gedanken zum Gegensatz von arm und reich, als sie kaum mit dem Ursprung der Sklaverei und dem Verlust der allgemeinen Gleichheit verbunden sind.

Sofern Chrysostomus deswegen nicht speziell christliche Gedanken vorträgt, sondern sich der antiken Tradition anschließt, behandelt er das Verhältnis von Freien und Sklaven fragmentarisch und in Zusammenhängen, die deutlich machen, daß es weder ein eigenes noch ein zentrales Thema der antiken Tradition ist.[271] So erscheint die Bezie-

[269] Die Transponierung des Problems wird hier nochmals deutlich, wenn man Aussagen heranzieht, die anzeigen, wie vollständig Chrysostomus den antiken Lösungsweg beibehält (Hom. 4, 4 in Rom): „. . . und um wieviel besser es wäre, arm zu sein und tugendhaft, als ein König zu sein und schlecht. Der Arme nämlich hat sein Glück bei sich selbst . . . und von der äußerlichen Armut nimmt er nichts wahr wegen des inneren Reichtums" (PG 60, 422).

[270] Vgl. Hom. 29, 6 in 1 Cor (PG 61, 248f.); Hom. 12, 5 in 2 Cor (PG 61, 438).

[271] Chrysostomus erzählt (Hom. 11, 3 in 1 Thes) die Geschichte der Trennung einer Sklavenehe. Zwar konnten solche Verbindungen nach geltendem Recht nicht als connubia, sondern nur als contubernia angesehen werden, doch durften sie nicht willkürlich von den Herren getrennt werden (Vgl. zu den Rechtsquellen: W. Jaeger, Die Sklaverei bei Johannes Chrysostomus, 95), wie auch die Sklavenbesitzer spontan denken. Nur wegen der eindringlichen Bitte, die mit Schwüren bekräftigt wird, wird schließlich ihr Mann aus dem Hause entfernt und damit von seiner Frau getrennt.

hung zwischen Freien und Sklaven teils als Sonderfall des Verhältnisses zum Besitz,[272] teils als Hauptthema der Traktate über den Zorn.[273] Obwohl sich in den Homilien des Chrysostomus die harten sozialen Gegensätze widerspiegeln, die für die antike Sklavenhaltergesellschaft kennzeichnend sind,[274] erscheinen seine Forderungen an die Sklavenbesitzer wenig neu, sondern tief beeinflußt und präformiert durch das antike Vorverständnis der Sklaverei als einer unaufhebbaren Realität:[275] Nicht die Tatsache der Sklaverei als solche wird als Problem

Wenn nun Jaeger so bemerkenswert findet, daß „außer der Bestätigung des Schutzes der Sklavenehe auch seitens nichtchristlicher Sklavenbesitzer" auch „religiös-moralische und nicht juristische Überlegungen die Entscheidung des christlichen Herrn im Einzelfall bestimmen" (Ebd. 96), so ist dem entgegenzuhalten: Chrysostomus erzählt diese Geschichte nicht aus Interesse an der Problematik oder der Verteidigung von Sklavenehen, sondern an der Bedeutung des Schwörens (PG 62, 464f.).

272 Vgl. Hom. 80, 5 in Joh (PG 59, 437); Hom. 40, 4 in Hebr (PG 63, 197f.). Die Kritik der Sklavenzahl gehört zur Luxuskritik, so bei Seneca (De tranquil. an. VIII, 6), wenn er von Demetrius Pompeius sagt: „Die Zahl seiner Sklaven wurde ihm täglich wie einem General die seines Heeres gemeldet" (Rosenbach I, 136); ähnlich äußert sich Chrysostomus (Hom. 40, 4 in 1 Cor): Die große Zahl der Sklaven ist nicht aus Bedürfnis, nicht aus Menschenfreundlichkeit, sondern aus dem Hochmut allein entstanden (PG 61, 334).

273 Vgl. Hom. 16, 8 in Mt (PG 57, 249); Hom. 34, 1 in Gen (PG 53, 313); Hom. 19, 4 in 1 Cor (PG 61, 157).

274 Chrysostomus schildert plastisch (Hom. 87, 3 in Mt) den Zorn des Herrn und die Strafe an Sklaven (PG 58, 772), ebenso (Hom. 26, 7 in 1 Cor) die Züchtigung einer Sklavin, daß die ganze Umgebung zusammenläuft (PG 62, 222). Gestraft wird (Hom. 35, 5 in Mt) aufgrund der geringsten Vergehen, z. B. wenn das Essen zu langsam aufgetragen wird (PG 57, 411); zu harte Strafe beklagt Seneca (De ira III, 31, 1): „Was haben wir es eilig, sofort zu schlagen, sofort die Beine zu brechen" (Rosenbach II, 290), er entrüstet sich über die extreme Grausamkeit des Vedius (De ira II, 40, 2): Dieser wollte einen Sklaven wegen eines zerbrochenen Glases den Muränen vorwerfen lassen; der gerade anwesende Augustus wirft Vedius in den Teich: „motus est novitate crudelitatis" (Rosenbech II, 304). Nach Plutarch (De cohib. ira 13) fragen neugekaufte Sklaven, „wenn sie sich nach ihrem Herrn erkundigen, ob er jähzornig, abergläubisch oder neidisch ist" (Helmbold VI, 144). Chrysostomus fragt rhetorisch (Hom. de S. Basso 2): „Wer liebt nicht einen Herrn, der nicht schlägt" (PG 50, 722), weil Strafe zur Regel gehörte, so Plutarch (Ebd. 11): „Ihnen gegenüber kennen wir weder Neid noch Angst noch Ehrgeiz, sondern nur Zorn und immerwährendes Schelten, dem niemand hindernd in den Weg tritt" (VI, 130). Das allgemeine Verhältnis umschreibt Seneca (Ep. 47, 5): „Non habemus illos hostes, sed facimus" (Reynolds I, 121). Deswegen kennzeichnet das Verhältnis der Sklaven zu ihren Herren die Furcht (Hom. 16, 2 in 1 Tim): Ein anderes Motiv zum Dienst kennen sie nicht (PG 62, 590). Die gängige Meinung über die Sklaven referiert Chrysostomus (Hom. 4, 3 in 1 Tit) kritisch gegenüber den Herren, die sie zu diesem Leben verurteilen (PG 62, 685) und stimmt so grundsätzlich mit Libanius (Or. 25, 30) überein: „Wenn man sagt, daß von den Sklaven viele schlecht sind und uns entsprechend dienen, wollen wir zuerst untersuchen, ob ihre Schlechtigkeit aus ihrem zu geringen Wohlleben herstammt" (Foerster II, 551).

275 J. Leipoldt referiert das Bild des stoischen Idealstaates: „Jener Staat der Weisen, ... ohne Ehe, ohne Familie, ohne Tempel, ohne Gerichtshöfe, ohne Gymnasien,

empfunden, sondern die Weise ihrer Handhabung und die unmenschlichen Folgen. Ihre Milderung macht sich Chrysostomus zur eigenen Aufgabe[276] und deswegen wendet er sich in den Reden wie in der Frage von arm und reich vor allem an die Herren. Er empfiehlt ihnen, die Sklaven wenigstens bei ihrem Tod testamentarisch freizulassen,[277] er kennt die Gewohnheit der Fürbitte und Flucht der Sklaven zu einem anderen Herrn[278] und wagt es immerhin an einer Stelle, die Herren aufzufordern, ihre Sklaven freizulassen, sie einen Beruf erlernen zu lassen, weil sich doch jeder selbst genug sei und sich selbst bedienen könne.[279]

ohne Geld" (Der soziale Gedanke in der altchristlichen Kriche, 49). Von einer Aufhebung der Sklaverei ist hier ebenso wenig die Rede wie bei Plato, vgl. J. Vogt, Sklaverei und Humanität, 135.

[276] Chrysostomus geht mit seiner Forderung (Hom. ad illum. cat. 2, 2), daß Christen ihre Sklaven nicht züchtigen sollen (PG 49, 233) nicht über das hinaus, was Epikur (Fr. 594) vom Weisen verlangt: „Der Weise wird die Sklaven nicht strafen, sondern ihnen verzeihen und Mitleid mit den Guten haben" (Usener, Epicurea 335). Plutarch (De cohib. ira 11) beschreibt die Veränderung im Verhalten eines, der zur Einsicht kommt: „Ich glaubte, sie würden verdorben, wenn sie zu wenig gestraft würden. Es dauerte lange, bis ich merkte, daß man seinen Sklaven besser langmütig verzeiht, als daß man seine Seele, um andere zu bessern, durch Bitterkeit und Zorn verkehrt. Da bemerkte ich, daß eher ein verzeihendes als ein strafendes Wort zur Veränderung führt" (Helmbold VI, 130).

[277] Chrysostomus fordert (Hom. 18, 7 in Rom) z. B. die Übereignung des Vermögens im Todesfalle an Christus und sieht darin sekundär die Freilassung der Sklaven impliziert: sie ist nicht primäres Anliegen (PG 60, 581f.). Die Forderung, sein Vermögen Christus zu vererben, erhebt auch Cyprian (De ope et eleem. 19), R. v. Pöhlmann (Die Geschichte der sozialen Frage und des Sozialismus in der antiken Welt II, 604) kritisiert sie heftig. Eine testamentarische Freilassung der Sklaven verfügte Epikur (Test. 217) und davon berichtet auch Diogenes Laertius (X, 21). Plinius sieht, nachdem er durch eine Epidemie viele Sklaven verloren hatte, zwei Möglichkeiten, um sich zu trösten (Ep. VIII, 16): „Solacia duo nequaquam paria tanto dolori . . . solacia tamen, num facultas manumittendi . . ., alterum, quod permitto servis quoque quasi testamenta facere, eaque ut legitima, custodio. Mandant rogantque, quod visum . . . dividunt, donant, relinquunt dumtaxat intra domum: nam servis res publica quaedam et quasi civitas domus est" (Melmoth II, 140). Beide Möglichkeiten beruhen auf reiner Gunst der Herren; noch zur Zeit des Chrysostomus (Hom. 10, 2 in Col) sind die Sklaven bezüglich Besitz und Verfügungsrecht darüber rechtlos (PG 62, 368).

[278] Vgl. Ep. 117 (PG 52, 672). Chrysostomus nennt (Hom. 8, 6 adv. Jud.) Gründe, warum Sklaven bei anderen Herren Zuflucht suchen (PG 48, 936f.). Auf interessante Parallelen zum Philemon-Brief hat P. Stuhlmacher (Der Brief an Philemon, 68) aufmerksam gemacht.

[279] So in: Hom. 40, 5 in 1 Cor (PG 61, 354). I. Hahn (Freie Arbeit und Sklavenarbeit in der spätantiken Stadt, 27) verweist interpretierend zu dieser Stelle auf die Sitte, junge Sklaven billig zu kaufen, sie auszubilden, um sie dann teurer wieder verkaufen zu können. Chrysostomus wendet sich aber dem Kontext nach gegen den Sklavenluxus, der unnötig sei, „weil Gott jeden ausreichend zu seinem eigenen Dienst geschaffen habe". Deswegen brauche man keine Sklaven – nur einen oder zwei gesteht er zu. Nicht ein soziales Interesse ist vorherrschend, sondern der Gedanke der Autarkie des Freien. In diesen Zusammenhnag gehört die Anekdote über

So wenig allerdings diese Forderungen neu und originell sind und sich als christlich ausweisen lassen, so gilt dies in gleicher Weise für die Verteidigung von Sklavenverbindungen und Ehen vor Eingriffen seitens der Herren. Solche Eingriffe in die persönliche Integrität verfolgte das staatliche Gesetz nicht mit Strafen,[280] und Chrysostomus versucht seinen christlichen Hörern zu begründen, warum Unzucht sei, mit Sklavinnen zu verkehren und ihre Verbindungen untereinander anzutasten.

W. Jaeger möchte in dem Einsatz des Chrysostomus zugunsten der Sklaven einen wichtigen Beitrag der christlichen Ethik sehen.[281] Wenn man allerdings den Kontext und die Argumentation des Chrysostomus näher anschaut, erscheint als seine Intention nicht primär der Schutz der Sklavinnen oder ihrer eheähnlichen Verbindungen, sondern die Abwehr von Unzucht überhaupt.[282] Um aber wider gültiges Recht und Gewohnheit den Verkehr mit Sklavinnen Unzucht nennen zu können, greift er auf stoische Gedanken zurück, die eine Gleichheit der ‚Sünden' kennen.[283] Diese Gleichheit wird nicht objektiv von der geschehenen Tat her begründet, sondern von der subjektiven Einstellung des sich Verfehlenden.[284]

Diogenes, die Seneca (De tranquil. an. VIII, 6) berichtet, als ihm der Sklave entlaufen war: „Schimpflich, daß Manes ohne Diogenes leben kann, Diogenes ohne Manes aber nicht" (Rosenbach I, 136). Interessant ist dieses Argument vor allem deshalb, weil es auch Chrysostomus verwendet und er eine Beziehung herstellt zwischen der Beseitigung der Sklaverei und der Beschreibung des ursprünglichen Zustandes unter den Menschen vor der Sünde (Hom. 29, 6 in Gen): „. . . sondern jeder diente selbst sich" (PG 53, 270).

280 Chrysostomus unterscheidet (Hom. in illud, propter forn. ux. 4) strikt zwischen geltendem Recht des Staates (οἱ ἔξωθεν νόμοι) und christlicher Auffassung (τὸν τοῦ θεοῦ νόμον) bezüglich des Tatbestandes von Ehebruch (PG 51, 213f.).

281 „Dieses Votum ist allein die Meinung einer gesellschaftlichen Gruppe . . . Die christliche Haltung zur Sklavenehe weist bei Johannes Chrysostomus damit eine geistige Unabhängigkeit sowohl von der Intention der Gesetzgebung des Staates als auch von der allgemeinen Verbreitung der Sklavenehe auf" (Die Sklaverei bei Johannes Chrysostomus, 98).

282 An anderen Stellen (Hom. 5, 2 in Thes) verbietet Chrysostomus zunächst allgemein die Unzucht und geht erst dann zum Ehebruch über (PG 62, 424f.).

283 Cicero (De fin. IV, 75): „Ut enim inquit, gubernator aeque peccat, si palearum navem evertit et si auri, item aeque peccat, qui parentem et qui servum iniuria verberat" (SVF III, 142). Aufschlußreich für den hier besprochenen Zusammenhang samt Begründung und Beispielen ist eine Stelle aus Porphyrion (Ad Hor. Serm. I, 2, 62): „Negat interesse quicquam, utrum quis in matrona an in ancilla an etiam in adultera delinquat, secutus opinionem Stoicorum, qui omnia peccata paria esse dicunt; neque enim rei admissae quantitatem, sed admittentis voluntatem spectant" (SVF III, 142).

284 Dieses Prinzip veranschaulicht Chrysostomus (Hom. 3, 3 in 2 Tim) am Laster des Stehlens und der Habsucht: „Stehlen und Mehrhabenwollen sind gleich, ob sie sich auf Silber oder auf Gold beziehen; denn beides entsteht aus der gleichen Gesinnung . . ." (PG 62, 617).

Diese Gedanken samt den Beispielen nimmt nun Chrysostomus auf, um dartun zu können, daß jeder außereheliche Verkehr Unzucht sei, weil nicht die objektive Tat, sondern die freie Entscheidung der Anlaß ist. Insofern erscheint das Heranziehen der Sklavin als Beispiel neben der verheirateten Frau[285] in diesem Zusammenhang nicht aus dem Interesse daran motiviert, die eheähnlichen Verbindungen von Sklaven christlich zu legitimieren und zu schützen, sondern den Tatbestand des Ehebruchs als für diese außerehelichen Beziehungen zutreffend geltend zu machen: Nicht wegen der gleichen Wertung der verletzten Verbindungen als Ehen, sondern wegen des auf jede solche Handlung zutreffenden Willens.[286] Zudem legt die Tatsache, daß Chrysostomus die Anwendung samt Beispiel übernimmt, nahe, daß er sich auch der Intention des Übernommenen anschließt; und diese ist orientiert an der Ursache der daraus resultierenden ‚gleichen' Vergehen, dem freien Entschluß des einzelnen.[287] Das Interesse der ungeschützten Sklaven ist sekundär und indirekt über die Änderung der Herren wahrgenommen. Diesen Grundzug, der sich in vielen Äußerungen des Chrysostomus zum Thema Sklaverei findet, teilt er mit der antiken Tradition:[288] Eine Humanisierung des Verhältnisses zu den Sklaven führt über die Humanisierung der freien Herren, nicht über die Herstellung sozialer Gleichstellung.

Soweit sich Chrysostomus zum Problem des Gegensatzes zwischen Freien und Sklaven der antiken Tradition anschließt, kann er allenfalls partielle Milderung der Verhältnisse fordern. Eine Beziehung zwischen dem Ursprung und der Beseitigung der Sklaverei, wie sie analog von der Antike für Armut und Reichtum in der Habsucht

[285] Hom. 3, 3 in 2 Tim: „Wenn also einer mit der Frau des Königs Ehebruch treibt oder mit der Frau eines Armen oder eines Sklaven, ist er gleichermaßen ein Ehebrecher" (PG 62, 618); an anderer Stelle (Hom. 5, 2 in 1 Thes) variiert er die Beispielreihe, aber das Prinzip bleibt dasselbe: „Wenn also jemand die Königin tötet, heißt es, oder deine Sklavin, ist das Verbrechen gleich" (PG 62, 425).

[286] Dies ist (Hom. 3, 3 in 2 Tim) als Basis der Argumentation deutlich: „Denn nicht richtet er nach dem äußeren Unterschied der Verfehlung, sondern nach dem ehebrecherischen Willen dessen, der sie begangen hat" (PG 62, 618).

[287] Daß Chrysostomus (Hom. 5, 2 in 1 Thes) die Verbindungen von Sklaven ‚Ehe' nennt, scheint eher bedingt durch den Gedanken der gleichen Verfehlung als durch den Willen, dieses Institut aufzuwerten: „Denn auch dieses ist Ehebruch, weil auch dieses eine Ehe ist" (PG 62, 425).

[288] Wegen der Zornausbrüche gibt er (Hom. 15, 5 in Act) zu bedenken: „Wenn du züchtigst ... hast du den größeren Schaden zu tragen. Bei ihm bezieht sich die Züchtigung nur auf den Leib und das Essen, bei dir aber auf die Seele" (PG 60, 126). An anderer Stelle (Hom. 15, 3 in Eph) versucht er, die Herren von der Züchtigung dadurch abzuhalten, daß er ihnen die Schande ihrer Maßlosigkeit vor Augen stellt (PG 62, 110), ähnlich Plutarch (De cohib. ira 11): „Wir bleiben vor der größten Schande bewahrt, nämlich der, daß der Sklave das Recht auf seiner Seite hat" und: „So erkannte ich, daß die Vernunft ein besserer Führer ist als der Zorn" (Helmbold VI, 130).

namhaft gemacht wurde, konnte nur an einer Stelle festgestellt werden, die zudem ziemlich isoliert dasteht.[289] Dieses Defizit an Theorie zur Beseitigung der inhumanen Verhältnisse kann auch nicht durch die Berufung auf die gleiche Natur[290] ausgeglichen werden; es zeigt an, daß in der Antike der Gedanke an eine faktische Gleichstellung von Sklaven und Freien kaum denkbar war. Versuche, diese Gleichheit über die Teilnahme an der Philosophie und Tugend herzustellen, werden zwar entwickelt,[291] müssen aber ein Ideal und eine Utopie bleiben, solange dieser ‚philosophische' Weg sich an den isolierten einzelnen wendet und sich nicht verallgemeinern läßt. Obwohl weiterhin als gültig vorausgesetzt werden kann, daß eine Humanisierung der Klassengegensätze für Chrysostomus über den Weg der Humanisierung des einzelnen möglich ist, kann weiter gefragt werden, ob sich im Christentum über die antike Tradition hinaus und entsprechend zu ihrem humanen Anliegen eine Kraft oder ein Ort findet, der diesen Strang in seiner geschichtlichen Einmaligkeit aufnimmt und wenigstens dem Entwurf nach beantwortet und erfüllt.

3. ‚Paradoxa des Christenums'

Die gesellschaftlichen Widersprüche, wie sie sich in der antiken Klassengesellschaft darstellen, aufzuheben oder wenigstens zu mildern, teilt das Christentum als Anliegen mit der humanen Tradition der Philosophie. Wie sehr sich Chrysostomus sowohl in der vorgege-

[289] Die Forderung nach Freilassung der Sklaven begegnet einmal (Hom. 64, 4 in Mt) im Zusammenhang mit dem jüdischen Jobeljahr, ohne daß eine bestimmte Stelle aus der Sozialordnung Israels, die sich sehr ausführlich mit der Freilassung der Sklaven befaßt, zitiert wäre. Der Kontext bietet lediglich eine Aufzählung, welches das für Juden geltende Maß des Almosens gewesen sei. Dadurch muß die Freilassung nicht unter die Almosen gerechnet werden, wie W. Jaeger (Die Sklaverei bei Johannes Chrysostomus,[147]) vermutet, sondern geschieht in polemischer Absicht um darzutun, wieviel von den Juden verlangt war, und wie wenig die Christen bereit sind zu tun. So beschließt er den Abschnitt mit „wenige sind es, die gerettet werden" (PG 58, 615).

[290] Sie geschieht meist in polemischer Absicht (Hom. 12, 7 in 1 Cor): „Alles unternimmst du, damit Ochs und Esel nicht schlecht werden, die Sklaven aber, die die gleiche Seele haben wie du, vernachlässigst du" (PG 61, 103), ähnlich (Hom. 16, 2 in 1 Tim), wo er ‚Sklaven' interpretiert durch οἱ ὁμοούσιοι (PG 62, 590). Diesen Gedanken der natürlichen Gleichheit vertritt auch die antike Tradition, z. B. Seneca (Ep. 47, 10): „Servum ex iisdem seminibus ortum, eodem frui caelo, aeque spirare, aeque vivere, aeque mori" (Reynolds I, 120).

[291] Chrysostomus wird nicht müde, diese Möglichkeit anhand biblischer Exempla eindringlich zu machen; der ägyptische Josef ist das Paradebeispiel, so in: Hom. 87, 3 in Mt (PG 58, 772); Hom. 12, 3 in Phil (PG 62, 274); Hom 4,5 f. de Lazaro (PG 48, 1013-15).

benen Problematik wie in konkreten Ansätzen zu Lösungen von dieser Tradition abhängig zeigt, konnte deutlich gemacht werden. Er schließt sich der Grundtendenz der philosophischen Tradition auch insofern an, als Humanisierung zwar auf die gesellschaftlichen Verhältnisse bezogen bleibt und verändertes Tun einschließt, aber geknüpft ist an den veränderten Menschen. Das Idealbild des Weisen, das sich die Antike als Maß gegenüberstellte, gerade weil es im Gegensatz zu den sozialen Gegebenheiten behauptet wurde, geht zu wesentlichen Teilen in die Bestimmung des Christlichen mit ein; er verkörpert das befreite Humanum, in dem die sozialen und inneren Widersprüche versöhnt sind.
So kann es kein Zufall sein, sondern beruht auf innerer Affinität, daß die christliche Askese in der Rezeption des Ideals am weitesten gegangen ist,[292] weil sie zunächst auch als individueller Weg der Befreiung anfing. In der Kritik des Chrysostomus an der christlichen Askese kann deswegen auch eine Absetzung von einem wesentlichen Moment dieser Lösung gesehen werden: nicht von dem Impetus, sich von den äußeren Dingen frei zu machen, sondern an der eigenen Freiheit sein Genüge zu finden. Chrysostomus selbst übernimmt sowohl in der Frage der Aufhebung der Armut[293] wie der Sklaverei die philosophische Lösung,[294] trotz aller Kritik daran.
Dieser Widerstreit, der in sich nicht zu vermitteln ist, verweist auf das Zusammenfließen verschiedener Traditionen, der antiken und der christlichen. Dem Streben nach Selbstgenügsamkeit am inneren Reichtum, an der Tugend und Philosophie gegen die äußeren Verhältnisse, in denen sich der Arme oder Sklave befindet, stellt Chrysostomus die Notwendigkeit entgegen, sich nicht nur um das eigene Heil, sondern um das des Nächsten zu kümmern.[295] Polemisch macht er das Heil des einzelnen abhängig von der Sorge um den Nächsten.[296]

[292] Vgl. J. Stelzenberger, Die Beziehung der früchchristlichen Sittenlehre zur Ethik der Stoa, 473ff.

[293] Die Annäherung an die Bedürfnislosigkeit der Götter, die Autarkie und die Einschätzung der Armut als Adiaphoron sind keine ‚sozialen' Lösungen in dem Sinne, daß sie eine Veränderung der Gesellschaft intendierten, sondern die Unabhängigkeit des einzelnen im Auge haben.

[294] Im Sinne der Applikation des stoischen Satzes, daß nur der Weise frei sei, auf den Sklaven.

[295] Dies kann er biblisch begründen (Hom. in illud, si esuriet inimicus 2): „Daß man nicht nur sich selbst nützlich sein soll, sondern auch vielen, erhellt aus den Worten Christi, der uns ‚Salz' und ‚Sauerteig' und ‚Licht' nannte; was nützt es dir also ..." (PG 51, 174) oder allgemein (Hom. 20, 4 in Act): „Allein auf den eigenen Vorteil schauend, welchen Nutzen hat das?" (PG 60, 182).

[296] In diesem Zusammenhang äußert er sich am kritischsten über das Asketentum und nennt z. B. die Jungfräulichkeit ohne Nächstenliebe (Hom. in illud, vidua eligatur 6) etwas „Törichtes", „Überflüssiges" (PG 61, 326).

Er geht so weit zu behaupten, daß in dieser Verlagerung das Spezifische der christlichen Existenz bestehe.[297]
Sosehr deutlich ist, daß sich diese Polemik an der Existenz des asketisch verstandenen Christentums immer wieder entzündet,[298] so eröffnet sie gleichzeitig eine andere Grundrichtung gegenüber der antiken Tradition. Man könnte sie eine soziale Dimension nennen, weil sie den Blick vom einzelnen weg auf andere, eine Gemeinschaft lenkt als die Bedingung, sein Ziel oder Heil zu finden.[299]
Wie sehr bei aller Abhängigkeit von der asketisch-philosophischen Linie das Soziale bei Chrysostomus in den Vordergrund drängt, kann eine Stelle verdeutlichen, wo er Gedanken entwickelt, wie die Armut zu beseitigen wäre: Er schlägt vor, die zehn Prozent Armen von Antiochien auf die zehn Prozent Reichen zu verteilen; zusammen mit den mittelmäßig Begüterten wären sie imstande, die Armen mit dem Notwendigsten zu versorgen; auf fünfzig oder hundert Bewohner der Stadt würde ein Armer kommen, schon zehn reichten aus, die Armut aufzuheben. „Durch Gottes Gnade wäre unsere Stadt imstande, die Armen von zehn Städten zu erhalten."[300]
Der Zusammenhang, in dem Chrysostomus diesen Gedanken entwikkelt, ist von der polemischen Anklage bestimmt: Die Christen von Antiochien überlassen die Armenfürsorge der Kirche und beweisen dadurch, daß eine allgemeine Aufhebung der Armut möglich wäre, ihre Unmenschlichkeit.[301] Der Vorschlag bewegt sich zwar noch

[297] So sagt er emphatisch (Hom. 25, 3 in 1 Cor): τοῦτο κανὼν Χριστιανισμοῦ τοῦ τελειοτάτου, τοῦτο ὅρος ἠκριμώμενος, αὕτη ἡ κορυφὴ ἡ ἀνωτάτω, τὸ τὰ κοινῇ συμφέροντα ζητεῖν (PG 61, 208), ähnlich (Sermo 9, 2 in Gen): „Dies ist der Hauptpunkt unserer Lebensordnung, dies das Unterscheidende (am Christentum), uns nicht allein um uns selbst zu sorgen, sondern auch unsere Glieder zu bessern und zu hegen" (PG 54, 623) und (Hom. 12, 2 ad pop. Ant.): „Darin besteht am meisten das unterscheidend Christliche, nicht das Eigene zu suchen, sondern das der anderen" (PG 49, 129).

[298] Er unterscheidet streng (Hom. 1, 6 in illud Apostoli, hab. eund. spirit.): „Wer jungfräulich lebt und fastet, ist sich selbst nützlich; wer aber Erbarmen hat, stiftet allgemeinen Nutzen, wenn er den Hunger aufhebt, die Armut der Nächsten ausgleicht und die Bedrängnis der anderen löst. Jene der sittlich guten Taten pflegt man am meisten zu preisen, die im Hinblick auf den Nutzen und das Wohl der anderen geschehen" (PG 51, 277). Die Askese als Selbstzweck parallelisiert Chrysostomus (Hom. 25, 3 in 1 Cor) mit dem dritten Knecht nach der Parabel Jesu Lk 19, 11–28, der sein Talent vergrub und deswegen gestraft wurde: „So tust du nichts Großes, Bruder, wenn du fastest, auf der Erde schläfst..." (PG 61, 209).

[299] Trotzdem bleiben beide Traditionen bestimmend: vgl. De virg. 80 die Aussagen über die Freiheit und Parrhesie der Jungfrauen, die dem kynischen Ideal nachgebildet gedacht sind (PG 48, 592f.).

[300] Hom. 66, 4 in Mt (PG 58, 630).

[301] Ebd.: „Nicht weil die Besitzenden ihnen nicht mit Wohlwollen genügend geben könnten, sondern wegen ihrer Härte und Unmenschlichkeit". Von ähnlicher Polemik ist der Brief Kaiser Julians an Arsakios, den Oberpriester von Galatien (Ep.

weitgehend innerhalb der Forderung nach Almosen – und insofern läge er auch noch auf der Linie der antiken Freigiebigkeit – aber geht insofern grundsätzlich darüber hinaus, als er darauf abzielt, das Almosen-Geben zu beseitigen.[302]
Dieses Beispiel kann zeigen, daß bei Chrysostomus bei aller Verbundenheit mit der humanen Tradition der Antike, die das Problem der Klassengegensätze durch Mitteilen von Gaben und durch Teilgabe an der Philosophie zu lösen versucht, noch andere Gedanken wirksam sind. Daß er sie nicht unabhängig von der antiken Tradition entwikkelt, aber diese mit neuem, christlichem Inhalt füllt, soll im folgenden gezeigt werden.

a. Transponierung in eine neue Politeia

Das Problem der Klassengegensätze versucht Chrysostomus in der Übernahme der antiken Tradition zu lösen, indem es vom sozialen Kontext abgelöst auf der Ebene der Ethik als Problem der Befreiung erscheint. Almosen, Mitteilen, Philanthropie sind Früchte dieses Prozesses – die zwar auch die extreme Gestalt des völligen Verzichts auf Besitz und der Freilassung der Sklaven haben können, aber dabei Momente der eigenen Befreiung, nicht einer veränderten Gesellschaft sind.
Nur in der Utopie wird eine alternative Gesellschaftsform antizipiert, um den Prozeß der Befreiung – etwa vom Besitzstreben – in seinen sozialen Auswirkungen und Konsequenzen zu beschreiben und nicht bei den individuellen Veränderungen stehen zu bleiben, wie sie etwa das Ideal des Weisen verkörpert. In diese Tradition stellt nun Chrysostomus das christliche Selbstverständnis, wenn er sagen will, was das Christliche sei und worin seine Intention bestehe.
An vielen Stellen seiner Homilien reflektiert er die Geschichte der Ausbreitung des Christentums durch die Apostel; dabei stellt er Beziehungen zu den großen Philosophen her, die ebenfalls versuchten, neue Lehren, neue Gesetze und eine ‚fremde Gesellschaftsord-

22 430D), gekennzeichnet, der wiederum die Christen zum Maß der Kritik nimmt: „Es ist eine Schande, wenn von den Juden nicht ein einziger um Unterstützung nachsuchen muß, während die gottlosen Galiläer neben den Ihren auch noch die Unsrigen ernähren, die Unsrigen also der Hilfe von unserer Seite offenbar entbehren müsen" (Wright III, 70).

[302] So kann er über den zukünftigen Zustand des Himmels sagen (Arg. 3 in Phil): „Dort gibt es keine Armen, dort gibt es keine Güter, dort gibt es keine Bettelarmut ... nicht mehr Almosen mittels Güter wird es dort geben" (PG 62, 181) und allgemein (Hom. 2, 6 ad pop. Ant.): „Wenn die Güter gemeinsam wären und allen in gleicher Weise zur Verfügung stünden, wäre der Grund für Almosen aufgehoben ..." (PG 49, 43). Radikaler formuliert Augustinus (Tract. 8, 5 in 1 Joh): „Schaff ab die Armen, und es versiegen die Werke des Erbarmens" (PL 35, 2038f.).

nung' einzuführen.[303] Gerade indem er ihre Erfolglosigkeit feststellt und das Christentum des Anfangs als Kontrast dagegenhält,[304] erscheint es als seine Intention, die Eigenart des Christlichen in Analogie zu den Gesellschaftsentwürfen der Philosophen zu begreifen und als deren Erben.[305]

Chrysostomus verwendet πολιτεία in Entsprechung zum antiken Gebrauch als Lebensordnung[306] und als Lebenswandel des einzelnen.[307] Das Spezifische dieser πολιτεία besteht nun darin, daß sie von Gott aus dem Himmel stammt[308] und durch Christus real in das irdische Leben der Christen eingeführt worden ist[309] als der Anfang ihrer radikalen Veränderung.[310]

[303] Er gibt zu bedenken (Hom. 5, 3 adv. Jud.), „wie viele schon versuchten, bei den Griechen Lehren einzuführen und eine πολιτείαν ξενήν zu etablieren wie Zenon, Platon, Sokrates, Diagoras, Pythagoras und viele andere ... Christus verfaßte aber nicht nur eine πολιτεία, sondern hat sie auch überall auf der Welt eingepflanzt" (PG 48, 886). Die antiken Philosophen kontrastiert er unmitelbar mit den Aposteln und der von ihnen verkündeten ‚Ordnung' (Hom. 1, 4 in Mt), um damit anzudeuten, daß sie dieselbe Sache verfolgten wie die antiken Entwürfe von Staats- bzw. Stadtverfassungen (PG 57, 18f.)

[304] Platons mißglückter Versuch in Sizilien dient ihm als Beweis, so in: Hom. 4 de laud. Pauli (PG 50, 495); Hom. 4, 3. 4 in Act (PG 60, 47f.); Hom. 1, 5 in Rom (PG 60, 407).

[305] Vgl. Hom. 1, 5f. in Mt (PG 57, 20).

[306] Plutarch (De monarch., democr. 826c–e) kennt vier Bedeutungen des Begriffs: (1) Bürgerrecht, (2) Leben des Bürges, (3) besondere Handlungen im öffentlichen Interesse und (4) Ordnung der Polis, soweit sie sich auf die Praxis des Lebens auswirkt: λέγεται μὲν δὴ πολιτεία καὶ μετάληψις τῶν ἐν τῇ πόλει δικαίων· λέγεται δὲ καὶ βίος ἀνδρὸς πολιτικοῦ καὶ τὰ κοινὰ πράττοντος πολιτεία. ἔνιοι δὲ καὶ μίαν πρᾶξιν εἰς τὰ κοινὰ καὶ λαμπρὰν πολιτείαν προσαγορεύουσιν, οἷον χρημάτων ἐπίδοσιν ... παρὰ πάντα ταῦτα λέγεται πολιτεία τάξις καὶ κατάστασις πόλεως διοικοῦσα τὰς πράξεις (Fowler X, 304f.). Chrysostomus verwendet den Begriff, um die Eigenart der christlichen Lebensordnung zu benennen, in der Bedeutung (4): Die neue Lebensordnung der Kirche (Expos. in Ps. 62, 1f.) stellt er der Ordnung Israels entgegen (PG 55, 3101) oder leitet die für die auf Erden weilende Kirche gültige Ordnung (Hom. 12,2f. in Joh) aus der im Himmel geltenden Ordnung ab: τῶν οὐρανίων νόμων τὴν ἀρετὴν, τῆς ἀγγελικῆς πολιτείας τὴν εὐταξίαν ... τοιούτους ... ἔθηκε νόμους, τοιαύτην κατεστήσατο πολιτείαν ... (PG 59, 84), ähnlich (Hom. de ang. porta 3): τὴν ἐν οὐρανῷ μιμεῖσθαι πολιτείαν, ἵνα ἃ θέλει αὐτὸς, καὶ ἡμεῖς θέλωμεν (PG 51, 46).

[307] Die Bedeutung (2) begegnet bei Chrysostomus gleichermaßen, sie wird durch βίος interpretiert (Hom. 2, 3 in inscr. Act): ζήλωσον τοίνυν τὴν πολιτείαν τῶν ἀποστόλων ... ἀλλ' ὁ βίος καθαρὸς· οὐ θαύματα, ἀλλὰ πολιτεία (PG 51, 82), ähnlich (Hom. 46, 4 in Mt): τί τὴν ζωὴν συνίστητι τὴν ἡμετέραν; ἆρα σημείων ἐπίδειξις ἢ πολιτείας ἀρίστης ἀκρίβεια; ... ἀρετὴν εἰς βίον εἰσαγάγῃ· ὁρᾷς ὅτι βίος μᾶλλον ὠφελεῖν δύναται (PG 58, 480).

[308] Vgl. Hom. in nat. DNJChr. 6, wo der Prozeß der Vermittlung umschrieben wird als ein Werk Gottes: Die Ordnung des Himmels wird in das Leben der Christen eingeführt (PG 49, 360); Hom. in illud, si ersuriet inimicus 3 (PG 51, 176). Politeia kann durch κατάστασις umschrieben werden, vgl. Hom. 3, 1 in Act (PG 60, 34) und εὐταξία, vgl. Hom. 12, 2 in Joh (PG 59, 84).

[309] Vgl. Hom. 19, 5 in Mt als Auslegung von Mt 5, 10 (PG 57, 279).

Chrysostomus verwendet πολιτεία nicht im Sinne politischer Theologie, sondern streng als theologischen Begriff, der aber insofern eine soziale Dimension hat, als er mit der Realität der Kirche eng verbunden ist: πολιτεία umschreibt ihr Wesen als ein Zugleich von göttlich gestifteter Ordnung und christlicher Praxis. Indem er zur Charakterisierung der Kirche und des geschichtlichen Christentums einen Begriff der politischen Organisationsform heranzieht, ihn wie andere Begriffe der antiken Tradition uminterpretiert, ist ein Verständnis des Christlichen eröffnet, das über das rein Ethische der Gesinnung hinausgeht.

Vom Ansatz ist das Christliche aufgefaßt als eine Art Gesellschaft, geschichtlich konkret antreffbar als Kirche, deren Verfassung sich nicht menschlichen Gesetzgebern verdankt, sondern von Christus ‚verfaßt', geschrieben wurde[311] und unter den Christen eingepflanzt wurde – aber als eine Ordnung, wie sie im Himmel gilt[312]. So kann Chrysostomus einerseits formulieren, daß die Kirche im Himmel ihren Ort hat,[313] daß die Christen in den Himmel versetzt sind;[314] andererseits aber, daß die Erde in den Himmel verwandelt wurde,[315] daß die Christen zu Engeln, also Einwohnern des Himmels geworden

[310] Das irdische Leben der Christen soll verändert werden – das ist Sinnspitze der Rede von der ‚neuen Politeia' – und dadurch geschieht die Veränderung der Welt (Hom. 16, 3 in Mt): „Denn auch die Welt wird verändert werden ... und darauf verweist er zu Recht, wenn er (scil. Christus) eine andere Lebensordnung einführt; denn er will, daß das Ganze der Schöpfung umgewandelt wird und das Geschlecht der Menschen in eine andere Heimat gerufen werde" (PG 57, 242). Eine solche Aussage könnte summarische Behauptungen wie die von Beyschlag modifizieren: „Wohin das Thema ‚Veränderung' ... hinzielt: nicht sosehr auf die Veränderung des Veränderlichen, also der irdischen Welt, sondern auf die Heimkehr des veränderlichen Menschen in die göttliche Unveränderlichkeit" (Christentum und Veränderung in der alten Kirche, 51).

[311] Ἔγραψε wird (Hom. 5, 3 adv. Jud.) von Christus gesagt (PG 48, 886), gleichermaßen (Hom. 1, 4 in Mt) von den Philosophen (PG 57, 19).

[312] K. D. Mouratidos führt aus: „Die Kirche, auch wenn sie in dieser Welt sich vorfindet, vollendet die Ordnung (πολιτείαν) dieser Welt, aber auf der Erde als eine himmlische Ordnung" (Ἡ οὐσία καὶ τὸ πολίτευμα τῆς Ἐκκλησίας ..., 97). Deswegen wird wie in der christlichen Tradition so von Chrysostomus das Adjektiv ἀγγελική zur Kennzeichnung dieser Qualität verwendet (Hom. 7, 2 in Act): πολιτεία ἀγγελική (PG 60, 65).

[313] Vgl. Hom. 3, 2 in Act (PG 60, 36). J. Korbacher kommt aufgrund der Untersuchung des Kirchenverständnisses des Chrysostomus, vor allem wegen der Auslegung von Gal 4, 26, zu dem Ergebnis: „Man könnte meinen, Chrysostomus scheue sich, noch einen Schritt weiterzugehen und die Kirche mit dem oberen Jerusalem zu identifizieren. Aber er tut auch diesen Schritt mit aller wünschenswerten Deutlichkeit" (Außerhalb der Kirche kein Heil, 84).

[314] Als Folge des Kreuzes gibt er an (Hom. 54, 5 in Mt): „Die Erde machte er zum Himmel, die Menschen zu Engel" (PG 58, 538).

[315] Vgl. Hom. 17, 3 in Hebr (PG 63, 126).

sind.[316] Die Vermittlung dieses ‚Austausches' geht über die πολιτεία, die gleichermaßen im Himmel wie auf der Erde Gültigkeit hat.[317]
Die Irritation der gesellschaftlichen Verhältnisse, die durch die Zuordnung des einzelnen zu Philosophie und Tugend, gleich welchen Standes er sei, erreicht werden sollte, geschieht hier in radikaler Weise: indem sich mitten in der Gesellschaft eine καινὴ πολιτεία[318] etabliert, die ihre Gesetze, ihre Ordnung nicht von der bestehenden Gesellschaft herleitet, sondern im Kontrast dazu eine Ordnung besitzt, wie sie von Gott der Kirche eingestiftet worden ist. Der Unterschied zur antiken Tradition besteht nicht primär darin, daß sich das Christentum als Gegenbild versteht – so verstanden sich die kynischen Philosophen auch – sondern daß dieses Gegenbild Gesellschaft ist, nicht ein einzelner, der anders und unangepaßt lebt.
Mit der Übernahme des geschichtlich nicht unbelasteten Begriffs πολιτεία stellt Chrysostomus das Christentum einerseits in die Tradition der antiken Gesellschaftsentwürfe um festzuhalten, daß es ebenfalls Gesellschaft ist; andererseits setzt er es von der antiken Tradition ab, insofern der Urheber dieser Gesellschaft und ihrer Ordnung nicht Menschen sind, sondern von Gott stammt und in der Gestalt der Kirche in der Welt präsent ist – nicht als utopischer Entwurf wie die der antiken Philosophen, sondern als schon vorgegebenes Gebilde.[319]
Insofern geht der christliche Ansatz zur Humanisierung der bestehenden gesellschaftlichen Widersprüche von etwas schon Bestehendem, Vorfindbarem aus: einer realen Alternative von Gesellschaftsordnung, die nicht als Utopie erst angestrebt werden muß, sondern schon da ist, sich als realisierbar erwiesen hat und auch gegenwärtig lebbar bleibt.[320]
Zur näheren, inhaltlichen Auffüllung des Begriffes πολιτεία verwendet Chrysostomus den paulinischen Begriff des ‚Leibes Christi', den er nach der theologischen und sozialen Seite hin auslegt.[321] So gewinnt

[316] Vgl. Hom. 12, 2 in Joh (PG 59, 84).
[317] Vgl. Hom. de perf. car. 2 (PG 56, 282); Hom. 19, 5 in Mt (PG 57, 279).
[318] Die Irritation der Verhältnisse kann so umschrieben werden (Hom. 1, 2 in Mt): „Gott auf der Erde, der Mensch im Himmel – alles geriet durcheinander" (PG 57, 15). Es ist eine Eigentümlichkeit des Chrysostomus, daß er bei aller Abhängigkeit von der antiken Philosophie von neuplatonischen Tendenzen unberührt scheint. Obwohl er das antike Weltbild mit seinen dualistischen Zügen teilt, dominiert doch die biblisch-theologische Grundorientierung: daß diese Welt, näherhin die Kirche in ihr, das Ziel der Offenbarung ist – nicht das Verlassen der Welt.
[319] Vgl. Expos. in Ps 59, 5 (PG 55, 272f.); Hom. 11, 1 in 1 Tim (PG 62, 544).
[320] Deswegen erfüllen die Mönche für die Argumentation des Chrysostomus eine unersetzliche Funktion.
[321] J. Korbacher (Außerhalb der Kirche kein Heil) kommt aufgrund eines allzu wörtlichen und z. T. dogmatisch fixierten Verständnisses der Aussagen des Chrysostomus zu Ergebnissen, die ihm selbst fragwürdig erscheinen, so z. B. wenn ihm die

Chrysostomus die Möglichkeit, das christliche Selbstverständnis in Anlehnung an die antike und christliche Tradition zugleich zu formulieren und darin seine Eigenart zu sehen, daß die Kirche als der ‚Leib Christi' ein irdisch sichtbares Gebilde aus Menschen ist, dessen Lebensordnung und Praxis sich orientieren am Willen Gottes.
Wenn Chrysostomus deswegen von der frühen Kirche sagen kann:

„Wie nämlich die Kirche im Himmel war,
so haftete ihr nichts Säkulares an",[322]

so denkt er nicht an eine jenseitige Größe, sondern definiert ihre Andersartigkeit gegenüber der übrigen Gesellschaft: ihre Transzendenz und theologisch begründete Unterschiedenheit, die ihr deswegen zukommt, weil sie als ganze ihren Ursprung ‚im Himmel' hat. Deswegen ist sie καινὴ πολιτεία, ohne deswegen aufzuhören, Gesellschaft zu sein, aber eine Gesellschaft eigener Art.
Insofern bedeutet Christ-sein oder Christ-werden die Transposition in eine andere, neue Gesellschaftsordnung; denn hier gelten andere Gesetze als in der übrigen Gesellschaft.[323]
Welche Implikationen dieses christliche Selbstverständnis im Unterschied zur ‚philosophischen' Lösung hat, die gesellschaftlichen Widersprüche aufzuheben, soll im folgenden untersucht werden.

b) Ausgleich zwischen Reichen und Armen

Wie sich Chrysostomus die Aufhebung der gesellschaftlichen Widersprüche von arm und reich tatsächlich gedacht hat, kann vielleicht nie mehr aufgeklärt werden; nur soviel mag zunächst als Vermutung vorgebracht werden, daß seine als christlich gedachte Lösung über das hinausging, was die philosophische Tradition intendierte.
Verantwortlich für die Verwirrung in dieser Hinsicht ist nicht nur die gelehrte Forschung; auch Chrysostomus hat ein gut Teil dazu beigetragen; wie er bezüglich des Verständnisses von Lohn, von der Quantität des Almosens, des Verständnisses von Armut nicht zu harmonisieren ist, so auch nicht bezüglich des Ausgleichs zwischen der Klasse der Reichen und der Klasse der Armen. Es lassen sich Traditionen aufzeigen, anhand deren Chrysostomus sich ermutigt

Heiligen als „Tugendbolde" (58) vorkommen, oder wenn er angesichts der von Chrysostomus beschriebenen Einheit der Kirche fragt, welcher Raum für den einzelnen bliebe (67), obwohl Chrysostomus biblische, vor allem paulinische Theologie vorträgt.

[322] Hom. 3, 2 in Act (PG 60, 36).

[323] Über den Zeitpunkt dieses Überschrittes bei der Taufe äußert sich Chrysostomus deutlich (Hom. 6, 4 in Rom): Er nennt sie eine ‚andere Auferstehung' und die ‚neue Politeia', die im gegenwärtigen Leben aufgrund der Veränderung des Lebenswandels geschieht (PG 60, 480).

sah, an die Christen seiner Zeit, von denen er theologisch wußte und voraussetzte, daß sie Glieder eines Leibes und Teilhaber an einer von der übrigen Gesellschaft verschiedenen Ordnung waren – und von denen er gleichzeitig wußte, daß jeder an seiner Habe festhielt und sich kaum bewegen ließ von den vielen Armen und Bettlern – bestimmte Forderungen zu stellen.
Deshalb wäre es nicht nur ein dringendes Erfordernis, seine Äußerungen bezüglich des Themas Ausgleich in Beziehung zu setzen zu seinen Äußerungen über den Allgemeinszustand der Christenheit seiner Zeit, sondern dies könnte einiges Licht in die Frage bringen, warum er sich auf die Zunge beißt, wenn er es wagt, einmal mehr als Almosenfrömmigkeit anzudeuten und das Maß ausspricht, das er nicht selbst aufgestellt hat. So wie Chrysostomus die Christen in seiner Zeit einschätzen mußte, ist es überhaupt verwunderlich, daß er den Mut aufbrachte, auf die tatsächlich gravierenden Unterschiede der Stadtgemeinden zum Mönchtum und zu den ersten Gemeinden hinzuweisen und festzustellen: Es sind Unterschiede. Und er hat nicht nur vereinzelt darauf hingezeigt, sondern immer wieder, in Antiochien und in Konstantinopel; er hat seinen zuhörenden Christen die Exkommunikation angedroht für den Fall, daß sie weiterhin in Luxus leben, während neben ihnen die Armen das Nötigste entbehren, und sich nicht dadurch irritieren lassen, daß sie den Sekten in die Hände fielen. Dem hält er entgegen: „Besser ein einziger, der den Willen Gottes tut, als Tausende, die sich darüber hinwegsetzen.“[324]
Daß es die „Kirche, fast möchte man sagen, je länger desto weniger vermocht hat, die Unterschiede zwischen arm und reich, geschweige denn den Besitz überhaupt zu beseitigen“,[325] kann, wenn man andere Aussagen des Chrysostomus über die Bereitschaft seiner Zuhörer hinzunimmt, auch als Konsequenz folgender Meinung verstanden werden: „Und wenn Chrysostomus zu Apg 4,32ff. die Bibel tatsächlich einmal beim Wort nimmt und seiner Gemeinde genau vorrechnet, daß, wenn jeder einzelne sein Eigentum hergäbe, es selbst in der Stadt Konstantinopel keine Armen mehr geben würde, so darf man darin doch nicht mehr als einen verstärkten Appell an die konventionelle Mildtätigkeit erblicken.“[326]
Wenn derselbe Autor wenig später resümierend zusammenfaßt: „Das, was man heute unter Veränderung versteht, ist jedenfalls weithin nicht die Sache der damaligen Kirche gewesen“,[327] sondern nur einiger weniger Außenseiter, Gnostiker und Apokalyptiker, so ist

[324] Hom. 7, 5 in Col (PG 62, 350f.).
[325] K. Beyschlag, Christentum und Veränderung in der Alten Kirche, 37.
[326] Ebd.
[327] Ebd. 38.

dem zuzustimmen; im Bezug auf den Ausgleich von arm und reich verfolgt Chrysostomus keine „Theologie der Revolution",[328] sondern appelliert an die Freiwilligkeit. Nur bleibt unverständlich, warum „man darin nicht mehr als ... erblicken darf".

K. Farner erblickt darin mehr – er beruft sich auf dieselbe Homilie: „Johannes Chrysostomus ist besonders lichtvoll und klar, und wenn er auch das Eigentumsproblem nicht systematisch (‚ex professo') behandelt hat, so doch unzweideutig ... Als Bischof von Konstantinopel hingegen tritt er mit einer ausgereiften kommunistischen Theorie auf."[329] M. Hengel bezieht sich auf die Bezugsstelle, von der ausgehend Chrysostomus entweder an die ‚konventionelle Mildtätigkeit' appelliert oder ‚mit einer ausgereiften kommunistischen Theorie' auftritt. Er sagt: „Hier wird uns das vertraute Bild der Wiederherstellung des vollkommenen ‚Urstandes' gezeichnet, das bis in die Formulierung hinein Analogien zur Gütergemeinschaft der Skythen, der Staatslehre Platons oder der ‚Urgemeinde' der Pythagoräer in Süditalien enthält."[330]

A. Bigelmair führt Apg. 4 „auf die ersten Sturmeswehen der Begeisterung" und die „bescheidenen Verhältnisse von Jerusalem" zurück,[331] und fährt wenig später fort: „Aber ein Versuch, die sozialen Gegensätze nach der Art der Urgemeinde in Jerusalem auszugleichen, ist in den ersten drei Jahrhunderten nicht mehr aufgetaucht".[332] Über den von ihm behandelten Zeitraum der ersten drei Jahrhunderte hinausblickend, stellt er fest: „Die Konstantinische Zeit bildet tatsächlich eine Grenze, insofern damals sich Äußerungen über Kommunismus mehren. Das hat verschiedene Gründe. Die hellenistische Philosophie drang noch stärker ein. Im Innern der Kirche zeigten sich durch die Übertritte von vielen, die weniger Überzeugung als die veränderten Verhältnisse der Kirche zugeführt hatten, Schäden. Vor allem war unterdessen im Mönchtum eine Organisation entstanden, die tatsächlich aus religiösen Gründen eine kommunistische Wirtschaftsform zu pflegen im Stande war und begeisterte Lobredner fand."[333]

Der außerchristliche Einfluß, den M. Hengel schon für die Formulierung des Ausgleichs in der frühen Kirche von Jerusalem annimmt,[334]

[328] Ebd. 55.
[329] Theologie des Kommunismus? 62.
[330] Eigentum und Reichtum in der frühen Kirche, 17.
[331] Zur Frage des Sozialismus und Kommunismus im Christentum der ersten drei Jahrhunderte, in: Beiträge zur Geschichte des christlichen Altertums und der Byzantinischen Literatur 72–93, hier 87.
[332] Ebd. 87.
[333] Ebd. 92.
[334] H. Holtzmann (Die Gütergemeinschaft der Apostelgeschichte, 45) weist auf alttestamentliche Traditionen in Lev 25; 27, Dt 15, 4 hin als die Grundlage neutestamentlicher Forderung nach Ausgleich der Besitzunterschiede.

gewinnt durch die asketisch-mönchische Interpretation und Realisierung des Ausgleichs im 4. Jahrhundert eine dominierende Bedeutung. Man könnte sogar sagen, daß die ‚kommunistische Wirtschaftsform' – kommunistisch im übertragenen Sinne, weil sie ja nicht durch äußeren Zwang und Enteignung entsteht, sondern auf der Basis allgemeiner und dauernder Freiwilligkeit –, auch wenn sie sich formal zu ihrer Begründung auf die Apostelgeschichte beruft,[335] viel eher auf antike als auf christliche Traditionen zurückgeführt werden kann, was die äußere Gestalt betrifft. Denn die als Analogie wirklich heranzuziehenden Beispiele, die M. Hengel nennt, reduzieren sich doch auf die ‚Urgemeinde' der Pythgoräer in Süditalien; Platons Utopie dient wie der naturwüchsige Zustand der Skythen zur Veranschaulichung des Denkbaren[336] – und gemäß der antiken Tradition ist die Überwindung der Habsucht nicht anders modellhaft vorzustellen, denn als Rückführung des Besitzes in den ursprünglichen, natürlichen Gemeingebrauch. Daß dies im Mönchtum gelungen ist, verweist zwar auf seine Abhängigkeit von solchen antiken Ideen, wird aber in der christlichen Tradition nicht als angestrebtes Ziel verstanden, sondern als eine, wenn auch mit Notwendigkeit sich einstellende, Folge einer Einheit, Gemeinsamkeit, die über den gemeinsamen Gebrauch des Besitzes hinausgeht.[337]

In Apg. 4,32ff begründet die Einmütigkeit der Gemeinde ein neues Verhältnis zum Besitz, und nicht umgekehrt; ebenso wie nach den synoptischen Evangelien die Nachfolge ein neues Verhältnis zu Besitz, Verwandten usw. begründet. Dadurch wird die Frage des Ausgleichs nicht spitritualisiert oder irrelevant, sondern ist immer auch als Äußerung der bestehenden oder fehlenden Einheit verstanden. Nach dem Bericht der Apostelgeschichte ist die Glaubwürdigkeit der Ver-

[335] Die Herleitung leidet unter der Fixierung auf das κοινά, das den Besitz betrifft; das πάντα hat innerhalb des Neuen Testamentes eine solche Basis und Reichweite, daß es nicht auf den Beistz eingeengt werden kann.

[336] Chrysostomus erwähnt (Hom. 15, 3 in 2 Cor) die Skythen in polemischer Absicht, weil sie auf die ‚unnötigen' Handwerke wie Köche und Feinbäcker verzichten und nur Landbau betreiben. Neben den Gymnosophisten dienen sie als Beispiel für das natur-entsprechende Leben, das von der Kultur unberührt blieb (PG 61, 506f.); schon Tertullian erwähnt sie in ähnlicher Absicht (Apol. 42, 1 und Adv. Marc. I, 13, 2 (CChr I, 157. 454).

[337] Das können auch Bezugnahmen bei Augustinus auf diese Stelle deutlich machen (Contr. Faust. V, 9): „Quam multae fraternae congregationes nihil habentes proprium, sed omnia communia, et haec nonnisi ad victum et tegumentum necessaria, unam animam et cor unum in deum caritatis igne confluantes" (CSEL 25, 1 281) und (De op. mon. 25): „Sanctis qui omnia sua vendita distribuerunt et Hierosolymis habitabant in sancta communione vitae, non dicentes aliquid proprium, quibus erant omnia communia, et anima et cor unum in deum, ab ecclesiis gentium necessaria conferri praecipit et hortatur" (CSEL 41, 570). Die Einmütigkeit ist Voraussetzung des Ausgleichs.

kündigung der Auferstehung unmittelbar in Zusammenhang gebracht mit der Lösung der Eigentumsverhältnisse und der Beseitigung der Armut.[338]
Insofern gewinnt die Feststellung A. Bigelmairs, daß sich in der Konstantinischen Zeit innerhalb des Christentums die radikalen Äußerungen bezüglich des Ausgleichs zwischen reich und arm mehren, an Bedeutung; denn sie deuten darauf hin – neben dem herausfordernden Beispiel des Mönchtums –, daß in den christlichen Gemeinden immer weniger, und weniger der ursprünglichen Radikalität entsprechend, ein Ausgleich zwischen arm und reich geschehen ist.
Im Gegensatz zum Almosen war denn auch der radikale Ausgleich Sache der Glaubenden,[339] weil er nur denen möglich sein konnte, die untereinander in der Einheit des Glaubens verbunden waren.[340]
In der Konstantinischen Zeit, vor allem nach 380, seitdem die Kirche Staatsreligion war, scheint sich dieser Zustand der ursprünglichen, das gesamte Leben bestimmenden Einheit weitgehend verflüchtigt zu haben. Chrysostomus sieht die Christen seiner Zeit kritisch und stellt den Abstand fest, der gegenüber der frühen Zeit die jetzige Christenheit kennzeichnet.
Die Gefahren der öffentlichen Anerkennung schätzt er realistisch ein,[341] erkennt aber in der wachsenden Kluft zwischen dem dogmatischen Glauben und der Praxis das alarmierende Signum der Gegenwart.[342] Die Kirche der Gegenwart erscheint ihm als eine allen früheren Glanzes beraubte Frau, als eine Truhe für Kleinode, die keine Schätze mehr birgt[343] – weil die ursprünglich die Christen

[328] „Es gab keinen Armen unter ihnen" (Apg. 4, 32) stellt die Erfüllung von „Es sollte überhaupt keinen Armen unter euch geben" (Dt 15, 4) dar.
[339] So sagt M. Hengel zu Recht: „Die Ethik der frühen Kirche war ausschließlich Gemeindeethik, verbindlich für die Gemeinschaft der Glaubenden" (Eigentum und Reichtum in der frühen Kirche, 50); ähnlich hält E. Tröltsch daran fest, „daß eine derartige Sozialreform durch die Liebe . . . materiell und geistig nur möglich ist in kleinen Gemeinden mit durchgängiger persönlicher Bekanntschaft und Beziehung ihrer Glieder mit dem von außen her zusammenhaltenden Druck des Gegensatzes und mit einer wenigstens relativen Gleichartigkeit der sozialen Zusammensetzung." Und er fährt fort: „Als all dies aufhörte, die Kirche ohne äußeren Zwang extensiv mit der ganzen Gesellschaft sich deckte, und deren Differenzen alle im eigenen Schoß trug, da gewann die Liebestätigkeit ein anderes Gesicht" (Die Soziallehren der christlichen Kirchen und Gruppen, 137).
[340] So empört sich R. v. Pöhlmann über die seit Cyprian (De avarit. 2, 48) gestellte und von Chrysostomus (Hom. 7, 7 in Rom) aufgenommene Forderung, das Vermögen nicht den Kindern, sondern Christus zu vererben (PG 60, 453), als „religiösen Aberwitz, der Familie, Eigentum und Erbrecht schwer gefährdet" (Geschichte der sozialen Frage und des Sozialismus in der antiken Welt II, 604).
[341] Vgl. Hom. 26, 4 in 2 Cor (PG 61, 580).
[342] Vgl. Hom. 27, 4 in 2 Cor (PG 61, 588).
[343] Vgl. Hom. 36, 5 in 1 Cor (PG 61, 312f).

auszeichnende Einheit verlorenging, weil sie aufgehört haben, ein Herz und eine Seele zu sein,[344] sondern Neid und Krieg auch in die Kirche eingekehrt sind.
Die Kirche steht in Flammen, und alle schlafen;[345] zwar wird der Kult gefeiert, aber die Einmütigkeit, die die frühe Kirche beseelte, ging verloren; übrig blieben bloße Symbole. „Damals waren die Häuser Kirchen, jetzt ist die Kirche ein gewöhnliches Haus, ja schlechter als jedes."[346] Chrysostomus sieht viele Christen vor sich, aber keine Praxis, die dem Glauben entspräche.[347]
Bei aller realistischen Einschätzung der Lage des Christentums ist Chrysostomus nicht der Gefahr erlegen, zu resignieren[348] und hat er nicht aufgehört, in seinen Predigten auf die Kluft zwischen dem behaupteten Glauben und der weit dahinter zurückbleibenden Praxis hinzuweisen. Darüber hinaus hat er den Versuch unternommen, angesichts der praktizierten radikalen Lösung des Ausgleichs von arm und reich durch das Mönchstum einen Weg zu beschreiben, der auch für die Christen in der Stadt möglich ist; denn an der Praktikabilität der Erfüllung des ganzen Evangeliums entscheidet sich für ihn die Glaubwürdigkeit des Christentums überhaupt. Ist es nur möglich, abgeschieden von dem Leben in der Gesellschaft Christ zu sein, hat sich das Christentum selbst ad absurdum geführt.[349]

[344] Als Auslegung von 1 Cor 10, 17 führt Chrysostomus (Hom. 24, 2 in 1 Cor) aus: „Wenn wir alle von einem genießen und alle eins werden, warum beweisen wir denn nicht auch alle dieselbe Liebe und werden auch hierin eins? So war es damals bei den Vorfahren. ‚Die Versammlung der Gläubigen war ein Herz und eine Seele.' So ist es jetzt nicht mehr, sondern ganz das Gegenteil: Viele Kriege herrschen unter uns" (PG 61, 200f.).

[345] Vgl. Hom. 10, 2 in Eph (PG 62, 78f.); Hom. in illud, si esuriet inimicus 2 (PG 51, 174).

[346] Hom. 36, 5 in 1 Cor (PG 61, 313).

[347] So sagt er (Hom. 27, 4 in 2 Cor): „So sind denn alle, die hier anwesend sind, Gläubige, aber der Glaube ist nicht wirksam" (PG 61, 588).

[348] Dies rechnet ihm M. A. Ritter hoch an: „Um so beachtlicher, daß er, statt in Kleinmütigkeit zu versinken oder das ‚Bild' einfach ‚niedriger zu hängen', sich immer wieder an der paulinischen Ekklesiologie aus- und aufgerichtet hat" (Das Charismaverständnis des Johannes Chrysostomus, 77 A 30).

[349] Sehr plastisch führt Chrysostomus die Perspektive der Heiden vor (Hom. 26, 4 in Rom): „Und wenn der Heide fragt: Woher kann ich wissen, daß Gott Dinge befohlen hat, die auch möglich sind? Denn siehe, du bist von Geburt an Christ, bist aufgewachsen in dieser herrlichen Religion und lebst nicht danach – was wirst du darauf antworten? Du wirst wohl sagen: Ich werde dir andere Leute zeigen, die so leben, die Mönche in der Wüste. Schämst du dich nicht, dich als Christen zu bekennen und jenen dann zu anderen zu verweisen, weil du nicht imstande bist, dein Christentum im Leben zu erweisen? Wenn es nicht möglich ist, mitten in der Stadt christlich zu leben, dann ist das ein schwerer Vorwurf gegen das Christentum, wenn es uns die Städte verlassen und in die Wüste hinauslaufen heißt" (PG 60, 643f.).

Angesichts dieser kritischen Einstellung gegenüber der tatsächlichen Anerkennung als Staatsreligion wird man den Äußerungen über einen Ausgleich von arm und reich behutsamer begegnen müssen und sie leichthin nicht als rhetorische Entgleisung unbesehen werten können.

Es ist deswegen auch nicht sinnvoll, von den Stellen bei Chrysostomus auszugehen, anhand deren dann Entscheidungen getroffen werden sollen wie „Sind die Kirchenväter Kommunisten?"[350], sondern der gesamte Kontext zu diesem Komplex muß mitbedacht werden,[351] um vielleicht die ‚spektakulären' Äußerungen diesem zuordnen zu können.

aa. Πάντα (alles) als christliche Bedingung des Ausgleichs

Charakteristisches Kennzeichen der Aussagen zum Thema Ausgleich, soweit sie über das Mitteilen und Almosen hinausgehen, ist ihre Radikalität; Chrysostmus versteht das ‚Weniger als alles' als Zugeständnis, weil sowohl durch die biblische Tradition[352] als auch durch die heidnischen Philosophen[353] ein Maß aufgestellt ist, das für die Christen bindend ist.

In dieser Forderung freiwilliger Armut als Verzicht auf Besitz konvergiert die biblische Forderung mit der philosophischen – obwohl Chrysostomus den Impetus zu dieser Radikalität durchaus differen-

[350] So fragt K. Farner, ohne eine klare Antwort zu wagen; aber er glaubt allgemein bei den Kirchenvätern als Tendenz erheben zu können: „Auf jeden Fall stellen sie den Gemeinbesitz über den Privatbesitz, die Sozialethik über die Individualethik" (Für die Erde geeint – für den Himmel entzweit, 37).

[351] Insofern ist das Vorwort zu einer Textsammlung, die von A. Hamman und S. Richter besorgt wurde, problematisch: Sie geschieht in der Absicht, „über den großen Einschnitt der sozialen Irrtümer unserer Zeit hinaus wieder an die große christliche Überlieferung anzuknüpfen. Ihre zuverlässige Auslegung der Hl. Schrift bringt uns zum Bewußtsein, welch tiefe Kluft sich aufgetan hat zwischen unseren sozialen Anschauungen und den Quellen der Offenbarung" (Arm und reich in der Urkirche, 9). So berechtigt das Anliegen ist – zunächst kann nur sehr vorsichtig erhoben werden, in welcher Weise die Kirchenväter die biblische Tradition rezipiert und worin sie die Differenz von ihrer Zeit zur neutestamentlichen Zeit erblickt haben: Ihre Aussagen und Anweisungen als solche zu übernehmen, dürfte ohne einen ähnlich mühsamen Prozeß der Übersetzung, den sie selbst zu leisten versuchten, nicht möglich sein.

[352] Chrysostomus nennt (Hom. 21, 3f. in Mt) als biblische Beispiele für die radikale Lösung Jakob („Entblößt von allem ging er ... von Gott erwartete er alles") und die Apostel („Alles rissen sie aus ... und die Fünftausend teilten alles") (PG 57, 398); dagegen empfiehlt Chrysostomus seinen Zuhörern, sich vorerst noch im Geringeren zu üben und sich auf die größere Philosophie vorzubereiten durch die Unterlassung des Mehr-haben-wollens, durch Almosen und Mitteilen (Ebd. 399). Zwischen beiden Formen besteht nach seinen Worten eine Differenz wie zwischen Himmel und Erde.

[353] Ebd.: „Bei den Heiden gab es einige ... und sie gaben ihren ganzen Besitz hin."

ziert beurteilt.[354] Die Erwähnung der Philosophen – gemeint sind die kynischen[355] – ist in diesem Zusammenhang auch insofern interessant, als Chrysostomus auch ihre Definition der Armut mitübernimmt.[356] Und diese steht in unmittelbarem Zusammenhang mit dem Ursprung der Klassen von Armen und Reichen. Die Beseitigung der Habsucht kann also nach der radikal-philosophischen wie nach der christlichen Tradition nur durch die freiwillige Lösung vom Bedürfnis nach Besitz geschehen; darin besteht die Befreiung des einzlnen von der Knechtschaft, der er sich selbst unterworfen hat,[357] und die Befreiung der Güter.

Wenn nun diesen freiwilligen Verzicht nicht nur vereinzelte Individuen leisten, sondern mehrere, eine ganze Gemeinschaft, dann hört die Entfremdung des Besitzes auf,[358] sind Aufruhr und Neid – die natürlichen Folgen des entfremdeten Besitzes – aufgehoben, soweit der Kreis derer reicht, die solchen freiwilligen Verzicht leisten. Die ‚Befreiung' des Besitzes ist die notwendige Folge der Befreiung des einzelnen von der Habsucht; er steht wieder zur gemeinsamen Verfügung.[359] Die durch Menschen verursachten Unterschiede sind beseitigt, wenn die Wurzel aller Übel entfernt ist.

354 Ebd.: Obwohl sie dieselbe Radikalität üben, taten sie es doch nicht mit der entsprechenden Absicht (300); sie handeln aufgrund der Einsicht in die Vergänglichkeit der irdischen Dinge, ohne Wissen um die künftigen Dinge: so sucht er an anderer Stelle (Hom. 8, 5 in 1 Cor) die Unterscheidung zu treffen (PG 61, 75).

355 Daß der Kynismus vom 2. nachchristlichen Jahrhundert an eine Art Renaissance erlebte, kann einerseits aus der Tatsache erschlossen werden, daß ihm viele Abhandlungen gewidmet werden, so von Epiktet, von Lucian und Dio Chrysostomus; Kaiser Julian verfaßte eine Schmähschrift gegen die Dekadenz der Kyniker seiner Zeit und versucht anhand der Idealbilder des Diogenes und Herakles die ursprüngliche Gestalt des Kynismus wieder zu verlebendigen. Andererseits gewinnt er praktische Bedeutung – auch durch die christlichen Asketen –, insofern er eine Lebensweise anbietet, die für Christen wie Heiden eine Alternative zur bestehenden Gesellschaft darstellt. So wird der Kynismus nicht als spezielle philosophische Richtung verstanden, sondern als Lebensform.

356 Wie nach Diogenes Laertius (VI, 104) die Götter nichts bedürfen (Hicks II, 108), so auch nach Chrysostomus (Hom. 80, 3 in Joh): Die Gott ähnlich sind – die Engel – bedürfen entsprechend ihrer Vollkommenheit und Nähe zu Gott nur wenig (PG 59, 437); vgl. Lucian, Der Kyniker 12f. (Macleod III, 400f.).

357 Vgl. Apollonius v. Tyana, Ep. 15 (Conybeare II, 436).

358 Seneca beschreibt (Ep. 90, 38) den Zustand, wie er ursprünglich geherrscht hat: „in commune rerum natura fruebantur . . . omnia fecit aliena et in angustum eo imenso redacta paupertatem intulit et multa concupiscendo omnia amisit" (Reynolds II, 342f.). Die Entfremdung wird durch ‚aliena' bei Seneca widergegeben; ihre Aufhebung geschieht durch Austeilen der Güter (Hom. 10, 3 in 1 Cor): Dadurch werden aus den ἀλλότρια wieder σά (PG 61, 86), ähnlich sagt er (Hom. 16, 6 in 1 Cor): „Verzichte auf das Deinige, damit du es als dir Gehörendes gebrauchen kannst" (PG 61, 129).

359 Das ‚alles gemeinsam' bezeichnet zunächst nur die Folge der Aufhebung der Habsucht und damit die Wiederherstellung des ursprünglichen Verhältnisses zum Besitz, nicht eine kommunistische Theorie von Wirtschaft und Eigentum.

Nach dieser gemein-antiken Vorstellung des ursprünglichen Zustandes und der daraus als möglich zu folgernden Lösung beschreibt Chrysostomus die Situation der frühen Gemeinde in Jerusalem: „Nachdem die Wurzel der Übel, die Liebe zum Geld, aufgehoben war, herrschte bei ihnen das Gute allerseits ..., da nichts war, das sie trennte. Das ‚Mein' und das ‚Dein', dieses schändliche Wort ... wurde aus der Kirche entfernt und die Erde bewohnten sie, wie die Engel den Himmel. Und nicht mehr beneideten die Armen die Reichen; denn sie waren nicht mehr reich; noch verachteten die Reichen die Armen, denn es gab keine Armen mehr, sondern alles war gemeinsam."[360]

Das πάντα κοινά bezeichnet in diesem Zusammenhang keine Entscheidung über die Form des Besitzes, sondern umschreibt negativ das Nicht-mehr-vorhanden-sein von Gründen des Neides und der Verachtung im Verhältnis von Reichen und Armen; die Bedingung dieses neuen Verhältnisses der „Eintracht", die sich eben auch auf den Besitz erstreckt, wird in der Einmütigkeit der frühen Kirche gesehen.[361]

Hier läge auch der Unterschied trotz aller Analogie, der zwischen der Beschreibung der frühen Kirche und antiker Vorbilder besteht; der Unterschied muß nicht in der verschiedenen Interpretation des πάντα κοινά gesucht werden, sondern in der Bedingung, nicht nur einzelne, sondern eine Gemeinschaft, also ein Stück der Gesellschaft, in ein neues Verhältnis untereinander und damit auch zum Besitz zu bringen. Denn an der Frage des Besitzes verdichtet sich in der Antike das Grundproblem jeder Gesellschaft als Spannung zwischen dem einzelnen und der Gemeinschaft.[362] M. a. W. nicht die Weise der Verwendung des Besitzes ist das Problem, das die Antike bewegt, sondern das Problem, wie der einzelne von der Habsucht befreit werden kann.[363] Das Insistieren auf dem πάντα geschieht in polemi-

[360] Hom. in illud dictum Pauli, oportet haereses esse 2: ἐπειδὴ γὰρ ἀνηρέθη ἡ ῥίζα τῶν κακῶν, τὴν φιλαργυρίαν λέγω, πάντα ἐπεισῆθε τὰ ἀγαθά ... οὐδενὸς ὄντος διαφοροῦντος αὐτούς· Τὸ γὰρ ἐμὸν καὶ τὸ σόν, τοῦτο ψιχρὸν ῥῆμα ... ἐκ τῆς Ἐκκλησίας ἐξώριστο καὶ τὴν γὴν ᾤκουν καθάπερ οἱ ἄγγελοι τὸν οὐρανόν· καὶ οὔτε ἐφθόνουν οἱ πένητες τοῖς πλουτοῦσιν, οὐδὲ γὰρ ἦσαν πλούσιοι, οὔτε ὑπερεώρων οἱ πλοῦτοι τῶν πενέτων, οὐδὲ γὰρ ἦσαν πένητες· ἀλλὰ πάντα ἦν κοινά (PG 51, 255).

[361] Ebd: καὶ πάντων αὐτῶν ἡ καρδία καὶ ἡ ψυχὴ μία ἦν. Wesentliches Moment ist die von vielen gleichzeitig vollzogene Verachtung des Besitzes: Τὸ δὲ τῆς ὁμονοίας αἴτιον, καὶ συνδῆσαν αὐτῶν τὴν ἀγάπην, καὶ τοσαῦτα ψυχὰς εἰς ἕν ... ἡ τῶν χρημάτων ὑπεροψία.

[362] So beurteilt R. v. Pöhlmann den Lösungsversuch Platons, „daß das Sozialprinzip von ihm mit großer Entschiedenheit als das leitende Prinzip vorangestellt wird ... Das Glück des Ganzen ist der Maßstab, nach welchem erst das der einzelnen Teile zu bemessen ist" (Geschichte der sozialen Frage und des Sozialismus in der antiken Welt I, 109).

[363] Dieses Problem beschäftigte auch Platon (Leg. 731d–732a): τὸ δὲ ἀληθείᾳ γὲ πάντων ἁμαρτημάτων διὰ τὴν σφόδρα ἑαυτοῦ φιλίαν γίνεται ἑκαστότε ... διὸ πάντα ἄνθρωπον

scher Absicht und aus dem Wissen, daß eine andere als eine radikale Lösung nicht zu einem wirklichen Ausgleich führt. So stellt Chrysostomus als das christliche Maß auf, gemäß dem Gebot Jesu „alles zu verlassen",[364] und bescheinigt den Philosophen, auf eine solche Lösung allein aus natürlicher Einsicht gelangt zu sein.[365] Es findet sich allerdings kein Beleg dafür, daß Chrysostomus das Ergebnis, das dieser Verzicht von Philosophen hervorbringen sollte, „daß unter Freunden alles gemeinsam ist",[366] übernommen hätte.
Dieses sozial definierte Ergebnis – das vielleicht doch mehr dem antiken Verständnis der Freundschaft als der Gesellschaft im ganzen adäquat ist[367], hat bei Chrysostomus eine andere, differenzierte Gestalt, weil es auf anderen Voraussetzungen beruht.
Um diese noch deutlicher werden zu lassen, kann nochmals auf die Forderung des Chrysostomus, die er gemäß altchristlicher Tradition erhebt, anstatt den Kindern sein Erbe zu hinterlassen, es im Himmel zu hinterlegen, hingewiesen werden. Dies als „Aberwitz" zu qualifizieren, ist nur möglich, wenn der Hintergrund nicht mehr bewußt ist. Einerseits wird mit dieser Forderung für den Extremfall des Lebens das christliche Maß geltend gemacht, das früher schon freiwillig hätte erfüllt werden sollen – jetzt aber naturnotwendig; andererseits ist im Hinblick auf die Versorgung der Kinder zu fragen, was es nützen kann, das eigene Vermögen preiszugeben und dafür die Familie zu Armen werden zu lassen.
Eigenartigerweise hat Chrysostomus für dieses traditionelle Moment radikaler christlicher Forderung nur noch wenig oder ein sehr vages Verständnis; er erläutert es meist dadurch, daß den Kindern besser gedient sei, ihnen nicht Besitz, sondern Tugend zu hinterlassen. Diese Allgemeinheit der Erklärung deutet darauf hin, daß er die testamen-

χρὴ φεύγειν τὴν σφόδρα φιλίαν τὴν ἑαυτοῦ. R. v. Pöhlmann führt zu dieser Stelle aus: „Er beklagt es hier als das größte Übel, daß die Naturanlage der meisten Menschen eine tief selbstsüchtige ist. Die meisten dächten und handelten nach dem Prinzip, daß von Natur und Rechts wegen jeder Mensch von Liebe zu sich selbst erfüllt sei" (a.a.O. I, 114f.). Eine ähnlich kritische Auffassung vertritt Epikur (Lactantius, Div. inst. III, 17, 42): „Es gebe keine menschliche Gemeinschaft; jeder sorge für sich selbst, niemand gebe es, der einen anderen liebt, außer aus eigenem Interesse" (Usener Epicurea 523)

[364] Vgl. De virg. 83 (PG 48, 594) u. ö.

[365] Vgl. Hom 8, 5 in 1 Cor (PG 61, 74f.).

[366] Dieser ursprünglich pythagoreische Satz begegnet bei Platon (Leg. 739b), bei Diogenes Laertius (VI, 37) als Ausspruch des Diogenes (Hicks II, 38), auch bei Dio Chrysostomus (Or. 3, 110). A. Biglmair (Zur Frage des Sozialismus und Kommunismus der ersten drei Jahrhunderte, 87) interpretiert ihn im Zusammenhang mit christlichen Vorstellungen.

[367] Die Freundschaft ist nach R. Müller das „Herzstück der epikureischen Theorie und Praxis des sozialen Lebens" (Die epikureische Gesellschaftstheorie, 112).

tarische Verfügung des Vermögens für die Armen selbst übernommen hat und sie so recht nicht mehr in den intendierten Zusammenhang der Aufhebung der Klassen einordnen konnte.[368]
Es ist ein Stück originaler, radikal-christlicher Tradition, das anfängt ein Eigenleben zu führen – aber durch andere Zusammenhänge wird die ursprüngliche Absicht deutlich: daß die christliche Forderung, ‚alles' preiszugeben und zu verlassen, nicht in eine neue, schwerere Armut führt.
Chrysostomus erläutert dieses Spezifische der christlichen, freiwilligen Armut anhand des Lebens der Apostel. Da dies in der Weise nicht ausdrücklich in den biblischen Schriften zu finden ist, sondern Deutung des Chrysostomus ist, kann vermutet werden, daß sich darin sein Verständnis des christlichen Weges zur Beseitigung der Armut und des Ausgleichs wiederfindet.

bb) die Form des christlichen Ausgleichs

Ausgangspunkt seiner Interpretation ist die Verheißung des hundertfältigen, irdischen Lohnes nach Mk 10,28f. für diejenigen, die alles verlassen haben. Dazu führt Chrysostomus aus: „Hat nicht Paulus hier auf Erden sein Werkzeug als Zeltmacher,[369] Petrus das Fischerrohr und den Fischerkorb, Matthäus seinen Zolltisch verlassen, und stand ihnen nicht der ganze Erdkreis mehr zu Verfügung als den Königen, legten nicht alle ihren Besitz zu ihren Füßen nieder, übergab man ihnen nicht sein Leben, machten sie jene nicht zu Haushaltern und Herren, unterwarfen sie sich nicht ganz ihrem Willen, unterwarfen sie sich ihnen nicht wie Sklaven?"[370] Interessant ist diese Stelle wegen der Konvergenz, die unübersehbar ist: Chrysostomus beschreibt die Folge der Armut der Apostel nach Analogie des antiken Ideals, daß der ‚Weise' wahrhaft Herrscher ist, und daß ihm die ganze Welt gehört.[371]

[368] Die Übertragung des Vermögens an die Kirche ist teils zum Almosen geworden (Hom. 18, 6. 7. in Rom [PG 60, 581f.]), teils (Hom. 7, 8f. in Rom) wird sie mit dem Argument verbunden, daß es besser sei, den Kindern die Tugend zu hinterlassen als Reichtum (PG 60, 451f.). Die reale Sicherstellung des Lebensunterhaltes der Kinder wird nur noch sehr vage durch die Vorsehung behauptet, nicht mehr unmittelbar durch den faktischen Zusammenhalt und den ständigen Ausgleich innerhalb der Kirche. Unabhängig von dem Testament begegnet der Gedanke in allgemeiner Form (Hom. in illud, oportet haereses esse 4): „Das ist Reichtum, das Wohlfahrt, das ein unverlierbarer Schatz, allen Besitz im Himmel zu hinterlegen" (PG 51, 260).

[369] Paulus rühmt sich, stets sein Handwerk ausgeübt zu haben, um sich seinen Lebensunterhalt selbst zu verdienen und von niemand abhängig zu sein – außer von seiner Lieblingsgemeinde in Philippi. Chrysostomus geht es aber um den grundsätzlichen Gedanken, daß die Apostel trotz ihres Verzichtes in keiner Weise arm und bedürftig wurden, sondern im Gegenteil reich.

[370] Hom. 11, 2 in 1 Tim (PG 62, 555).

[371] Vgl. J. Geffcken, Kynika und Verwandtes, 91. Diogenes Laertius (VI, 38): „Alles gehört den Weisen" (Hicks II, 38).

Diese Vorstellung steht durchaus im Hintergrund, hört aber auf, ein bloßes Ideal zu sein; denn in der Realität der frühen Kirche fanden die Apostel tatsächlich bei den Gläubigen, wo sie hinkamen, Aufnahme, und stand deren Vermögen wegen der Sache des Evangeliums zur Disposition.

An einer anderen Stelle führt Chrysostomus dies näher aus, um zu erläutern: „Wie kann, wer nichts besitzt, das Vermögen aller besitzen“:

> „Wer nämlich nichts besitzt, befiehlt allen,
> wie es jene taten:
> Alle Häuser auf der ganzen Welt standen ihnen offen,
> und die sie aufnahmen, dankten ihnen noch;
> wie zu Freunden und Verwandten kamen sie.
> Sie kamen zur Purpurhändlerin, und sie stellte
> ihnen ihr Vermögen zur Verfügung wie eine Sklavin;
> sie kamen zum Kerkermeister,
> und er öffnete ihnen sein ganzes Haus.“[372]

Und er fährt resümierend fort:

> „So besaßen sie alles und besaßen nichts;
> nichts nämlich von dem Besitz nannten sie eigen (ἴδιον),
> deswegen war alles zu ihrer Verfügung:
> Wer nämlich die Dinge für gemeinsam (κοινά) ansieht,
> gebraucht nicht nur die eigenen (οὐ τοῖς αὐτοῦ μόνον),
> sondern auch die der anderen (καὶ τοῖς ἑτέρων)
> wie eigene (χρήσεται ὡς ἰδίοις).
> So verfügt, wer nichts besitzt (καὶ οὕτω τὰ πάντων),
> über den Besitz von allen (ὁ μηδὲν ἔχων κατέχει).[373]

In dieser fast formelhaft verkürzten Darstellung liegt beschlossen, was die christlich mögliche Lösung des Ausgleichs genannt werden kann: Wie die Antike geht sie von der radikalen freiwilligen Armut aus, so daß der Besitz aufhört, ‚eigen‘ zu sein, sondern befreit wird zum κοινόν; nur bleibt die Argumentation bei dieser Qualifizierung nicht stehen. Sobald der Besitz diesen Zustand der Verfügbarkeit als den ihm eigentümlichen wieder erreicht hat durch den freiwilligen Verzicht, ist der freiwillige Arme kein Armer mehr, kann sich auch nicht das Eigentumsrecht des Besitzes von anderen nehmen; er kann darüber verfügen – weil der Besitz der anderen denselben Zustand als ‚befreiter‘ Besitz ebenfalls erreicht hat: Die freiwillige Armut schlägt um in eine Qualität von Reichtum, die nicht am Besitzen orientiert ist, sondern an der freien Verfügung und am Gebrauch.

[372] Hom. 15, 6 in 1 Cor (PG 61, 128f.).

[373] Hom. 15, 6 in 1 Cor (PG 61, 129).

Der ‚christlich Arme' muß deswegen nicht betteln, wie es die Kyniker teilweise gehalten haben, sondern er gewinnt Anteil an einer neuen Form von Reichtum, die aus dem gemeinsamen Verzicht entsteht.
Dieses Ergebnis des Verzichts auf der gesellschaftlich-sozialen Ebene, daß, wer sein Vermögen ‚verkauft', nicht zum Bettler wird, sondern reicher wird, als er vorher war, und Anteil am Reichtum vieler gewinnt, ist nur möglich und vorstellbar, wenn gleichzeitig viele oder wenigstens einige ‚ihr Vermögen verkaufen', d. h. es ist gebunden an den Raum der Kirche. Anders bliebe eine solche Lösung utopisch; der individuell vollzogene Verzicht bliebe ohne den gleichzeitig vollzogenen Verzicht vieler fruchtlos; er vermehrte die Armut, statt sie zu beseitigen.[374]
Analog zu den Paradoxa Stoicorum kann Chrysostomus diese Form des Ausgleichs die ‚neuen Paradoxien'[375] des Christentums nennen.

[374] Nur auf diesem Hintergrund kann die Forderung nach testamentarischer Übertragung des Vermögens an die Armen oder den Himmel verständlich und sinnvoll sein.

[375] Philosophische und christliche Traditionen berühren und ergänzen sich, wenn er ausführt (Hom. 7, 5 in Rom): „Wenn wir sie (scil, die Güter) hier bewachen, werden wir sie vollständig verlieren; wenn wir sie aber austeilen, besitzen wir sie. Wer reich werden will, werde arm, damit er reich werde. Streue aus, damit du sammelst ... Wenn du diese neuen Paradoxien ..." (PG 60, 454). Auch ein paralleler Satz wie (Hom. 11, 2 in 1 Tim): „Verachte die Güter, wenn du Güter besitzen willst" könnte von einem Philosophen gesprochen sein: Beiden geht es um die innere Freiheit von den Gütern als der Bedingung des Ausgleichs. Wenn aber Chrysostomus fortfährt, in einer Art Gottesrede den Weg des Ausgleichs und der Befreiung von der Habsucht zu beschreiben, wird der Unterschied deutlich: „Dies sind die Paradoxa Gottes; er will, daß du nicht aus deinem eigenen Eifer, sondern aufgrund seiner Gnade reich werdest. ‚Mir, sagt er, überlaß diese Dinge', ‚du nimm teil an den geistlichen Gütern, damit du mich und meine Macht kennenlernst. Die Knechtschaft und das Joch der Dinge fliehe; solange du sie begehrst, bist du arm, wenn du sie verachtest, wirst du doppelt reich" (PG 62, 555). Wirksam ist dieser Weg nur unter der Voraussetzung, daß er von vielen zugleich vollzogen wird – sonst verbleiben auch die als ‚Paradoxa Gottes' ausgegebenen Versuche auf der Stufe des individuellen, heroischen Verzichts auf Reichtum, der sozial unwirksam bleibt. Christlicher Reichtum soll sich der Gnade Gottes verdanken – dies ist die Chiffre für den Umschlag von Armut in Reichtum: wenn sie sich nicht um das Irdische kümmern (nach Lk 12,31), gibt Gott ihnen alles Irdische, Notwendige dazu. An anderer Stelle (Hom. 25, 2 in Hebr) formuliert Chrysostomus allgemein: „So läßt auch Gott, wenn er sieht, daß wir nicht mehr gierig am Irdischen hängen, uns die Güter gebrauchen – dann besitzen wir sie als freie Menschen ... Daß du durch die Verachtung des Reichtums in seinen Besitz gelangst – höre: Wer Vater oder Mutter verläßt ... Wenn ich meine Güter austeile, werde ich sie dann besitzen? Werde ich dann erhöht, wenn ich mich selbst erniedrige? Allerdings, sagt er, denn es steht in meiner Macht, Gegenteiliges durch Gegenteiliges zu wirken ... Die Natur der Dinge ist meinem Willen unterworfen. Ich wirke alle Dinge, werde aber von ihnen nicht bestimmt, so daß ich sie auch umbilden und verändern kann" (PG 63, 174f.). Das Problem Armut – Reichtum betrachtet Chrysostomus nicht isoliert; an den Aussagen ‚erniedrigen – erhöhen', ‚Vater und Mutter verlassen ...' – ‚hundert Brüder, hundert Acker ...' wird deutlich, daß er streng innerhalb der christlichen Tradition

Vorausgesetzt ist wie in der antiken Tradition die Freiheit vom Streben nach Besitz und seiner Knechtschaft; aber die freiwillige Armut schlägt nicht um in eine äußere oder einen bloß innerlichen Reichtum – obwohl Chrysostomus alle diese Traditionen auch kennt und aufnimmt und immer wieder beschwört –, sondern erzeugt, wenn er gemeinschaftlich geschieht, eine Fülle für alle.
Diese Form des neuen, christlich möglichen Reichtums läßt sich bei den Aposteln finden; sie stehen dem Besitz überhaupt neu gegenüber, nicht als Herren, sondern als Verwalter.[376] Dieses Verhältnis ist ein befreites, weil es einerseits den freiwilligen Verzicht auf das Besitzrecht kennzeichnet,[377] andererseits die freie Disposition der Güter eröffnet.[378]
So kann aufgrund der Aussagen des Chrysostomus zunächst soviel festgehalten werden: Der unter Christen mögliche Ausgleich geht insofern über die philosophische Lösung hinaus, als die Befreiung des einzelnen vom Besitzen nicht als isolierter Vorgang geschieht, sondern als ein gemeinschaftlich vollzogener. Dadurch wird neben der individuellen Befreiung eine soziale Dimension eröffnet, in der eine Verfügung über den Besitz möglich ist, die einen realen Ausgleich schafft: nicht eine allgemeine Armut, sondern größeren Reichtum. Die Bedingung für diese Form des sozialen Ausgleichs ist wie in einem Teil der antiken Überlieferung der radikale Verzicht auf das absolute Besitzrecht.
Diese neue, paradoxe Form kann Chrysostomus dann mit paulinischer Terminologie umschreiben mit „besitzen, als besäße man nicht":[379] Die Entfremdung des Besitzes wird dadurch aufhebbar, daß der einzelne den Verzicht real vollzieht.

denkt und dabei doch gleichzeitig in den Bahnen der antiken Philosophie der ‚Verachtung' der Güter als der innerlichen Befreiung davon. Vgl. auch Hom. 10, 4 in 2 Tim (PG 62, 660), Hom. 5, 5 in Mt (PG 57, 61).

[376] Das Besitzverhältnis erscheint relativiert (Hom. 11, 2f. in 1 Tim): „Bloße Bezeichnung ist das absolute Besitzrecht (ἡ δεσποτεία), Güter heißen sie aufgrund des Gebrauches, nicht aufgrund dessen, daß wir ihre Herren wären (χρῆσις .. οὐ δεσποτεία)" (PG 62, 556); das versöhnte Verhältnis ist an den Aposteln ablesbar (Expos. in Ps 61, 2): „Sie besaßen die Güter von allen ... eher als Verwalter denn als Herren" (PG 55, 293).

[377] Ebd. „Die Besitzenden, vom Besitzen abstehend ... (οἱ γὰρ ἔχοντες, τοῦ ἔχειν ἀφιστάμενοι ...).

[378] Ebd. „So trugen sie den Aposteln zu: Sie selbst verwandelten ihren Besitz in Geld, die Verteilung stellten sie ihrer Vollmacht anheim."

[379] Diese Stelle aus 2 Cor 2,10 zusammen mit Mt 6,33 („Suchet zuerst die Herrschaft Gottes, und alles übrige wird euch dazugegeben werden") zitiert Chrysostomus im Zusammenhang der Homilie in Ps 62, 2 neben der aus der philosophischen Tradition stammenden Formel: „Dies ist am meisten Reichtum: keinen Reichtum nötig zu haben" und dem stehenden Vergleich der Apostel (= des Weisen) mit dem König: Die antike Form des Verzichts auf den Reichtum wird zum Interpretament des christlichen Verständnisses; die Übereinstimmung liegt in der Befreiung von dem Besitzen-wollen (PG 55, 293).

Κοινά-ἐξ ἴσου (gemeinsam-gleich)

Die Forschung hat sich weniger mit der Bedingung, sondern vielmehr mit der Form des von Chrysostomus als christlich vorgestellten Weges zum Ausgleich beschäftigt. Es wurde schon verschiedentlich darauf hingewiesen, daß die antike Ansicht über die ursprüngliche Weise des gemeinsamen Besitzes polemischer Natur ist; sie artikuliert die Kritik an den bestehenden Besitzverhältnissen und führt sie auf ihre Ursache zurück: Die Usurpation hat die Klassen geschaffen.[380] In der Konsequenz dieser Ätiologie liegt es, die Aufhebung der Klassen darin zu sehen, das κοινόν wiederherzustellen.

Als exemplarisches Vorbild für diesen unter den Menschen herzustellenden Ausgleich gilt die Güte Gottes, der seine Gaben als allen gemeinsame schenkt. Auf diese antike Vorstellung greift Chrysostomus immer wieder zurück und erweitert sie um diejenigen Güter, die den Christen insgesamt in gleicher Weise gemeinschaftlich gegeben sind.[381] Nun läßt sich beobachten, daß Chrysostmomus in der Präsentationsform der Güter als gemeinsamer das Problem der Gleichheit impliziert sieht: Aus der Perspektive Gottes als des Spenders gehört jedem Menschen der gleiche Anteil an den allgemeinen Gütern,[382] und weil dies die lebensnotwendigen, unverzichtbar wichtigen sind, ergibt sich trotz der sozialen Aufspaltung in Klassen eine grundsätzliche Gleichstellung aller.

So erscheint κοινόν- als Kennzeichen der Ökonomie Gottes – analog der antiken Vorstellung vom ursprünglichen Zustand unter den Menschen[383] – die den gleichen Anteil an den Gütern gewährleistet;[384]

[380] Vgl. Hom. 12, 4 in 1 Tim (PG 62, 564).

[381] So steht z. B. (Hom. 2, 5 in Rom) das Evangelium als Gemeingut allen zur Verfügung (PG 60, 407). An anderer Stelle (Expos. in Ps 48, 4) läßt sich die Tradition dieses Gedankens anhand der aufgezählten Gemeingüter zeigen: Den Tieren ist alles gemeinsam, den Menschen die Natur, vieles andere wie der Himmel, die Sonne, die Luft, das Meer, Feuer, Wasser, Gesundheit, Krankheit – und darüber hinaus fügt er an: „Und die geistigen Dinge sind Gemeingut" (PG 55, 517); vgl. Hom. 15, 11 in Mt (PG 57, 237f.).

[382] Hier liegt nach Chrysostomus der Unterschied zwischen der staatlichen Ordnung und der Schöpfungsordnung (Hom. 12, 4 in Eph): „Die staatlichen Gesetze lassen einen Unterschied zwischen den Menschen zu, weil es Gesetze von Menschen sind. Das Gesetz des gemeinsamen Herrn kennt keinen Unterschied, gegenüber allen erweist es in gleicher Weise Wohltaten und teilt allen von dem Seinen mit" (PG 62, 157). Das Prinzip der austeilenden Gerechtigkeit betont Chrysostomus als Folge der Gemeinschaftlichkeit der Güter (Hom. 12, 4 in 1 Tim): πᾶσι ἐξ ἴσου τὸ σιτομέτριον δίδοται .. πάντες τὸ ἴσον μετέχομεν ... πάντα ἐξ ἴσης διανέμει (PG 62, 157) und (Hom. 15, 3 in Joh):πάντα ἐξίσου διένειμεν ἕνα ἥλιον ... μία πᾶσι πατρὶς ... πάντας ἐξίσου ἐκάλας, τὰ σαρκικὰ ὁμοτίμως τὰ πνευματικὰ ὁμοίως παρέσχε (PG 59, 102).

[383] Die Habsucht des Menschen, also menschliches Verschulden, steht der intendierten Form der Anteilgabe (κοινόν-ἐξίσου) entgegen (Hom. 15, 3 in Joh): οὐ πλέον καὶ τιμώτερον, οὐ πένητι εὐτελέστερον, ἀλλὰ πάντας ἐξίσου ἐκάλεσε... Πόθεν οὖν ἀνωμαλία πολλὴ κατὰ τὸν βίον; .. ἐκ πλεονεξίας (PG 59, 102).

denn sie überspringt die sozialen Unterschiede von arm und reich,[385] entzieht überhaupt die Güter der Habsucht,[386] weil ihnen gegenüber keine Besitzansprüche angemeldet werden können.
In der Tradition dieses antiken Gedankens wird jene Homilie verständlich, in der Chrysostomus anscheinend ‚kommunistischen' Ideen zugeneigt ist.[387] Nun bewegt sich die 12. Homilie zum 1. Thimotheus-Brief vollständig innerhalb der antiken Tradition in der Weise, daß es einen Ausgleich des (immer als ungerecht gedachten) Reichtums und eine Beseitigung des daraus notwendig folgenden Streites und Unfriedens nur geben kann, wenn alles gemeinsam ist. Diese Homilie ist polemisch gegen die Reichen gerichtet, gegen den Reichtum schlechthin als die Wurzel alles Übels in der Welt.[388] Deswegen ist die Folgerung, die Chrysostomus in diesem Gedankengang der Homilie zieht, einerseits eine Definition des ‚guten' Menschen im Zusammenhang mit dem Besitz,[389] andererseits die theoretische Ausweitung des Gedankens, daß der Bereich des Gemeingutes über das Notwendige, Lebenswichtige hinaus ausgedehnt werden müßte,[390] um ebenfalls den Frieden dort einkehren zu lassen.
Viel differenzierter definiert Chrysostomus dagegen das κοινόν, wenn er sich nicht an antike Traditionen anlehnt, sondern an frühchristliche wie in der 11. Homilie zur Apostelgeschichte. Eine Ähnlichkeit

[384] So Hom. 2, 5 in Rom: κοινὰ τὰ παρ' ἑαυτοῦ προτιθέντες ἅπασι .. ἀλλ' ἴσην ἅπασιν τὴν ἀπόλαυσιν προτιθείς (PG 60, 407).

[385] Galt dies schon für die Schöpfungsordnung, so um so mehr für die Ordnung der Erlösung in der Kirche (Hom. in illud, oportet haereses esse 4): εἰ γὰρ πνευματικὰ ἐκεῖνα ... πᾶσι πρόκειται, καὶ πλουσίῳ καὶ πένητι καὶ οὐχὶ δαψιλέστερον ἀπολαύειν ταύτης ὁ πλούσιος οὐδὲ ἔλαττον ὁ πένης (51, 259).

[386] Chrysostomus kann (Hom. in illud, nolo vos ignorare 5) das Speisewunder nach Ex 16, 13ff. als Beispiel verwenden um darzutun, wie die Habsucht durch die von Gott eingeführte Gleichheit an der Nahrung ins Unrecht gesetzt ist: Alles Mehr-sammeln über den Bedarf hinaus (πλέον συλλέξαι τοῦ δέοντος) bringt keinen Gewinn: ἀλλ' ἕως μὲν τὴν ἰσότητα ἐτίμων, ἔμενε τὸ μάννα μάννα ὄν· ἐπειδὴ δὲ πλεονεκτεῖν ἐπεθύμησαν, ἡ πλεονεξία τὸ μάννα σκώληκα ἐποίησε (PG 51, 249).

[387] So K. Farner (Theologie des Kommunismus? 60f.) in der Auseinandersetzung mit O. Schilling (Reichtum und Eigentum in der altkirchlichen Literatur, 121ff.).

[388] Hom. 12, 4 in 1 Tim bietet in sich eine Zusammenfassung dessen, was die antike Tradition zum Thema Reichtum zu sagen hat: seine Entstehung aus dem ‚Mein'- und ‚Dein'-sagen, das polemische Gegenbild in der Gemeinsamkeit des Gebrauchs der Dinge der Natur und der öffentlichen Einrichtungen und deren nachprüfbaren segensreichen Folgen: ἡ οἰκία δεσποτικὴ πᾶσι ἀνεῖται ... κοινὰ τὰ βασιλικὰ πάντα ... ἀλλα κοινὰ ... καὶ θέω πῶς ἐν τοῖς κοινοῖς οὐδεμία μάχη, ἀλλὰ πάντα εἰρηνικά (PG 62, 503f.)

[389] Die Frage, wie ein Reicher gut sein kann, beantwortet Chrysostomus (Hom. 12, 4 in 1 Tim): „Nicht das bloße Besitzen von Gütern macht einen gut, sondern das Nicht-Besitzen macht einen gut" (PG 62, 564).

[390] Ebd. „Damit wir von diesen (scil. den öffentlichen, gemeinsam gebrauchten Einrichtungen) dazu erzogen werden, auch diese gemeinsam zu besitzen."

mit der 66. Homilie zum Matthäus-Evangelium ist, was die Aktualisierung betrifft, sicher vorhanden;[391] aber dort entwickelt Chrysostomus den Plan, die Armut durch gemeinschaftliche Anstrengung zu beheben, im Zusammenhang mit dem Almosen. Dieser Kontext ist in der Auslegung von Apg. 4 nicht gegeben, vielmehr steht hier das πάντα κοινά der urchristlichen Gemeinde zur Diskussion.

Die Auslegung und Aktualisierung dieser Homilie steht insofern nicht isoliert, als sie Merkmale und Gedanken enthält, die Chrysostomus auch an anderen Stellen entwickelt: So stellt er in Aussicht, daß, wenn alle Christen gleichermaßen radikal ihren Besitz in die Mitte legen,[392] keine allgemeine Armut entsteht, sondern eine Fülle für alle;[393] sodann aktualisiert er das Verhalten der urchristlichen Gemeinde wie an anderen Orten gleich radikal[394] als den gültigen christlichen Maßstab. Bemerkenswert für die Auslegung wie den Versuch der Übertragung nach Konstantinopel ist der gleich streng durchgeführte theologische Zusammenhang:[395] Die Tatsache, daß in Jerusalem die Armut beseitigt war, steht in unmittelbarem Zusammenhang mit dem ‚Zeugnis der Auferstehung und den Machterweisen'; ähnlich stellt Chrysostomus den christlichen Zuhörern vor Augen, welch ungeheure Anziehungskraft es auf die Juden und Heiden ausüben würde, wenn sie in der Weise wie die frühe Kirche die Klassen beseitigen würden. „Wer möchte da noch Heide bleiben? Keiner, meine ich; alle würden wir an uns ziehen."[396]

Chrysostomus entwickelt vor seinen Zuhörern einen Plan, indem er mit Worten eine Vision, ein Bild des Möglichen aufgrund des früher Wirklichen beschreibt. Singulär für die Zeit des 4. Jahrhunderts ist daran nicht zuerst, daß er sich von der Stelle in Apg. 4 inspirieren läßt,[397] sondern daß er den Versuch unternimmt, die frühchristliche Praxis nicht allein in das Mönchtum einmünden zu lassen, sondern in den Stadtgemeinden wieder zu beheimaten.

Diese Grundtendenz konnte für das Denken des Chrysostomus als kennzeichnend erwiesen werden: das ganze Christentum wieder aus

[391] Der Gedanke des Almosens ist hier als sekundär-christliches Phänomen ausgeschlossen.

[392] Mit ‚alles verkaufen' meint Chrysostomus nicht (Hom. 11, 3 in Act), gerade in der Auslegung der frühchristlichen Praxis, daß man zum Bettler wird; es soll das Teilen bedeuten – anders wäre der ganze von ihm entwickelte Plan sinnlos und utopisch (PG 60, 97).

[393] Ebd. „. . . daraus wird deutlich, was damals geschah, daß die Verkaufenden nicht bedürftig waren, sondern daß sie auch die Armen reich machten."

[394] Ebd. „Denn wenn alle Männer und Frauen ihre Güter verkauften und Ländereien und Besitzungen und Häuser veräußerten . . ."

[395] Ebd. „Deshalb heißt es ‚Charis', weil keiner bedürftig war" (96).

[396] Hom. 11, 3 in Act (PG 60, 97f.).

[397] Zur Wirkungsgeschichte vgl. P. C. Bori, Ciesa primitiva. L'immagine della communità delle orgini – Atti 2,42–47; 4,32–37 – nella storia della chiesa antica, bes. 233–287

der Wüste in die Stadt einzuführen; die Klöster als Notsignal zu interpretieren; zu beklagen, daß die wenigen, die ‚philosophisch' leben wollen, unter dem Vorwand der eigenen Sicherheit sich zurückziehen. Insofern steht diese Homilie durchaus nicht isoliert unter den Homilien, sondern konkretisiert eine Gegentendenz zur kirchengeschichtlichen Entwicklung; diese geht dahin, radikales Christentum außerhalb der Stadtgemeinden und der Gesellschaft zu leben und es den Mönchen vorzubehalten.

Chrysostomus erwähnt selbst, daß die Mönche in den Klöstern jetzt noch so leben wie die Gläubigen in Jerusalem;[398] aber den entscheidenden Unterschied läßt er selbst mit aller Deutlichkeit in dem, was er als Auslegung von Apg. 4 vorträgt, hervortreten: Die Aktualisierung der frühchristlichen Praxis fordert nicht Klöster, sondern analog der Jerusalemer Gemeinde als ihren genuinen Ort wieder Stadtgemeinden. In ihnen wären die Klassenunterschiede zwischen Armen und Reichen aufgehoben. M. a. W. christliche Praxis, würde sie getan, implizierte eine humane Gesellschaftsordnung.[399]

Worin diese bestehen würde, veranschaulicht Chrysostomus zunächst anhand einer Art Überschlagsrechnung; er summiert das Vermögen der Christen von Konstantinopel um zu beweisen, daß, wenn sie ihren Besitz zusammenlegten, niemand mehr arm sein müßte. Dieser Ausgleich wäre sogar bei der großen Zahl der Christen in dieser Stadt eher und wirkungsvoller möglich als bei den dreitausend bzw. fünftausend Gläubigen in Jerusalem.

In diesen Gedanken schiebt er einen Exkurs ein, der syntaktisch den Duktus der Rede unterbricht.[400] Er bietet eine Reflexion über die effektivste Form der Nutzung der Güter:

> „Um zu zeigen, daß die Zersplitterung
> Kosten und Armut verursacht:
> Nehmen wir ein Haus mit zehn Kindern, einen Mann, eine Frau: sie betreibe Weberei, er erwerbe außerhalb des Hauses seinen Unterhalt. Sage mir nun:
> Brauchen sie mehr, wenn sie zusammen essen,

die Autoren des 4. Jahrhunderts, die schon rein statistisch die mehrzahl der direkten und indirekten Berufungen auf diese texte aufweisen.

[398] Hom. 11, 3 in Act: „So leben die in den Monasterien jetzt, wie damals die Gläubigen" (97).

[399] Ebd. πείσθητέ μοι μόνον, κατὰ τᾶξιν κατορθώσομεν τὰ πράγματα· καὶ ἂν ὁ θεὸς ζωὴν δῷ, πιστεύω, ὅτι ταχέως εἰς ταύτην ἄξωμεν τὴν πολιτείαν (98). K. Farner (Theologie des Kommunismus? 64) interpretiert πολιτεία an dieser Stelle mit „Gemeinwesen", die lateinische Übersetzung mit „vitae rationem".

[400] Der Exkurs erscheint eingerahmt von rhetorischen Fragen, die sich alle auf den großen Plan beziehen und in sich zusammengehören:
τίς δε οὐκ ἂν καὶ τῶν ἔξωθεν ἐπέδωκεν;
τίς ἂν ἀπέθανεν οὖν ἀπο λιμοῦ;
τίς δε οὐ διετράφη μετὰ ἀφθονίας πολλῆς; (97).

ein Haus bewohnen oder wenn sie getrennt leben?
Offenbar, wenn sie getrennt leben.
Wenn die zehn Kinder sich trennten,
brauchen sie zehn Häuser, zehn Tische . . .
Wie hält man es, wo eine Menge Sklaven ist:
Haben nicht alle deswegen nur einen Tisch,
damit der Aufwand nicht zu groß wird?
Die Trennung verursacht immer Minderung,
die Eintracht und Übereinstimmung aber Vermehrung."[401]

Vor allem mit Berufung auf diese Stelle folgert K. Farner: „Aus dieser Predigt geht mit hinreichender Deutlichkeit hervor, daß Johannes Chrysostomus, im Unterschied von fast allen anderen Kirchenvätern, sich präzisere Vorstellungen von einer kommunistischen Wirtschaftsweise gemacht hat. Erstens haben wir es hier mit einem produktiven Kommunismus zu tun, zweitens treten nationalökonomische Gesichtspunkte auf (Arbeitsteilung und Kooperation als produktivitätssteigernd), drittens soziologische Gesichtspunkte (Eigentumsverhältnisse als soziale und individuelle Moral bedingend).[402]

Ob dieser Rekurs auf kommunistische Ideen zu Recht besteht, kann vielleicht eher entschieden werden, wenn der Kontext näher untersucht wird; denn so sehr der Exkurs eine Unterbrechung des syntaktischen Gefälles darstellt, inhaltlich bietet er eine Verdeutlichung des zugrundeliegenden Prinzips.

Dieses nennt Chrysostomus je innerhalb seines ‚Planes' und im Exkurs: Der Aufwand verringert sich,[403] wenn die täglichen Lebensbedürfnisse wie Essen[404] gemeinsam befriedigt werden, und wenn die Lebensform daran orientiert ist, die vorhandenen Güter optimal zu nutzen.[405] Dies wäre möglich, wenn alle ihren Besitz zur Disposition stellten; das Miteinander-Teilen würde Vermehrung, nicht Minderung bedeuten, weil es neben der Aufhebung der Armut einen vernünftigeren Gebrauch der Güter erlaubt. Das ‚Frei-werden' der Güter vom individuellen Besitz- und Verwendungsanspruch ist gleichbedeutend mit deren Anwachsen, nicht weil die Summe der Güter ansteigt, sondern ihre Effizienz und Verwendbarkeit. So kann Chrysostomus sagen, daß die frühe Gemeinde im Überfluß gelebt habe, und daß auch jetzt Reiche und Arme in größerem Glück leben könnten, wenn sie es hielten wie die Ersten:

„Wegen der großen Bereitwilligkeit der Geber war niemand arm;
nicht gaben sie nämlich einen Teil,

[401] Hom. 12, 3 in Act (PG 60, 97).
[402] K. Farner, Theologie des Kommunismus? 64.
[403] Ebd.: οὐδὲ πολλῆς ἂν ἐδέησε δαπάνης . . . ὥστε μὴ πολλὴν γενέσθαι τὴν δαπάνην.
[404] Ebd.: κοινῆς τῆς τροφῆς γινομένης . . . συσσίτων τῶν ὄντων . . . κοινῇ σιτούμενοι.
[405] Ebd. οἰκίαν . . μίαν τράπεζαν.

für den anderen bestimmten sie nach Gutdünken;
noch gaben sie alles (οὐδὲ πάντα μὲν);
noch verwahrten sie es als Eigentum (ὡς ἰδία δέ);
die Ungleichheit entfernten sie aus ihrer Mitte (ἀνωμαλίαν)
und lebten in großem Überfluß (ἐν ἀφθονίᾳ ἔζων πολλῇ).
Und sie verfuhren mit großer Ehrerbietung:
Sie wagten nicht, in die Hände zu geben,
noch gaben sie aufgeblasen,
sondern trugen bei ihren Füßen zusammen,
ließen sie Verwalter sein, machten sie zu Herren,
damit künftig verbraucht würde wie aus Gemeinsamem,
nicht wie aus Eigenem (ὡς ἐκ κοινῶν .. ἀλλὰ μὴ ὡς ἐξ ἰδίων).
Dies geschah, damit sie nicht in Selbstruhm verfielen."[406]

Als Aussageabsicht läßt sich ein Zweifaches erheben: Die Armut – und damit die Ungleichheit – wird dadurch aufgehoben, daß der Ausgleich nicht unmittelbar zwischen Geber und Empfänger vollzogen wird, sondern über eine dritte Instanz, die Apostel; so ist die Ehre des Empfängers gewahrt und dem Hochmut des Gebers gewehrt; aufgrund der Vermittlung gewinnen die Güter einen anderen Charakter, der Empfänger erhält kein Almosen aus Privatvermögen mehr, sondern gewinnt Anteil am objektiv vorhandenen Ganzen des Vermögens aller.

Chrysostomus versteht unter Ausgleich nicht einfach eine Umverteilung des vorhandenen Besitzes; er berücksichtigt die Empfindlichkeit der Armen und gleichermaßen den Hochmut der Reichen; wegen beidem geschieht die Anteilgabe ὡς ἐκ κοινῶν.

Der Gedanke der Vermittlung wird in der Aktualisierung in doppelter Weise aufgenommen. Dem παρὰ πόδας ἔφερον entspricht die Forderung φερέτωσαν εἰς μέσον; ein Subjekt der Vermittlung wird nun nicht angegeben, aber der Sache nach genannt. Das Resümee des Exkurses, das F. Farner übersetzt mit „Die Zersplitterung führt regelmäßig zur Abnahme. Zusammenhalt und Zusammenarbeit zu Zunahme",[407] verbirgt mehr als eine ‚kommunistische Wirtschafts-

[406] Ebd. 96 f.

[407] Bei Aristoteles begegnet der Begriff ὁμονοία im Zusammenhang mit der Freundschaft (Eth. Nic. VIII, 1 1154a 25: ἡ γὰρ ὁμόνοια τι τῇ φιλίᾳ ἔοικεν εἶναι) und bildet in der Anwendung auf die Polis den Gegenbegriff zu στάσις (Ebd. IX, 6 1167a 22 – 1167b 15): πολιτικὴ φιλία .. ἡ ὁμόνοια. In der Stoa erscheint der Begriff losgelöst von der Polis und wird auf den Gesinnungsgenossen, den Weisen, übertragen, so nach Stobaeus (Ecl. II, 188, 5): φιλίαν ἐν σοφοῖς ἐπεὶ .. ὁμόνοια (SVF III, 161). Als Definition bietet er (Ecl. II, 93, 19): τὴν δέ ὁμόνοιαν ἐπιστήμην εἶναι κοινῶν ἀγαθῶν, δὶ ὅ καὶ τοὺς σπουδαίους πάντας ὁμονοεῖν ἀλλήλοις διὰ τὸ συμφωνεῖν ἐν τοῖς κατὰ τὸν βίον (SVF III, 160). Der Gegenbegriff ist nach Stobaeus (Ecl. II, 7) so definiert: τὴν δὲ ἔχθραν ἀσυμφωνίαν εἶναι .. καὶ διχόνοιαν (SVF III, 160). Vgl. J.-C. Fraisse, Philia. La notion d'amitie dans la philosophie antique, zu Aristoteles 189ff., zur Stoa 331ff.

form', und etwas anderes. Zunächst ist festzuhalten, daß sich die verwendeten Begriffe (ὁμονοία, συμφωνία) nur mittelbar auf die Güter und eine Wirtschaftsform beziehen; unmittelbar umschreiben sie das Verhältnis der Menschen untereinander; die Form der Nutzung der Güter, ihre Ab- bzw. Zunahme ist funktional abhängig von der Weise des Zusammenhanges der Menschen. Die positive Charakterisierung des Verhältnisses unter Menschen entnimmt Chrysostomus der antiken Philosophie der Freundschaft[407] und verwendet sie zur Beschreibung des Verhältnisses der Christen untereinander,[408] vor allem aber zur Definition der Kirche.[409] Durch diese Übertragung und Neuverwendung philosophischer Begrifflichkeit gewinnt auch der Gegenbegriff διαίρεσις seine Bedeutung: Er meint analog zu ἔχθρα, ἀσυμφωνία im philosophischen Zusammenhang der Freundschaft das Spezifische des christlichen Verständnisses der Spaltung und Nicht-einheit der Christen der Kirche.[410]

So läßt sich sagen:
Chrysostomus aktualisiert den in der Apostelgeschichte beschriebenen Ausgleich zwischen arm und reich in der Weise, daß an die Stelle der Apostel als der Vermittler zwischen den ,Klassen' jetzt die Kirche tritt, die analog zum philosophischen Prinzip der Freundschaft, aber als eine reale Größe, insofern sie deren Merkmale trägt, nicht nur einen Ausgleich ermöglicht, sondern darüber hinaus eine größere Fülle und Reichtum für Reiche und Arme. Chrysostomus beschreibt also nicht primär eine Wirtschaftsform, sondern das zugrundeliegende Prinzip ,Kirche' in Anlehnung an die Theorie der antiken Freundschaft.
Daß diese neue – im Unterschied zu den bestehenden Verhältnissen, die unter Menschen dominieren – Basis Konsequenzen auch für den Bereich des Besitzes und Eigentums hat, ist schon der Theorie der

[408] Zur gegenseitigen Interpretation von antiker Freundschaft samt dem zugehörigen Begriffsfeld und christlicher Einheit verwendet Chrysostomus (Hom. 40, 4 in Act) das Bild der zusammenklingenden Saiten einer Zither, um die Einheit vieler zu beschreiben: ψυχὴν μίαν, μίαν συμφωνίαν, ἁρμονία (PG 60, 286f.). Zur Herkunft und Verwendung dieser Metaphern, vgl. K.-H. Rolke, Die bildhaften Vergleiche in den Fragmenten der Stoiker, 66f. 279ff.

[409] Vor allem Com. in Gal 1: Τὸ γὰρ τῆς Ἐκκλησίας ὄνομα συμφωνίας ὄνομα καὶ ὁμονοίας ἐστὶ ... συνάγων εἰς ἕν (PG 61, 616).

[410] Interessant ist der Wechsel vom neutralen διασπάζεσθαι zu dem Terminus διαίρεσις, den Chrysostomus an dieser Stelle bewußt vollzieht. Gemeint ist nicht die Häresie im dogmatisch-kirchenrechtlichen Sinne, aber die darunterliegende Gespaltenheit der Christen bezüglich der realen Dinge wie Besitz usw., die der Einheit entgegensteht, wozu sie von Gott berufen sind (Expos. in Ps. 48, 2): „Wenn schon die zeitlichen und göttlichen Dinge gleich sind, warum bringst du den Antrieb zur Spaltung auf" (PG 55, 224), ähnlich (Hom. in dictum Pauli, oportet haereses esse 4): διπλοῦν τὸ δεινόν, τῆς ἰσότητος διαφθαρείσης τοῦτο αἱρέσεις καλεῖ (PG 51, 258).

Freundschaft eigen.[411] Dies wird im Christlichen übernommen als mögliches Interpretament der frühchristlichen Praxis und deren Aktualisierung – aber mit Hilfe einer neuen Realität, der Kirche.
Insofern durch die Kirche als eine soziale Größe die Einheit unter den Christen vorgegeben ist,[412] umfaßt diese auch den Bereich des Besitzes und Eigentums und ordnet ihn neu. Dieses christliche Grundwissen, wie es die Apostelgeschichte als Praxis bezeugt, versucht Chrysostomus seinen Zuhörern nahezubringen und anhand des Exkurses zu veranschaulichen: Er aktualisiert das Prinzip ‚Kirche' als die Bedingung der Möglichkeit für die Aufhebung der Klassen und ihrer realen Vermittlung, wobei die unter Christen bestehende Gemeinsamkeit durch die ‚Merkwürdigkeit' ausgezeichnet ist, daß sie nicht ein ‚Weniger' hervorbringt, sondern ein ‚Mehr' für alle.
In solchen Ausführungen des Chrysostomus den Entwurf einer kommunistischen Wirtschaftsordnung zu sehen, ist nur bedingt und unter Vorbehalten möglich; denn einerseits wird der theologische Hintergrund, ohne den solche Aussagen nicht denkbar wären, unterschlagen; Chrysostomus trägt die Lehre von den sozialen Implikationen der Kirche vor und keine allgemeingültige Eigentums- und Wirtschaftsordnung; zum anderen kann nicht übersehen werden, daß die Bedeutung des κοινόν im Kontext der antiken Polemik und der differenzierten Interpretation, die Chrysostomus auch bietet, nicht schlechthin mit ‚kommunistisch' in unserem modernen Verständnis identisch ist. Es bleibt gebunden an die Freiwilligkeit und bezeichnet vor allem negativ die Abwesenheit der Habsucht, nicht eine positive Form von Wirtschaftsordnung.
Nur grundsätzlich scheint Farner in seiner Kritik an Schilling und anderen Autoren insofern im Recht, als er durch sie verstellt findet, was tatsächlich als Ähnlichkeit zwischen den Vätern des 4. Jahrhunderts und der kommunistischen Lösung der Aufhebung der Klassen bestehen bleibt: ihre Radikalität. Beiden ‚Lösungen' ist gemeinsam, daß die Aufhebung der Klassengegensätze wesentlich an die Frage des Eigentums – des Besitzen-wollens – geknüpft ist, und daß eine halbe Lösung keine Lösung bringt. Insofern bestehen zwischen dem radikalen Verzicht und der Enteignung strukturelle Beziehungen, weil beide aus dem Wissen geboren sind, daß anders ein Ausgleich, der mehr ist als Almosen, nicht hergestellt werden kann.
Chrysostomus bietet einen Entwurf des Ausgleichs zwischen reich und arm, der gleichermaßen christliche wie gemein-antike Gedanken aufnimmt. Dabei zeigt er sich vor allem inspiriert von der frühen Gemeinde in Jerusalem und der philosophischen Idee der Freund-

[411] Vgl. J.-C. Fraisse, Philia, 64.
[412] Vgl. Hom. de res. DNJChr. 3: „Ein Tisch für den Reichen und für den Armen ..." (PG 50, 437); Expos. in Ps 48, 2 (PG 55, 224).

schaft. Beide Traditionen dienen ihm als Interpretamente, um den christlich möglichen Weg des Ausgleichs zu beschreiben.
Trotz der vielfachen Verweise auf das Mönchtum[413] versucht er, einen für alle Christen praktizierbaren Weg in seinen Strukturen aufzuzeigen. Von daher wird erklärlich, warum im Schnittpunkt der verschiedenen Traditionen das Prinzip ,Kirche' steht. Auf die Kirche appliziert Chrysostomus die Idee der antiken Freundschaft; in ihr ist die Einheit und Übereinstimmung zwischen den Menschen vorgegeben und anschaubar;[414] innerhalb des Raumes der Kirche führt freiwilliger Verzicht nicht in Armut, sondern in größeren Reichtum; sie bildet den realen Ort der Vermittlung zwischen Armen und Reichen, weil in ihr alle gleich sind und gleichen Anteil an ihren Gütern haben.[415] In ihr sind die Klassen aufgehoben.[416] Insofern kann man sagen, ist der Entwurf des Ausgleichs, den Chrysostomus bietet, die Ausfaltung dessen, was Kirche ist – in der geschichtlichen Gestalt des 4. Jahrhunderts und angesichts der Herausforderung, die die antike Tradition darstellt.
Deswegen geht es auch nicht an, die Forderung des Chrysostomus an die Christen seiner Zeit, entsprechend dem Wesen der Kirche den Ausgleich zwischen Reichen und Armen auch in der Praxis des Lebens zu realisieren, als rhetorischen Überschwang und Entgleisung zu qualifizieren. Denn eine solche Interpretation verkennt, daß die inhaltliche Ausfüllung und Beschreibung des dem Christentum adäquaten Weges in der Frage von Reichtum und Armut von Chrysostomus nicht anders als in Analogie zum gleichzeitigen Mönchtum, zur philosophischen Tradition der Antike und zur christlichen Überlieferung geleistet werden konnte.

413 Chrysostomus nennt die Klöster in Anlehnung an Lucian (Hermot. 22f.) selbst (Hom. 72, 3 in Mt) „Stadt der Tugend" (ἐπὶ τὴν πόλιν τῆς ἀρετῆς), für die es kennzeichnend ist, daß es weder Sklave noch Freien, weder Armen noch Reichen gibt (PG 58, 671). Die Utopie des Lucian hat nach seiner Auffassung in den Klöstern einen realen Ort gefunden.

414 Chrysostomus nimmt die stoische Oikeiosis-Lehre auf und interpretiert sie neu (Hom. 15, 3 in Joh): ἕνωσιν .. οὐ γὰρ ὅσην φίλους πρὸς φίλους ἐπιδείκνυσθαι χρὴ τὴν ἐγγύτητα καὶ τοσαύτην ἡμᾶς δεῖ ἔχειν τὴν πρὸς ἀλλήλους οἰκείωσιν, ἀλλ' ὅσην μέλος πρὸς μέλος. Τοῦτον γὰρ τὸν τρόπον τῆς φιλίας ... οἰκείωσιν ... εὕροι (PG 59, 101); ähnlich in: Hom. de res. DNJChr. 3 (PG 50, 438) und Hom. de studio praesentium 4 (PG 63, 487).

415 Wie wenig inhaltlich bestimmt das κοινόν ist und gleichzeitig eingebunden in die antike Tradition der Beschreibung des ,Urstandes', kann ein Vergleich zweier Stellen zeigen, die die Weise des gemeinsamen Gebrauchs andeuten. Chrysostomus (Hom. in dictum Pauli, oportet haereses esse 2) deutet die Praxis der frühen Gemeinde: πάντων ὄντων ἐν ἰσότητι μιᾷ καὶ τῶν χρημάτων ἀναμιχθέντων ἁπάντων (PG 51, 256), und Seneca (Ep. 90, 36) deutet den Urstand: „Fortunata tempora, cum in medio iacerent beneficia naturae promiscua utenda" (Reynolds II, 341).

416 Vgl. Hom. 1, 3 in Rom (PG 60, 399).

Eine andere Handhabe der Veranschaulichung war ihm nicht vorgegeben, auch wenn seine Intention in eine andere Richtung geht. Insofern wird verständlich, warum unklar bleibt, was Chrysostomus unter κοινόν versteht, warum er sich an die retrospektive Utopie der Antike wie an die frühchristliche Praxis anlehnt, um damit festzuhalten, was als christliche Praxis in den Stadtgemeinden möglich wäre. Chrysostomus hält eine Erinnerung wach, die über das Almosen hinausgeht, und in der das humane Anliegen sowohl des frühen Christentums wie der Antike konvergieren: die Möglichkeit, den als Ideal vorgestellten Zustand zu erreichen, daß die bestehenden Besitzverhältnisse so verändert werden, daß es keinen Armen mehr gibt. In die Realität der Kirche setzt er das Vertrauen, daß sie erreicht, was die Gesellschaftsentwürfe der philosophischen Tradition als Ziel verfolgten: die Humanisierung der Besitzverhältnisse über die Veränderung des Menschen. Denn in ihr sieht er als Vorgabe präsent, was der antiken Tradition als Bedingung unerläßlich schien: die Übereinstimmung und Gleichheit der Menschen.

Die von ihm selbst vorgebrachte Einrede, daß ein radikaler Ausgleich nicht möglich sei, betrifft die Christen seiner Zeit, nicht die Sache selbst: An ihr hält er fest als einem wesentlichen Moment des Christlichen selbst.

So bleibt die Forderung des Ausgleichs eng verknüpft mit der Kirche als einer ‚neuen Politeia', insofern sie einen realen Ort bereitstellt dafür, „daß die Verkaufenden nicht arm werden, sondern auch die Armen reich machen".[417]

Als charakteristisches Kennzeichen der von Chrysostomus vorgeschlagenen Lösung kann angesehen werden, daß sie auf der Bedingung aufruht, dem Besitz bzw. dem Besitzrecht zu entsagen. Das Neue gegenüber der antiken Tradition beruht nun weder in dieser Radikalität noch in der wie immer gearteten Möglichkeit der Disposition über die Güter (πάντα κοινά .. τὰ πάντων χρῆσθαι .. ὡς ἐκ κοινῶν), sondern daß mit der Kirche ein reales Subjekt des Ausgleichs gegeben ist. Dadurch führt der Verzicht nicht in Asozialität, sondern ermöglicht aufgrund der mit der Kirche theologisch und real vorgegebenen Größe eine neue Einheit, die *das* Problem der antiken Gesellschafts- und Staatsentwürfe lösen konnte: die Übereinstimmung des Einzelnen und des Ganzen.

Wie sehr er sowohl christlichen wie philosophischen Gedanken verpflichtet ist, konnte deutlich werden. Den möglichen Zustand des Ausgleichs, den er beschreibt, könnte man mit Recht eine Synthese dessen nennen, was die christliche und philosophische Tradition zu diesem Thema entwickelt hat. Insofern sind die Anklänge an utopi-

[417] Hom. 11, 3 in Act (PG 60, 97).

sches Denken nicht unbedingt das Anzeichen dafür, daß sich Chrysostomus auf Abwege begibt, sondern könnten sehr wohl dem Bewußtsein entstammen, daß nach seinem Verständnis das Christentum einen realen Ort dafür bietet, was als das humane Anliegen der antiken Tradition formuliert und teilweise praktiziert schon vorlag.
Daß es ihm nicht gelang, den Ausgleich unter den Christen herzustellen, sondern er ähnlich wie Plato in Verbannung geriet, muß nicht als Bestätigung dafür angesehen werden, daß er sich mit dem Almosen als der christlichen Lösung und Möglichkeit zufrieden gegeben hätte. Insofern ist vielleicht das Erstaunlichste an seinem Entwurf, daß er als Ziel nicht wie die Tendenz seiner Zeit das Kloster beschreibt, sondern das Leben der Christen mitten in der Gesellschaft.

c. ‚Freiwillige Knechtschaft' – der christliche Weg zur Beseitigung der Sklaverei

Der Entwurf des Chrysostomus zur christlichen Lösung des Problems der Herrschaft, speziell der Sklaverei, steht an Radikalität demjenigen zur Lösung der Armut nicht nach. Die herbe Kritik von F. Overbeck, „daß das Altertum z. B. die Vorstellung des unveräußerlichen Rechts des Menschen auf Freiheit erzeugt hat, die Kirche dagegen die Erfinderin eines unveräußerlichen Rechts zur Knechtschaft ist",[418] gilt in erster Linie dem Versuch zeitgenössischer, vor allem katholischer Autoren, die nachweisen zu können glaubten, die in der Neuzeit geschehene Aufhebung der Sklaverei sei schließlich doch dem Christentum zu verdanken.[419] Darüber hinaus besitzt Overbeck – sicher mitbedingt durch seine polemische Richtigstellung – ein bestimmtes Vorverständnis dessen, was Aufhebung der Sklaverei und Bemühungen der nach-konstantinischen Kirche in dieser Sache genannt werden kann und was nicht: Er mißt mit dem Maßstab des „Selbstbestimmungsrechts des Individuums".[420]
Ein solches Kriterium an das Verhältnis zur Sklaverei angelegt, mutet ähnlich unzeitgemäß an, wie wenn in der Frage von Besitz und Eigentum nach ‚kommunistischen' Vorbildern Ausschau gehalten wird. Es ist anachronistisch im doppelten Sinne, indem es einerseits das neuzeitliche, individualistische Selbstverständnis des Menschen

[418] Über das Verhältnis der alten Kirche zur Sclaverei, 228.
[419] Ebd. 159f. So ist für F. X. Kiefl unzweifelhaft, „daß der Gedanke einer Aufhebung der Sklaverei zum ersten Male aus der Mitte der christlichen Kirche sich erhebt" (Die Theorien des modernen Sozialismus über den Ursprung des Christentums, 204). Ähnlich urteilt C. Schneider, Geistesgeschichte des antiken Christentums, 741. Zur Meinung der neueren Forschung zur Frage der Sklavenemanzipation vgl. W. Jaeger, Die Sklaverei bei Johannes Chrysostomus, A. 84f.
[420] F. Overbeck, a.a.O. 215.

zurückprojiziert und dem Christentum seine Nicht-durchsetzung im Staat vorhält, andererseits die Intentionen eines Mannes wie Chrysostomus, auch wenn sie im Zusammenhang wohl gewürdigt werden, doch weitgehend verkürzt.[421]
Die nachdenkliche Frage E. Schweizers: „Könnte es nicht sein, daß es Jesus wie Paulus zentral um etwas ginge, das noch wichtiger wäre als die zwanghafte Veränderung der Verhältnisse zum Besseren“,[422] müßte auch bezüglich der Aussagen des Chrysostomus geltend gemacht werden. Der Gedanke einer ‚politischen Emanzipation‘ der Sklaven[423] gegen die bestehende Gesellschaftsordnung mit Hilfe oder Zwangsmitteln des Staates liegt Chrysostomus fern; nicht nur deswegen, weil er Zwang und Gewalt als Mittel überhaupt ablehnt,[424] sondern vor allem aufgrund seiner überaus kritischen Einstellung zum Staat als Institution.[425] Gegenüber der auf Zwang beruhenden Ordnung des Staates sieht Chrysostomus gerade das Eigentümliche des Christentums darin, daß es die absolute Freiwilligkeit des einzelnen voraussetzt.[426] Weder kann einer zum Glauben gezwungen werden, noch

[421] P. Stuhlmacher verfolgt die Wirkungs- und Auslegungsgeschichte des Philemon-Briefes bei Theodoret von Kyrus und Johannes Chrysostomus (58ff.) und ordnet beide der „antiemanzipatorischen Linie“ gegenüber Schwärmern zu (Der Brief an Philemon, 65).

[422] Zum Sklavenproblem im Neuen Testament, in: Ev Th 32 (1972) 502–505, hier 505. P. Stuhlmacher beschreibt den anders gearteten christlichen Standpunkt in der Sklavenfrage sehr gut: „Vom eschatologisch-neuen Standpunkt des Evangeliums und der in Christus neu eröffneten, aber auch zugemuteten Liebe aus wird die alte Welt in Gebrauch genommen, ohne ihrerseits zwingend vorschreiben zu können, was möglich und was unmöglich sei“ (Der Brief an Philemon, 66).

[423] Die politische Emanzipation vermißt F. Overbeck im Programm der alten Kirche (Über das Verhältnis der alten Kirche zur Sclaverei, 214. 218). Kennzeichnend für die Haltung des Chrysostomus ist auch, daß er die Diskussion des Besitzes christlicher Sklaven durch Juden nicht erwähnt, obwohl sie seine Zeit sehr bewegte, vgl. W. Jaeger, Die Sklaverei bei Johannes Chrysostomus, A 51f.

[424] Hier äußert sich Chrysostomus eindeutig (De S. Babyla contr. Jud. 3): „Es ist den Christen nicht erlaubt, mit Zwang oder Gewalt den Irrtum zu beheben, sondern mit Überzeugung und mit Vernunft“ (PG 50, 537). Wie wenig diese Toleranz geübt wurde, beklagen Libanius (Or. 30, 29) in Kleinasien (Foerster III, 102) und Eunapius (Vit. Soph. 472) wegen der Vorgänge in Ägypten (Wright 424); vgl. H. Dörries, Konstantinische Wende und Glaubensfreiheit, in: Wort und Stunde I, 64f.

[425] Die Knechtschaft des Staates gegenüber den anderen Formen der Herrschaft nennt er (Sermo 4, 2 in Gen) φορτικώτερος καὶ πολὺ φοβερώτερος (PG 54, 596); an anderer Stelle (Hom. 15, 5 in Phil) schildert er die inneren, skandalösen Verhältnisse am kaiserlichen Hof (PG 62, 294f.); vgl. A. M. Ritter, Das Charismaverständnis des Johannes Chrysostomus, 88 A. 67.

[426] Zum Unterschied von staatlicher und kirchlicher Herrschaft führt er kritisch aus (Hom. 15, 4 in 2 Cor): „Dort geschieht alles aus Furcht und aus Zwang, hier dagegen aus freiem Willen und freiem Entschluß“ (PG 61, 509); vgl. auch Hom. 4, 5 in illud, vidi dominum (PG 56, 126f.). Die Freiheit zum Glauben hält Chrysostomus ausdrücklich fest (Hom. 14, 1 in 1 Tim): καθ' ἕκαστον ἔστι πιστεύειν καὶ μὴ πιστεύειν (PG 62, 571).

dazu, sein Vermögen aufzugeben oder seine Sklaven freizulassen – Chrysostomus insistiert auf der Eigengesetzlichkeit und Andersartigkeit der Kirche gegenüber dem Staat,[427] obwohl das Christentum staatskirchlich geworden ist.
Das Verhältnis von Distance und Loyalität, das im ausgehenden 4. Jahrhundert charakteristisch ist für die Beziehung zwischen Kirche und Staat,[428] versteht Chrysostomus im Sinne der Eigengesetzlichkeit des Christentums:[429] Für die Christen gelten innerhalb der Kirche andere Gesetze als im Staat,[430] sind die Rangordnungen aufgehoben, die am Hof oder vor Gericht gelten.[431]
Staat und Kirche sind weit davon entfernt, in eins zu fallen: Chrysostomus sieht die Funktion der staatlichen Obrigkeit darin, daß sie einen geordneten Rahmen bereitstellt, innerhalb dessen sich christliches Leben entfalten kann.[432]
Nach der Auffassung, die Chrysostomus in der 23. Homilie zum Römerbrief vorträgt, beruht die Ordnung des staatlichen Lebens auf einem vielfältigen Verhältnis der Über- und Unterordnung;[433] diese

[427] Vgl. Hom. 1, 8 in Mt (PG 57, 23).

[428] So kennzeichnet W. Schneemelcher das Verhältnis: „Die Kirche steht im Imperium, wirkt in ihrer Zeit ... hat aber einen Auftrag, der sie zur prophetisch-kritischen Haltung auch dem Kaiser gegenüber ruft, befähigt und autorisiert" (Kirche und Staat im 4. Jahrhundert, in: Die Kirche angesichts der konstantinischen Wende, 123–148, hier 139); vgl. G. May, Die großen Kappadokier und die staatliche Kirchenpolitik von Valens bis Theodosius, ebd. 323–336.

[429] In der Anmaßung des Königs Ozia 2 Chr 26,18 sieht Chrysostomus die Gefährdung des kirchlichen Eigenbereichs typologisch vorgebildet und legt diese Stelle so aus (Hom. in illud, vidi dominum 4), daß die aktuelle Situation seiner Zeit deutlich wird (PG 56, 125f.). In ähnlicher Weise hat der hl. Babylas (Hom. de S. Babyl. 6) dem Eingriff seitens des Kaisers Widerstand entgegengebracht: Chrysostomus rühmt vor allem seine ‚Parrhesie' (PG 50, 542), die in ähnlicher Weise Diogenes Laertius (VI, 69) an Diogenes rühmt (Hicks II, 70). Von Bedeutung in diesem Zusammenhang ist der Gedanke der Fremdlingschaft der Christen (Hom. 23,3 in Rom), die nicht nur Distance zum Staat schafft (PG 60, 618), sondern auch ein neues Verhältnis der Freiheit (Sermo 4, 2 in Gen): „Nicht bedarf derjenige, der mit Bedacht lebt, der Gesetze und untersteht keiner Herrschaft" (PG 54, 596).

[430] Vgl. Hom. 12, 5 in 1 Cor (PG 61, 102); Hom. 56, 2 in Gen (PG 54, 488); an anderer Stelle (Hom. 1, 8 in Mt) schildert er die Gegensätze, die Kirche und Staat kennzeichnen (PG 57, 23f.).

[431] Reiche und Arme werden vor Gericht und am Hof verschieden behandelt (Expos. in Ps 48,2), in der Kirche gelten diese Rangunterschiede nicht (PG 55, 224). Das ganze staatliche Leben beruht auf dem bleibenden Unterschied des Ranges (Hom. 9, 3 in Eph): Die ὁμοτιμία ist hier im Gegensatz zur Kirche nicht herstellbar, wenn anders der Staat nicht zugrunde gehen soll (PG 62, 73f.).

[432] Vgl. Hom. 23,3 in Rom (PG 60, 617).

[433] Hom. 23, 1 in Rom: ἐπειδὴ γὰρ τὸ ὁμότιμον μάχην πολλὴν (ἀκις) εἰσάγει, πολλὰς ἐποίησε τὰς ἀρχὰς καὶ τὰς ὑποταγὰς, οἷον ὡς ἀνδρὸς καὶ γυναικὸς, ὡς παιδὸς καὶ πατρὸς ... ὡς δούλου καὶ ἐλευθέρου, ὡς ἄρχοντος καὶ ἀρχουμένου ... οὐδὲ γὰρ ἐνταῦθα ὁμότιμα (ἐπὶ τοῦ σώματι) πάντα εἰργάσατο, ἀλλὰ τὸ μὲν ἔλαττον, τὸ δὲ

aufzuheben, wäre gleichbedeutend mit dem Zustand der Anarchie.[434] Deswegen ist der Staat von Gott wegen des allgemeinen Nutzens eingerichtet[435] als ein „Diener",[436] dem ausnahmslos die Christen Anerkennung schulden.

Diese Gedanken sind insofern bemerkenswert, als sie die Erwartung ausschließen, die Aufhebung der Ungleichheit unter Menschen, also der Herrschaftsverhältnisse, könnte vom Staat bewerkstelligt werden; er könnte sich nur selbst aufheben. Zum anderen bieten sie eine Begründung der bestehenden Ungleichheiten unter Menschen, die von der in der Auslegung der Genesis[437] gebotenen abweicht; der fast pragmatisch-positivistischen zum Römerbrief steht eine fast dogmatische gegenüber, insofern sie die Sklaverei mit der Sünde Chams und den Staat mit Nimrod in Beziehung setzt. Einmal beruht die Ordnung unter Menschen gerade auf dem Fehlen der Gleichheit; nach der Genesis-Auslegung geht die Gleichheit durch die Sünde verloren und provoziert die vielfältigen Formen der Herrschaft als 'Heilmittel',[438] die Gott bereitstellt.

Chrysostomus stellt sich mit seiner skeptischen Haltung gegenüber dem Staat und damit jeder Form von Herrschaft in eine Linie mit jenem Strang der antiken Tradition, die in der bestehenden staatlichen und gesellschaftlichen Ordnung das kleinere Übel sieht, insofern sie den 'Weisen' schützt[439] und dem Schwächeren vor der Übermacht

κρεῖττον κατασκεύασε, καὶ τὰ μὲν ἄρχειν τῶν μελῶν, τὰ δὲ ἄρχεσθαι ἐποίησε (PG 60, 615).

[434] Ebd.: καὶ γὰρ ἡ ἀναρχία πανταχοῦ κακὸν καὶ συγχύσεως αἴτιον. κἂν ἀνέλῃς αὐτὰς (τὰς ἀρχὰς), πάντα οἰχήσεται, καὶ οὐ πόλεις, οὐ χωρία, οὐκ οἰκία ... οὐκ ἄλλο οὐδὲν στήσεται, ἀλλὰ πάντα ἀνατραπήσεται, τῶν δυνατωτέρων τοὺς ἀσθενεστέρους καταπινόντων (615/17).

[435] Ebd.: ὡς οὐκ ἐπ' ἀνατροπῇ τῆς κοινῆς πολιτείας ὁ Χριστος τοὺς παρ' αὐτοῦ νόμους εἰσήγαγεν, ἀλλ' ἐπὶ διορθώσει βελτίονι ... ἀλλὰ τοὺς κατὰ ὀφειλὴν κελεύοντας ... ἔδειξε τοῦτο κατὰ ὀφειλὴν γινόμενον ... εἶτα δεικνὺς δὲ τὸ κέρδος τοῦ πράγματος μετὰ τὸν φόβον ... δι' ὧν καὶ τὰ ἡμέτερα σῴζεται (615).

[436] Ebd.: συνεργός ἐστιν ἡμῖν καὶ βοηθὸς ... διάκονος θεοῦ (617).

[437] Die Hauptstellen sind: Sermo 4, 2 in Gen (PG 54, 595f.); Hom. 29, 4f. in Gen (PG 63, 265f.); Hom. 6, 7 de Lazaro (PG 48, 1037f.).

[438] Vgl. Sermo 4, 2 in Gen: οὕτω καὶ ὁ θεὸς τὴν φύσιν τὴν ἡμετέραν καταφρονοῦσαν αὐτοῦ, διὰ τὴν ἀγαθότητα, καθάπερ διδάσκαλος καὶ παιδαγωγοῖς, τοῖς ἄρχουσιν ἐξέδωκεν, ὥστε αὐτοὺς ἐπιστρέψαι αὐτῶν τὴν ῥαθυμίαν ... ὥσπερ γὰρ διὰ τὰ νοσήματα τὰ φάρμακα, οὕτω διὰ τὰ ἁμαρτήματα αἱ κολάσεις (PG 54, 596).

[439] Nach Stobaeus (Flor. 43, 139) vertrat Epikur die Meinung: „Gesetze sind wegen der Weisen gegeben: nicht damit sie nicht Unrecht tun, sondern damit sie nicht Unrecht leiden" (Usener, Epicurea 320). Ähnlich dachte Demokrit über den Sinn des Staates: „Die Pflichten gegenüber dem Gemeinwesen soll man unter allem für die größten halten, auf daß es gut verwaltet werde ... Denn ein wohl verwaltetes Gemeinwesen ist die größte Stütze, und hierin ist alles enthalten. Ist dieses gesund, so bleibt alles gesund, und geht dies zugrunde, so geht alles zusammen zugrunde" (Diels-Kranz, Die Fragmente der Vorsokratiker 252); von Plutarch (Adv. Colot. 1124d) stammt der Satz, daß die Aufhebung der staatlichen Ordnung einen Rückfall in das Leben der

des Stärkeren Sicherheit gewährt.[440] Diese Auffassung, die besonders von Epikur und seiner Schule vertreten wurde, geht im Gegensatz zum Ansatz von Aristoteles davon aus, daß der Mensch von Natur aus nicht gemeinschaftsfähig sei,[441] und daß deswegen eine überindividuelle Ordnungsmacht wie der Staat notwendig sei, um dem einzelnen Schutz vor den anderen zu gewährleisten.

Eine solche Einschätzung des Menschen konvergiert offensichtlich mit derjenigen, die Chrysostomus bezüglich des menschlichen Zusammenlebens – wenn man von ihrer ätiologischen Begründung einmal absieht – teilt: Herrschaft ist notwendig, wenn der Zustand der Anarchie nicht eintreten soll. Es bedarf sowohl in der Familie wie im Staat der Unter- und Überordnung, des Herrschens und Beherrschtwerdens,[442] damit nicht ein Chaos entsteht.

Chrysostomus geht über diese antike Anschauung aber insofern hinaus, als er einen ursprünglichen, herrschaftsfreien Zustand annimmt, der dadurch ausgezeichnet war, daß die Menschen untereinander in einem Verhältnis der ὁμοτιμία sich befanden.[443] Durch die Sünde ging dieser Zustand verloren;[444] der Verlust tritt nach außen in Erscheinung als die Herrschaft von Menschen über Menschen, die als Folgen die Unfreiheit und Ungleichheit der Menschen mit sich bringt[445] und ihnen ihren ursprünglichen Adel raubt, nämlich selbst zu herrschen und nicht beherrscht zu werden.[446]

wilden Tiere bedeute (θηρίων βίος) (Einarson XIV, 294); vgl. R. Müller, Die epikureische Gesellschaftstheorie, 76f.

[440] Vgl. Lucrez (De nat. rer. 1020): „nec laedere nec violari" (Martin 212). Der Nutzen gilt als Hauptmotiv, den anarchischen Zustand durch Vertrag oder Konsens zu beenden, so nach Porphyrius (De abst. I, 7) und Platon (Resp. II 358d–359a): . . . ὥστ' ἐπειδὰν ἀλλήλους ἀδικῶσι τὲ καὶ ἀδικῶνται . . . τὸ δὲ αἱρεῖν δοκεῖ λυσιτελεῖν συνθέσθαι ἀλλήλοις. Bei Chrysostomus begegnet der Gedanke (Hom. 23, 2 in Rom), daß der Herrscher von den Untertanen bezahlt wird aufgrund eines Vertrages, damit er Ordnung hält (PG 60, 617).

[441] Vgl. das Epikur-Fragment bei Lactantius (Div. inst. III, 17, 42) über die Untauglichkeit des Menschen zur Gemeinschaft.

[442] Vgl. die Aussagen des Aristoteles (Eth. Nic. VIII, 7 1158b 11f.) mit Chrysostomus (Hom. 23, 1 in Rom); Aristoteles stellt die Beziehungen unter dem Vorzeichen der Freundschaft dar.

[443] Vgl. Sermo 4, 1 in Gen (PG 54, 494).

[444] Hom. 29, 6f. in Gen: οὐδὲ γὰρ ἦν πρὸ τούτου ἡ βλακεία αὕτη . . . ἀλλ' πολλὴ ἦν ἡ ὁμοτιμία καὶ πᾶσα ἀνωμαλία ἐκποδὼν ἦν (PG 53, 270); Sermo 4, 2 in Gen: . . . καὶ τῶν ἀδελφῶν οἰκέτης . . . προεδρίαν προέδωκεν.

[445] Hom. 29, 6 in Gen: ἐλυμήσατο τὴν ἐλευθερίαν, καὶ διέφθειρε τὴν ἀπὸ τῆς φύσεως δεδομένην ἐξουσίαν καὶ τὴν δουλείαν ἐπεισήγαγεν.

[446] Hom. 8, 4 in Gen: ἐπειδὴ γὰρ κατὰ τὸν τῆς ἀρχῆς λόγον τὸ τῆς εἰκόνος παρείληφε καὶ οὐ κατὰ τὴν μορφὴν . . . ἄρχει πάντων (PG 53, 73); Hom. 9, 2f. in Gen: ὥσπερ Εἰκόνα εἶπε τὴς ἀρχῆς δηλῶν εἰκόνα (PG 53, 78). Die Gottebenbildlichkeit besteht nach Chrysostomus in der Herrschaft des Menschen.

Insofern kann man sagen, gelangt Chrysostomus mit der Herleitung der Herrschaften aus der biblischen Tradition zu einem ähnlichen Ergebnis etwa wie Epikur: Als solcher ist der Mensch nicht in der Lage, Gemeinschaft (im engeren oder weiteren Sinne) zu bilden, ohne daß eine hinzukommende Herrschaft als Regulativ für die zerstörerischen Kräfte[447] präsent ist. Die bestehenden Herrschaftsverhältnisse spiegeln das Wesen des Menschen,[448] insofern sie für den Bestand menschlicher Gemeinschaft unentbehrlich sind; sie bewirken mit Zwang und Gewalt, wozu der Mensch aus sich nicht in der Lage oder willens ist: ein gesittetes, gemeinschaftsfähiges Wesen zu sein.

Der Staat als die extremste Form der Knechtschaft kann nach diesem Denkansatz die Aufhebung der Herrschaft, auch in der Form der Versklavung, nicht leisten. Insofern ist es nur konsequent, wenn Chrysostomus keinerlei Vorstoß in der Richtung politischer Emanzipation unternommen hat. Die politische Ebene ist nicht das Forum, auch nicht die Einwirkung auf die kaiserliche Gesetzgebung; denn die staatliche Ordnung beruht gerade auf dem Fortbestand der Herrschaft von Menschen über Menschen.

Die sozialrevolutionäre Lösung, die im ausgehenden 4. Jahrhundert propagiert und auch praktiziert wurde, lehnt Chrysostomus ebenfalls ab, vor allem im Hinblick auf den nicht-christlichen Teil der Gesellschaft.[449] Eine mit Berufung auf das Christentum geforderte Emanzipation der Sklaven würde eine unzulässige Übertragung des Christlichen auf die Gesamtgesellschaft bedeuten – eine Zumutung, die die nichtchristliche Gesellschaft nicht anders denn als Aufruhr und Revolution, als Bedrohung der bestehenden Gesellschaftsordnung verstehen könnte.[450]

[447] Chrysostomus konstruiert (Hom. 9, 3 in Eph) den Zustand einer Stadt, die aus lauter Habsüchtigen und Gleichen (πάντων πλεονέκτων καὶ ἰσοτίμων) bestehen soll: Sie kann nicht bestehen wegen der Uneinigkeit, die durch die Selbstliebe (φιλαυτία) herrscht. Zur Illustration erzählt er das Beipiel von Raubtieren: „Gleichwie zwei hungrige Raubtiere sich gegenseitig zerfleischen, wenn nicht ein anderes Tier dazwischentritt, das sie verzehren können, ebenso geschieht es bei den Habsüchtigen und Schlechten" (PG 62, 73). Die Furcht vor der Herrschaft hält die Menschen davon ab, sich gegenseitig zu fressen – sie kann die Menschen zügeln und bessern (Hom. 23, 2 in Rom): Sie hat erzieherische Funktion nach Chrysostomus (PG 60, 616f.) und ebenso nach Lucrez (De rer. nat. 1141f.): „Denn das Menschengeschlecht war es müde, ein Leben der Gewalt zu führen ... weil ein jeder im Zorn sich heftiger bereit fand, Rache zu nehmen, als es jetzt nach billigen Gesetzen erlaubt ist ... Von dieser Zeit an befleckt die Furcht vor Strafen die Werte des Lebens" (Martin 217).

[448] Der äußeren Herrschaft entspricht eine innere, nämlich der Sünde und Leidenschaften, die die bestehenden äußeren Verhältnisse verursacht hat.

[449] Vgl. Hom. 19, 5 in 1 Cor (PG 61, 157).

[450] Vgl. H. Bellen, Studien zur Sklavenflucht, bes. 80ff. zur religiös motivierten Flucht als Problem für Kirche und Gesellschaft, und 147ff. zu den Triebkräften der Sklavenflucht.

Das Bewußtsein von der Eigengesetzlichkeit des Christlichen, das Chrysostomus positiv als faktische Differenz der Bereiche von Kirche und Staat definieren kann, bedeutet für ihn negativ, daß auch von der Seite des Christentums die Grenzen nicht verwischt und übersprungen werden dürfen. Weil Kirche nicht mit dem Staat bzw. der gesellschaftlichen Ordnung identisch ist, kann das christlich Mögliche und Gebotene nicht für die nichtchristliche Gesellschaft geltend gemacht werden. Die Adressaten des Chrysostomus sind die Christen von Antiochien und Konstantinopel, nicht die Gesellschaft im allgemeinen. Was er ihnen als Lösung zum Problem der Sklaverei vorträgt, gilt nur für sie und nicht für die Heiden. Insofern ist es kein Versäumnis des Christentums, nicht für die allgemeine Sklavenbefreiung innerhalb der antiken Gesellschaft eingetreten zu sein; dies lag außerhalb seines Auftrags. Chrysostomus versucht das einzig Legitime: die Christen zu bewegen, in ihrer Mitte die Herrschaft von Menschen über Menschen aufzuheben.

aa. Wiederherstellung der ὁμοτιμία

Die Eigenart des christlichen Entwurfs zur Lösung der Sklaverei liegt – und darin besteht eine strukturelle Ähnlichkeit mit der Aufhebung der Klassen von arm und reich – darin, daß er nicht von humanistischen oder sozialen Überlegungen und Postulaten ausgeht, sondern von einem theologischen Grunddatum: Die durch die Sünde[451] verlorene ὁμοτιμία,[452] die in der jedem Menschen verliehenen Gabe der Herrschaft über die Dinge der Welt beschlossen war,[453] ist auf eine die Schöpfungsordnung überbietende Weise unter den Christen wieder-

[451] ‚Sünde' meint einerseits den Ungehorsam gegen Gott, andererseits aber die daraus resultierende, das Verhältnis unter den Menschen bestimmende Störung der ursprünglichen Ordnung. So kann Chrysostomus im Anschluß an die Auslegung des Turmbaus zu Babel (Hom. 30, 2 in Gen) das Wesen des autonomen Menschen in folgender Weise reflektieren: „Sieh, wie die menschliche Natur es nicht erträgt, innerhalb der eigenen Grenzen stehenzubleiben . . ." (PG 53, 275). Hybris, Mehrhaben-wollen stehen in unmittelbarem Zusammenhang mit dieser Grenzüberschreitung des Menschen, der sich von der ursprünglichen ‚Knechtschaft Gottes' bzw. dem von der Natur gesetzten Maß emanzipiert hat.

[452] Chrysostomus verwendet meist ὁμοτιμία/ος, seltener ἰσοτιμία/ος; vgl. Hom. 21, 2 ad pop. Ant. (PG 48, 214); Hom. 1, 3 in Rom (PG 60, 399); Hom. 10, 2 in Joh (PG 59, 75). Die Vorliebe für dieses Begriffsfeld läßt sich von daher begründen, daß es keine eindeutig rechtlich-soziale Komponente hat, die einklagbar wäre; zudem bietet es auch syntaktisch die Möglichkeit, den Urheber zu nennen (Hom. in S. Pascha 4): ὁμοιως ἐτίμησε δούλους καὶ ἐλευθέρους (PG 52, 769).

[453] Von den Sklaven und ihrem ihnen aufgrund der Schöpfung zukommenden Status sagt er (Hom. 16, 2 in 1 Tim): „Frei sind sie von Natur auch. ‚Sie sollen herrschen über die Fische' ‚ist auch zu ihnen gesagt" (PG 62, 590).

hergestellt – nicht als Werk des Menschen, sondern als Tat Gottes.[454]
So kann Chrysostomus den unter Christen herrschenden Zustand als Wiedererreichen des ursprünglichen, paradiesischen Verhältnisses unter Menschen beschreiben.[455] Dabei hat Chrysostomus durchaus nicht nur das Mönchtum vor Augen,[456] sondern meint die unter seiner Kanzel versammelte Stadtgemeinde aus Reichen und Armen, Freien und Sklaven.
Die gottesdienstliche Versammlung versteht Chrysostomus als den Ort, wo zur erfahrbaren Realität wird, daß unter Christen die in der Gesellschaft und im Staat geltenden Standesunterschiede außer Kraft gesetzt sind, und alle die gleiche Ehre genießen.[457] Jeder genießt die Rechte wie eines freien Bürgers;[458] ein Armer oder ein Sklave zu sein,[459] bedeutet hier keine Schande, ebenso wie es keinen Vorzug bedeutet, reich oder frei zu sein.[460] Die in der Kirche hergestellte

[454] Das Heilshandeln Gottes beinhaltet (Expos. in Ps 46, 4): „Er zerbrach die Macht der Sünde, veränderte alles zum Besseren, brachte uns zurück zur ursprünglichen, besseren Heimat“ (PG 55, 214). Die Ausbreitung des Christentums hat als Folgen (Expos. in Ps 59, 5): „Alle alten Übel wurden aufgehoben, das Paradies wurde aufgetan“ (PG 55, 272).

[455] Der Zustand im Paradies (Hom. 29, 5 in Gen) ist zur Zeit des Neuen Testamentes wiederhergestellt (Hom. in S. Pascha 3): Kennezeichen sind die ‚Gleichheit der Ehre‘ und die Aufhebung der Klassenunterschiede (PG 52, 769).

[456] Vgl. Hom. 69, 3 in Mt (PG 58, 653); Hom. 14, 4f. in 1 Tim (PG 62, 375f.).

[457] Vor allem in drei Predigten (Hom. de res. DNJChr 3f., Hom. de S. Pascha 3f., und Hom. de studio praesentium 2) entfaltet Chrysostomus die klassenaufhebende Wirkung des Christentums und besonders der christlichen Versammlung zum Gottesdienst. Ihr Spezifisches hebt er (Hom. in S. Pascha 3) durch den Kontrast zu Festversammlungen der Gesellschaft (βιωτικαὶ ἑορταί) und den sie prägenden Klassenunterschieden hervor bzw. (Hom de studio praesentium 2) durch den Gegensatz zum kaiserlichen Hof: „In den kaiserlichen Palästen ist es nicht so . . . hier dagegen sieht man keinen Sklaven, keinen Freien, sondern jede Art solcher (gesellschaftlich gemachter) Ungleichheit ist hier verbannt“ (PG 63, 487); dem aufgehobenen Negativen entspricht an positiv Gesetztem (Hom. de studio praesentium 2): ἀλλὰ πάντες τῆς αὐτῆς ἰσοτιμίας ἀπολαύοντες... αὐτῇ τιμῇ (487) und ähnlich (Hom. in S. Pascha 4.5): μετὰ τῆς αὐτῆς τιμῆς, καὶ ὅτι καὶ πλουσίους καὶ πένητας ὁμοίως ἐτίμησε (PG 52, 769).

[458] Die Rechte der Freien werden in der Kirche von allen wahrgenommen, auch von den Sklaven (Hom. de studio praesentium 2): καὶ ἰσηγορία πολλὴ ... οὐδὲ γὰρ ἔστι εἰπεῖν, ὅτι ... δεσπότης μετὰ πολλῆς παῤῥησίας. vgl. dazu Platon (Resp. VII 557b 4f.): οὐκοῦν πρῶτον μὲν δὲ ἐλεύθεροι, καὶ ἐλευθερίας ἡ πόλις μεστὴ καὶ παρρησίας γίγνεται ... und Polybius (IV, 31,4: ἐπεὶ τὶ καὶ θρασύομεν τὴν ἰσηγορίαν καὶ παρρησίαν καὶ τὸ ἐλευθερίας ὄνομα πάντες (Foucault IV, 64).

[459] Hom. de studio praesentium 2: οὐδ᾽ ἔχει τὶ πλέον οὗτος ἐκείνου, ἡ διαφορὰ δὲ οὐκ ἐν τῷ δούλῳ, noch deutlicher (Hom. in S. Pascha 4): κἂν πένης ᾖ, οὐδὲν ἔλαττον ἕξεις τοῦ πλούτου.

[460] Hom. de res. DNJChr. 3: οὐκ ἔστι τοίνυν ἐν τῇ Ἐκκλησίᾳ δοῦλος καὶ ἐλεύθερος (437) und (Hom. in S. Pascha 4): κἂν πλούσιός ἦς, οὐδὲν πλεονάζεις τοῦ πένητος (Ebd. 769).

Gleichheit verdankt sich nicht menschlichem Tun, sondern ist von Gott gestiftet:[461] Sie geht nicht von den Menschen aus, sondern ist die Folge des Handelns Gottes, das die Christen gleich betrifft und beschenkt.[462]
Gerade indem Chrysostomus Begriffe wie ‚Meinungsfreiheit', ‚Freimut', die die Rechte des freigeborenen Bürgers der Polis umschreiben, auf den Bereich der Kirche überträgt und für Sklaven und Freie in gleicher Weise reklamiert, wird deutlich, daß die unter den Christen hergestellte Gleichheit in Analogie zur übrigen Gesellschaft steht: Insofern die Christen eine Art von Gesellschaft sind, beruht ihr Verhältnis untereinander nicht auf den natürlichen Vorzügen von freier, edler Geburt,[463] sondern auf der gemeinsamen Berufung, den geistlichen Gütern.[464] Weil diese an Wert die Schranken der Stände und jede Form irdischer Grenzen übersteigen, ermöglichen sie eine Verbindung unter den Christen herzustellen, die gravierender ist als die sozialen Vorgegebenheiten.[465] Christ zu sein bedeutet mehr als alle sozialen Unterschiede – es schafft sie nicht ab, aber relativiert sie grundsätzlich: Freie Bürger und Sklaven finden sich innerhalb der Kirche als ‚Mitknechte'[466] vor; denn der Dienst und die Verpflichtung gegenüber dem neuen Herrn läßt die sozial bedingten Rangunterschiede gering erscheinen, sie hören auf, konstitutiv für das Verhältnis untereinander zu sein.

[461] Hom. in S. Pascha 4: καὶ εἰς πάντας κοινὴν τὴν δωρεὰν ἐξέχεεν ... εἶδες τοῦ Δεσπότου τὴν φιλανθρωπίαν (769/700) und (Hom. de res. DNJChr. 3): εἰ γὰρ ἡμετέρα ἡ χάρις ἡ παρὰ τοῦ Δεσπότου, ἀλλὰ κοινὴ καὶ ἐκείνων ἡ ἡδονὴ (συνδούλων)... πνευματικὰ δῶρα.

[462] Hom. de res. DNJChr. 3: τοιαῦτα τὰ δῶρα Δεσποτικά· οὐ τοῖς ἀξιώμασι διαιρεῖ (437). Insofern nach altem Verständnis Kirchenrecht Sakramentenrecht ist, kann dieses Verständnis der gottesdienstlichen Versammlung nicht folgenlos gedacht sein, auch für das alltägliche Leben außerhalb der gottesdienstlichen Zusammenkunft.

[463] Chrysostomus verwendet εὐγένεια analog wie ὁμοτιμία zur Charakterisierung der christlichen Existenz unter bewußter Durchbrechung der Fixierung des Begriffs auf reale, freie Abstammung, wie ihn Aristoteles etwa verwendet (Pol. III, 13 1283 a 33): οἱ δε ἐλεύθεροι καὶ εὐγενεῖς ὡς ἀλλήλων ἐγγὺς (Ebd. 37): εὐγένεια γὰρ ἐστὶν ἀρετὴ γένους. Charakteristische Wortverbinden finden sich (Pol. IV, 14 1291b 28): εὐγένεια, πλοῦτος, ἀρετή, παιδεία. (Ebd. 1294a 21): ἡ γὰρ εὐγένεια ἀρχαῖος πλοῦτος ... ἀρετή. Die Stoa überlagerte den Geburtsadel durch den Gesinnungsadel, so berichtet Stobaeus (Ecl. II, 107,14) den Begriff: τὴν δὲ εὐγένειαν ἕξιν ἐκ γένους ἢ ἐκ κατασκευῆς οἰκείαν πρὸς ἀρετὴν (SCF III, 220). Noch eindeutiger ist nach Plutarch (De pers. nob. 12) die Auffassung Chrysipps: μηδὲν ἄρα διαφέρειν ὅπου παρὰ πατρὸς γεγονὼς τυγχάνῃς εὐγενοῦς ἢ μή (SVF III, 85). Chrysostomus schließt sich dieser Linie an und verwendet den Begriff durchgängig als ‚Adel', der von der Herkunft unabhängig ist, z. B. (Hom. 6, 7 de Lazaro): δοῦλον εὐγενῆ καλῶ (PG 48, 1037).

[464] Hom. 15, 3 in Joh (PG 59, 101); Hom. in illud, oportet haereses esse 4 (PG 51, 257).

[465] Hom. 1, 3 in Rom (PG 60, 399).

[466] Hom. 58, 5 in Mt (PG 58, 574); Hom. 14, 9 in Rom (PG 60, 536).

Dieser theologische Ansatz des Chrysostomus ist deswegen für die Frage der Humanisierung der Sklaverei von Bedeutung, weil er entgegen dem humanen Ansatz nicht von der natürlichen Gleichheit der Menschen ausgeht – obwohl Chrysostomus auch diesen Impetus der antiken Tradition kennt und aufnimmt –, sondern von der durch die Kirche vermittelten, neuen und andersgearteten ‚gleichen Ehre', die sich niemand verdienen konnte, sondern die Geschenk (δῶρα) ist.

Die Irritation der sozialen Schranken, die auch durch die Philosophie intendiert war, erfährt durch die christlich behauptete Aufhebung der Klassenunterschiede eine Radikalisierung, insofern sie nicht auf einen einzelnen, philosophisch und weise Lebenden hinzielt, sondern auf eine neue Gesellschaftsordnung unter den Christen.[467]

Die Eigengesetzlichkeit, die Chrysostomus für die Versammlung der Christen geltend macht, und von der er gesellschaftliche Zusammenkünfte und den kaiserlichen Hof als Gegenbilder abhebt, beschränkt sich nicht auf den Gottesdienst oder die kirchlichen Hochfeste. Die nach christlichem Selbstverständnis vorgegebene Gleichheit von Freien und Sklaven affiziert das alltägliche Leben:[468] Wenn die Christen im Wichtigsten untereinander gleich sind,[469] können die bürgerlichen Gegebenheiten kein absolutes Hindernis mehr darstellen.[470] Der Vor-

[467] Die Grundstelle bezüglich der Gleichheit von Sklaven und Freien in Gal 3,28 zitiert Chrysostomus oft (Hom. 1, 3 in Rom) sinngemäß: εἰ γὰρ ἐν Χριστῷ Ἰησοῦ οὐκ ἔστι δοῦλος οὐδὲ ἐλεύθερος (PG 60, 399) und interpretiert das „in Christus Jesus" auf die Kirche (Hom. de res. DNJChr. 3): οὐκ ἔστι τοίνυν ἐν τῇ Ἐκκλησίᾳ δοῦλος καὶ ἐλεύθερος (PG 50, 437) und formuliert den Sachverhalt auch unabhängig von der Stelle (Hom. 1, 1 in Philemon): καὶ γὰρ ἡ Ἐκκλησία οὐκ οἶδε δεσπότου οὐκ οἶδεν οἰκέτου διαφοράν (PG 62, 705) und in allgemeiner Form (Hom. 10, 2 in Joh): ἡ γὰρ πίστις καὶ ἡ τοῦ Πνεύματος χάρις, τὴν ἐκ τῶν κοσμικῶν ἀξιωμάτων ἀνωμαλίαν περιελοῦσα ... (PG 59, 75) oder polemisch (Hom. 11, 1 in Eph): οἱ τοίνυν ἐν τοῖς πνευματικοῖς τοσαύτην ἔχοντες ἰσοτιμίαν ... ἐν οὖν οὐρανοῖς ἴσοι, καὶ κάτω διεστήκαμεν (PG 62, 80).

[468] F. Böhmer (Untersuchungen über die Religion der Sklaven in Griechenland und Rom I, 29f.) stellt fest, daß im kultischen Bereich der antiken Religionen und Mysterien Sklave und Freie gleich sind. Das Eigentümliche der christlich-jüdischen Tradition besteht aber darin, daß der kultische Raum vom profanen der Gesellschaft nicht getrennt ist. In dieser Tradition steht Chrysostomus, wenn er auf den Zusammenhang von Glauben und Tun insistiert (Hom. 14, 1 in 1 Tim): „Nicht das macht den Glauben aus, im Bekenntnis seinen Glauben bloß kundzutun, sondern auch Werke aufzuweisen" (PG 62, 571).

[469] Vgl. Hom. 1, 3 in Rom (PG 60, 399). Derselbe Gedanke begegnet in polemischer Wendung (Expos. in Ps 48, 4): πῶς οὐκ ἄτοπον τοὺς ἐν τούτοις κοινωνοῦντας ἀλλήλοις, καὶ φύσει, καὶ χάριτι, καὶ ἐπαγγελίας καὶ νομοθεσίας καὶ τὴν αὐτὴν μὴ διατηρεῖν ἰσοτιμίαν, ἀλλὰ τῶν ἀλόγων παρέχειν τὴν θηριωδίαν (PG 55, 517).

[470] Weil es die Kirche gibt, gilt (Hom. 3, 2 in Mt): „Wenn du also auch ein Sklave bist oder ein Freier, nichts hast du dort an Nachteil oder Vorteil, sondern eines ist das Gesuchte: die Willigkeit und der Wandel der Seele" (PG 57, 34).

rang der allgemeinen ‚Knechtschaft Gottes' relativiert die menschlich gemachten Unter- und Überordnungsverhältnisse.
Dieser einzige ‚Adel'[471] reduziert die sozial gemachten Unterschiede auf bloße ‚Namen',[472] weil die Einheit der Kirche als des Leibes Christi unter Freien und Sklaven eine neue, dominierende Bindung schafft. So entsteht der paradoxe Zustand, daß die Sklaven Freie sind, auch wenn sie nach den Gesetzen der übrigen Gesellschaft in der Sklaverei verbleiben.[473]
Hier noch mehr als in der Frage der Aufhebung von arm und reich kann deutlich werden, daß die von Chrysostomus vorgetragene Lösung[474] auf der Voraussetzung aufruht, daß es Kirche real gibt: im Sinne von einer Art Gesellschaft, in der die Maßstäbe der nichtchristlichen Gesellschaft nicht das alles bestimmende Richtmaß sind, und auch in dem Sinne, daß die Eigengesetzlichkeit der Kirche von den Christen – von Sklaven und Freien – verwirklicht wird.
Von diesem ekklesiologischen Ansatz her wird auch verständlich, warum das Christentum keine allgemeine Freilassung der Sklaven in der antiken Gesellschaft fordern konnte: Die von Chrysostomus vertretene Lösung richtet sich an die Christen selbst, an niemand sonst. In der letzten Konsequenz dieses Entwurfs lag es für Chrysostomus offensichtlich, daß alle Christen ihre Sklaven freilassen sollten.[475] Aber wie letztlich irrelevant ein solcher Akt wäre, ergibt sich aus dem, was Chrysostomus als christlich für möglich und geboten hält.

[471] Er besteht für Freie und Sklaven darin (Hom. 44, 1 in Mt), den Willen Gottes zu tun (PG 57, 465f.).

[472] Hom. 6, 8 de Lazaro: δοῦλος καὶ ἐλεύθερος, ὀνόματα ἐστὶν ἁπλῶς. Τί ἐστι δοῦλος; ὄνομα ψίλον ... τὶ δοῦλος ... τὶ δυσγενής ...; (PG 48, 1039); Hom. 29, 7 in Gen: ἡ δουλεία πάλιν ὁμοίως ὄνομα ἐστὶν (PG 53, 270). Das Sklavenproblem kann deswegen nicht isoliert gelöst und betrachtet werden, sondern es ist Teil des christlichen Selbstverständnisses und seiner Folgen in der Praxis des Lebens. S. Schulz will die Sklaverei eher als politisches Problem betrachtet wissen und hat kein Verständnis dafür, daß die Kirche, obwohl sie als „alleinige Staatsreligion" anerkannt war, nicht auf die Aufhebung der Sklaverei hingewirkt hat, sondern „die bestehende und herrschende Sozialordnung religiös überhöhte" (Hat Christus die Sklaven befreit? 16). Chrysostomus formuliert als einzige Bedingung der christlichen Lösung (Ebd.) ἐὰν βουλώμεθα, ohne auf politische Mittel oder Einfluß zu setzen.

[473] Vgl. Hom. 19, 4 in 1 Cor (PG 61, 56); Hom. 19, 5 in Eph (PG 62, 134). Die Heiden argwöhnen (Arg. in Philemon), daß die Christen alle Ordnung umwerfen und gewalttätig – auch in der Frage der Sklaverei – vorgehen (PG 72, 704).

[474] In der Sklavenfrage lehnt sich Chrysostomus ungleich enger als in der Frage von arm und reich an Paulus an.

[475] Er setzt voraus (Hom. 11, 3 in Act), daß in Jerusalem die Sklaven freigelassen wurden (PG 60, 97); vgl. P. Stuhlmacher, Der Philemonbrief, 65 A 4.

bb. Gemeinsame Sklaverei

Die unter den Christen hergestellte Gleichheit[476] impliziert analog der politischen Ordnung[477] ein neues Verhältnis untereinander: Die christlichen Sklaven sind wie die christlichen Freien gleichermaßen „Sklaven" unter der Herrschaft Gottes.[478] Dieses neue, christliche Selbstverständnis der gemeinsamen Unterordnung und Orientierung am Willen Gottes bedeutet für Chrysostomus eine radikale Aufhebung der sozial gemachten Sklaverei.[479]

Sie besteht nicht allein in der Beseitigung der inneren Versklavung an die Sünde,[480] sondern tritt real in Erscheinung als die Freiheit von den charakteristischen Kennzeichen der Sklaverei, dem Zwang und der Furcht.[481] Die Knechtschaft aufgrund der bestehenden Ordnung kann innerhalb des Christentums in eine neue Knechtschaft aufgrund der gemeinsamen ‚Furcht Christi' aufgehoben werden:[482] Der gemeinsame Glaube macht die Christen untereinander zu Brüdern.[483]

Die gemeinsame Sklaverei,[484] unter der Herren und Sklaven gleichermaßen verbunden sind, ist für Chrysostomus die Basis, das gegensei-

[476] Obwohl Chrysostomus meist den rechtlich bestimmten Begriff ἴσος und das davon abgeleitete Begriffsfeld meidet und ὁμοτιμία vorzieht, begegnet dieser Begriff doch auch in Zusammenhängen, die durch den Kontext als christlich ausgewiesen sind. So appliziert er den rechtlich verwendeten Begriff von Gleichheit auf das innerchristliche Verhältnis zwischen den Klassen (Hom. 19, 4 in 1 Cor): ἐν γὰρ τοῖς κατὰ Χριστὸν ἀμφότεροι ἴσοι· ὁμοίως γὰρ καὶ σὺ τοῦ Χριστοῦ δοῦλος, ὁμοίως καὶ ὁ δεσπότης ὁ σός (PG 61, 156f.). Eine parallele Formulierung liegt vor (Hom. 11, 1 in Eph): ἐν οὖν τοῖς οὐρανοῖς ἴσοι, καὶ κάτω διεστήκαμεν; ἐν πνευματικοῖς τοσαύτην ἔχοντες ἰσοτιμίαν (PG 62, 79).

[477] Bei Aristoteles (Eth. Nic. V, 6 1134a 25f.) läßt sich die rechtlich-politische Implikation des Begriffs und der Zusammenhang mit der Freiheit erheben: ἐλευθέρων καὶ ἴσων ... καθ' ὁμοιότητα. Die politische Gleichheit ist nach ihm (Ebd. V, 3 1131a 25) Bedingung für den Bestand der Polis: εἰ γὰρ μὴ ἴσοι, οὐκ ἴσα ἕξουσιν, ἀλλ' ἐντεῦθεν αἱ μαχαὶ ..., ähnlich (Pol. II, 2 1261a 30f.): διόπερ τὸ ἴσον τὸ ἀντιπένθος σῴζει τὰς πόλεις.

[478] Zum Sprachgebrauch in diesem Sinne vgl. Platon (Leg. III 698c; 700a): δουλεῦσαι τοῖς νόμοις mit Chrysostomus (Hom. 42, 4 in Joh): πόσῳ βέλτιον ἐλεύθερον εἶναι ἢ δοῦλον, ἐλεύθερον τῆς τῶν ἀνθρώπων δουλείας, δοῦλον δὲ τῆς τοῦ θεοῦ δεσποτείας (PG 59, 243).

[479] Alle sind Mitsklaven (Hom. in illud, nolo vos ignorare 3): „Aber alle Ungleichheit der in der Gesellschaft geltenden Klassen ist aufgehoben, wenn Paulus sie Mitsklaven nennt" (PG 51, 246).

[480] Vgl. Hom. 65, in Mt (PG 58, 624); Hom. 1, 1 in inscr. Act (PG 51, 69).

[481] Vgl. Hom. 10, 2 in Col (PG 62, 367). Als reale Beispiele führt er an (Expos. in Ps 59, 3), daß die Christen Paulus und Petrus wie Sklaven – aber freiwillig – gedient hätten (PG 55, 269f.).

[482] Vgl. Hom. 19, 5 in Eph (PG 62, 134); Com. in Gal 5,4: ὁ γαρ ἀγαπῶν ... οὐ παραιτεῖται δουλεύειν αυτῷ (PG 61, 670).

[483] Vgl. Hom. 16, 1 in 1 Tim (PG 62, 588); Hom. 15, 3 in Eph (PG 62, 109).

[484] So heißt es (Hom. 10, 2 in Col): „So machte er die Sklaverei zu einer gemeinsamen" (PG 62, 368).

tige Verhältnis zu humanisieren. Sie vermittelt die Beziehung zwischen Herren und Sklaven, weil eine natürliche Form der Verbundenheit wie zwischen Mann und Frau, Eltern und Kindern nicht gegeben ist.[485] Die Humanisierung des Verhältnisses zwischen Herren und Sklaven besteht nun nicht in der Negation der bestehenden Klassenunterschiede, sondern dem Aufzeigen des Weges, wie eine Heilung der realen Verhältnisse möglich ist:[486] Herren und Sklaven sollen sich gegenseitig dienen.[487] Die gemeinsame Sklaverei ermöglicht eine neue Gegenseitigkeit.

Der Sklave soll dem Herrn freiwillig dienen, nicht aus Zwang und Furcht vor Strafen,[488] weil er nicht Menschen als seinem höchsten Herrn verpflichtet ist, sondern Gott;[489] so hört er auf, ein Sklave von Menschen zu sein und legt seine Sklavenmentalität ab.[490] Die Herren sollen die Sklaven so behandeln, daß sie ihnen zu Diensten stehen wie Freiwillige, nicht aus Furcht und Zwang, wie andererseits die Herren zu Leistungen gegenüber den Sklaven verpflichtet sind; ihr Verhältnis ruht auf Gegenseitigkeit.[491]

Soweit Chrysostomus über die grundlegenden Aussagen der paulinischen und nachpaulinischen Paränese hinausgeht und nicht Einzelan-

[485] Von der natürlichen Verbundenheit unterscheidet er (Ebd.) eine Art Freundschaft, die durch Umgang entsteht: ἐνταῦθα ἔστι μὲν τὶ καὶ φιλτρὸν, ἀλλ' οὐκέτι φυσικὸν, καθάπερ ἄνω, ἀλλὰ συνηθείας, καὶ ἀπ' αὐτῆς τῆς ἀρχῆς, καὶ ἀπὸ τῶν ἔργων (366f.). Eine Freundschaft aufgrund der Gemeinschaft wie des Mannes mit seiner Frau und den Kindern überlieferte auch Pythagoras nach Jamblich (Vit. Pyth. 229): Sie entsteht durch die gesellschaftlich gegebenen Formen (Deubner 122), ähnlich denken nach Diogenes Laertius die Stoiker (VII, 20): „Sie sagen, daß auch die Liebe zu den Kindern von Natur aus sei bei den Weisen ..." (SVF III, 183). Daß es eine natürliche Verbindung zwischen Herren und Sklaven nicht gibt, das überspringt also auch Chrysostomus nicht. Die Verhältnisse werden von ihm nicht idealisiert oder spiritualisiert.

[486] Als christliche Definition von Freiheit bietet er (Hom. 16, 1 in 1 Tim): „Wenn du ein Gläubiger bist, dann meine nicht, ein Freier zu sein ... Freiheit heißt, noch mehr als Sklave zu dienen" (PG 62, 588). Ist dies zu den Sklaven zunächst gesagt, so gilt (Ebd.) von dem gegenseitigen Verhältnis, daß sie einander nützen sollen. Zum Kontrast vgl. Aristoteles (Eth. Nic. VIII, 13 1161b 1ff.) über das Verhältnis von Freien und Sklaven.

[487] Vgl. Hom. 19, 5 in Eph (PG 62, 134).

[488] Er führt aus (Hom. 10, 2 in Col): „Anstelle von Sklaven hat er sie zu Freien gemacht; deswegen brauchen sie nicht mehr die Aufsicht der Herren" (367). Das Prinzip der Freiwilligkeit soll gelten.

[489] Ebd.: „Alles was ihr tut, tut von Herzen wie für den Herrn, und nicht wie für Menschen."

[490] Hom. 19, 5 in 1 Cor: ἀδούλωτον ἔχοντα τὸ ἦθος (PG 61, 156).

[491] Die Stelle Col 4, 1 legt Chrysostomus in diesem Sinne aus (Hom. 10, 2 in Col): Sie verpflichtet Herren und Sklaven in gleicher Weise, wenn sie auch Ungleichartiges verlangt und sie deswegen nicht gleich macht (PG 62, 368). Die Herren sind zu Sorge und Unterhalt verpflichtet, die Sklaven zum Dienst (Hom. 19, 4 in Eph): ἔστω δουλείας καὶ ὑποταγῆς ἀντίδοσις· οὕτω γὰρ οὐκ ἔσται δουλεία (PG 62, 132).

weisungen gibt,[492] läßt sich beobachten, daß die Ausfaltung des Verhältnisses zwischen Herren und Sklaven Züge aufweist, die der antiken Theorie der Freundschaft entlehnt sind. Als Anknüpfungspunkte konnten die Gleichheit und Gegenseitigkeit dienen, die für die Freundschaft konstitutiv sind.[493] Konnte in früheren Zusammenhängen gezeigt werden, daß Chrysostomus für die Charakterisierung der Kirche und ihrer Eigenart Interpretamente ebenfalls aus dem Begriffsfeld der Freundschaft verwendet,[494] so gilt dies auch für die Deutung der christlichen ‚Agape'[495] und speziell für das Verhältnis zwischen Herren und Sklaven. Es legt sich die Vermutung nahe, daß für Chrysostomus die Freundschaft – oder wesentliche Züge ihrer Gestalt nach antiken Entwürfen – ein auf das Christentum applizierbares Modell darstellt.

Die Auslegung von Col 3,23, die der Paränese der Sklaven gewidmet ist, kann diesen Zusammenhang verdeutlichen. Chrysostomus interpretiert das vorgegebene ἐκ ψυχῆς ἐργάζεσθε „das heißt, mit Wohlwollen, nicht mit knechtischem Zwang, sondern aus Freiheit und aus freiem Entschluß".[496] Zwar begegnet der Begriff εὐνοία schon auch bei Aristoteles im Zusammenhang der Freundschaft,[497] aber er setzt ihn von der Freundschaft im strengen Sinne ab, weil sie aus der Vertrautheit entsteht,[498] Wohlwollen dagegen aufgrund von Zufällig-

[492] So schlägt er vor, nachdem er die faktischen Zustände in christlichen Häusern geschildert hat (Hom. 15, 4 in Eph): „Aber man kann sie auch auf andere Weise (als durch Schlagen) zur Ordnung bringen, durch Furcht, Drohung, durch Worte, welche auf die Sklavin einen tieferen Eindruck machen ... durch einschmeichelnde Worte und gute Behandlung. Frönt sie der Trunksucht, so nimm ihr die Gelegenheit dazu ... Hat sie unzüchtigen Umgang, dann verheirate sie. Wenn sie stiehlt, dann gib acht und laß sie nicht aus den Augen" (PG 62, 110f.).

[493] Aristoteles (Eth. Nic. VII, 4 1239a 3f.): αἱ μὲν γὰρ κατὰ τὸ ἴσον αἱ δὲ καθ' ὑπεροχὴν εἰσὶν· φιλίαι μὲν οὖν ἀμφότεραι, φίλοι κατὰ τὴν ἰσότητα. (Ebd. VIII, 8 1159b 2f.): ἡ δ' ἰσότης ὁμοιότης φιλότης, καὶ μάλιστα ἡ κατ' ἀρετὴν ὁμοιότης. (Ebd. IX, 8 1168b 6f.). Kennzeichnend sind auch die häufigen Syntagmen mit ἀλλήλοι(υ)ς. (Ebd. VIII, 3 1156b 14): ἀλλήλοις ὠφέλιμοι. (Ebd. VIII, 4 1157a 4): τὸ αὐτὸ γίνηται πὰρ' ἀλλήλων. (Ebd. 1157a 28): φίλους ἀλλήλοις εἶναι. (Ebd. VIII, 5 1157b 8): χαίρουσιν ἀλλήλοις.

[494] Vgl. 117f.

[495] Der besondere Gewährsmann scheint Dio Chrysostomus, nicht primär Aristoteles zu sein. Seine Oratio 3, 86ff. zeigt bis in die Gedankenfolge im einzelnen Ähnlichkeiten mit der 78. Homilie zum Johannes-Evangelium. Freundschaft und Agape läßt Chrysostomus (Hom. 2, 3 in 2 Thes) immer ineinander übergehen und sich wechselseitig interpretieren (PG 62, 403ff.) u. ö.

[496] Hom. 10,2 in Col (PG 62, 367).

[497] Eth. Nic. VIII, 2 1155b 32 – 1156a 5: τοὺς δὲ βουλομένους οὕτω τἀγαθὰ εὔνους λέγουσιν ... εὔνοιαν γὰρ ἐν ἀντιπεπονθόσι φιλίαν.

[498] Ebd. IX, 5 1166b 30ff.: ἡ δ' εὔνοια φιλικῷ μὲν ἔοικεν, οὐ μὴν ἔστι γὲ φιλία. ... καὶ ἡ μὲν φίλησις μετὰ συνηθείας, ἡ δ' εὔνοια καὶ ἐκπροσπαίου ... εὖνοι γὰρ αὐτοῖς γίνονται καὶ συνθέλουσιν, συμπράξειεν ἂν οὐδέν. Bei Dio Chrysostomus (Or. 3,131) besteht ein enger Zusammenhang zur Freundschaft: προσάγεται γὰρ εἰς εὔνοιαν τοὺς μὲν

keiten. Führend dagegen ist der Begriff in der or. 3,86ff. des Dio Chrysostomus. Hier wird nach der Manier der stoisch-kynischen Diatribe das Thema der Freundschaft in idealtypischer Weise am König und seinen ihn umgebenden Freunden exemplifiziert:[499] Sein größter Besitz sind seine Freunde,[500] die ihm durch ihr Wohlwollen,[501] ihre Freiwilligkeit[502] großen Nutzen und Schutz gewähren.[503]
Die Interpretation der christlichen Agape durch die antike Freundschaft und ihre Anwendung auf das Verhältnis unter den Christen konnte bei Dio Chrysostomus einen verwandten Anhaltspunkt finden, der sich christlich wenden ließ.
In or. 3,118 berichtet er, daß der Perserkönig jemanden hatte, der ‚Auge des Königs' hieß, und fährt fort: „Er wußte nämlich nicht, daß die Freunde des guten Königs alle seine Augen sind".[504] Wahrscheinlich angeregt durch dieses Bild, entwickelt Dio Chrysostomus in or. 3,104ff. die Potenzierung des Königs mittels der Freunde: Durch so viele Augen, Ohren, Zungen, Hände und Füße ist seine Wirkmöglichkeit vervielfältigt, sie steigert sich zur Ubiquität.[505]

φιλοτίμους ἔπαινος, τοὺς δὲ ἡγεμονίκους τὸ ἀρχῆς μεταλαμβάνειν... τοὺς γὲ μὴν φιλοστόργους ἡ συνήθεια (Cohoon I, 160).

[499] Chrysostomus übernimmt dieses Moment aus der Vorlage in seine eigene Darstellung (Hom. 79, 4 in Joh): „Die Leibwache des Königs ist nicht so sorgfältig wie diese (scil. die Freunde); sie tut ihren Dienst aus Zwang und Furcht (ἀνάγκῃ, φόβῳ), diese aber aus Wohlwollen und Liebe (εὐνοίᾳ, ἀγάπῃ). Liebe ist weit mächtiger als Furcht. Der König lebt in ständiger Furcht vor seiner Wache, ein solcher aber verläßt sich mehr auf diese als auf sich selbst und fürchtet wegen ihnen keine Verfolger" (PG 59, 426). Unabhängig von dem idealtypischen Gegensatz expliziert er das Gemeinte an anderer Stelle (Hom. 40, 4 in Act) an Gegenbegriffen: „Der eine wird von Sklaven bewacht, der andere durch Gleichgestellte, dieser durch Freiwillige, jener durch Gezwungene ..." (PG 60, 286). Auch Dio Chrysostomus stellt (Or. 3, 123) einen Zusammenhang her zwischen der Tugend und der Freiwilligkeit, die den Zwang ausschließt (Cohoon I, 158).

[500] Dieser Gemeinplatz begegnet bei Aristoteles (Eth. Nic. VIII, 1 1155a 4f.): ἄνευ γὰρ φίλων οὐδεὶς ἕλοιτ' ἂν ζῆν, ἔχων τὰ λοιπὰ ... πάντα, bei Dio Chrysostomus (Or. 3, 128f.) und bei Chrysostomus (Hom. 40, 3 in Act): οὐδὲν ἡμῖν ἐστὶ χρηστὸν φιλίας χωρίς ... ἔστω μύρια ἀγαθὰ, ἀλλὰ τὶ τὸ ὄφελος; ἔστω ... (PG 60, 285) u. ö.

[501] Neben ἀγαπᾶν (Or. 3, 89: οὐκ ἔστιν ἄλλη φυλακὴ πλὴν τὸ ἀγαπᾶσθαι [144]) verwendet Dio Chrysostomus εὔνοια synonym mit φιλία (Ebd. 88): τὸ μὴ ἀδικεῖσθαι ... οὐκ ἔστι παρὰ τῶν νόμων ζητεῖν, ἀλλὰ παρὰ τῆς εὐνοίας (144).

[502] Vgl. ebd. 123. 104ff. Der Gedanke der Freiwilligkeit liegt dem Ganzen zugrunde und hängt unmittelbar mit dem Thema Freundschaft zusammen.

[503] Ebd. 92. 95. Vgl. auch J.-C. Fraisse, Philia, 107ff.

[504] Dio Chrysostomus Or. 3, 118 (Cohoon I, 156).

[505] Ebd. 105–107 (150f.)
διὰ γὰρ ὀφθαλμῶν μόλις ὁρᾶν ἔστι τὰ ἐμποδών,
διὰ δὲ τῶν φίλων καὶ τὰ ἐπὶ γῆς πέρασι θεᾶσθαι
καὶ διὰ μὲν τῶν ὤτων ...
διὰ δὲ τῶν εὐνοούντων

[506] Hom. 78, 4 in Joh (PG 59, 425)
(εἴκοσι ὀφθαλμοὺς) οὐ γὰρ τοῖς ἑαυτοῦ μόνον ὀφθαλμοῖς ὁρᾷ,
ἀλλὰ καὶ τοῖς ἑτέρων

(οὐ τοῖς ἑαυτοῦ βαστάζει πόσιν,
ἀλλὰ καὶ τοῖς ἑτέρων)

Johannes Chrysostomus entwickelt dasselbe Bild und hebt gleichermaßen auf den ungeheuren Erfolg ab, den die Einheit unter Christen haben würde.[506] Der verbindende Gedanke besteht in dem Nutzen, den eine freiwillige Zuordnung hervorbringt. Weil diese Art der Zuordnung auf der Basis der Zuneigung und Freundschaft ruht, ist der Gedanke an Zwang von selbst ausgeschlossen – er dient Chrysostomus dazu, das Gegenbild der unter Zwang und Furcht Dienenden zu entwerfen.

In der Auslegung von Eph 5,21 („Seid einander untertan in der Furcht Christi") entwickelt Chrysostomus auf dem Hintergrund des Vorgegebenen seinen Entwurf des Verhältnisses zwischen Herren und Sklaven.

Auch darin kommt dem Nutzen eine dominierende Stelle zu. Er ist am größten, wenn Herren und Sklaven die ihnen entsprechende, auch rechtlich fixierte Position einnehmen,[507] aber als Freunde.

In einem ersten Schritt erläutert und entfaltet Chrysostomus diesen Gedanken mittels eines Beispiels:

> „Einer soll hundert Sklaven besitzen,
> und niemand will seinen Dienst versehen;
> dagegen denke man sich hundert Freunde,
> die sich gegenseitig dienen: Welche leben besser?
> welche mit größerer Lust,
> mit größerer Heiterkeit?

καὶ τῇ μὲν γλώττῃ ...	– – –
καὶ ταῖς χερσὶν ... οὐκ ἂν ἐργάσαιτο πλεῖον ἔργον ἢ δι' ἀνδρῶν.	οὐ γὰρ ταῖς ἑαυτοῦ χερσὶν ἐργάζεται,
διὰ δὲ τῶν φίλων δύναται ... καὶ πάντων ἔργων ἐφικνεῖσθαι.	ἀλλὰ καὶ ταῖς ἐκείνων
οἱ γὰρ εὔνοοῦντες πάντα ἐκείνῳ συμφέροντα καὶ λέγουσι καὶ δρῶσι	οὐ γὰρ αὐτὸς ὑπὲρ ἑαυτοῦ μόνον, ἀλλὰ καὶ ἐκεῖναι ὑπὲρ αὐτοῦ ...
τὸ δὲ δὴ πάντων παραδοξότατον, ἕνα γὰρ ὄντα ... πολλὰ μὲν ἐν ταὐτῷ χρόνῳ πράττειν ... πολλὰ δὲ ἀκούειν ἐν πολλοῖς δὲ ἅμα εἶναι τόποις.	ἀγάπης ὑπερβολὴν ὁ γὰρ εἷς, πολλοστὸς ἐστὶν οὕτως πῶς ὁ εἷς καὶ πολλαχοῦ δύναται εἶναι, ὁ αὐτὸς καὶ ἐν Περσίδι καὶ Ῥώμῃ.

Das Bild könnte Chrysostomus auch indirekt von Libanius (Or. 8, 7) übernommen haben. Dort heißt es, wenn auch weniger ausgeführt: „Hat der Reiche nicht viele Augen ... Ohren ... Hände ... Gedanken" (Foerster I, 2 387)?

507 Die bestehenden rechtlichen Verhältnisse werden dadurch nicht berührt. Weder soll der Sklave die Stelle der Freien einnehmen, noch ist der Herr von seiner Sorgepflicht gegenüber dem Sklaven befreit. Der in diesem Zusammenhang begegnende Begriff ἀντίδοσις weist in diese Richtung. Er meint die Gegenseitigkeit der Leistungen und Verpflichtungen. Er begegnet bei Aristoteles (Eth. Nic. V, 5 1133a 6) im Zusammenhang von Gerechtigkeit und Vergeltung; Chrysostomus verwendet ihn im Kontext der durch Gesetz vorgeschriebenen Verpflichtung der Herren, für den Lebensunterhalt zu sorgen. Wird diese verletzt, kann den Sklaven kein Gesetz daran hindern, weiter Sklave zu sein (Hom. 19, 5 in Eph).

Hier ist kein Zorn, keine Bitterkeit, kein Mutwille,
noch irgendetwas dergleichen,
dort hingegen Furcht und Feigheit;
dort geschieht alles aus Zwang,
hier aus Freiwilligkeit; dort dient man gezwungen,
hier aber einander Wohlwollen erweisend.
So will es Gott“.[508]

Das Neue an dieser Bestimmung des Verhältnisses zwischen Herren und Sklaven ist, daß Chrysostomus das Modell der Gegenseitigkeit, das die Freundschaft kennzeichnet, auf die Beziehung zwischen den Klassen überträgt. Wie aus der Anwendung des Beispiels auf das Verhältnis zwischen dem König und seiner Leibwache hervorgeht,[509] besteht der Skopus darin, daß die Freiwilligkeit mehr Nutzen bringt als Zwang und Gewalt, und daß der freiwillig getane Dienst gleichbedeutend ist mit der Aufhebung der Sklaverei: Er macht aus Sklaven und Herren Freunde.[510] Denn wenn der Sklave seinen Dienst auch dann verrichtet, wenn sein Herr nicht anwesend ist, zeigt er, daß er aufgehört hat, ein Sklave von Menschen zu sein.[511] Er handelt als Freier.

Richtete sich Chrysostomus zunächst an die Sklaven, so in einem zweiten Schritt an die Herren. Ihre Verpflichtung gegenüber den Sklaven interpretiert er nun ebenfalls als eine Art Sklaverei.[512] Sie besteht nicht nur in der gesetzlich geforderten Gegenseitigkeit, sondern geht weit darüber hinaus:

„Er will sich dir nicht unterordnen?
Dann ordne du dich unter;
nicht allein daß du gehorchst,
sondern daß du untertan sein sollst:
Wie man sich gegen Herren allemal verhält,
so sollst du gesinnt sein:
So wirst du bald sie als Sklaven gewinnen,
zum Dienst geneigt,
durch eine Macht, die ‚tyrannischer‘ ist als die Sklaverei.[513]

[508] Hom. 19, 4 in Eph (PG 62, 134).
[509] Vgl. Hom. 79, 4 in Joh (PG 49, 426); Hom. 40, 4 in Act (PG 60, 286).
[510] Obwohl eine solche Formulierung nicht begegnet, zielen die Ausführungen des Chrysostomus auf diesen Zustand.
[511] Vgl. Hom. 10, 2 in Col (PG 62, 367).
[512] Vgl. Hom. 19, 5 in Eph (PG 62, 134).
[513] Als Interpretation zu der ‚tyrannischen Macht‘ kann herangezogen werden, was Chrysostomus an anderer Stelle (Hom. 20, 1 in Eph) ausführt: ... ὑπερβάλλουσαν ἀγάπην ... ὄντως γὰρ, ὄντως πάσης τυραννίδος αὕτη ἡ ἀγάπη τυραννικώτερος (PG 62, 135). Hier kann nochmals deutlich werden, daß die Idee der antiken Freundschaft als Interpretament der christlichen Agape dient. Sie verhilft dazu, die soziale Dimension des Christlichen zu veranschaulichen.

Viel eher wirst du sie gewinnen,
wenn du nichts von dem Ihrigen erhälst,
selbst aber das Deinige ihnen gewährst".[514]

Als die Bedingung dafür, daß die Sklaven aufhören, ihren Herren aus Zwang zu dienen, nennt Chrysostomus, daß die Herren selbst den Anfang der Aufhebung der Sklaverei setzen müssen, indem sie die rechtliche Beziehung aufheben in ein Verhältnis der ungeschuldeten Liebe.[515] Die Inhalte christlicher Agape und antiker Freundschaft konvergieren, insofern es beiden eigentümlich ist, dem Erweisen von Gunst und Wohltaten den Vorrang vor dem Empfangen einzuräumen.[516] Das unterscheidend Neue ist ihre Applikation auf das Verhältnis zwischen Herren und Sklaven. Daß Chrysostomus diese Übertragung für möglich hält, resultiert aus der Gleichrangigkeit, die Herren wie Sklaven innerhalb der Kirche auszeichnet. Ihre Gegenseitigkeit als eine solche von Gleichen ist entgegen der antiken Theorie der Freundschaft nicht „wegen ihnen selbst",[517] sondern vermittelt durch die „Furcht Gottes".[518]

Insofern Herren und Sklaven durch keine natürliche Beziehung miteinander verbunden sind, ist ihr Verhältnis bestimmt durch Furcht und Zwang; in diese Lücke tritt das Christentum ein und schafft eine neue Verwandtschaft,[519] die mehr wiegt als Herr-Sein und Sklave-Sein: Die Herrschaft Gottes hebt die Herrschaft von Menschen über Menschen auf in ein Verhältnis der ‚Agape'.

Chrysostomus ist nüchtern genug zu wissen, wie es um die christliche Praxis bestellt ist.[520] Trotzdem hört er nicht auf zu beschreiben, welche Verhältnisse unter den Christen herstellbar wären, wenn viele zugleich ihren Glauben in der Realität leben würden: „Es gäbe keinen

[514] Hom. 19, 5 in Eph (PG 62, 134).

[515] Erläutert wird dies (Expos. in Ps 63, 1) am christlichen Prinzip des Vorranges der Gnade vor dem Gesetz: „Menschen wollen immer erst herrschen und dann wohltun ... Gott aber beginnt mit dem Wohltun" (PG 55, 304).

[516] Darin stimmen Aussagen von Chrysostomus (Hom. 2, 3 in 1 Thes) (PG 62, 404f.) mit Aristoteles (Ethic. Nic. VIII, 8 1159a 12f.) überein.

[517] So Aristoteles (Eth. Nic. VIII, 3 1156b 6f.): τέλεια φιλία ... δι' αὐτοὺς γὰρ οὕτως ἔχουσι, καὶ οὐ κατὰ συμβεβηκός.

[518] Hom. 19, 5 in Eph: εἰ γὰρ δι' ἄρχοντα ὑποτάττῃ ... ἢ διὰ χρήματα ... πολλῷ μᾶλλον διὰ τὸν τοῦ θεοῦ φόβον (PG 62, 134).

[519] Nach Chrysostomus (Hom. 29, 7 in Gen) hat die christliche Bruderschaft die natürliche Verbundenheit unter Menschen abgelöst und verbindet alle untereinander (PG 53, 270). Auch Dio Chrysostomus relativiert wegen der Freundschaft die natürliche Verwandschaft (Or. 3, 113): „Ein höheres Gut als die Verwandtschaft ist die Freundschaft ... Freunde sind auch ohne Verwandtschaft nützlich" (Cohoon I, 154).

[520] Als er ein Beispiel für Freundschaft geben will (Hom. 2, 4 in 1 Thes), fällt er sich selbst ins Wort: „Jetzt wende mir niemand ein, daß mit den anderen Gütern nicht auch dieses Gut abhanden gekommen ist" (PG 62, 404).

Sklaven und keinen Freien";[521] „denn diente selbst jemand als Sklave, so erschiene ihm die Sklaverei angenehmer als die Freiheit".[522]
Die Aufhebung der Sklaverei, die Chrysostomus für christlich möglich hält, liegt jenseits politischer Emanzipation und auch jenseits der Moralisierung der bestehenden, unmenschlichen Verhältnisse;[523] sie liegt in der Konsequenz christlicher Praxis.
Die Frage von Overbeck „Wie viel hat die alte Kirche mit ihrer Predigt über die Pflichten des Sclaven und des Herrn und über die Unwirklichkeit des Verhältnisses, in welches diese sich in der Welt zu einander gestellt sahen, erreicht?"[524], kann nicht beantwortet werden.
Chrysostomus erblickt die christliche Aufhebung der Sklaverei darin, daß Freie wie Sklaven, aufgrund ihres gemeinsamen Glaubens zu Gleichen geworden, sich gegenseitig dienen, ohne daß die rechtlichen Implikationen der Sklaverei beseitigt würden.
Dieser Schritt wäre in der Tat so lange irrelevant, als sich Herren und Sklaven in ihrem Verhalten nicht an den bestehenden Verhaltensmustern orientierten, sondern sich gleichermaßen nach dem christlichen Maßstab richteten, d. h. in der Praxis realisierten, daß quer zu den menschlich gemachten Unterschieden für Christen eine neue Basis des humanen, gegenseitigen Verhaltens geschaffen ist. Sie ist nicht menschlich vermittelt, sondern durch das neue Verhältnis der Knechtschaft, das dem Christen gegenüber Gott eigentümlich ist. Diese Knechtschaft als gemeinsame übernommen, schlägt um in Freiheit unter christlichen Sklaven und Freien, oder: die Agape als gemeinsam getane, beseitigt die Klassenunterschiede, ähnlich wie der gemeinsam vollzogene Verzicht auf das absolute Besitzrecht nach Chrysostomus zu Reichtum führt.
„In der Knechtschaft die Freiheit", wie Chrysostomus die Stellung des Sklaven paradox umschreibt, meint deswegen keine bloß innerliche Freiheit, sondern die von Furcht und Zwang und Herrschaft befreite Gegenseitigkeit, die mehr ist als Freiheit im rechtlichen Sinne. Aber sie beruht auf der Voraussetzung, daß, ähnlich wie unter Freunden, ein Raum dieser Gegenseitigkeit real besteht. Dies ist für Chrysosto-

[521] Hom. 32, 6 in 1 Cor (PG 61, 272).
[522] Ebd.
[523] Diesen Vorwurf erheben F. Overbeck (Über das Verhältnis der alten Kirche zur Sclaverei im römischen Reich, 223) und S. Schulz (Hat Christus die Sklaven befreit? 16).
[524] Die Folgerung Overbecks aus der Tatsache, daß nur im Mönchtum die Sklaverei aufgehoben sei, und also die alte Kirche nur eine Aufhebung der Sklaverei mit der Abschaffung des Staates habe denken können, ist für Chrysostomus zumindest nicht zutreffend. So wenig wie in der Frage des Besitzes und Ausgleichs bietet er auch in der Frage der Sklaverei den monastischen Weg an (Ebd. 226.214f.).

mus die Kirche, als Versammlung und als Gemeinschaft der Christen, die unabhängig von der blutsmäßigen Bindung verwandt sind. Weil diese geistliche Verwandtschaft die dominierende ist, verändert sie die natürlichen Verhältnisse so weitgehend, daß sie nur noch dem Namen nach existent sind angesichts des Wichtigeren: Die Herrschaft Gottes als des einzigen Herrn beseitigt die Herrschaft von Menschen über Menschen; diese eine als bestimmend angenommene ist gleichbedeutend mit christlicher Freiheit.[525]

Der Entwurf des Chrysostomus, die bestehenden Klassengegensätze von Armen und Reichen, von Sklaven und Freien innerhalb des Christentums aufzuheben, kann so zusammengefaßt werden:

Trotz aller Abhängigkeit von der antiken humanen Tradition, die ebenfalls eine Aufhebung der Klassengegensätze intendierte, besteht die Eigentümlichkeit des christlichen Entwurfs in dem, was Chrysostomus in Analogie zu den ‚Paradoxa Stoicorum' die ‚christlichen Paradoxa' nennt: Daß der freiwillige Verzicht auf Besitz – den auch die philososphische Tradition fordert –, umschlägt in Reichtum für alle; daß die von Freien und Sklaven gemeinsam und freiwillig übernommene ‚Knechtschaft Gottes' für die Sklaven die wahre Freiheit bringt und den Herren Freunde als Diener beschert und keine unfreiwillig Versklavte.

So sehr dieser Weg zur Humanisierung zur Bedingung hat, daß die Menschen sich ändern – also nicht allein und in erster Linie ein Problem der sozialen, politischen Ebene ist – besteht nach Chrysostomus in dem Faktum ‚Kirche' eine reale, geschichtlich antreffbare Möglichkeit, die in sich als Vorgabe bereithält, was sonst der Innerlichkeit des Einzelphilosophen oder der Utopie überlassen bleibt: eine neue Politeia als Lebensordnung und praktizierbarer Weg in einem, der dem humanen, heroischen Streben des einzelnen eine soziale Dimension verleiht. Indem viele gleichzeitig auf ihren Besitz verzichten und damit den auch von der philosophischen Tradition als ‚natürlich' bezeichneten Zustand wieder herstellen, hat der Verzicht die neue Qualität von Reichtum; indem Herren und Sklaven sich der Herrschaft Gottes unterordnen, gewinnt Herrschaft und Sklaverei die neue Qualität von Freundschaft.

Das Instrument dieser Humanisierung ist die Kirche. Sie ist der reale Ort der Versöhnung und Vermittlung der Klassengegensätze.

[525] K. D. Mouratidos führt aus: „Der hl. Chrysostomus lehrt, daß die aus der Sünde stammende Ungleichheit unter Menschen in Höhere und Niedere, Sklaven und Herren, Herrschende und Beherrschte entsprechend ihrem Wesen in der Kirche aufgehoben sind (Ἡ οὐσία καὶ τὸ πολίτευμα τῆς Ἐκκλησίας, 202f.). Chrysostomus sagt zusammenfassend (Hom. 71, 1 in Joh): „Er ist der Lehrer und Herr, ihr aber seid untereinander gleichermaßen Sklaven" (PG 59, 385).

In die Bestimmung dessen, was als human und dem naturalen Zustand der gesellschaftlichen Verhältnisse entsprechend gilt, ist Chrysostomus weitgehend der antiken Tradition verpflichtet. Der Versuch, ihr innerhalb des Christentums einen Ort zu geben und sie in das christliche Selbstverständnis und die Praxis aufzunehmen, bezeugt nicht nur das Bewußtsein von einer Kontinuität, sondern auch die natürliche Affinität des Christlichen und Humanen.

2. Kapitel

Aufnahme der Themen philosophischer Kulturkritik und ihr Zusammenhang mit der Anthropologie

1905 wurde eine Arbeit über „die Stellung des hl. Johannes Chrysostomus zum weltlichen Leben" veröffentlicht; sie wollte sich mit dem Vorwurf auseinandersetzen, daß das Christentum „die Lehre des Erlösers über das Verhältnis des Christen zur Welt mißdeutet und umgestaltet habe. Während der Stifter des Christentums nicht Abkehr von der Welt, sondern Beherrschung derselben empfehle . . ., setze die katholische Auffassung, ausgehend von einer einseitig transcendentalen Betrachtung des Lebenszieles des Menschen, die Vollkommenheit in eine möglichst weitgehende finstere und weltscheue Askese und erkläre diese, des unausgleichbaren Gegensatzes zum wirklichen Leben und seines Anspruches sich bewußt, zugleich als Prärogative eines besonderen Standes, nämlich des Ordensstandes".[1]

So sehr solche Apologie aus dem zeitgeschichtlichen Kontext verständlich wird,[2] bleibt es fragwürdig, die offensichtlich bestehende Distanz zwischen dem ersten und vierten Jahrhundert zu harmonisieren[3] oder sie zu übersehen.[4] Es erscheint nicht möglich, eine direkte

[1] G. Kopp, Über die Stellung des hl. Johannes Chrysostomus zum weltlichen Leben, 3.

[2] So setzte sich H. Schell mit dem Vorwurf auseinander, „das Christentum habe den Fortschritt in der Medizin . . . kurzum in der gesamten materiellen Cultur um anderthalb Jahrtausende verzögert". Seine Forderung lautet dann: „Entweder bekundet das kirchliche Christentum seine Befähigung, die gewaltige Bewegung der Neuzeit zu leiten und zu befruchten, oder es fällt dem Verdacht anheim, wenigstens irgendwie veraltet zu sein" (Die neuere Zeit und der alte Glaube. Eine culturgeschichtliche Studie, 90, 130).

[3] Vgl. S. Frank, 'Αγγελικὸς βίος, 210; B. Lohse, Askese und Mönchtum in der Antike und in der alten Kirche, 230f.

[4] Vgl. I. auf der Maur, Mönchtum und Glaubensverkündigung in den Schriften des Johannes Chrysostomus, 158; K. Beyschlag, Christentum und Veränderung in der Alten Kirche, 51. Differenzierter urteilt J. H. Liebschuetz: „The writings of John Chrysostom show how a man who had fully absorbed the classical education could

Verbindungslinie zwischen dem Neuen Testament und dem Mönchtum zu ziehen, ohne die Vermittlung der philosophischen Tradition in Rechnung zu stellen. Das christliche Selbstverständnis, wie es sich in den Schriften des Chrysostomus äußert, ist zutiefst mitgeprägt vom antiken Lebensgefühl und Weltverständnis, so weitgehend, daß bei Chrysostomus teilweise beide Traditionsstränge unvermittelt nebeneinander begegnen. Die Verbindung, die das Christentum nach der Auseinandersetzung mit der Gnosis[5] mit der Kultur der Antike eingegangen ist[6], scheint mehr das Ergebnis der Einwirkung von ‚außen'[7] und der Abwehr häretischer Strömungen im eigenen Inneren zu sein,[8] denn als bewußte und eigenständige Leistung. Die Eigenständigkeit des christlichen Selbstverständnisses wird weniger in dem Beitrag des Christentums zur Kultur greifbar,[9] als vielmehr in der Art und Weise, wie es sich der vorgefundenen, überlegenen Kultur gegenüber verhält und an welche vorgegebenen Muster des Verhaltens es sich anlehnt.

Kennzeichnend für die Formulierung der christlichen Position ist es allgemein, was speziell für Chrysostomus ebenfalls gilt, daß die Interpretamente nicht aus der Tradition der antiken Religionen, sondern die Philosophie entnommen werden. Diese Grundsatzentscheidung schließt einerseits ein ‚religiöses' Verständnis nach Analogie antiker Religion und Mystik aus, bedeutet andererseits aber auch keine Fixierung auf eine bestimmte philosophische Richtung,[10] son-

nevertheless describe the quite un-Hellenic phenomenon of monasticism in terms what were long familiar as descriptions of the philosopher-sage" (Antioch city and imperial administration in Roman Empire, 235f.).

[5] H. v. Soden erkennt dieser Auseinandersetzung grundlegende Bedeutung für die Geschichte der Kirche zu: „Man wird der geschichtlichen Bedeutung des Kampfes zwischen Gnostizismus und Katholizismus nur gerecht, wenn man sich klarmacht, daß es sich in ihm nicht wesentlich um spekulative Fragen, auch nicht um den von orientalischer und genuin hellenistischer Tradition handelt, sondern entscheidend um den ersten großen Kulturkampf der neuen Religion. Entscheidend ist die dualistische Weltbewertung, die Weltentwertung, die auf der einen Seite vertreten, auf der anderen bestritten wird" (Christentum und Kultur in der geschichtlichen Entwicklung ihrer Beziehungen, 14f.).

[6] Vgl. F. Overbeck, a.a.O. 158; A. Wifstrand, Die alte Kirche und die griechische Bildung, 7.

[7] „Die aus dem Glauben hervorgehende ethische Haltung des Christentums gegenüber den Ordnungen dieser bestehenden, vergehenden Welt läßt sich darstellen als Verbindung einer entschiedenen Kritik mit entschlossener Loyalität" (H. v. Soden, a.a.O. 10).

[8] Die positive Wirkung der Häresien für die Ausformulierung des christlichen Selbstverständnisses kann nicht hoch genug veranschlagt werden. Selbst bei Chrysostomus finden sich die positivsten Aussagen über die Welt und das ‚Fleisch' in Zusammenhängen, die von der Absetzung und Verurteilung der Häresien bestimmt sind.

[9] Vgl. Th. Haecker, Christentum und Kultur, 46f.

[10] S. Verosta qualifiziert den Neuplatonismus als das „Weltbild, in das sich die Religion rettet" (Johannes Chrysostomus. Staatsphilosoph und Geschichtstheologe, 199f.).

dern macht die philosophisch-kritische Tradition als ganze zugänglich.

Geschichtlich greifbares Ergebnis der Begegnung und Synthese von Christentum und Antike ist das Mönchtum. Trotz aller Vorbehalte, die gegen diese Erscheinung angemeldet werden,[11] hat sich darin die Kraft der „Umgestaltung“[12] des Christentums im un-religiösen Sinne einer Alternative zur bestehenden Gesellschaft erhalten.

Inwiefern sich das Christentum auf den Bereich, den man im weiten Sinne als kulturellen[13] bezeichnen könnte, humanisierend ausgewirkt hat, entzieht sich der Nachprüfbarkeit. Allerdings ist es möglich, ähnlich wie bezüglich der Klassengegensätze, das Aufeinandertreffen und die Verbindung von antiker und christlicher Tradition zu beobachten.

Ließ sich der Entwurf, den Chrysostomus zur Aufhebung der bestehenden Gegensätze vorträgt, zutreffend als Humanisierung umschreiben, so müßte seine Voraussetzung, insofern die Bedingung aller Veränderung der Mensch bleibt, die ‚Naturalisierung‘ des Menschen und seiner kulturellen Äußerungen genannt werden.

Das mit den beiden Begriffen Gemeinte ist für die Antike nahezu identisch, insofern der ‚Logos‘ des Menschen[14] und die ‚Natur‘[15] den Maßstab dafür abgeben, was jenseits des positiven Rechts und der gültigen Gesetze und der kulturellen Errungenschaften als dem Menschen und den Dingen angemessen gewertet werden kann. Dadurch ist die philosophische Traditon eine kritische Instanz gegenüber dem Menschen selbst und seinen Äußerungen im Bereich der Kultur; die Entfernung von dem vorgegebenen Maß wird zur Entfremdung des Menschen selbst.

Die Übernahme dieses Kriteriums durch das Christentum, die Theologisierung der Naturordnung als Schöpfungsordnung, bot die Möglich-

[11] „Sie (scil. die Kirche) überließ die Pflege einer gesteigerten, unverbürgerlichten Christlichkeit dem in ihrer Mitte erwachsenden Mönchtum, das doch wiederum ohne bürgerliche Verpflichtungen und Verantwortungen eine positive christliche Ethik gar nicht ausbilden konnte, sondern die dem Christentum ursprünglich völlig fremde Selbstzweckaskese einführte“ (H. v. Soden, a.a.O. 19).

[12] Der Titel des Buches von C. Schmidt (Die bürgerliche Gesellschaft in der alten Welt und ihre Umgestaltung durch das Christentum, 1857) impliziert eine große Behauptung; nur bedeutet die „vollständige Umwälzung der Begriffe“ (198) noch keine Umgestaltung der gesellschaftlichen Verhältnisse.

[13] Zum Begriffsumfang vgl. A. Wifstrand, a.a.O. 7.

[14] Vgl. Diogenes Laertius VII, 85 (SVF III, 43).

[15] Cicero (De leg. I, 17, 45): „quare cum et bonum et malum natura iudicetur et sint principia naturae: certe honesta et turpia ... ad naturam referenda sunt“ (SVF III, 77); vgl. Galenus (De H. et Plat. decr. V, 5): Μία γὰρ ἑκάστου τῶν ὄντων ἡ τελειότης, ἡ δ᾽ ἀρετὴ τελειότης ἐστὶ τῆς ἑκάστου φύσεως (Ebd. 77). ‚Tugend‘ ist nach stoischer Auffassung die ‚Übereinstimmung mit der Natur‘.

keit, nicht nur in der Nachfolge der philosophischen Kritik die Entfernung von der Natur/der Schöpfung zu benennen,[16] sondern darüber hinaus die verbleibenden Aporien des Dualismus zwischen Leib und Seele, Innen und Außen, Theorie und Praxis, Diesseits und Jenseits zu lösen.

Daß die Theorie und Praxis der Klöster exakt die Antwort auch auf diese Aporien der antiken Tradition darstellen – gerade auch hinsichtlich der Benedikt zugeschriebenen Formel des ‚ora et labora' – kann an dieser Stelle nur behauptet werden. Wenn man hinzubedenkt, daß gerade das Mönchtum in der Folgezeit ein Kulturfaktor ersten Ranges geworden ist – trotz der dem Christentum völlig fremden Selbstzweckaskese – dann ist damit zu rechnen, daß der in das Christentum eingegangene antike Geist darin nicht unverwandelt geblieben ist. Ansätze finden sich dazu bei Chrysostomus.

1. *Die Entfremdung des Menschen*

Chrysostomus steht mitten in der stoisch-kynischen Tradition, wenn er als Prediger seine christlichen Zuhörer – ähnlich wie seine philosophischen Zeitgenossen und Vorgänger – darüber aufklärt, daß sie weit davon entfernt sind, als freie und vernünftige Menschen zu leben.

Die Fremdbestimmung ist vielfältiger Art: Man orientiert sich in seinem Urteil und Verhalten an der Meinung der Masse[17] und folgt

[16] H. v. Soden erhebt Einwände gegen die Bedingungen dieser Kritik. „Der Katholizismus beruht auf der Sanktion des Natürlichen als göttlich; die natürliche Vernunft und das natürliche Recht, die natürlichen Bedingungen unseres Erkennens und unserer Gemeinschaft, unserer Wissenschaft und unserer Gesellschaft sind göttliche Ordnung und Satzung, sind selbst Formen göttlichen Wirkens. Dadurch wird also neben die direkte, geschichtliche, biblische eine indirekte allgemeine, natürliche Offenbarung gesetzt, die durch die biblische bestätigt erscheint, andererseits aber auch deren Auslegung bestimmt – nach der Norm, daß Gott sich im Wort der Schöpfung und der Bibel nicht widersprechen kann" (a.a.O. 17f.). Wenn man das hier ‚natürlich' Genannte mit ‚identisch' übersetzen würde, wäre der von der Antike intendierte Wortsinn in etwa erfaßt und gleichzeitig auch der Prozeß der ‚natürlichen Offenbarung' benannt, der als Aufgabe umschreibt, alles in der Welt Vorgefundene auf seine ihm – auch von Gott her zugedachte – zukommende Identität hin zu führen oder zu kritisieren. Daß das Christentum innerhalb dieses Prozesses in die Schule der antiken Tradition und Kultur eingetreten ist und sich gleichzeitig davon kritisch abgesetzt hat, sagt nichts gegen eine ‚natürliche Offenbarung' – die z. T. auch den griechischen Philosophen zugebilligt wird und die insofern bestätigt wird, als man sie übernimmt – sondern zeigt, daß sich das Christentum zugetraut hat, aus dem Glauben den erlösenden Richtungssinn hinzufügen zu können.

[17] Dieser Topos findet sich bei Seneca (De vit. beat. I, 3): „Nihil ergo magis praestandum est quam ne ritu pecorum sequamur antecedentium gregem, pergentes ne quo

ihr blind; man läßt sich durch die eigenen, ungeordneten Begierden und Leidenschaften bestimmen und sich von ihnen versklaven, so daß man als sein eigener Gefangener leben muß und in tiefste Abhängigkeit gerät von den nach außen in Erscheinung tretenden Folgen der Leidenschaften. Die Freiheit geht in einer Art von Sklaverei verloren, die schlimmer ist als soziale Sklaverei, das Leben erschöpft sich in Äußerlichkeiten, in Geschäftigkeit, Luxus, Vergnügen und Theaterbesuchen – dem einzig Wichtigen, der Seele, schenkt niemand Aufmerksamkeit. „Ist das ein Leben?"[18]
Diesen Zustand zu verändern, ist die Intention des Chrysostomus[19] ebenso wie die der philosophischen Tradition.[20]

a) Durch den Luxus

Chrysostomus ist keineswegs originell, wenn er sich kritisch äußert über den luxuriösen Lebensstil der Reichen, ihre übertriebenen Prunkbauten,[21] ihre verschwenderischen Gelage,[22] ihren zur Schau

eundum est sed quo itur ... sic nec ad rationem sed ad multitudinem vivimus. Inde ista tanta coacervatio aliorum super alios ruentium" (Rosenbach II, 4) wie bei Chrysostomus (Hom. 12, 4 in 1 Cor): „Darum fliehen wir auch, was das wahrhaft Gute ist, weil es den vielen nicht so erscheint, und untersuchen nicht das Wesen der Dinge, sondern richten uns nach der Meinung der Menge: ... Herr über uns ist die Masse" (PG 61, 100).

[18] Vgl. Ad Theod. II, 3 (PG 47, 312); interessant ist die typische Gegenüberstellung eines Lüstlings und eines Weisen (Hom. 13, 9 in Rom). Der Erstere wird charakterisiert: „Er hält sich eine Schar von Schmarotzern und Schmeichlern, den ganzen Tag verbringt er in lustiger Gesellschaft und bei Gelagen ... wir treffen ihn förmlich ertrunken im Rausche. Wer möchte, wenn er bei Sinnen ist, auch nur einen Tag ein solches Leben führen. Gibt es etwas Erbärmlicheres ... Sage, ist das ein Leben" (PG 60, 520f.)? Ähnlich fragt Seneca (De brev. vit. XII, 3f.: „Ich höre, jemand von diesen Genußmenschen ..., als er aus dem Bad auf Händen getragen und in einen Sessel gesetzt worden war, habe gefragt: Sitze ich schon? Er, der nicht weiß, ob er sitzt, meinst du, er weiß, ob er lebt" (Rosenbach II, 208)?

[19] Er reflektiert seine Aufgabe als Prediger (Hom. in illud, ne timueris 4): Was er zu sagen hat, kann man nirgends sonst hören. Die Frauen reden nur vom Putz und Gold, der Sohn über sein Erbe und das Testament, die Sklaven über die Freilassung (PG 55, 505).

[20] So etwa Plutarch (De lib. educ. 10) über seine Aufgabe (Babbit I, 34).

[21] Hom. 80, 3 in Joh: „Wir bauen prächtige Gräber, kaufen bequeme Häuser, haben eine Horde Sklaven um uns, stellen allerhand Verwalter an über Häuser und Ländereien, Aufseher über das Geld, über die Aufseher wieder Aufseher" (PG 59, 436). Kritisch beschreibt er das Haus eines Reichen (Expos. in Ps 48, 8): Säulen von hehrer Größe, goldene Kapitäle, marmorne Wände, eine Herde Sklaven, Teppichböden, geschnitzte Sitzgelegenheiten (PG 55, 510). Genüßlich erzählt er seinen Zuhörern die Anekdote von einem kynischen Philosophen (Hom. 11, 6 in Rom), der in ein reiches Haus tritt und dem Hausherrn ins Gesicht spuckt, weil er keinen anderen Ort finden konnte (PG 60, 493). Solche Kritik ist Allgemeingut, vorgetragen von Plutarch (De virt. et vit. 4): „Häufe Gold auf, sammle Silber, baue Terrassen, füll dir das Haus mit Sklaven ..." (Babbitt II, 100); ders. (De coh. ira 13): „Wer nur Wein trinkt, der mit

gestellten Überfluß und die Verschwendungssucht.[23] Seine Kritik steht in unmittelbarem Zusammenhang mit der philosophischen Kritik und verwendet ihre Bilder und Argumente.
Die Kritik richtet sich nicht so sehr auf die äußerlich sichtbaren Phänomene wie den Schmuck der Frauen,[24] die überflüssigen Künste,[25] die Theater- und Zirkusspiele:[26] Sie bilden den Anlaß, die wahre

Schnee gekühlt ist, wer kein Brot vom Markt ißt, wer kein Gericht aus irdenem Geschirr anrührt, wer nur auf schwellenden Polstern einschlafen kann ..." (Helmbold VI, 140). Lucian (Kynic. 17) kritisiert seine Zeitgenossen als ‚Kinäden': „Die Leute sind, kleiden sich, essen, riechen wie die Kinäden" (Macleod VII, 404).

[22] Chrysostomus beschreibt die Tafel eines Reichen (Hom. 1, 4 in Col): Ein Sklave allein kann den Diwan nicht heben, die goldenen Schalen haben das Gewicht von einem halben Talent, zahlreiche Dienerschaft, kostbar gekleidet, wartet auf, die Gerichte sind teuer und ausgefallen (PG 62, 304). Die kritisierten Punkte sind traditionell: Dio Chrysostomus (Or. 30, 33) berichtet vom sterbenden Charidemus, er habe die von weit hergebrachten Speisen verworfen (Cohoon II, 426); Plutarch (De cup. div. 528B) nennt den Aufwand bei den Gelagen „Pomp und Theater" (Lacy VII, 38); Ammianus Marcellinus (28, 4 13) berichtet: „Oft lassen sie bei Festgelagen die Waagschale herbeibringen, um den Wert der aufgesetzten Fische, Vögel, Siebenschläfer nach dem Gewicht zu bestimmen, und dann wird deren Größe als bisher unerhört ... mit Lobsprüchen überboten" (Garthausen II, 145f.); Seneca (De brev. vit. XXII, 5) über die Vorbereitung eines Mahles: „Da sehe ich, wie besorgt sie das Silber anschauen, wie sorgfältig sie den Lustknaben die Tunika schürzen, wie gespannt sie sind, ob dem Koch der Eber gelungen ist ..." (Rosenbach I, 208f.).

[23] Angriffsziel sind goldene Betten, überhaupt Gegenstände aus Gold: Chrysostomus erzählt entrüstet (Hom. 7, 5 in Col) vom Perserkönig, der sich sogar goldene Haare fertigen ließ (PG 62, 350); er lehnt (Hom. 11, 6 in Rom) Schmuck von Frauen und Pferden mit Gold ab (PG 60, 492), ebenso (Expos. in Ps. 48, 2) goldene Betten (PG 55, 514) und (Hom. 10, 2 in Phil) goldene Geschirre (PG 62, 259); ähnlich Themistius (Or. 33, 365c), Dio Chrysostomus (Or. 3, 93). Zum Sklavenluxus: Plinius (Ep. III, 14); Ammianus Marcellinus (28, 4, 9).

[24] Ausgehend von der goldenen Plantane, die sich der Perserkönig herstellen ließ (Hom. 7, 4 in Col), leitet Chrysostomus über zum Schmuck der Frauen und stellt ihn in seiner Verwerflichkeit auf die gleiche Stufe (PG 62, 349). Er diskutiert – auch ein Topos – die hohe Schätzung der Perlen (Hom. 10, 5 in Phil), obwohl sie zu nichts nützlich sind: mit Steinen kann man wenigstens Häuser bauen (PG 62, 262). Er kritisiert (Hom. 41, 5 in Gen) die übertriebene Putzsucht der Frauen (PG 53, 381f.). Ähnlich äußern sich Seneca (De brev. vit. II, 2): „Viele hält das Streben nach fremder Schönheit fest oder die Sorge um die eigene" (Rosenbach I, 178), und Ammianus Marcellinus (22, 4, 5): „Seidene Gewänder kamen allgemein in Gebrauch, die Kunstweberei wurde immer feiner" (Gardthausen I, 269); ders. (28, 4, 8): „Andere prangen in seidenen Gewändern" (II, 144). Zu Geschichte und Umfang von κατὰ καλλωπισμοῦ γυναικῶν vgl. A. Knecht, Gegen die Putzsucht der Frauen, 39–55.

[25] Chrysostomus bietet (Hom. 15, 3 in 2 Cor) eine Kritik der Künste und Handwerke: Er teilt sie entsprechend ihrer Funktion in nützliche bzw. notwendige und überflüssige wie z. B. Köche, Kuchenbäcker und Schuster ein (PG 61, 506); er versteht nicht (Hom. 2, 3 in Eph), wozu die Herden von Schafen und die Schlächtereien dienen sollen (PG 62, 20). Gegenüber diesen Kulturgütern und dem Überflüssigen schätzt er – auch hier nicht originell – den Landbau und das ‚natürliche' Landleben am höchsten. Aus dem Gegensatz von Stadt-Land entwickelt er (Hom. 19, 1 ad pop. Ant.) eine rechte Idylle: „Bei diesen Männern gibt es nicht die Theater voll Ungerechtigkeit, nicht

Situation des Menschen und die Perversion seines Strebens aufzudekken.
Diese erscheinen als freiwillig übernommene Sklaverei an die selbstgeschaffenen Güter,[27] als Abfall des Menschen auf eine tierähnliche

Pferdewettkämpfe, keine Huren, nichts von dem Aufruhr der Stadt“ (PG 49, 188f.). Dio Chrysostomus' Or. 7 (Euboikos) ist ebenfalls von diesem Gegensatz bestimmt: Er möchte nicht, daß die Armen in der Stadt wohnen (117) und nicht verdorben werden, keine Toilettenkünstler, Dekorateure und Stukkateure werden, nichts mit Bildern, Marmor, Gold und Elfenbein zu tun haben (118) (Cohoon I, 352). Auch Themistius (Or. 30) lobt das ländliche Leben wegen des Zusammenhanges mit der Tugend und einem glücklichen Leben (Downy II, 182–86). Cicero (De off. I, 42): „nihil agricultura melius, nihil uberius, nihil homine, nihil libero dignius“ (Ax 68), Xenophon (Oec. XIX, 17). J. A. Festugière vermutet einen Zusammenhang des asketischen Lebens mit der Hochschätzung des Landlebens (Antioche paienne et chrètienne, 344f.).

[26] Die Ablehnung von Theater und Zirkus teilt Chrysostomus mit der christlichen Tradition (vgl. dazu A. Biglmair, Die Beteiligung der Christen am öffentlichen Leben in vorconstantinischer Zeit, 260ff.) und einem Teil der antiken Autoren, z. B. äußert sich Cicero (Tusc. II, 41): „crudele gladiatorum spectaculum et inhumanum“ (Pohlenz 301), ähnlich Seneca (Ep. 7, 1), Ammianus Marcellinus (28, 4), Seneca (De brev. vit. XVI, 5). Dio Chrysostomus (Or. 7, 119) möchte die Armen nicht als Spieler zulassen, höchstens beim Chor (Cohoon I, 352f.), Julian (Ep. 304c) verbietet den Priestern die Teilnahme an Vorführungen. Libanius (Or. 64) verteidigt das Schauspielwesen. Chrysostomus lehnt es leidenschaftlich ab: Contra lud. et theatr. (PG 56, 264–269); Hom. 37, 6 in Mt (PG 57, 426f.); De Anna sermo 4, 2 (PG 54, 661f.), Hom. 3, 1 de Dav. et Saule (PG 54, 695) u. ö.

[27] Der Zustand der Sklaverei wird an den Sklavenhaltern selbst festgestellt (Hom. 90, 3 in Joh): „Der Herr ist Sklave seiner Sklaven: ohne sie wagt er sich nicht auf den Markt oder ins Bad oder auf das Feld. Wer der Herr zu sein scheint, wagt es nicht, ohne seine Sklaven aus dem Haus zu gehen. Um zu zeigen, daß ein solches Leben Sklaverei ist, will ich dich fragen: Möchtest du jemandes bedürfen, der dir den Becher an die Lippen führte und den Bissen an den Mund ... und wenn du zum Gehen immer der Stütze anderer bedürftest“ (PG 59, 435f.)? Derselbe Gedanke begegnet bei Plinius (Nat. hist. 29, 1, 19) in noch schärferer Form: „Es geschieht uns recht. Denn niemand interessiert, was zum eigenen Wohle nötig ist: Wir gehen auf fremden Füßen, wir lesen mit fremden Augen, wir grüßen mit fremdem Gedächtnis, wir leben durch fremde Leistung. Die natürlichen Dinge haben ihren Wert verloren, und mit ihnen sind auch die Gehalte des Lebens untergegangen. Nichts als das Vergnügen halten wir für Besitz“ (Ernaut VIII, 194), und variiert bei Seneca (De brev. vit. XXII, 6): Er kritisiert, daß sich die Herren im Tragsessel tragen lassen, der Stunde des Ausganges entgegenwarten, die erinnert werden müssen, wann sie baden, wann sie essen sollen (Rosenbach I, 210). Dieser unnatürliche Zustand und das bloße Leben für Genüsse wird in der gesamten antiken Tradition als ‚Sklaverei‘ qualifiziert, so von Platon (Phaedr. 238c): „Sklave sein der Lust, von den Begierden beherrscht werden“, von Xenophon (Mem. IV, 5, 3): „Wer also beherrscht wird von den körperlichen Lüsten“; so sagt Seneca (De brev. vit. II, 1f.): „Die einen hält unersättliche Habsucht gefangen, den anderen überflüssige Anstrengung mühevoller Betriebsamkeit“ (Rosenbach I, 178), ders. (Ebd. III, 1): „Gefesselt sind sie, ihr Vermögen zusammenzuhalten“ (182); ders. (De vit. beat. XIV, 4): „non voluptatibus sibi emit, sed se voluptatibus vendit“ (34f.); Dio Chrysostomus (Or. 4, 105): „Sie dienen einem solchen Herrn (scil. der Lust)“ (Cohoon I, 220); Libanius (Or. 25, 25) über Midias: Er war zwar ein Herr über Sklaven, aber ein Sklave des Goldes (Foerster II, 548). Dieses Denken samt

Stufe[28] und als Verstoß gegen die von der Natur vorgegebene Ordnung und den Gebrauch der Dinge:[29] Der Mensch zeigt sich als Sklave seiner eigenen Leidenschaften und Begierden, die verhindern, daß er sich um das Notwendige kümmert. In seiner Veräußerlichung ist er unfrei.

Die Menschen bewundern Scheingüter[30] und vernachlässigen die wahren, dauerhaften Güter.[31] Sie kümmern sich um den Leib, die äußeren Dinge,[32] die Seele vernachlässigen sie,[33] obwohl die äußeren

Sprachgebrauch verwendet auch Chrysostomus, vgl. Hom. 6, 8 de Lazaro (PG 48, 1039); Hom. 65, 5 in Mt (PG 58, 624); Hom. 8, 2 ad pop. Ant. (PG 49, 99f.).

[28] Grundgedanke ist, daß der Mensch das ihn vor dem Tier Auszeichnende willentlich aufgibt, so urteilt Aristoteles (Eth. Nic. I, 4 1095b 19f.): οἱ μὲν οὖν πολλοὶ παντελῶς ἀνδραποδώδεις βοσκημάτων βίον προαιρούμενοι. Xenophon (Mem. IV, 5, 11) διαφέρει .. ἄνθρωπος ἀκράτης θηρίου. Dio Chrysostomus (Or. 8, 25) verweist solche Menschen auf die Seite von Schweinen und Wölfen (Cohoon I, 390), ähnlich Chrysostomus (Hom. in illud, ne timueris 1): ὅταν γὰρ ἴδω σὲ ἀλόγως βιοῦντα, πῶς σὲ καλέσω ἄνθρωπον, ἀλλ᾽ βοῦν (PG 55, 500). Er fragt (Hom. 4, 8 in Mt), ob die Glaubenden, wenn sie so leben, überhaupt als Menschen bezeichnet werden können (PG 57, 48).

[29] Er attackiert die vergoldeten Nachtgeschirre (Hom. 7, 4 in Col) und bescheinigt solchen, die sie besitzen ἄνοια, μανία, ἀκολασία, ὠμότης, ἀπανθρωπία, θηρωδία (PG 62, 349). Die Perversion der natürlichen Ordnung beklagt Lucian (Kynic. 9): Aus Menschen macht man Lasttiere, Schnecken verwendet man nicht zum Essen, sondern zum Kleiderfärben (Macleod VII, 294ff.).

[30] Die philosophische Tradition verstand sich als Unterscheidungslehre, die den Menschen durch Einsicht den Zugang zu den wahren Gütern vermitteln wollte, so Plutarch (Gryllus 6): „Einst blendete mich das Gold, ich hielt es für ein unvergleichliches Gut, ebenso Silber und Elfenbein. Ich beneidete dich nicht so sehr wegen deiner Klugheit und Tugend (φρόνησιν, ἀρετήν), als wegen deines künstlich gearbeiteten Leibrocks und der herrlichen Wolle deines Purpurmantels“ (Cherniss XII, 514); vgl. die Definition der Philosophie, die Dio Chrysostomus (Or. 70, 10) gibt (Cohoon V, 158). Die Hinwendung zu den wahren Gütern ist eine Sache der Freiheit (Hom. 58, 4 in Mt): οὐδὲν γὰρ οὕτως ἐλευθερίαν ἀναιρεῖ, ὡς τὸ βιωτικοῖς ἐμπεπλέχθαι πράγμασι, καὶ τὰ δοκοῦντα εἶναι λαμπρὰ περιβεβλῆσθαι (PG 58, 571) und der rechten Einsicht (Hom. 11, 2 in 1 Tim): ἐκεῖνα μόνα ἐστιν ἡμετέρα, ὅσα τῆς ψυχῆς κατορθώματα ... ταῦτα τὰ ἔκτος καὶ παρ᾽ τοῖς ἔξωθεν λέγεται (PG 62, 556). Allgemein sagt Seneca (Ep. 122, 5): „omnia vitia contra naturam pugnant, hoc est luxuriae propositum, gaudere perversis“ (Reynolds II, 514).

[31] Vgl. Hom. 10, 3 in Phil (PG 62, 259); Hom. 35, 7 in Gen (PG 53, 330); Hom. 17, 4 ad pop. Ant. (PG 49, 178) mit Stobaeus, Flor. 43,88 (SVF I, 266); Plutarch, De lib. educ. 7. Ohne diesen Kontext ist die Forderung nach ‚Verachtung‘ der äußeren Güter unverständlich und erscheint als Negativität.

[32] Platon (Ep. 8 355a 8– b 6) stellt eine Hierarchie der Werte auf: τὴν τῆς ψυχῆς ἀρετὴν, δευτέραν τὴν τοῦ σώματος, ὑπὸ τῇ τῆς ψυχῆς κειμένην, τρίτην δὲ καὶ ὑστάτην τὴν τῶν χρημάτων τιμὴν δουλεύουσαν τῷ σώματι καὶ ψυχῇ. In dieser Tradition beklagt Chrysostomus (Hom. 80, 3 in Joh), daß die Menschen sich alle Mühe um den Leib geben, aber die Seele vernachlässigen (PG 59, 436), ähnlich Seneca (De vit. beat. IX, 4): „Hominis bonum quaero, non ventris, qui pecudibus ac beluis laxior est“ (Rosenbach I, 24). Als Ausspruch Julians berichtet Ammianus Marcellinus (25, 4, 7): „Schimpf sei es für einen Weisen, der eine Seele besitzt, seine Ehre in körperlichen Eigenschaften zu suchen“ (Gardthausen II, 41).

Dinge vergänglich und ständig bedroht[34] und nicht dem eigenen Willen unterworfen sind. Die Reichen beziehen ihr Glück aus dem Neid der Armen,[35] ihre Ehre und Ansehen aus der Kunst der Köche,[36] aus der Einrichtung ihrer Häuser,[37] der Sklavenmasse.[38]
Das Volk ergötzt sich am Theater und dem Zirkus,[39] läßt sich von der

[33] ‚Leib' und ‚Seele' fungieren hier nicht primär als zwei metaphysische Prinzipien, sondern als Metaphern für das Schwergewicht und die Hinwendung des Menschen, so (Hom. 41, 4 in Gen): „Der Eifer gilt der Schönheit der Kleidung, dem Gold . . dem äußerlichen Schmuck, auf die Seele verwendet niemand Vorsicht und Vorsorge" (PG 53, 381), ähnlich (Hom. in illud, sal. Prisc. et Aquil. 2,3): „Er suchte den Adel der Seele . . . die Tugend der Seele suchen, alles Äußere ist für uns überflüssig" (PG 51, 100). Nur scheinbar dualistisch ist die Aussage (Hom. 21,6 in Gen): „Sind wir nicht aus zwei Substanzen zusammengesetzt, aus Seele und Leib? Warum wenden wir nicht die gleiche Sorge auf beide, sondern den Leib pflegen wir auf jede Weise, durch Ärzte, Kleidung, Nahrung. Sage mir, warum gilt der Seele nicht die gleiche Sorge" (PG 53, 183)?

[34] Der Topos von der Unbeständigkeit alles Irdischen gehört ursprünglich zur Trostschrift-Literatur; so begegnet er auch bei Chrysostomus (Ad vid. iun. 4) in diesem literarischen Genus (PG 48, 604f.) und im Zusammenhang der Reflexion über den Reichtum, vgl. Hom. 10, 4 in Phil (PG 62, 260) u. ö., ähnlich bei Libanius (Or 8,3) und Dio Chrysostomus (Or. 30, 34).

[35] Nach Plutarch (De cup. div. 38) besteht das Glück der Reichen wesentlich darin, daß die Armen es bewundern (Lacy VII,14). Lucian (Kynic. 9) weiß, aus Menschen Lasttiere zu machen „ist eine Glückseligkeit, die der Pöbel an den Reichen so beneidenswert findet" (Macleod VIII, 298). Seneca (De tranqu. an. I, 10) kritisiert das Volk, weil es nur den Reichtum bewundert (Rosenbach I, 204).

[36] Vgl. Hom. 7, 3 in Col (PG 62, 34).

[37] Dagegen sagt Chrysostomus (Expos. in Ps 48, 6): „Dies alles (scil. Säulen, kostbare Einrichtung usw.) macht die Ehre eines Hauses aus, aber nicht eines Menschen" (Ebd. 8): „Lerne, worin der Reichtum des Menschen besteht, worin der Reichtum eines Hauses" (PG 55, 511).

[38] Philostrat (Vit. soph. I, 25) äußert sich mißbilligend über den Aufwand des Polemos, den er auf Reisen treibt: er führt Sklavenmassen mit sich, verschiedene Hunderassen (Wright 108f.); Chrysostomus (Hom. 7, 3 in Col) erkennt wie Lucian einen Mißbrauch von Menschen: „Wäre es aber eine Schande, bloß wegen der Sklavenzahl geehrt zu werden, die doch die gleiche Seele und Natur mit uns teilen" (PG 62, 34). Wegen dieser Perversion der Verhältnisse gilt die Situation der Reichen als bemitleidenswert, so sagt Libanius (Or. 7, 8): „Schlimmer als mit Hunden in der Gosse zu liegen, ist es, schlecht in goldenen Betten zu liegen" (Foerster I, 2 375), ders. (Or. 7,4): „Ich würde nicht sagen, daß, wer reich ist, glücklich gepriesen werden müsse: einige von den Schwerreichen sind eher Anlaß zum Bemitleiden" (374). Chrysostomus äußert sich ähnlich zum Elend der Reichen (Hom. 13, 3 in 1 Tim): Sie führen ein in Wahrheit unglückliches Leben (PG 62, 567f.), auch Seneca (De brev. vit. II, 4) bezeichnet Reichtum als Last (Rosenbach I, 80). Dagegen gilt Armut als Glück.

[39] Ammianus Marcellinus beschreibt die Stadtbevölkerung und Zustände in Rom (28, 4, 31), aber ähnlich muß es in Antiochien und Konstantinopel gewesen sein: „Höchstes Ziel der Wünsche ist ihnen der Zirkus"; er kritisiert das armselige Theater, die bestellten Schreier, das Anstellen um die besten Plätze, die alles beherrschenden Diskussionen um die Favoriten (Gardthausen II, 150). Chrysostomus ist es auch nicht gelungen, die Zirkus- und Theaterleidenschaft zu bändigen: wenn es nach ihm ginge (Hom. 37, 6 in Mt), würde er Theater und Zirkus verbieten (PG 57, 426)

Rohheit und Unmenschlichkeit der Spiele[40] beeindrucken und kehrt dann nach Hause zurück, ausgeliefert an die Verrohung des Gesehenen.[41]

b) Durch die Begierden und Leidenschaften

Die vielfältige Form der Entfremdung des Menschen führt Chrysostomus in Anlehnung an die philosophische Tradition auf die Leidenschaften und Begierden des Menschen zurück. Ihnen ist eigentümlich, daß sie die von der Natur gezogene Grenze überschreiten,[42] den Menschen zu einem unvernünftigen,[43] tierähnlichen Wesen degenerie-

[40] Von daher wird die Ablehnung begründet von Dio Chrysostomus (Or. 7, 122), von Seneca (De brev. vit. XVI,5): „Daher auch der Dichter Wahnsinn, die mit ihren Geschichten die menschlichen Verwirrungen (humanos errores) nähren" (Rosenbach I, 224), von Plato (Resp. X 595b 5f.), von Chrysostomus (Hom. 3, 2 de Davide et Saule): „Dort liegen die Ursachen der Zerstörung der Ehen..." (PG 54, 697); vgl. Hom. 12, 5 in 1 Cor (PG 61, 103).

[41] Seneca (Ep. 7,3): „Avarior redeo, imo vero crudelior et inhumanior" (Reynolds II, 12); Chrysostomus (Contra lud. et theatr. 2): „Du kehrst zurück mit tausend Wunden.. σωφροσύνης ἀπώλεια" (PG 56, 226). Ähnlich Platon (Resp. X 605b 4f.): ὅτι τοῦτο (μιμητικὸν) ἐγείρει τῆς ψυχῆς καὶ τρέφει καὶ ἰσαχυρὸν ποιῶν ἀπόλλυσι τὸ λογιστικόν.

[42] Eine Grundstelle bei Chrysostomus ist (Hom. 30, 2 in Gen): ὅρα πῶς ἡ ἀνθρωπίνη φύσις οὐκ ἀνέχεται ἵστασθαι ἐπὶ τῶν οἰκείων τῶν ὅρων, ἀλλ' ἀεὶ τοῦ πλείονος ἐφιεμένη ὀρέγεται τῶν μειζόνων (PG 53, 275). Ähnlich ist Sklaverei definiert (Hom. 6, 7 de Lazaro): τὰ μέτρα τῆς ἐπιθυμίας ὑπερβαίνειν (PG 48, 1036). Allgemein kann Dio Chrysostomus (Or. 107) von den Unbeherrschten sagen: πάντα ἁπλῶς ὑπερβαίνειν... ἀνθρώπινα καὶ τὰ θεῖα ... (Cohoon I, 218) und von der Habsucht (Or. 17, 12): πλεονεξία-ὑπερβῆναι τὸ δίκαιον (Cohoon II, 196). Auch Platon zieht eine Grenze bezüglich der ‚Sklaverei' (Ep. 8 354e 5): μέτρια δὲ ἡ θεῷ δουλεία, ἄμετρος δὲ ἡ τοῖς ἀνθρώποις. Insofern die ‚Natur' mit dem ‚Logos' des Menschen harmoniert, kann in der Stoa nach Diogenes Laertius (VII, 113) die Begierde definiert werden als ἄλογος ὄρεξις, ὑφ' ἣν τάττεται ... σπάνις, μῖσος (SVF III, 96), ähnlich von Andronicus (Περὶ παθῶν 1): ἐπιθυμία δὲ ἄλογος ὄρεξις. ἢ δίωξις προσδοκουμένου ἀγαθοῦ (SVF III, 95). Cicero (Tusc. III, 11, 24) tradiert zwei Meinungen über die Begierde: „nam duae sunt ex opinione boni, quarum altera, voluptas gestiens, id est praeter modum elata laetitia, altera, quae est immoderata appetitio opinandi magni boni, ratione non obtemperans vel cupiditas recte vel libido dici potest" (Ebd. 93). ‚Leidenschaft' ist nach Diogenes Laertius (VII, 110) in der Stoa: ἔστι δὲ τὸ πάθος ... ἡ ἄλογος καὶ παρὰ φύσιν ψυχῆς κίνησις, ἡ ὁρμὴ πλεονάζουσα (SVF I, 50).

[43] Den Schöpfungsauftrag, über die unvernünftigen Tiere zu herrschen, kann in dieser Tradition Chrysostomus leicht polemisch wenden (Hom. in illud, ne timueris 1): ἄρχων εἶ τῶν ἀλόγων, καὶ τῶν ἐν σοὶ ἀλόγων παθῶν δοῦλος ἐγένου (PG 55, 500), ähnlich (Hom. 1, 3 de Maccab.): ἐν τοῖς ἀλόγοις πάθησιν ἡ ... καρτερίαν. (PG 50, 522) und im Zusammenhang der Theaterleidenschaft (Hom. contra lud. et theatr. 1): ... τὰ ἄλογα ἐν σοὶ πάθη ... λογισμὸν ὀρθὸν (PG 56, 265). Verlust des klaren Verstandes charakterisiert auch nach der philosophischen Tradition die Leidenschaft, so nach Galenus (De H. et Pl. dogm. IV, 5): ὅτι τὴν κατὰ τὸ πάθος ὁρμὴν ἄλογον εἶναι, καθ' ὅσον ἀπέστρεπται τὸν λόγον καὶ ἀπειθεῖ τῷ λόγῳ (SVF III, 114), ähnlich nach Cicero (Tusc. IV, 11): „aversa a recta ratione contra naturam animi commotio" (SVF I, 50), nach Stobaeus (Ecl. II, 7, 2): ἀπειθῆ τῷ λόγῳ (Ebd.).

ren[44] und ihn in Wahnsinn stürzen.[45] Die Leidenschaften in ihrem Übermaß sind die eigentlichen Krankheiten des Menschen[46] und der Grund für alles Unglück und Elend in der Welt.[47] Ihnen gilt, als handelte es sich um Dämonen und Drachen,[48] der Kampf,[49] vor ihnen gilt es, die Flucht zu ergreifen.[50] Die Leidenschaften des Menschen bestimmen als die wahren Mächte das gesamte Leben,[51] sie machen aus Menschen Sklaven.

[44] Chrysostomus fragt polemisch (Hom. 7, 6 in Col), woher der Mensch wert sei, über die Tiere zu herrschen: ἀπὸ τοῦ λόγου; ἀλλ' οὐκ ἔστιν (PG 62, 238); vgl. Expos. in Ps. 59, 3 (PG 55, 269); Hom. 34, 5 in Act (PG 60, 250f.). Ohne die Herrschaft über sich selbst hört der Mensch auf – in der Auslegung der Schöpfungstheologie und der Rezeption der antiken Tradition – Mensch zu sein (Hom. 4, 9 in Mt): „Wie kann ich dich zu den Menschen rechnen, wenn ich an dir nicht sehe das dich der Natur nach unterscheidende Merkmal?" (PG 57, 48), Cicero (Tusc. IV, 31): „(perturbationes) itaque in hominibus solum existunt, nam bestiae simile quiddam faciunt" (SVF III, 104), Dio Chrysostomus (Or. 4, 95): κυνὸς ἀχρήστου ψυχὴν ἔχων ἁρπάζοντος (Cohoon I, 104).

[45] Vgl. Hom. 7, 4 in Col (PG 62, 349); Hom. 12, 5 in 1 Cor (PG 61, 102). Μανία ist nach der Stoa Kennzeichen der φαῦλοι, so nach Plutarch (De repug. Stoic. 3): μαίνεσθαι πάντας, ἀφραίνειν, ἀνοσίους εἶναι ... (SVF III, 166), ähnlich Diogenes Laertius (VIII, 124): πάντας τὲ τοὺς ἄφρονας μαίνεσθαι (Ebd. 166).

[46] Vgl. Hom. de res. DNJChr. 1: ἓν δὲ τὸ πάθος καὶ τὸ νόσημα (PG 50, 434); Plutarch (De lib. educ. 10): τῶν δὲ τῆς ψυχῆς ἀρρωστημάτων καὶ παθῶν ... (Babbit I, 34).

[47] Katalogartige Aufzählungen bietet Chrysostomus (Hom. 13, 4 in Act) darüber, was die Seele des Reichen hervorbringt (PG 60, 111); Lucian (Kynic. 15) zählt die Folgen der Habsucht auf (Macleod III, 404).

[48] Die Habsucht ist charakterisiert (Hom. 7, 4 in Col) als „Skylla, Chimäre, Drachen, Dämon, Verwirrer" (PG 62, 349) oder als (Hom. de res. DNJChr. 2) „Krankheit, selbstgewählter Dämon" (PG 50, 735); die Leidenschaft allgemein gilt als Despot (Hom. 18, 2 in 1 Tim): „Die Tyrannenherrschaft der Leidenschaften" (PG 62, 599) oder als Feind (Hom. 14, 2 in Phil): „Nichts ist unserer Natur so feind wie das Böse" (PG 61, 284). Der Sprachgebrauch stimmt mit antiken, philosophischen Autoren überein, vgl. Libanius (Or. 25, 16): ἕτερος τοίνυν δεσπότης θύμος οὐ τῷ λογισμῷ ... ὑπερετῶν (Foerster II, 544) und Dio Chrysostomus im Zusammenhang der Beschreibung der drei Lebensweisen, die sich an den Leidenschaften orientieren (Or. 4, 84f.): ὁ μὲν δὴ φιλοχρήματος δαίμων χρυσοῦ καὶ ἀργυρίου καὶ γῆς καὶ ... πάσης κτήσεως ἐράστης (Cohoon I, 210).

[49] Chrysostomus wählt als Analogie den Kampf mit den Barbaren (Expos. in Ps 55, 5), um den Kampf gegen die verschiedenen Leidenschaften zu veranschaulichen (PG 55, 58) oder das Bild vom inneren Kampfplatz (Hom,. 3, 4 de verbis apostoli, habentes eundem spiritum): ... πάλη πρὸς τὰς ἐπιθυμίας τῆς φύσεως (PG 51, 293), ähnlich wie Dio Chrysostomus (Or. 8, 20): „Einen anderen Kampf und Streit gibt es, der nicht gering ist, sondern größer (scil. als die Olympischen Spiele), der gegen die Lust" (Cohoon I, 388), ders. (Or. 9, 11f.): „Viele Gegner haben wir ... den Zorn, die Trauer, die Begierde, die Furcht, die Lust" (Ebd. 408), und Klemens von Alexandrien, der die Meinung des Ariston (Strom. II, 20) wiedergibt (SVF I, 85).

[50] Vgl. Hom. 3, 1 de Davide et Saule: φεύγειν τὰς πονηρὰς ... διατρίβας (PG 54, 695) und Dio Chrysostomus (Or. 8, 23): τὴν ἡδονὴν φεύγειν. ἀποφευγειν τὰς ἡδονάς (SVF I, 390) und allgemein die Lehre der Ethik Epikurs nach Diogenes Laertius (X, 30): τὸ δὲ ἠθικὸν τὰ περὶ αἱρέσεως καὶ φυγῆς (Usener Epicurea, 131).

[51] Insofern das ‚Bild' des Menschen in seiner Herrschaft über die Dinge der Welt besteht, gibt es kein Unmenschlicheres als die Versklavung an sie (Hom. 21, 1 in Mt):

Die Qualifikation der Leidenschaften als ‚Sünde'[52] resultiert einerseits aus dem Begriff der Freiheit,[53] andererseits aus dem Begriff der Natur. Die Leidenschaften sind παρὰ φύσιν[54] und verstoßen gegen die dem Menschen vorgegebene und den Dingen innewohnende Identität.[55] Chrysostomus versucht in der Nachfolge der philosophischen Tradition die Unvernünftigkeit der Leidenschaften dadurch zu erweisen, daß er aufzeigt, wie sie, ohne Nutzen zu erbringen, ins Leere gehen: Sie machen sich als Überschreitung vorgegebener Grenzen offenbar.

„Der Reichtum vertreibt euch aus der Sklaverei Gottes und macht euch zu Sklaven unvernünftiger Dinge, über die ihr herrschen solltet" (PG 57, 295); ähnlich kritisch äußert sich Platon (Ep. 8 354e 5f.): θεὸς δὲ ἀνθρώποις σώφροσιν νόμος, ἄφροσιν δὲ ἡδονή.

[52] Chrysostomus partizipiert an dem griechisch-philosophischen Begriff von Sünde als dem Fehlen gegen das rechte Maß oder die Natur der Dinge (Hom. de prof. evang. 1): . . . οὐχ ἵνα ἀμελῶμεν δικαιοσύνης, ἀλλ' ἵνα φύγωμεν ἀπόνοιαν, οὐχ ἵνα ἁμαρτάνωμεν, ἀλλ' ἵνα μετριάζωμεν (PG 51, 312), ähnlich Plutarch (De virt. mor. 10): πᾶν μὲν γὰρ πάθος ἁμαρτία κατ' αὐτὸ ἐστὶν καὶ πᾶς ὁ λυπούμενος . . . ἢ ἐπιθυμῶν ἁμαρτάνει (Helmbold VI, 68) und Klemens v. Alexandrien (Paed. I, 13), der als stoische Lehre vorträgt: πᾶν τὸ παρὰ τὸν λόγον τὸν ὀρθὸν τοῦτο ἁμάρτημα ἐστὶ (SVF III, 108).

[53] Freiheit ist einerseits von Epiktet (Arrianus, Dissert. IV, 1, 56) definiert als Selbstbestimmung (Oldfather II, 244) und als Ungehindert-sein von Lucian (Kynik. 19): Sein ‚Schema' erlaubt ihm, „in Ruhe zu leben und zu tun, was ich will, und zu gehen, wohin ich will" (Macleod III, 406), ähnlich von Dio Chrysostomus (Or. 14, 13): „Mit einem Wort wollen wir zusammenfassen und erklären: Wer tun kann, was er will, ist frei; wenn ihm das verwehrt ist, ist er ein Sklave" (Cohoon II, 132); vgl. auch M. Pohlenz, Griechische Freiheit, 159ff. 182. Chrysostomus übernimmt nicht nur diese positive Bestimmung, sondern vor allem ihre negative Seite: daß Unfreiheit wie alle Sünde vom Menschen verursacht ist. Dies impliziert ein intellektuelles Moment, insofern Freiheit nahezu mit Wissen und Einsicht identifiziert wird, wie umgekehrt die Sklaverei mit Unkenntnis, so von Epiktet (Ench. 48, 1): „Das Verhalten und die Eigenart des Philosophen ist es, allen Nutzen und Schaden aus sich selbst zu erwarten" (Oldfather II, 530); ähnlich definiert Dio Chrysostomus (Or. 14, 18) Freiheit als Wissen (ἐπιστήμη) des Erlaubten und Verbotenen, Sklaverei als Unkenntnis (ἀγνοία) (Cohoon II, 134). Chrysostomus sieht das Spezifische in dieser Tradition am Menschen darin (Sermo 6, 1 in Gen): τῷ κακίαν καὶ ἀρετην εἰδέναι (PG 54, 591).

[54] So Galenus (De H. et Plat. dogm. IV, 4): τὸ τῆς ψυχῆς πάθος εἶναι κίνησις παρὰ φύσιν (SVF III, 126); in gleicher Weise kann Chrysostomus den Menschen im Unterschied zum Tier beschreiben (Sermo 3, 1 in Gen): καίτοι τῷ λέοντι μὲν κατὰ φύσιν τὸ ἄγριον, παρὰ δὲ τὸ φύσιν δὲ τὸ ἥμερον, σοὶ δὲ ἐναντίον . . . κατὰ . . . παρὰ φύσιν (PG 54, 591) und (Hom. 2, 4 in Eph) den Unterschied von Tugend und Schlechtigkeit: „Siehst du, wie die Tugend gemäß der Natur ist, gegen die Natur aber die Schlechtigkeit ähnlich wie Krankheit und Gesundheit" (PG 62, 21).

[55] Kriterium kann sein das καλόν. So identifiziert Chrysostomus καλόν mit dem φυσικόν (Hom. 4, 3 in 1 Tim) im Zusammenhang der Diskussion des Schmuckes der Frauen (PG 62, 524) genau wie Epiktet (Arrianus, Dissert. III, 1, 3) im selben Zusammenhang: „Weil die Natur des Pferdes, Hundes, des Menschen je verschieden ist, muß auch das Schöne (καλόν) je verschieden sein" (Oldfather II, 6). Ein anderes Kriterium ist die Funktionstüchtigkeit: ob es Nutzen oder Schaden bringt, so bei Dio Chrysostomus (Or. 17, 6f.), der vom Schaden redet, der aus der Habsucht entsteht (Cohoon II, 192ff.) und bei Chrysostomus (Hom. 10, 3 in Phil), der goldene Dächer deswegen ablehnt, weil sie keinen Nutzen bringen (PG 62, 259).

c) Durch den freien Willen

Die Entfremdung des Menschen und die Übel, die aus der Hörigkeit an die äußeren Dinge und die Leidenschaften entstehen, sind kein Naturereignis. Sie sind nicht von höheren oder anonymen Mächten verursacht. Sie sind die nach außen sichtbar werdenden Folgen des menschlichen Wollens.

Die Frage: Woher das Böse[56] in der Welt?, hat die ganze Antike bewegt und schon vor der christlichen Zeit in zwei Lager gespalten.[57] Diese Kontroverse hat sich innerhalb des Christentums selbst fortgesetzt als Auseinandersetzung mit der Gnosis, besonders mit Marcion, und ist schließlich durch die Affizierung durch den Neuplatonismus[58] und den Manichäismus zu einem verhängnisvollen Erbe geworden. An der Frage, ob das Böse ein konstitutives Moment an der Welt und dem Menschen (φύσει) sei, oder ob es als Folgeerscheinung der menschlichen Taten und Entscheidungen angesehen werden müsse, entscheidet sich auch die Richtung, in der nach Veränderung der Verhältnisse und des Menschen gesucht werden kann,[59] ob in dieser Welt oder in einem Jenseits. Chrysostomus ist auch bezüglich der menschlichen Willensfreiheit und ihrer Verteidigung gegen den antiken Fatalismus und die dualistischen Einflüsse der Häresien nicht originell zu nennen. Er schließt sich in dieser Frage einerseits an die vorgegebene innerchristliche Tradition an, die ihrerseits von der Fatalismus-Kritik der Antike wesentlich geprägt ist,[60] zeigt sich andererseits direkt von der philosophischen Diskussion dieser Frage beeinflußt.

Chrysostomus verfolgt mit der Behauptung[61] und Verteidigung[62] der Willensfreiheit sehr verschiedene Intentionen. Zunächst bedeutet sie

[56] Nach Chrysostomus (Adv. opp. III, 10) war es die Grundfrage von Markion, Manes und Valentinus (PG 47, 365).

[57] Vgl. M. Pohlenz zur Kritik des Karneades an der Lehre Zenons von der Heimarmene (Griechische Freiheit, 139ff.). Cicero (De fato 39) referiert die Kontroverse: „ac mihi videtur, cum duae sententiae fuissent veterum philosophorum, una eorum, qui auserent omnia ita fato fieri, ut id fatum vim necessitatis adferret ... altera eorum, quibus viderentur sine ullo fato esse animorum motus voluntarii. Chrysippus tamquam arbiter honorarius medium ferre voluisse“ (Giomini 169); zu Chrysipps Lehren vgl. SVF II, 282ff.

[58] Vgl. Ch. Elias, Neuplatonische und gnostische Weltablehnung in der Schule Plotins, vor allem wegen der reichhaltigen Literaturangaben.

[59] Die Rede von den ‚Strukturen' hat eine gewisse Verwandtschaft mit der antiken Kontroverse über Notwendigkeit und Freiheit.

[60] Vgl. D. Amand, Fatalisme et liberté, zu Chrysostomus 497ff.

[61] In Argumentation und Terminologie zeigt sich Chrysostomus der antiken, antifatalistischen Tradition verpflichtet, wenn er (Hom. in illud, non est in homine 1ff.) ausführt: τὶ γὰρ ἂν τὶς παραινέσειε τῷ μηδενὸς ὄντι κυρίῳ; τὶ δὲ ἂν τὶς ὑπόσχοιτο τῷ πάσης ἐξουσίας ἀπεστερημένῳ; ... ἀλλὰ καὶ ἐφ' ἡμῖν τὰ πρακτέα ... δῆλον, ὅτι καὶ ἐφ' ἡμῖν ... εἰ μὴ κύριοι πρακτέων ἦσαν (PG 56, 155/161). Vgl. dazu Aristoteles (Eth. Nic.

die freie Selbstbestimmung des Menschen,[63] die ihn jenseits von Zwang und Nötigung[64] als verantwortlichen Urheber seiner Taten erscheinen läßt; die Welt des Menschen ist nicht mythischen Mächten ausgesetzt, sondern unterliegt der Verantwortung des Menschen allein.

Insofern bedeutet die Willensfreiheit ein Stück Aufklärung und bietet gegenüber den Häresien eine wichtige Handhabe, eine ‚Apologie' der Natur bzw. der Schöpfung und der Leiblichkeit des Menschen zu betreiben.

So nötigt die Auseinandersetzung mit den Häresien[65] und dem Fatalismus dem Christentum, und auch Chrysostomus, eine Position auf, die sie in große Nähe zur philosophischen bringt: Die polemisch aufrecht erhaltene Selbstbestimmung und Selbstverantwortung[66]

III, 3 1112b 31f.): ἄνθρωπος εἶναι ἀρχὴ τῶν πρακτέων; (Ebd. 1113a 10f.): καὶ ἡ προαίρεσις ἂν εἴη βουλευτικὴ ὄντως τῶν ἐφ' ἡμῖν; (Ebd. 1113b 6f.): ἐφ' ἡμῖν καὶ ἡ ἀρετὴ, ὁμοίως δὲ καὶ ἡ κακία; zur Argumentation der Selbstverantwortung anhand von Lohn und Strafe (Ebd. 1113b 21f.): κολάζουσι γὰρ καὶ τιμωροῦνται νομοθέται. Dieselbe Grundunterscheidung wie Chrysostomus und Aristoteles weist auch Epiktet (Ench. I, 1) auf: τῶν ὄντων τὰ μὲν ἐστὶν ἐφ' ἡμῖν, τὰ δὲ οὐκ ἐφ' ἡμῖν. ἐφ ἡμῖν μὲν ὑπόληψις, ὁρμὴ, ὄρεξις ... ἡμετέρα ἔργα. οὐκ ἐφ' ἡμῖν δὲ τὸ σῶμα, κτῆσις (Oldfather II, 482) und christlicherseits Eusebius Pamphilius (Adv. Phil. 42): ὡς ἄρα τῶν ὄντων τὰ μὲν ἐστὶν ἐφ' ἡμῖν, τὰ δὲ οὐκ ἐφ' ἡμῖν ... κατὰ προαίρεσιν (Conybeare II, 600). Terminologische Abhängigkeit weist Seneca (Ep. 23, 2) auf: „... qui felicitatem suam in aliena potestate non posuit" (Reynolds I, 63f.); zum Ganzen vgl. E. Novak, Le chrétien devant la suffrance, 60.

[62] Der Mensch ist seiner Natur nach κύριος und deswegen rechenschaftspflichtig – ein wesentliches Argument für die Freiheit des Willens (Hom. de perf. carit. 3): „Warum schlägst du deinen Sklaven, ziehst die Ehebrecherin vor das Forum" (PG 56, 282); vgl. Hom. 1, 3 in 1 Tim (PG 62, 507); Hom. 45, 4 in Joh (PG 59, 256).

[63] Epiktet (Arrianus, Dissert. IV, 1, 56) definiert Freiheit als αὐτεξούσιον, αὐτόνομον (Oldfather II, 262), ähnlich Chrysostomus, so (Hom. 22, 1 in Gen.): εἶδες ὡς αὐτεξούσιον ἡμῖν τὴν φύσιν ὁ θεὸς ... (PG 53, 187) und in ähnlicher Formulierung (Hom. 19, 1 in Gen): αὐτεξούσιον ἡμῶν τὴν φύσιν εἰργάσατο ὁ θεός (PG 53, 158), und auf den Willen bezogen (Hom. de perf. carit. 3): αὐτεξουσίῳ γὰρ προαιρέσει κυβερνώμεθα καὶ οὐχ εἱμαρμένης ἀνάγκῃ ... ἐν τῷ θέλειν καὶ μὴ θέλειν (PG 56, 282).

[64] Hier äußert sich Chrysostomus eindeutig (Hom. 59, 3 in Mt): „Woher also stammt das Böse? ... von uns selbst" (PG 58, 576); vgl. Hom. 45,1 in Mt (PG 58, 471), Hom. 31, 6 in Gen (PG 53, 290).

[65] Die Aufforderung, das Böse abzulegen und die Tugend einzuführen und sie zu verfolgen (Hom. 12, 7 in Rom), wertet Chrysostomus als Beweis dafür, „daß die Schlechtigkeit kein Übel von Natur ist" (PG 60, 503); an anderer Stelle (Hom. 5 de laud. Pauli) entgegnet er auf die Einrede der Häretiker, der Leib sei der Tugend hinderlich: „Das einzige Hindernis ist die Schlechtigkeit der Seele" (PG 50, 496); er verweist auf die unhaltbaren Konsequenzen (Hom. 13, 7 in Rom): „Wenn du deswegen das Fleisch vernichtest, ... vernichtest du auch die Welt" (PG 60, 518).

[66] Die faktisch unterschiedliche Entscheidung der Menschen macht die Willensfreiheit evident (Hom. de fer. repreh. et de mut. nominum 2,5): „Siehst du, daß dies nicht aus Zwang geschah. Wenn nämlich Zwang herrschte, *müßtest* auch du gehorchen" (PG 51, 141); vgl. Expos. in Ps 60, 2 (PG 55, 281), Hom. 12, 2 in Joh (PG 59, 83).

erscheint als Überschätzung der menschlichen Möglichkeiten,[67] ist aber für Chrysostomus der einzig erkennbare Ansatzpunkt für eine Veränderung.
So sehr der freie Wille als entfremdeter begegnet – wenn er grundsätzlich in der Lage ist, das Ziel und die Richtung des Strebens frei zu bestimmen,[68] kann er das Schwergewicht auch verlagern; aus dem ‚Schlechten' kann ein ‚Guter' werden.
Für die Stoa erschien ein solcher Umschlag nahezu undenkbar;[69] Chrysostomus hält ihn aber – aufgrund der vorgegebenen philosophischen Theorie[70] und anschaubarer, christlicher Beispiele[71] – für jeden, der es nur will, möglich.[72] Hier macht sich der christlich-jüdische

Chrysostomus befindet sich ganz innerhalb der antifatalistischen Tradition, etwa des Diogenes von Oinoanda (Fr. 43): „Nicht die Natur, die nur eine einzige für alle ist, hat Edle und Unedle hervorgebracht, sondern die Handlungen und inneren Verfassungen" (διάθεσις) (Chilton 73). Dieses Argument verwendet Chrysostomus in abgewandelter Form ebenfalls (Hom. de diabolo tent. 2): „Erkenne, daß der Grund zur Sünde kein anderer ist als du selbst. Das habe ich dir gezeigt ... an den Mitknechten ... Warum ist ihr Ende nicht gleich? Weil der Wille es nicht zuließ: er allein schafft den Unterschied. Also nicht ein Dämon? nicht ein Verwirrer? keine Tyche? keine Heimarmene? Ist also nicht jeder der Urheber der Schlechtigkeit wie der Tugend?" (PG 49, 268). Ähnlich führt Themistius (Or. 32, 363cd) das Laster der Geldliebe nicht auf die Natur, sondern auf die Gesinnung des Menschen zurück (Dindorf 438f.).

[67] Vgl. A. M. Ritter, Das Charismaverständnis bei Johannes Chrysostomus, 42 und seine Auseinandersetzung mit E. Hoffmann-Aleith, Das Paulusverständnis des Johannes Chrysostomus, in: ZNW 38 (1939) 181–188, wegen der Frage des Pelagianismus; zur Rezeption des Chrysostomus für die antipelagianische Argumentation durch Augustinus vgl. B. Altaner, Augustinus und Chrysostomus, in: Kleine patristische Schriften, 302–311.

[68] Den Umschlag vom Bösen zum Guten und umgekehrt dient Chrysostomus (Hom. 59, 2 in Mt) als Argument (PG 58, 577). Auch das Zusammenwirken von Gott und Mensch bleibt von Nötigung frei, wird aber in philosophischer Terminologie beschrieben (Hom. 12, 3 in Hebr): Dies ist nicht so zu denken, daß die Selbstbestimmung Schaden litte. 'Εφ' ἡμῖν ἐστὶ τοίνυν, καὶ ἐπ' αὐτῷ (PG 63, 99).

[69] So referiert Stobaeus (Ecl. II, 104) als stoische Auffassung: τὸ μὴ προστετράφθαι τινὰ τῶν φαύλων μήτε προστρέφειν πρὸς ἀρετήν (SVF III, 170), ähnlich Philo (Leg. all. III, 1): εἰ γὰρ πόλις οἰκεία τῶν σοφῶν ἡ ἀρετὴ, ταύτης ὁ μὴ δυνάμενος μετέχειν ἀπελήλαται πόλεως, ἧς ἀδυνατεῖ ... φαῦλος (SVF III, 173) und Lactantius (Div. inst. V, 17): „qui enim stultus est, quid sit iustum ac bonum nescit et ideo semper peccat. Ita fit ut numquam posse iustus, qui stultus est neque sapiens qui fuerit iniustus" (Ebd.).

[70] Vgl. Aristoteles (Eth. Nic. III, 5 1113b 6–15) mit Chrysostomus (Hom. 12, 2 in Rom), wo er die Willensfreiheit als ‚Bewegung', die aus dem Menschen hervorkommt, beschreibt (PG 60, 510).

[71] Die christliche Tradition bot ihm Beispiele genug (Hom. 12, 2 in Joh): „Der Zöllner wurde Apostel, der überhebliche Verfolger und Lästerer erwies sich als Bote für die ganze Welt ..." (PG 59, 84); an anderer Stelle (Adv. opp. III, 4) verwendet er philosophische Terminologie: ἐπειδὴ δὲ ἐκ προαιρέσεως καὶ φαῦλοι γινόμεθα καὶ σπουδαῖοι (PG 47, 355); vgl. Hom. 6, 9 de Lazaro (PG 48, 1042).

[72] In der Auslegung von Jer. 13, 23 sagt er (Hom. 68, 2 in Joh): „Dies Wort meint nicht, daß es ihnen unmöglich sei, das Gute zu tun, sondern daß sie nicht wollen – deswegen können sie auch nicht" (PG 59, 376); vgl. Hom. 59, 2 in Mt (PG 58, 575).

Einfluß geltend, der das Bewegt-werden des Menschen viel weniger von der Erkenntnis erwartet[73] als vom Wollen.
Nur unter der Voraussetzung wird verständlich, warum Chrysostomus als Prediger mit solcher Intensität von Gericht und Hölle predigt,[74] auch mit Lohn lockt und mit Strafen droht. Er möchte die Christen bewegen, sich zu verändern, weil er weiß, sie können es. So hoch er von der menschlichen Freiheit denkt und Zwang ablehnt,[75] ist er auch realistisch genug zu wissen, wie schwer es ist, die Richtung der Leidenschaften auf ein anderes Ziel hin zu lenken.
So wird die Entfremdung des Menschen an die äußeren Dinge, das Übermaß an Reichtum, Luxus, Kleider, Sklaven, Vergnügungen, wie sie die philosophische Kulturkritik anprangert, als Nicht-Herr-werden des Menschen über die in ihm liegenden Leidenschaften deutlich; sie gewinnen die Übermacht.
Der Mensch vermag wilde Tiere zu bändigen, über sich selbst ist er nicht Herr.[76] Wer nach außen als Herr über Sklaven erscheint, ist selbst einer schlimmeren Sklaverei unterworfen. Bei den Tieren hört, wenn sie getrunken haben, die Begierde auf; der Mensch überschreitet das natürliche Bedürfnis und wird unvernünftiger als die vernunftlosen Tiere.[77] Man baut Häuser in abgelegenen Gegenden, aus kostbaren Steinen und kommt nie dazu, sie zu benützen: Sie sind für die Dohlen und Geier gebaut.[78]
Wenn der Kaiser Theodosius wegen des Sturzes der Bildsäulen der Stadt Antiochien die Mittel für den Zirkus und die Bäder sperrt und ihr den Titel einer Metropole aberkennt, predigt Chrysostomus, daß die Würde der Stadt nicht an den Gebäuden und Säulengängen hängt, sondern an der Tugend der Einwohner.[79]

[73] Vgl. dazu J. Vogt: „Ein anderer Weg, diese sokratische These (scil. von der Übermacht des Intellektualismus, der Lehre vom Tugendwissen) auszudeuten, führte zur Übersteigerung der sittlichen Entscheidungskraft, zu der Anschauung, daß die Selbstbeherrschung eine moralische Autonomie begründe, die den Philosophen über alle Einrichtungen von Staat und Gesellschaft erhebe" (Utopisches Denken, in: Sklaverei und Humanität, 137).
[74] Vgl. Hom. 2, 3f. in 2 Thes (PG 62, 477f.); Hom. 45, 4 in Joh (PG 59, 256f.).
[75] Deswegen hält Chrysostomus eine Parusie Christi in Sichtbarkeit für unvereinbar mit dem Postulat menschlicher Freiheit (Hom. 6, 2f. in 1 Cor): „Wenn also Christus wiederkäme, würde da nicht auch der Heide glauben! Aber das ist kein Glaube mehr. Zwang hätte ihn bewirkt und die Evidenz des Gesehenen; es wäre keine Tat der freien Entscheidung mehr" (PG 61, 51).
[76] Vgl. Hom. 3, 3 de David. et Saule (PG 54, 699); Hom. 4, 8 in Mt (PG 57, 435).
[77] Vgl. Hom. de res. DNJChr. 2 (PG 50, 435).
[78] Vgl. Hom. 2, 4 in Eph (PG 62, 435).
[79] Die Aussage des Chrysostomus (Hom. 17, 2 ad pop. Ant.), daß Würde, Zier und Sicherheit einer Stadt von der Tugend und Gottesfürchtigkeit der Einwohner abhängen (PG 49, 175), scheint von einem Ausspruch Zenons, den Stobaeus (Flor. 43, 88) überliefert, inspiriert (SVF I, 26).

Die philosophische Tradition erblickt in den Gütern der Kultur keine Errungenschaften, sondern das Ergebnis der überhand nehmenden Leidenschaften der Menschen. Sie versucht, ein Maß aufzurichten, um der Leidenschaften Herr zu werden. Der Mensch soll wieder selbst bestimmen. Das Stichwort der ‚Askese' ist eine Erfindung des kritischen antiken Geistes, nicht des Christentums. Wie es Chrysostomus im Anschluß an die vorgefundene Tradition und die vorgegebenen Probleme der Entfremdung aufnimmt, soll im Folgenden dargestellt werden.

2. Re-Naturalisierung als philosophische Lösung

Die philosophische Tradition kritisiert die Leidenschaften des Menschen und ihre als Luxus, Fresserei usw. in Erscheinung tretenden Folgen von einem bestimmten Standpunkt aus, von dem als verbindlich aufgerichteten Ziel (τέλος) des Menschen. Wie verschieden dies auch innerhalb der philosophischen Richtungen bestimmt wird, gemeinsam ist ihnen, daß sie die ‚Glückseligkeit' (εὐδαιμονία) als Ziel des Menschen erklären,[80] und dieses besteht wesentlich nicht nur in der Tugend, sondern in der Übereinstimmung des Lebens mit der Natur.
Von dieser transzendenten Position aus werden die Leidenschaften und ihre Folgen für das konkrete Leben kritisierbar, und gleichzeitig wird ein Maß aufgestellt, an dem die Menschen und ihr Leben gemessen werden: ob sie ihr Ziel verfehlen oder erreichen.
Die philosophische Tradition bietet kein alternatives Kulturprogramm, sondern propagiert eine Lebensweise, die am Menschen und seinem Lebensziel orientiert ist, aber nur formulierbar wird als ‚jenseitig' in dem Sinne, daß sie das Alltägliche, Äußere, Vorgegebene von dem zu erreichenden Ende her in den Blick nimmt. Von diesem Maßstab aus wird das Aufgehen des Menschen in den Äußerlichkeiten und im Übermaß der Leidenschaften benennbar als Entfremdung und selbstverschuldeter Verlust der freien Selbstbestimmung. Gleichzeitig hält die philosophische Tradition eine Lösung bereit, die zwar nicht im einzelnen harmonisierbar ist – die kynische ist der äußeren Gestalt nach eine andere als die epikureische –, aber darin übereinstimmt, daß sie die Reduktion des Menschen auf das ihm Angemesse-

[80] So Julian (Or. 6 193D): „Der Skopos der kynischen Philosophie – wie jeder Philosophie – liegt darin, glückselig zu werden (εὐδαιμονεῖν), die Glückseligkeit aber in einem Leben gemäß der Natur und nicht nach der Meinung der vielen" (Wright II, 38); negativ umschreibt Themistius, worin die angestrebte Glückseligkeit nicht gefunden wird (Or. 33, 367b): „Das Glückselige (τὸ εὔδαιμον) liegt nicht im Gold, das Glück weder in Speise noch Trank . . ." (Dindorf 441).

ne, und darum auch Nützliche, betreibt. So besteht die Eigentümlichkeit der stoisch-kynischen Diatribe wesentlich darin, den Menschen die Unvernünftigkeit ihres Lebens und Strebens vor Augen zu führen,[81] um sie dadurch zu bewegen, sich dem ‚Eigentlichen' zuzuwenden.
Daß für das Christentum das Ziel nicht in einem Leben gemäß der Natur sich erschöpft, hindert Chrysostomus nicht, die von der philosophischen Tradition bereitgestellten Kriterien und die Lösung zu übernehmen. Dies deutet darauf hin, daß das Christentum selbst keine eigenständige Position gegenüber dem gesellschaftlich-kulturellen Bereich entwickelt hat, die nicht in irgendeiner Form vorgegeben gewesen wäre. So zeigt sich innerhalb des Christentums eine Spannweite von totaler und partieller Verweigerung, von Autarkie und Askese, die auch die Antike kennzeichnet.[82]
Auch das ‚Worum-willen' wird der Terminologie nach und teilweise wenigstens auch dem Inhalt nach rezipiert: ἡ ἀρετή, die nach stoischer Auffassung der Glückseligkeit ausreichend ist,[83] kann auch Chrysostomus als das Höchste bezeichnen.[84] Der Vorrang dieses Gutes hat gleichermaßen für die antike wie die christliche Tradition die Konsequenz, das Gegenwärtige, Äußere zu verachten[85] und sich davon frei zu machen.[86] Das Übergreifen dieses Werte-Antagonismus auf Leib-Seele, Gegenwärtiges-Zukünftiges, Zeitliches-Ewiges, schließlich auf Diesseits-Jenseits, Welt und Nicht-Welt, Innen und Außen offenbart am eindrücklichsten die Aporien antiken Denkens und der daraus resultierenden Praxis, in die sich das Christentum selbst mit verstrickt hat. Hier nur ‚Abkehr von der Welt' und ‚finstere, weltscheue Askese' zu sehen, bedeutet eine Verkennung dessen, was die antike Tradition und das Christentum in ihrem Gefolge als Versöhnung des Menschen mit seiner Welt und mit sich selbst, auch seinen Leidenschaften und der Suche nach ἡδονή, formulieren konnte.

[81] Vgl. M. Pohlenz, Die Stoa. Geschichte einer geistigen Bewegung I, 144.
[82] Die Negation der Körperlichkeit und damit implizit des In-der-Welt-seins ist z. B. für Antonius kennzeichnend, wie ihn Athanasius (Vit. Ant. 49) beschreibt: „Er legte sich jetzt noch mehr und strengere Askese auf; er fastete nämlich jetzt fortwährend, . . . niemals badete er seinen Körper . . . noch wusch er die Füße" (PG 26, 914); die Haltung Plotins nach Porphyrius (De vit. Plot. 1f.) ist keine grundsätzlich andere: „Plotin . . . glich einem Manne, der sich schämt, einen Körper zu haben. So war er nie bereit, von seiner Familie zu erzählen oder von seinen Eltern oder seiner Heimat" (Harder 6).
[83] Vgl. Cicero (Paradox. Stoic. 16): ὅτι αὐταρκὴς ἡ ἀρετὴ πρὸς εὐδαιμονίαν (Rackham IV, 266).
[84] Vgl. Hom. in illud, salut. Prisc. et Aquil. 3 (PG 51, 190).
[85] Vgl. Hom. 35, 7 in Gen (PG 53, 330) mit Epiktet, Enchir. 19 (Oldfather II, 496).
[86] Vgl. Hom. 80, 3 in Joh (PG 59, 437).

a) Autarkie

Der Zusammenhang zwischen der Kulturkritik und der Anthropologie wird unmittelbar deutlich, wenn man die Lösung, die Chrysostomus zur Aufhebung der Entfremdung des Menschen an das Übermaß des Luxus und der Leidenschaften vorträgt, traditionsgeschichtlich einordnet. Chrysostomus übernimmt die epikureische Tradition, um die Leidenschaften des Menschen in ein ausgewogenes Verhältnis zu den äußeren Gütern bringen zu können.[87]

Diese Übernahme impliziert ein Doppeltes: eine wenigstens teilweise positive Wertung der Leidenschaften des Menschen – soweit sie sich auf das Natürliche und Notwendige beschränken –, und „eine innere Kongruenz zwischen den Bedingungen der Umwelt und den echten, lebensnotwendigen Bedürfnissen".[88] Das Maß des natürlichen Reichtums, den die Natur/Schöpfung gewährt,[89] harmoniert mit dem Maß der menschlichen Bedürfnisse.[90]

Damit ist ein Maßstab gewonnen, den Luxus,[91] das Übermaß an

[87]

Epikur (Ep. 3, 127f.) und	Hom. 74,3 in Joh. über die Geldliebe:
Sentent. sel. XXIX	οὐκ ἔστιν φυσικὴ ἡ ἐπιθυμία αὕτη.
τῶν δὲ ἐπιθυμιῶν αἱ μὲν εἰσὶ	τῶν δὲ ἐπιθυμιῶν αἱ μὲν εἰσὶ
φυσικαὶ (καὶ ἀναγκαῖαι,	ἀναγκαῖαι, αἱ δὲ φυσικαὶ
αἱ δὲ φυσικαὶ) καὶ οὐκ ἀναγ-	
καῖαι ἀλλὰ παρὰ κενὴν δόξαν	αἱ δὲ οὐδέτερον τούτων
γενόμεναι (Epicurea 77f.).	(χρημάτων ἔρως περιττή) (PG 59, 403).

Plutarch (Gryllus 6) übernimmt dieselbe Einteilung: Essen und Trinken sind natürlich und notwendig, der Geschlechtstrieb ist natürlich, aber nicht notwendig (Chermiss XII, 512); auch Cicero (De fin. I, 13, 45) referiert die epikureische Einteilung: „unum genus cupiditatum, quae essent naturales et necessariae, alterum, quae naturales essent nec tamen necessariae, tertium quae nec naturales nec necessariae" (Epicurea 268).

[88] R. Müller, Die epikureische Gesellschaftstheorie, 23.

[89] Darin besteht nach Epikur (Sent. sel. XV) der τῆς φύσεως πλοῦτος (Epicurea 74). In dieser Tradition kann Chrysostomus auf die selbstgestellte Frage: „Wozu wird der Reichtum von den Menschen angestrebt?" antworten (Hom. 2, 4 in Eph): „Gott gab deswegen der Natur ein Maß und eine Grenze, damit wir keine Not leiden" (PG 62, 21). Von diesem naturgegebenen Kriterium ergibt sich die Unterscheidung des Nutzens und Schadens, des Notwendigen und Überflüssigen, von Bedarfsdeckung und Luxus, vgl. Hom. 10, 3 in Phil (PG 62, 259).

[90] So sagt Chrysostomus (Hom. 2, 4 in Eph): Der Magen gibt das natürliche Maß für die Aufnahme von Nahrung ab (PG 62, 21), ähnlich Epiktet (Ench. 39) über den Besitz: „Das Maß des Besitzes ist der Leib, wie das Maß für die Schuhe der Fuß ist" (Oldfather II, 524).

[91] Das Kriterium ist in der antiken Tradition vorgegeben, so bei Seneca (De tranquil. an. IX, 2): „Gewöhnen wir uns daran, von uns zu entfernen den Luxus (pompam) . . . nicht das Äußere der Dinge (ornamenta) hochzuschätzen . . . Fehlerhaft ist überall das ‚Zuviel' (vitiosum est ubique quod nimium est)" (Rosenbach I, 140). In dieser Allgemeinheit übernimmt es auch Chrysostomus (Hom. 19, 3 in 2 Cor): „. . . sondern damit wir das Überflüssige wegwerfen; überflüssig ist, was den Bedarf übersteigt"

Reichtum, an Kleidung,[92] die Künste,[93] den Schmuck und Putz der Frauen,[94] die Üppigkeit bei Gelagen als Überschreiten der natürlichen Bedürfnisse des Menschen und des vorgegebenen Maßes der Natur/Schöpfung zu kritisieren. Gleichzeitig bietet sich dadurch die Möglichkeit, das Verhältnis des Menschen zu Reichtum und Armut, zu den Kulturgütern,[95] zu Essen und Trinken[96] in einen positiven Zusammen-

(PG 61, 534), ähnlich (Hom. 13, 3 in Eph): „Überall vertreibe das ‚Zuviel' (πλεονεξίαν) (PG 62, 97). In diesen Zusammenhang gehört als Anwendung dieses allgemeingültigen Kriteriums die Ablehnung der goldenen Betten, wie sie Porphyrius (Ad Marc. 29) ausspricht: „Besser auf Streu ruhig schlafen, als unruhig auf einem goldenen Bett" (Epicurea 163), und wie sie Chrysostomus (Hom. 13, 4 in Eph) ebenfalls übernimmt: Streu ist angemessener als goldene Betten (PG 62, 98). Hierher gehört auch die Kritik der Prunkbauten und des Sklavenluxus: Seneca (De tranquil. an I, 5f.): „Es gefällt ein schlicht gekleideter Sklave . . . dennoch fesselt meine Seele die sorgfältiger . . . geschmückte Sklavenschar, ein vollendetes Haus, wo man kostbaren Fußboden betritt, wo wahrer Reichtum über alle Winkel verstreut ist, wo sogar das Dach gleißt" (Rosenbach I, 104); vgl. Hom. 7, 4 in Col (PG 62, 349).

[92] So predigt Dio Chrysostomus (Or. 13, 35): „Alles, was jetzt in der Stadt als wertvoll und erstrebenswert angesehen wird, werdet ihr in geringerer Menge benötigen; wenn ihr den Gipfel der Tugend erreicht habt, werdet ihr nichts davon nötig haben: Ihr werdet in kleineren und passenderen Häusern wohnen und nicht mehr eine solche sinnlose Schar von Sklaven benötigen, die doch zu nichts nütze sind" (Cohoon II, 118); ders. (Or. 17, 21): „Alle wollen größeren Besitz, als sie nötig haben (μείζω τῆς χρείας) und wissen nicht, daß dies beschwerlicher ist als jenes" (Cohoon II, 206), ähnlich Seneca (De tranquil. an. IX, 6, 6): „omnia ista . . . lapides, aurum, argentum et magnis levatique mensarum . . . sunt pondera" (Rosenbach I, 140); vgl. dazu Chrysostomus (Hom. 2, 4 in Eph) zum Häuser- und Herdenbesitz (PG 62, 21), ders. (Hom. 82, 4 in Joh) zu goldenen Statuen (PG 59, 446), ders. (Hom. 10, 3 in Phil) zur Wertschätzung und zum Nutzen des Goldes (PG 62, 259), Lucian (Kynic. 14): „Gold und Silber sollen nie zu meinen Bedürfnissen werden" (Macleod III, 402).

[93] Auch hier unterscheidet Chrysostomus die natürlichen und notwendigen von den überflüssigen Dingen, vgl. Hom, 15, 3 in 2 Cor (PG 61, 509).

[94] Er stellt (Hom. 10, 4 in Col) die Ketten des Paulus dem Schmuck der Frauen polemisch entgegen (PG 62, 262); vgl. Hom. 30, 5 in Mt (PG 57, 368).

[95] Die asketische Tendenz ist gemein-antik. So schreibt Seneca (Ad. Helv. XVI, 3f.): „Nicht haben dich Edelsteine oder Perlen beeinflußt, nicht der Reichtum als größtes Gut, nicht hast du dein Gesicht mit verführerischer Schminke beschmutzt" (Rosenbach I, 342), und Plutarch (De coniug. praec. 48): „Herrscht im Zimmer des Mannes Verschwendung, so kann man sie auch nicht von der Frau verbannen . . . Du stehst jetzt in einem Alter, das am besten zum Philosophieren taugt. So greife nach allem, was nützlich ist. Die Perlen, die Seide der Fremden kannst du um teures Geld erhalten, aber umsonst ist der Schmuck (der Tugend)" (Babbitt II, 336), ders. (Ad Apoll. 13): „Deine prunklose Kleidung, deine unverzärtelte Lebensart setzte alle Philosophen in Erstaunen, die mit uns Umgang hatten" (Babbitt II, 236). Die Ethik und der Lebensstil der christlichen Jungfrauen und Witwen wäre ohne diesen antiken Hintergrund nicht denkbar. So schreibt Chrysostomus (Ep. 2, 9) an Olympias: „Denn ich muß nicht nur die unbeschreibliche, mehr als bettelmäßige Ärmlichkeit deiner Kleidung bewundern, sondern noch mehr das Ungesuchte und Ungekünstelte, das sich bei dir im Anzuge, im Schuhwerk und im Gang verrät. Das sind Farben der Tugend, die die innewohnende Philosophie der Seele nach außen sichtbar darstellt" (PG 52, 556).

hang mit dem Glück des Menschen zu bringen. Epikurs Lehre vom einfachen Leben[97] stellt den Versuch dar, die Leiblichkeit des Menschen mit in die Definition des Eudämonie aufzunehmen[98] und den Menschen mit seiner Welt zu versöhnen,[99] indem er ihn unabhängig macht und ihn so das Glück in der Beschränkung finden läßt.
Die Autarkie als Lebensform[100] erscheint nicht nur als die vernünftigste und gesündeste,[101] sondern auch als die einzig mögliche Konsequenz der Willensfreiheit: Sie eröffnet einen realen Weg zur Verwirk-

[96] Die Gegenüberstellung und dadurch möglich werdende kritische Wertung der mäßigen und unmäßig überladenen Tafel ist ein Topos. Er findet sich bei Lucian (Kynic. 6f.) (Macleod VIII, 392ff.) und Chrysostomus (Hom. 1, 4 in Col) (PG 62, 304) u. ö. Hierher gehört als Kriterium für Essen die ‚einfache' und ‚nicht von weit hergeholte', ‚leicht zu beschaffende' Kost. Plutarch fordert (De coh. ira 13): „Man soll den Leib durch einfache Kost an Mäßigkeit im Essen gewöhnen" (Helmbold VI, 140), ähnlich Seneca (De tranquil. an. I, 5): „Es gefällt eine Mahlzeit . . . leicht zu beschaffen und bequem, nichts Gesuchtes, kein schweres Tafelgeschirr, ohne einen Künstlernamen" (Rosenbach I, 104). Εὐποριστός gilt als allgemeines Kriterium nach Epikur (Sent. sel. VI) und ist identisch mit dem des ‚natürlichen Reichtums', so äußert sich Varro nach Gellius (VI, 16), Dio Chrysostomus (Or. 30, 33), Seneca (Ad Helv. X, 11), Porphyrius (De abst. I, 48f.). Wenn Chrysostomus (Hom. 13, 3 in Eph) die Mahlzeit christlicher Jungfrauen beschreibt: Sie besteht aus Weizenmehl, Bohnen, Erbsen, Oliven, Feigen, nicht aus Brot und Gemüse" (PG 62, 98), oder (Hom. 19, 3 in 2 Cor) aus Bohnen, Kohl, auch Fleisch (PG 61, 533), so steht die Beschreibung und dieser Lebensstil in der antiken Tradition. Nach Epikur (Ep. 3, 131f.) besteht die Mahlzeit aus Mazzen und Wasser (Epicurea 63).

[97] Cicero (Tusc. V, 9, 26): „Epicurus tenuem victum antefert copioso" (Epicurea 297).

[98] Vgl. Epikur, Ep. 3, 127f. (Epicurea 62).

[99] Vgl. die Definition des Reichtums bei Seneca (Ep. 27, 9) in dieser Tradition: „divitiae sunt ad legem naturae conposita paupertas" (Epicurea 303f.).

[100] Bei Epikur steht die Autarkie in Zusammenhang mit der Ataraxie des Menschen (Ep. 3, 130): „Die Autarkie halten wir für ein großes Gut, nicht damit wir uns allemal mit wenigem begnügen, sondern damit wir, wenn wir nicht viel haben, mit dem wenigen zufrieden sind" (Epicurea 63). Weil aber aufgrund des ‚natürlichen Reichtums' das Notwendige leicht zu beschaffen ist (Stobaeus, Flor. XVII, 23), hat der Genügsame immer leicht das Notwendige (Epicurea 300). Auch Chrysostomus übernimmt die Form der Autarkie (Hom. 19, 3 in d 2 Cor.): „Allein die Autarkie muß man lieben. Autarkie ist dadurch definiert, ohne welche Dinge man nicht leben kann" (PG 61, 533f.).

[101] Grundgedanke ist, daß ‚rechte Einsicht', ‚Maß', das der Natur Entsprechende auch dem Menschen angemessen ist. Vgl. Plutarch (Gryllus 6), Themistius (Or. 32, 360): „Jeder soll innerhalb des ihm Zugemessenen bleiben. Das Zugemessene aber für jeden ist die ‚Arete'" (Dindorf 435). Deswegen ist das Vernünftige auch das Richtige und Nützliche. Die Konsequenzen zieht Chrysostomus (Hom. 10, 3) kritisch als Verurteilung des Schmuckes, weil dadurch das Gold nutzlos wird und zweckentfremdet: Man sollte es zu Investitionen benützen; ähnlich führt Kleiderluxus dazu, daß die Reichen im Sommer unnötig schwitzen müssen, dagegen lebt der Arme unbeschwerter (PG 62, 259). So gilt allgemein (Hom. 19, 3 in 2 Cor): Der Genügsame ist der Gesunde, der im Luxus Lebende durch Krankheiten gefährdet (PG 61, 533), weil (Hom. 2, 4 in Eph) Tugend naturgemäß ist, alles Zuviel aber gegen die Natur (PG 62, 21).

lichung der Selbstbestimmung des Menschen, insofern Armut und Reichtum,[102] die Kulturgüter und Künste[103] nicht an sich Wert besitzen, sondern der Definition durch den Menschen unterliegen.[104] Dadurch hören sie auf, den Menschen knechtende Mächte zu sein, sondern sind ihm nützlich und dienstbar.[105] Die Autarkie bietet eine alternative Lebensform, die nicht nur negativ als Verweigerung definiert wird,[106] sondern auch positiv als notwendige Reduktion menschlichen Lebens auf seine eigene Natur[107] und die Annäherung an die Götter[108] bzw.

[102] Vgl. Seneca, Ep. 2, 5; Porphyrius, Ad Marc. 27; Chrysostomus, Hom. 47, 4 in Mt (PG 58, 486): Gemeint ist die freiwillige Armut, die mit Reichtum identifiziert wird.

[103] Vgl. das Lob des ‚natürlichen' und zugleich ‚notwendigen' Landbaus bei Dio Chrysostomus (Or .7, 65): „So preise ich die Menschen glücklich und glaube, daß sie vor allen anderen glücklich leben" (Cohoon I, 165), bei Themistius (Or. 30, 349D): „Diese sind glücklicher" (Dindorf 422), bei Chrysostomus (Hom. 19, 1 ad pop. Ant.), weil sie nicht in Unruhe und Müßiggang dahinleben, sondern in Ausgeglichenheit und Arbeitsamkeit (PG 48, 188f.).

[104] Vgl. die extreme Formulierung Epiktets nach Arrianus (Dissert. II, 16, 1f.): Der Einzelne bestimmt, ob er arm oder reich ist; so auch Seneca (Ad. Helv. XI, 5): „animus est, qui divites facit" (Rosenbach I, 330), ders. (De vit. beat. XXII, 5): „ad postremum divitiae meae sunt, tu divitiarum es" (Rosenbach II, 58), und nach Chrysostomus (Hom. 13, 4 in Act): „Nicht Arme schlechthin, sondern das sind Arme, die nicht reich sein wollen" (PG 61, 110); vgl. Hom. 2, 5 in Phil (PG 62, 196).

[105] Aus dieser Freiheit kann es bei Plutarch (De virt. et vit. 4) heißen: „Der Reichtum erfreut dich, weil du vielen Gutes tun kannst, die Armut, weil du nicht viel zu besorgen hast, der Ruhm ... ein Leben ohne Ruhm ..." (Babbitt II, 101); in diesen Zusammenhang gehören auch die Äußerungen des Chrysostomus (Hom. 10, 3 in Phil) über die Funktion und den Zweck der Glieder des Leibes, der Künste, der Häuser, der Kleider (PG 62, 261f.).

[106] Diogenes Laertius referiert als allgemeine Lehre des Kynismus (VI,104): „Sie meinen, wir sollten ein schlichtes Leben führen. Sie essen genügsam und besitzen nur einen Mantel" (Hicks II, 108); Dio Chrysostomus stellt (Or. 13, 33–35) einen Zusammenhang her zwischen einfachem Leben (d. h. in freiwilliger Armut) und Tugendbesitz (Cohoon II, 118), ein Konnex, den auch Chrysostomus (Hom. 13, 4 in Eph) als christlich übernimmt (PG 62, 98); vgl. auch Hom. 19, 3 in 2 Cor (PG 61, 533). Das Positive dieser Verweigerung ist die ‚bescheidene' Gastfreundschaft der Armen, vgl. Dio Chrysostomus, Or. 7, 91f. (Cohoon I, 336) mit Hom. 1,4 in illud, salut. Prisc. et Aquil. (PG 51, 193).

[107] Von Diogenes berichtet Diogenes Laertius (VI, 65) eine typische Anekdote: „Als er einen jungen Mann sah, der sich weibisch aufführte, sagte er zu ihm: Schämst du dich nicht, daß du mit dir schlechter verfährst als die Natur? Sie machte dich zu einem Mann, du zwingst dich selbst, eine Frau zu sein" (Hicks II, 66). Das Maß der Natur übernimmt Chrysostomus als Ordnung der Schöpfung und wendet es an auf die Frage des Schmuckes der Frau (Hom. 10, 5): „Begnüge dich mit dem Werk des Schöpfers. Warum führst du zusätzlich Gold ein, wie um die Schöpfung Gottes zu verbessern" (PG 62, 372); in ähnlicher Weise führt er einen Ausspruch des Sokrates, den Plutarch (De aud. poet 4) überliefert: „Die Schlechten leben, um zu essen und zu trinken, die Guten essen und trinken, um zu leben" (Babbitt I, 110f.) in abgewandelter Form auf die Schöpfungsordnung zurück (Hom. 1, 9 de Lazaro): „Das Leben ist nicht wegen des Essens, sondern wegen des Lebens war das Essen *am Anfang*" (PG 48, 975). In ähnlicher Weise löst er die Frage (Hom. 35, 3 in Act), ob Müßiggang oder Arbeit dem Menschen entsprechen (PG 60, 255). Im Zusammenhang der

Gott.[109] Insofern ist der selbstgenügsame ‚Arme' das propagierte Gegenbild zum Reichen und seiner eitlen Ruhmsucht.[110] So sehr die Autarkie in unmittelbarem Zusammenhang mit der freien Selbstbestimmung des Menschen, seiner Unabhängigkeit von den äußeren Zwängen des Lebens und seiner Umwelt steht,[111] impliziert sie kein feindliches Verhältnis zu den äußeren Dingen,[112] sondern wird aus der

Diskussion der Schönheit der Frau (Hom. 4, 3 in 1 Tim) fragt er: „Wie kann jemand mit dem Leib Gott ehren?" Hier begnen ἀρκεῖν/αὐταρκ- als Epitheta der Schöpfung Gottes und zugleich als dem Menschen angemessene Haltung, speziell der Frau zu sich selbst und ihrem Verhältnis und ihrer Einschätzung der Schönheit. Ihre Schönheit wird parallelisiert mit der Schönheit der Dinge und den Gliedern des Leibes. Deren ἀρετή besteht nicht einfach in äußerer Wohlgestalt, sondern in ihrer Funktionstüchtigkeit und ihrem Dienst (PG 61, 525). Mit diesem Zusammenhang zwischen ἀρετή, χρεία, αὐτάρκεια und καλόν bietet Chrysostomus eine Interpretation der Schöpfungsordnung mittels der antiken Tradition. Vgl. Epiktets Aussagen in diesem Zusammenhang (Arrianus, Dissert. III, 1, 2) (Oldfather II, 5f.).

[108] Vgl. Diogenes Laertius VI, 104.

[109] Vgl. Hom. 10, 4 ad pop. Ant (PG 49, 116).

[110] Die Armen, auch die unfreiwillig Armen, erscheinen bei Chrysostomus meist nach dem Bild des Genügsamen stilisiert (Sermo 1, 1 de eleem.): „Im Sommer ersetzen ihnen die Strahlen der Sonne die warme Kleidung . . . dann ist es ungefährlich, auf dem Boden zu schlafen und unter freiem Himmel zu nächtigen; dann können sie Schuhe, einen Trunk Wein und reichliche Nahrung entbehren, sondern begnügen sich mit Brunnenwasser, geringen Gemüsen und getrockneten Körnern" (PG 51, 261). Sie begnügen sich mit dem ‚Notwendigen', leicht zu Beschaffenden, das die Natur bereitstellt.

[111] Bei Porphyrius (Ad Marc. 28) ist eine Beziehung unmittelbar gegeben zwischen dem Philosophen, der Autarkie und seinem Reichtum, der darin besteht, nichts zu bedürfen (Epicurea 303). Cicero (De fin. II, 28, 90) überliefert als Spruch Epikurs: „sapientem locupletat ipsa natura, cuius divitias Epicurus parabiles esse docuit" (Epicurea 300), ähnlich Plutarch (De cup. div. 4): „Den Einsichtigen ist der natürliche Reichtum zugemessen, und als Grenze gilt ihnen der Bedarf" (Epicurea 301). Auch bei Chrysostomus ist ein Zusammenhang hergestellt zwischen der Autarkie und der dadurch erwachsenden Freiheit (Hom. 19, 3 in 2 Cor): „Die Gaben Gottes sind gegeben, damit man nicht mehr von anderen empfangen muß und ihrer nicht mehr bedarf" (PG 61, 533); das Gemeinte glaubt er an Adam, d. h. dem ‚ursprünglichen' Menschen, veranschaulichen zu können (Hom. 80, 3 in Joh): „Deswegen preisen wir Adam glücklich, weil er nichts bedurfte, nicht Häuser, nicht Kleider" (PG 59, 437). Ideal ist die Bedürfnislosigkeit der Götter bzw. Gottes, der sich die Menschen annähern können.

[112] Sosehr die Meinungen hier auseinandergehen (zu Epikur vgl. Diogenes Laertius X, 118;) Plutarch (Contra Epic. beat. 2) kritisiert wiederum Epikur; Epiktet vertritt eine differenzierte Auffassung (Arrianus, Dissert I, 23, 1 und III, 7, 9), ebenfalls die Stoa nach Diogenes Laertius VII, 121 und nach Plutarch (De Stoic. repug. 5)] entsteht die Verachtung der äußeren Dinge – zu denen auch Ehe, Staat, Geld, Kulturgüter gehören können – aus der Höherbewertung der eigenen Freiheit bzw. der Güter, die den Weg zur Glückseligkeit eröffnen. Dieses Bewertungsschema übernimmt Chrysostomus grundsätzlich in das christliche Selbstverständnis. Wenn er doch Konzessionen macht, so bei Hochzeiten (Hom. 12, 4 in Col): „Man darf sich an schönen Gewändern, an der Gesellschaft ehrbarer Männer und Frauen erfreuen . . ." (PG 62, 386), oder als Alternative zum Besuch des Theaters vorschlägt (Hom.

positiven Einsicht in die wahren Bedürfnisse des Menschen und seiner Natur gewonnen: Die Anpassung an die ‚natürliche' Lebensform ist der sichtbare Ausdruck dafür, ‚gemäß der Natur', d. h. philosophisch zu leben.[113] Die Reduktion des ‚Zuviel' auf das Notwendige ist so identisch mit der Rückgewinnung der eigenen Identität, weil sie nur in Übereinstimmung mit der Natur als ‚Arete' realisierbar ist.[114]
Insofern ist der ‚Arme' am ehesten disponiert für ein philosophisches Leben, weil er wesentliche Voraussetzungen für ein Leben gemäß der Natur erfüllt.
Der Arme, der an dem Lebensnotwendigen sein Genügen findet, wie ihn die antike philosophische Tradition definiert als den Prototyp des Freien und philosophisch Lebenden, geht unmittelbar in das christliche Selbstverständnis ein.[115] Deswegen können die Asketen nicht nur ‚Philosophen' genannt werden,[116] sondern gehört die Armut mit zu ihrem Lebensstil.[117] Die Christen in der Welt auf diesen philosophischen Status zu bringen oder zurückzuführen, ist das Anliegen des Chrysostomus.[118]

38, 7 in Mt), doch die Natur aufzusuchen (PG 57, 428), so ist deutlich, daß ‚Askese' die antike Antwort ist und erst sekundär die christliche.

[113] Der ‚natürliche Reichtum' nach Epikur ist identisch mit der Armut, wie sie auch Chrysostomus versteht: Sie besteht in der Beschränkung auf das Notwendige, vgl. Hom. in dictum Pauli, oportet haereses esse 5 (PG 51, 260); ‚philosophisch' und ‚in Armt leben' sind austauschbare Begriffe, vgl. Hom. 34, 5 in Act (PG 60, 252), Expos. in Ps 4,11 (PG 55, 57), Eunapius (Vit. Soph. 502) über Chrysanthius (Wright 548).

[114] Vgl. die Beschreibung des glückseligen Lebens der Armen, in: Hom. 13, 4 in Act (PG 60, 110); Hom. 19, 2 in 2 Cor (PG 61, 533); dagegen die Kritik der Habsucht, in: Hom. 13, 3 in Eph (PG 62, 97).

[115] Chrysostomus beschreibt ihn (Hom. 13, 4 in Act): „Was ist angenehmer, was sicherer, auf *ein* Brot hin zu sinnen und auf *ein* Kleid, als sich Sorgen zu machen um tausend Sklaven und Freie, um sich selbst sich aber nicht kümmern zu können . . . Warum erscheint dir die Armut so, als ob du sie fliehen müßtest . . . Wenn aber die Philosophen unter den Menschen und die Erhabenen zu ihr wie zu einem sicheren und heilen Ort gelangen, ist es nicht verwunderlich . . ." (PG 60, 110); auch das Leben der christlichen Jungfrauen ist von diesem Bild geprägt (Hom. 13, 4 in Eph): „Diese zarten Mädchen haben . . . sich selbst in solche Zucht genommen, daß sie die rauhesten härenen Kleider auf bloßem Leibe tragen . . . ohne Schuhe gehen, auf einem Streulager (!) schlafen . . . sich weder um Salben noch um Toilettengegenstände kümmern . . ." (PG 62, 98). Sie werden erwähnt als Beispiel, wie die Abwesenheit des ‚Zuviel' realisiert werden kann.

[116] Vgl. Hom. 34, 5 in Act (PG 60, 252), u. ö.

[117] Chrysostomus stellt selbst (Hom. 13, 4 in Act) einen Zusammenhang her zwischen Philosophen und Mönchen und nennt Epiktet als Gewährsmann (PG 60, 111).

[118] Vgl. Hom. in S. Pascha 4 (PG 52, 770). Weil nicht alle Christen wie die Philosophen und Mönche leben können, sagt er (Hom. 13, 3 in Eph): „Bediene dich der Bäder, pflege deinen Leib, nimm Teil am öffentlichen Leben, behalte dein Haus, laß dir von deiner Dienerschaft aufwarten, genieße Speise und Trank – nur vertreibe das ‚Zuviel'" (PG 62, 97), ähnlich (Hom. 2, 3 in Eph): Ein oder zwei Kleider genügen, Überflüssiges ist nicht nötig (PG 62, 20). Auch Hieronymus (Adv. Jouv. II, 11) ist von dieser Tradition beeinflußt (Epicurea 299f.).

So kann deutlich werden: Das Maß, auf das Chrysotomus die Christen versucht zu verpflichten, ist weitgehend vorgeformt von der antiken Tradition. Es ist zu wesentlichen Teilen identisch mit der Rückführung des Menschen auf das Maß der Natur:[119] Humanisierung ist verstanden als Re-naturalisierung des Menschen.

Die Vorstellung von einem philosophischen Lebensstil ist so maßgebend, daß er von Chrysostomus anachronistisch auch auf Adam und auf Jesus appliziert werden kann.[120] Die antike Tradition geht in dem, was philosophisch leben heißt, eine unmittelbare Beziehung mit dem christlichen Selbstverständnis ein.

M. a. W. das genügsame Leben, das definiert ist als naturgemäß, wird zur äußeren Gestalt der christlichen Praxis erhoben. Das Leben ‚gemäß der Natur', das in der Antike als dasjenige verstanden wird, das zur Glückseligkeit des Menschen führt, erscheint so als Form des Christlichen. Die Disposition für ein solches Leben haben aber aufgrund ihrer gesellschaftlichen Position die ‚Armen', die als Arbeiter und Handwerker gezwungen ‚arm' leben müssen.[121]

Wenn nun Chrysostomus mit Hilfe der antiken Tradition das Leben in Armut und Selbstgenügsamkeit als philosophisches und christliches Leben in einem interpretiert – unter der Bedingung der Freiwilligkeit[122] –, dann erscheint diese Lebensform nicht als eine besondere, einigen vorbehaltene, sondern als die normale Existenzweise des antiken Menschen und Christen, die gerade dadurch ausgezeichnet ist, daß sie nicht einen Raum außerhalb der Gesellschaft beansprucht, sondern den Normalfall darstellt. Das Besondere der Leistung des

[119] Vgl. Porphyrius, De abst. I, 54 (Epicurea 296f.), Seneca (Ad Helv. XI, 4): „naturalem modum" (Rosenbach II, 330); Chrysostomus (Hom. 7, 4 in Col) erwähnt das Beispiel der Tiere, die sich an die Natur halten und darüberhinaus nicht mehr wollen (PG 62, 349).

[120] Die Lebensweise Jesu erscheint anhand synoptischer Nachrichten (Hom. 24, 4 in Rom) in der Weise stilisiert, daß sie durch Begriffe und ein Verständnis von Armut aussagbar ist, die genau dem antiken Verständnis entsprechen: „Er braucht Speise und ißt Gerstenbrote . . . er schläft, und die Bank auf dem Deck ist sein Kopfkissen . . . seine Kleidung war ärmlich." Als Anwendung trägt er vor: „Nur soviel sollst du essen, daß du den Hunger stillst, nur so dich kleiden, daß du deine Blöße bedeckst." Und als allgemeine Regel stellt er auf: „Wenn du innerhalb der Grenzen des Bedürfnisses bleibst . . . wenn wir uns an die Bedürfnisse halten und nicht nach mehr gieren . . ." (PG 60, 628).

[121] Nach dem Bild der beiden Städte (Hom. 34, 5 in 1 Cor) richten die Reichen die Stadt zugrunde, weil ihr Reichtum nichts nützt; notwendig dagegen ist die Handarbeit der Armen: „Laß diese Philosophen – so nenne ich diese Menschen, die nichts Überflüssiges suchen – hinein . . ." (PG 61, 292).

[122] Der habsüchtige Reiche erscheint gegenüber dem freiwillig Armen gleichermaßen stilisiert und mit charakteristischen Zügen ausgestaltet, vgl. Hom. 23, 6 in 1 Cor (PG 61, 197f.) mit Dio Chrysostomus Or. 17, 1ff., wo der Habsüchtige durch Exempla gekennzeichnet wird (Cohoon II, 198ff.).

Chrysostomus scheint in der Applikation des philosophischen Ideals auf die soziale Gegebenheit der Armen zu liegen. Ihnen verheißt er zwar nicht die Eudaimonie, aber doch die ἡδονή als das Ziel und den Lohn ihres Lebens,[123] nicht nur als ein jenseitiges Heilsgut, sondern als immanente Folge ihrer Mühe um ein tugendreiches und philosophisches Leben.[124]

Eine bürgerliche Existenz, wie sie die Christen führten, wird von Chrysostomus nicht als Hinderungsgrund für ein solches Leben anerkannt.[125] Vielmehr geht das charakteristische Kennzeichen der Armen, die körperliche Arbeit, als ein wesentliches Moment in die Bestimmung des Christen mit ein, auch in der Sonderform des Mönches. Der Grund für diesen scheinbaren Bruch mit der antiken Tradition scheint nun weniger in der biblischen Tradition auffindbar,[126] sondern in dem Gedanken der Autarkie; denn die Armen besitzen, wenn sie nicht vom Bettel leben wollen, nur ihre Hände zum Arbeiten. Davon, nicht von ihrem Besitz, müssen sie ihren Lebensunterhalt bestreiten. So kann Chrysostomus sagen: „Wer (Christus) gekreuzigt ist, der bedarf nichts. Zum Lebensunterhalt genügen ihm seine Hände."[127]

Der natürliche Reichtum des Armen wird durch diesen Konnex mit der Handarbeit zu einer positiven Aufgabe; Armut bedeutet nicht mehr, von jemand anderem abhängig zu sein,[128] sondern die selbstä-

[123] In der Gegenüberstellung des Habsüchtigen und Tugendhaften führt er aus (Hom. 22, 5 in 1 Cor): „Niemand kann die Bitterkeit des Lasters (λύπην) und die Lust der Tugend (ἡδονήν) in Worten darstellen." Die Tugend ist identisch mit dem Eingehen in den Hafen der Philosophie (PG 61, 187f.). Auch andere Güter wie ἄδεια, εὐθυμία werden den Christen vorgestellt, vgl. Hom. 14, 5 in 1 Cor (PG 51, 121); Hom. 24, 4 in Rom (PG 60, 628); Expos. in Ps 60, 9 (PG 55, 279); Expos. in Ps 61, 4 (PG 55, 269), u. ö.

[124] In der Schlußphrase der Predigten differenziert Chrysostomus meist zwischen den ‚gegenwärtigen' und den ‚künftigen' Gütern, vgl. Hom. 14, 5 in 1 Cor (PG 61, 122). Der Habsüchtige ist so vorgestellt, daß sein Laster ihn gerade daran hindert, seine Güter zu genießen, wogegen dies dem Einsichtigen schon in seinem gegenwärtigen Leben möglich ist, vgl. Hom. 23, 6 in 1 Cor (PG 61, 197f.); Hom. 14, 5 in 1 Cor (PG 61, 120).

[125] Vgl. Hom. in illud, vidi dominum 6 (PG 56, 122); Hom. 1, 5 in illud, salut. Prisc. et Aquil. (PG 51, 193).

[126] Die Aussagen des Paulus zur Handarbeit werden nur für den Fall herangezogen, daß sich die Asketen der Arbeit entziehen wollen, um vom Bettel zu leben, vgl. Hom. 44, 1 in Joh (PG 59, 249); Hom. 6, 1 in 1 Thes (PG 62, 429f.). Die neue Sinngebung der körperlichen Arbeit, die H. Holzapfel (Die sittliche Wertung der körperlichen Arbeit im Altertum, 86) feststellt, bezieht sich weniger auf die Arbeit selbst, als auf ihre Funktion, andere zu unterstützen.

[127] Hom. 11, 2 in 1 Tim (PG 62, 556).

[128] Ebd.: „Armut besteht darin, anderer zu bedürfen." Autarkie ist nach Aristoteles (Pol. VII, 5 1326b 25) dadurch definiert, niemand zu bedürfen; Xenophon (Mem. II, 8, 1) zitiert einen, der für seinen Lebensunterhalt arbeiten muß: „Dies scheint mir besser, als eines Menschen zu bedürfen."

tige Bewältigung des eigenen Lebens und zugleich die Möglichkeit, ein Leben der Tugend zu führen. Das theoretische Konzept eines ‚Lebens gemäß der Natur' wird mit der sozialen Wirklichkeit, in der sich die Christen vorfinden, vermittelt. Jeder kann, wenn er es will, genügsam leben. Diese Lebensform eröffnet den Weg in die Freiheit und die Lust am gegenwärtigen Leben.

Die Herkunft des Gedankens der autarken Existenzweise aus der antiken Tradition impliziert so einen Begriff von ‚Armut' und überhaupt ein Verhältnis zu den Kulturgütern, die von Chrysostomus in das christliche Selbstverständnis übernommen werden. Das bedeutet aber gleichzeitig, daß die von der Antike herausgebildete ‚natürliche' Lebensweise, die auch die philosophische genannt wird, von Chrysostomus als die christliche ausgegeben wird. Phänomenologisch betrachtet, realisieren die Asketen das Ideal der Autarkie, und von den Christen in der Welt glaubt Chrysostomus, diese Lebensform unter ähnlichen Bedingungen verlangen zu sollen.[129] Von diesem antiken Ansatz her wird seine Vorliebe für die Armen so verständlich wie seine Verurteilung der Reichen, insofern ihr Zuviel-haben gegen das Maß der Natur und damit gegen die Grenze des dem Menschen Erlaubten und für ihn Nützlichen verstößt. Die Rückführung des Menschen auf das ihm vorgegebene Maß wird als humanes Anliegen von Chrysostomus formulierbar. Indem er danach lebt, hat er ‚Arete' und findet eine glückliche, unerschütterliche Existenz.

So wenig sich die ‚Lösung' des Verhältnisses zu der kulturellen Umwelt mit dem harmonisieren läßt, was Chrysostomus in anderen Zusammenhängen über Armut und Reichtum – im Sinne des qualitativen Sprungs aus der freiwilligen Armut in allgemeinen Reichtum –, zu sagen weiß, das Fortleben des Autarkiegedankens bei den Asketen zeigt die Kontinuität mit der antiken Tradition an, das ‚Natürliche' wird als Form des Christlichen rezipiert. Hier zeigt sich wiederum eine innere Affinität zwischen dem humanen und christlichen Anliegen, das christliche ist ohne das vorgegebene humane nicht denkbar und formulierbar.

b) Wiederherstellung der freien Selbstbestimmung

In der Kritik des gesellschaftlichen und kulturellen Lebens und seiner Erscheinungsformen geht Chrysostomus auch insofern mit der antiken Tradition konform, als die darin zutage tretende Entfremdung

[129] Vergleiche den Alternativvorschlag, den Chrysostomus (Hom. 38, 7 in Mt) den Theaterwütigen macht (PG 57, 428), mit der Beschreibung der Armut des asketischen Lebens (Adv. opp. II, 5): Zur Veranschaulichung des ‚naturgemäßen Lebens' steht ihm keine andere Metaphorik zur Verfügung als der reale Aufenthalt in der Natur (PG 47, 337f.). Deswegen zogen sich die Asketen auch in die unberührte Natur zurück.

des Menschen von der ‚Arete' in unmittelbarem Zusammenhang mit der Anthropologie gesehen wird. Es sind nicht anonyme Mächte, die den einzelnen mit Notwendigkeit knechten, sondern die Begierden und Leidenschaften des Menschen bringen ihn unter ihre Macht und gewinnen die Herrschaft über ihn, so daß er das vorgegebene Maß überschreitet.

Gegenüber dieser kritischen Sicht des Menschen nimmt die Religionskritik als Auseinandersetzung mit dem Aberglauben nur einen verhältnismäßig unbedeutenden Stellenwert ein.[130] Die direkte Konfrontation mit dem Götterglauben ist für Chrysostomus schon kein aktuelles Thema seiner Predigten mehr wie noch für die christlichen Apologeten. Die aus der jüdisch-christlichen Tradition stammende ‚Götterkritik' konnte unmittelbar an der in der philosophischen Tradition angelegten Kritik der menschlichen Leidenschaften anknüpfen;[131] denn beiden ist das Thema der Befreiung eigen. Der einzelne soll von der Übermächtigkeit der Leidenschaften und Begierden erlöst werden, so daß er wieder Herr über sich selbst ist.

Es kann im einzelnen nicht dargestellt werden, welche Theorien von den einzelnen Schulen entwickelt worden sind[132] – nur scheint soviel als Voraussetzung gegeben zu sein, daß sich das Christentum analog zur philosophischen Tradition als Weg zur Befreiung des einzelnen verstehen konnte.[133]

Es ist kennzeichnend für die antike Tradition, in die das Christentum eintritt, daß die Knechtschaft des Menschen nicht primär oder gar nicht auf soziale Gegebenheiten zurückgeführt wird; Chrysostomus erklärt sogar die Sklaverei für indifferent und unerheblich. Die Frage nach der Freiheit und Befreiung des Menschen wird ‚radikal' gestellt; die Wurzeln der Unfreiheit werden beim Menschen selbst gesucht.[134] Insofern schließt sowohl die antike wie die christliche Tradition eine politische Befreiungsbewegung aus; auch wenn von ‚Kampf' die Rede

[130] ‚Religion' begegnet bei Chrysostomus (Hom. 8, 6 in Col) als unaufgeklärtes, magisches Brauchtum, etwa bei Hochzeiten, Festen, Krankheiten. Er fragt polemisch: „Hat Gott deswegen Ärzte und Arzneien gegeben" (PG 62, 359)?

[131] Anspielend auf Paulus (Hom. 20,3 in Hebr) charakterisiert er die πλεονεξία als εἰδολωλατρεία und verwendet Ägypten als Metapher für die Verknechtung des Menschen unter die Leidenschaften (PG 63, 147).

[132] Vgl. Seneca (Ep. 116,1): „nostri expellunt, Peripatetici temperant" (Reynolds II, 492); zu Chrysipp vgl. SVF III, 108.

[133] Zum Wandel des griechischen Freiheitsbegriffs vgl. J. Vogt, Utopisches Denken bei den Griechen, 137f.

[134] Chrysostomus beantwortet die Frage (Hom. 59, 2 in Mt): „Woher kommt es, daß nicht alle gleich sind in Bezug auf die Tugend und die Schlechtigkeit, woher kommen die Guten und Rechtschaffenen, woher die Bösen und Lasterhaften" mit: „aus dem Wollen und dem Nicht-Wollen" (PG 58, 576).

ist[135] – gemeint ist der individuelle Prozeß der Befreiung des einzelnen von den Mächten, die ihn gefangen halten, und die nicht identifizierbar sind mit politischen und gesellschaftlichen Strukturen.
Der Mensch bringt sich selbst in Unfreiheit – in dieser Analyse der menschlichen Verhältnisse stimmt die antike Tradition mit der christlichen überein[136] – und begibt sich unter die Fremdbestimmung von Mächten, über die er selbst herrschen sollte, und die ihm seine humane Würde rauben.[137] Der Prozeß der Befreiung setzt nicht nur eine grundsätzliche Neuorientierung voraus,[138] sondern realisiert sich als ein Vorgang, der eine innere und eine äußere Seite hat: Er fordert das Ausreißen der im Menschen selbst liegenden Leidenschaften und Begierden[139] und in der Konsequenz davon eine Veränderung des Lebens, das die Merkmale der neu gewonnenen Freiheit an sich trägt.[140]

[135] Vgl. Hom. 3, 4 de verbis apostoli, habentes eundem spiritum (PG 51, 293); Expos. in Ps 4,12 (PG 55, 58).

[136] ‚Sklaverei' bezeichnet einerseits den selbstverschuldeten Zustand der Entfremdung des Menschen unter das Laster – so Dio Chrysostomus, Or. 4, 115 (Cohoon I, 122) – wie andererseits die Knechtschaft der Sünde, vgl. Hom. in illud, si esuriet inimicus 4 (PG 51, 177).

[137] Zuweilen formuliert Chrysostomus drastisch (Hom. 11, 4 in Phil): „Das Laster macht uns zu Schweinen" (PG 62, 268).

[138] Gemeint ist nicht nur eine Orientierung (Hom. 14, 4 in 1 Cor), die in eine Differenz zur Masse der übrigen Menschen versetzt (PG 61, 203), sondern eine Umwertung. Aussagen wie von Aristoteles (Jamblich, Protr. 8): τῷ γὰρ καθορῶντι τῶν αἰδίων τὶ ἠλίθιον περὶ ταῦτα (τιμαὶ δὲ καὶ δόξαι, ἰσχὺς...) σπουδάζειν (Pistelli 47) und Chrysostomus (Hom. 14, 6 in Rom): οὐ τῶν παρόντων κατηγοροῦντες, ἀλλὰ τῶν μειζόνων ἐφιέμενοι (PG 60, 531) sind strukturell gleich, insofern sie diese Umwertung anzeigen. Die Entweder-Oder-Struktur der philosohischen Ethik kann als Grund angesehen werden, warum sie so gründlich übernommen werden konnte.

[139] Chrysostomus folgt der rigorosen stoischen Tradition (SVF III, 108ff.: „Affectus exstirpandos esse, non temperandos"), wenn er gleichfalls (Hom. 3, 5 in Mt) die Ausrottung der Leidenschaften fordert: „Nicht soll man hochmütig sein, nicht zürnen, nicht den Nächsten beneiden, keine andere Leidenschaft nimmt er an... alle Krankheiten der Seele reißt er aus" (PG 57, 38). In der Aufzählung und Wertung der Leidenschaften als ‚Krankheit' und ‚Wahnsinn' bewegt er sich völlig in den Bahnen antiken Denkens, vgl. Hom. 8, 4 in Col (PG 62, 356f.), Hom. 6, 5 in Phil (PG 62, 225f.), Hom. 14, 3 in Phil (PG 62, 286) mit den stoischen Aussagen (SVF III, 108f.).

[140] Daß Philosophie identisch ist mit dem Weg der Befreiung, übernimmt Chrysostomus ebenfalls aus der antiken Tradition. So referiert Seneca (Ep. 94, 5) als Meinung des Aristo: „itaque debemus aut percurare mentem aegram et vitiis liberare... utrumque decreta philosophiae faciunt" (SVF I, 82). Eine ähnliche Funktion gibt Chrysostomus der Philosophie (Hom. 1, 3 de Maccab.): ἀρετὴν... ὅσην ἐν τοῖς κινδύνοις φιλοσοφίαν ἐπεδείξατο, τοσαύτην ἐν τοὶς ἀλόγοις πάθεσι ἡμεῖς καρτερίαν ἐπιδεικνύμενοι θύμῳ (PG 50, 622). In ähnlicher Weise definiert Epiktet (Arrianus, Dissert. III, 11, 3): „Von diesen (der geschlechtlichen Liebe, dem Neid, dem Haß) gewährt sie Frieden" (Oldfather II, 90). So soll nach Chrysostomus (Hom. 46, 4 in Mt) christliches Leben nicht in Fasten, Gehen in Sack und Asche bestehen, sondern in

Sie erscheint sprachlich als Neudefinition der Begriffe, die Werte und äußere Dinge bezeichnen.[141] Sie ist gleichbedeutend mit dem Umsturz der bisher geltenden Wertordnung und der eigenen Verhältnisse. Chrysostomus übernimmt im vollen Umfang das antike Ideal des ‚Einsichtigen', der im Leben nach der Tugend seine Freiheit findet,[142] auf diese Weise von allen äußeren Dingen unabhängig und unberührbar bleibt[143] und nur selbst sich Schaden zufügen kann.[144] Er findet sein Glück bei sich selbst, indem er alles übrige verachtet.[145] Wenn den einzelnen nichts daran hindern kann, die Tugend zu üben, nicht

der Aufhebung der Leidenschaften: „Wenn du das Geld verachtest, wie man es verachten soll, wenn du dem Dürftigen das Brot gibst, wenn du die Begierde bändigst, wenn du die Eitelkeit ablegst..." (PG 58, 480). Die Charakterisierung des tugendhaften Armen im Gegensatz zum König, die Chrysostomus (Hom. 4, 4 in Rom) gibt: „Der Arme aber genießt bei sich selbst allen Überfluß ... wegen seinem innerlichen Reichtum" (PG 60, 422), ist identisch mit dem, was Seneca (De vit. beat. XVI? 3) über die Glückseligkeit der Tugend sagt: „virtus ad beate vivendum sufficit. Perfecta illa et divina quidni sufficiat, immo superfluat... Quid extrinsecus opus est ei, qui omnia sua in se collegit" (Rosenbach II, 40); vgl. Adv. opp. III, 10 (PG 47, 365).

141 Der Scharfseher Lynkeus stellt bei Aristoteles (Jamblich, Protr. 8) die Figur dar, die diese Umwertung deutlich macht (Pistelli 47). Chrysostomus vollzieht diese Umwertung mit (Expos. in Ps 48, 5) am Weisen (PG 55, 230) und (Hom. 2, 5 in Phil) an der Armut (PG 62, 196). Vgl. Epikur (Fr. 135): „Wenn du Puthokles reich machen willst, gib ihm kein Geld, aber nimm ihm die Begierde danach" (Epicurea 142).

142 So behauptet er (Expos. in Ps 48, 10): „Nichts ist so frei wie die Tugend, nichts so sklavisch wie die Schlechtigkeit" (PG 55, 237), und an anderer Stelle (Hom. 79, 3 in Joh): „Bedenke: alle Freiheit wirst du genießen ... nichts mußt du fürchten, wenn du mit der Tugend lebst" (PG 59, 432); vgl. Hom. 32, 8 in Mt (PG 57, 387).

143 Das Ideal der Ataraxie beschreibt Seneca (De vit. beat. XVI, 1f.): „ergo in virtute posita est vera felicitas ... nihil cogeris, nullo indignebis; liber eris, tutus, indemnis" (Rosenbach II, 40), Chrysostomus übernimmt es aus dieser Tradition (Hom. 24, 3 in Mt): ... τὸ πάντων ἀνώτερον ἑστάναι τῶν ἐπηρεαζόντων ... μεῖναι ἀκίνητος, πέτρας στερρότερον (PG 57, 323). Vgl. Hom. 12, 4 in Phil zur Unüberwindlichkeit der Tugend (PG 62, 274), Hom. in Isaiam 1 zur Freiheit der Tugend (PG 56, 11), Hom. 14, 4 in Act (PG 60, 119). Dieses antike Ideal durchzieht das gesamte Predigtwerk des Chrysostomus. Es impliziert ein Verständnis des Menschen, das ihn in hohem Maße individualisiert – ein überkommenes Verständnis, das Chrysostomus zwar vorfindet, aber zumindest bei den Asketen nicht als christlich gelten läßt.

144 Vgl. Hom. 18, 4 ad pop. Ant. (PG 49, 186) u. ö.

145 Syntaktisch und inhaltlich von Plutarch (De aud. poet. 14): τὸ εὔδαιμον καὶ μακάριον οὐ χρημάτων πλῆθος, οὐδὲ πραγμάτων ὄγκος, οὐδ' ἀρχαί τινες ἔχουσιν οὐδὲ δυνάμεις, ἀλλ' ἀλυπία καὶ πραότης παθῶν καὶ διάθεσις ψυχῆς τὸ κατὰ φύσιν ὁρίζουσα (Babbitt I, 196) übernommen scheint die Beschreibung, die Chrysostomus (Hom. 1, 4 in Rom) von der Bedingung des Glücks des einzelnen gibt: εὐθυμίαν γὰρ καὶ χαρὰν οὐκ ἀρχῆς μέγεθος, οὐ χρημάτων πλῆθος, οὐ δυναστείας ὄγκος, οὐκ ἰσχὺς σώματος ... ἀλλ' ἡ κατόρθωμα μόνον πνευματικὸν καὶ σύνειδος ἀγαθὸν (PG 60, 400). Einen verwandten Gedanken bietet Seneca (Ep. 85, 2): „qui prudens est, et temperans est ... constans ... inperturbatus, sine tristitia ... beatus" (Reynolds I, 288). Die Verachtung wird zwar von dem Topos der Vergänglichkeit begleitet, zeigt aber eine Schwerpunktverlagerung bezüglich der Hierarchie der Werte an.

„Frau und Kinder, nicht Vermögen und Ansehen",[146] wenn sie ihm wie eine erworbene Fertigkeit unverlierbar eigen ist, und Männer wie Frauen gleichermaßen für sie disponiert sind,[147] dann steht jedem, auch den Sklaven, der Weg in die Freiheit und zu seinem Glück offen.

So besteht der überwiegende Teil der Predigten des Chrysostomus darin, analog zu den stoisch-kynischen Philosophen den Zuhörern den Weg der Tugend nahezulegen, ihn als eine für jeden realisierbare Möglichkeit vor Augen zu stellen[148] und den Weg des Lasters in den dunkelsten Farben zu malen.[149] Von der antiken Tradition her, die für Chrysostomus bestimmend bleibt, ist er deswegen vor allem Moralist. Er appelliert an den freien Willen des einzelnen, sich von den Leidenschaften und ungeordneten Begierden frei zu machen; denn er kann es. Deswegen verbietet er den Besuch des Theaters,[150] die Untätigkeit und allen Luxus.

Chrysostomus ist, soweit er sich moralisierend in den Bahnen der Diatriben-Form bewegt, nicht originell zu nennen. Er verkündet als christlicher Prediger weitgehend antike, philosophische Tradition als die christliche Lösung zur Humanisierung des Menschen: den Weg zur Befreiung des Menschen aus der Fremdbestimmung durch die eigenen, in die Irre führenden Antriebe. Weil sie über das Ziel und Maß hinausschießen, müssen sie ausgerottet werden, soweit sie nicht für die Lebenserhaltung notwendig sind.

Mäßigung, Reduktion auf das Notwendige und Askese und Armut sind Stichwörter, die zunächst nicht für die christliche, sondern für

[146] Hom. 12, 4 in Phil (PG 62, 274).

[147] Vgl. Hom. in illud, salutate Prisc. et Aquil. 1,4 (PG 51, 192); Hom. de studio praesentium 3. 4 (PG 63, 488). Der Gedanke ist gemeinstoisch, vgl. SVF III, 58; Plutarch, De mulier. virt. (Babbitt III, 474ff.).

[148] Das stärkste Argument bietet neben den Exempla der προαίρεσις-Begriff: Dem Menschen ist die freie Willensrichtung eröffnet; denn einerseits gilt (Hom. 2, 5 in Eph), daß es nichts von Natur Böses gibt (PG 62, 41), und daß (Hom. 59, 3 in Mt) niemand aus Zwang oder Schicksal böse ist (PG 58, 577), daß aber andererseits (Sermo 1, 3 de Anna) der freie Wille mächtiger ist als die Natur (PG 54, 636). Diesem Begriff zugeordnet sind γνώμη (vgl. Expos. in Ps 89, 1: οὐ παρὰ τὴν φύσιν, ἀλλὰ παρὰ τὴν γνώμην ἄνθρωπος [PG 55, 419]) und λογισμός (vgl. Sermo 3, 1 in Gen [PG 54, 391]).

[149] Dagegen rechnet er unter die Wunder (Hom. 46, 3 in Mt) „die Güter zu verachten, den Ruhm geringzuschätzen, sich von weltlichen Dingen entfernt zu halten" (PG 58, 469); vgl. Seneca, De brev. vit. II, 3f., (Rosenbach I, 178f.), Dio Chrysostomus, Or. 6, 35ff. (Cohoon I, 268f.).

[150] Vgl. Hom. 10, 4 in Act (PG 60, 90), Hom. 42, 4 in Act (PG 60, 298), Hom. 3, 1 de Davide et Saule (PG 54, 695); Hom. 1, 1 in princ. Act (PG 61, 66f.). Die Verurteilung wird aber von Chrysostomus eher mit philosophischen Argumenten begründet. Ein Zusammenhang mit der Absage bei der Taufe ist bei ihm, wie etwa noch bei Tertullian (De spect. 24, 2f. [CChr I, 248]) nicht mehr greifbar, höchstens noch in der Qualifikation (Hom. 37, 6 in Mt) als ‚diabolisch' und ‚satanisch' (PG 57, 426).

die antike Tradition kennzeichnend sind. Ebenso stammt die Verweigerung gegenüber den Äußerungen der antiken Kultur aus ihr selbst.

Die Vermittlung der menschlichen Begierden und Leidenschaften mit den äußeren Gütern besteht deshalb für Chrysostomus wie für die antike Tradition in der Reduktion, in der freiwillig übernommenen ‚Armut', die erst dem einzelnen Freiheit gewährt.[151] Mittels der epikureischen Tradition der Unterscheidung der menschlichen Begierden[152] gelingt Chrysostomus eine zumindest theoretische Versöhnung des Menschen. Aber sie impliziert wesentlich, soweit sie sich an die antike Tradition selbst anschließt, eine Verkürzung: Eine positive Einholung der menschlichen Möglichkeiten und Neuinterpretation des Verhältnisses zu den Kulturgütern gelingt kaum und ist auch nicht unmittelbares Anliegen. Der Preis für die freie Selbstbestimmung und Freiheit des einzelnen ist erkauft mit einem Verlust an ‚Welt'.[153] Die Fixierung auf den einzelnen, die in der philosophischen Tradition vorgegeben war, erliegt der Gefahr, den Stoff der Welt und der Kultur nicht nur unverwandelt beiseite zu lassen, sondern auszuklammern.

Insofern kann gesagt werden: Die christlichen Asketen repräsentieren den antiken Weg zur Befreiung des Menschen in reiner und radikaler Form. Sie realisieren lebensmäßig das geistige Erbe der Antike, gerade indem sie sich von der Welt und Kultur absetzen. Humanisierung ist deswegen identisch mit der partiellen oder totalen Verweigerung der Teilnahme an der gegenwärtigen Welt, die erreichbar ist über die Reduktion der Beziehung auf ein Minimum des Notwendigen.

Die Kritik der kulturellen Errungenschaften[154] und der menschlichen Leidenschaften zielt auf die Versöhnung des einzelnen mit sich selbst

[151] Die formale Definition der Freiheit als Selbstbestimmung ist bei Dio Chrysostomus (Or. 6, 60): ἐγὼ δὲ βαδίζω ὅπον βούλομαι (Cohoon I, 280) und Chrysostomus (Expos. in Ps 48, 9): ὁ ποιῶν ὃ βούλεται (PG 55, 236) gleich; beide orientieren sich an der idealtypischen Gegenüberstellung des Weisen und des schlechten Königs.

[152] Plutarch gibt (Gryllus 6) eine interessante Beschreibung des vom Wahn des Irdischen Geheilten: ἀλλὰ νῦν ἀπηλλαγμένος ἐκείνων τῶν κενῶν δοξῶν καὶ κεκαθαρμένος χρυσὸν καὶ ἄργυρον... περιορῶν ὑπερβαίνω... τῶν δὲ τοιούτων τῶν ἐπεισάκτων ἐπιθυμιῶν οὐδεμία ταῖς ἡμετέραις ἐνοικίζεται ψυχαῖς, ἀλλὰ τὰ μὲν πλεῖστα ταῖς ἀνγκαίαις ὁ βίος ἡμῖν ἐπιθυμίαις καὶ ἡδοναῖς διοικεῖται, ταῖς δὲ οὐκ ἀνγκαίαις, ἀλλὰ φυσικαῖς (Chermiss XII, 514f.).

[153] Dio Chrysostomus (Or. 17, 4) kennzeichnet als Bedingung, von den Leidenschaften frei zu werden, daß sie vollständig ausgerottet werden müssen: ἀλλὰ ὅλως ἐξέλοντα τῆς ψυχῆς τὸ πάθος καὶ τοῦτο κρίνοντα βεβαίως, ὅτι μὴ λυπετέον ἐστὶ περὶ μηδενὸς τῷ νοῦν ἔχοντι τὸ λοιπὸν ἐλευθεριάζειν (Cohoon II, 178).

[154] Die Ablehnung der ‚nicht notwendigen' Künste (Hom. 15, 3 in 2 Cor) begründet Chrysostomus damit, daß Gott die Natur ‚autark,' geschaffen habe (PG 61, 506).

und der Welt, aber unter Abstrich des ‚Zuviel' und des Übermaßes, das dem Menschen eigen ist.[155] Das Maß der Natur und die natürlichen Begierden sind nur die Chiffren für den zu erreichenden Zustand der Befriedung, den der einzelne durch Leistung und das Versprechen von Lohn oder die Androhung von Strafe erlangen kann. Der einzelne steht im Mittelpunkt dieses ethisch-moralischen Systems. Eine soziale Dimension ist von der antiken Tradition her nicht gegeben, sie zielt auf das Heil und die Befreiung des einzelnen.
Von daher wird die Kritik, die Chrysostomus am asketisch-philosophischen Weg übt, verständlich als ein Versuch, die Ausrichtung der antiken Tradition auf den einzelnen zu durchbrechen:[156] Wenn der einzelne sein ‚Heil' nicht erreichen kann, ohne am Heil seines Nächsten mitzuwirken, gewinnt die antike Tradition eine Dimension, die ihr ursprünglich fremd ist, die aber Chrysostomus trotz aller Abhängigkeit von dieser Grundausrichtung in sie als etwas Neues, Christliches einbringt.
So erscheint die Humanisierung des Menschen nicht nur durch das Maß der Natur und die daran orientierte Selbstgenügsamkeit definiert, sondern wird einem Kriterium unterstellt, das diejenigen der antiken Tradition zwar ganz aufnimmt, aber in einen neuen Kontext einfügt.

3. Der christliche Umweg zur Versöhnung des Menschen mit sich in der Welt

Es konnte gezeigt werden, daß innerhalb der antiken Welt das Christentum nicht mit einem eigenen Kulturprogramm auftreten konnte, sondern sich in der Kritik eng an die antike Tradition anschließt, ohne selbst eine Alternative zu entwickeln, die nicht schon als Reduktion, Autarkie, als ‚Armut' vorgegeben gewesen wäre. Chrysostomus kann als Beispiel dafür gelten, wie das antike Erbe

[155] Eine Zusammenfassung der Themen, die er vor seinen Hörern entfaltet (Hom. in illud, si esuriet inimicus 4), bietet Anleitungen darüber, sich des Ungehörigen zu enthalten, Herr zu werden über die schlechte Begierlichkeit, den Zorn zu meistern, abzustehen vom Neid (PG 51, 177). Sie sind weithin identisch mit den Themen der Diatribe, auch in ihrer rein moralisch-ethischen Ausrichtung.

[156] Schon innerhalb der antiken Tradition wurde an dem Grundsatz Epikurs des ‚verborgenen Lebens' Kritik geübt, so von Plutarch in den Schriften „Non posse suaviter vivi secundum Epicurum", „Adversus Colotem" und vor allem in: „An recte dictum sit latenter esse vivendum"; vgl. Epicurea 326–329. Das Verhältnis des Chrysostomus zur epikureischen Tradition erscheint eklektizistisch; vieles übernimmt er, kritisiert aber die Ruhe und Abgeschiedenheit der Asketen, die von dieser Tradition offenbar stark beeinflußt waren.

des Verhältnisses zur ‚Welt' in das christliche Selbstverständnis mit eingeht.[157] Analog der antiken Tradition betrachtet auch Chrysostomus die menschlichen Begierden und Leidenschaften als die Ursache für die negativen Erscheinungen des gesellschaftlichen Lebens und verfolgt wie diese als Ziel seiner Predigten, beides in Übereinstimmung zu bringen: den Menschen mit sich und mit der ihn umgebenden Welt.[158]

Obwohl Chrysostomus die philosophische Lösung, die wesentlich in der Beschneidung der menschlichen Leidenschaften und der dadurch ermöglichten Unabhängigkeit von den äußeren Gegebenheiten besteht, übernimmt, bietet er daneben und teilweise – wie in anderen Zusammenhängen – damit nicht harmonisierbar eine andere Lösung als die christliche an. Sie zielt wie die antike Tradition zwar auch auf die Versöhnung des Menschen mit sich und der Welt hin, ist aber dadurch charakterisiert, daß sie keine bloß individuelle Lösung darstellt und sich nicht bloß menschlicher Leistung und Anstrengung verdankt.[159] Sie ist keine moralische Lösung, auch wenn sie unmittel-

[157] Von der gemein-antiken Weltverachtung, die Chrysostomus teilt, ist die Verteidigung des weltlichen Lebens gegenüber gnostisierenden Tendenzen innerhalb des breiten christlichen und häretischen Spektrums zu unterscheiden. Diesen gegenüber führt er an (Com. in Gal 1, 4): „Wie soll dieses Leben böse sein, in dem wir Gott erkannten, in dem wir über das Zukünftige philosophieren, in dem aus Menschen Engel geworden sind . . ." (PG 61, 619); vgl. auch Hom. 13, 3 in Act (PG 60, 511f.). Interessant sind zwei Aussagen über das Weltverhältnis Jesu und des Paulus, weil sie dieses z. T. in antiker Terminologie bieten: Das Weltverhältnis Jesu kommt zur Sprache zum Erweis seiner wahren Menschheit (Hom. 67, 2 in Joh): „Wie es ihm nicht zur Schmach gereicht, zu hungern und zu schlafen, so auch nicht, das gegenwärtige Leben zu lieben" (PG 59, 371), des Paulus in der breiten Reflexion seines Lebens (Hom. 5 de laud. Pauli): „Niemand hat am gegenwärtigen Leben so gehangen . . . niemand hat es so gering geachtet . . ." (PG 50, 498).

[158] Den Zustand in der Gesellschaft vor dem Kommen Christi beschreibt Chrysostomus (Hom. 3,3 in Col) als Anarchie: „Jeder war mit sich selbst entzweit und mit den vielen" (PG 62, 321).

[159] Obwohl Chrysostomus den zentralen stoischen Begriff κατόρθωμα in der traditionellen Bedeutung verwendet, wie er vorgegeben war (vgl. J. Stelzenberger, Die Beziehungen der frühchristlichen Sittenlehre zur Ethik der Stoa, 217ff. und A-M. Guillemin, Seneca. Leiter der Seelen, in: Römische Philosophie 201–222, bes. 214f.), so in: Hom. 1 de laud. Pauli (PG 50, 473), Expos. in Ps 9,1 (PG 55, 122), Expos. in Ps 48,6 (PG 55, 231), läßt sich beobachten, daß er den Begriff der Leistungsethik in der Weise uminterpretiert, daß κατορθώματα dem Menschen erst durch göttliche Hilfe möglich sind (Hom. in ascens. DJNChr. 2): „Damit du siehst, wie wir geehrt worden sind . . . damit du nicht meinst, aufgrund eigener κατορθωμάτων sei die Veränderung erfolgt" (PG 50, 414), und an anderer Stelle (Hom. 1, 5 de verbis apostoli, habentes eundem spiritum): „Da sie aufgrund ihrer sittlich guten Taten keine Parrhesie hatten, wollte er sie durch Gnaden allein retten" (PG 51, 276). Ebenso setzt er (Sermo 4, 1 in Gen) die menschlichen Leistungen von dem göttlichen Gnadenhandeln ab (PG 54, 593); vgl. Expos. in Ps 59, 4 (PG 55, 271). Die interessanteste Unterscheidung trifft er (Hom. 2, 2 in inscr. Act) als Differenz menschlicher πρᾶξις und von Gott gewirktem θαῦμα (PG 51, 80).

bar mit der Kritik der menschlichen Leidenschaften als dem Grund für die Verhinderung der Humanisierung verbunden bleibt. Chrysostomus beschreibt eine positive Alternative zur antiken Forderung nach Ausrottung bzw. Mäßigung der Leidenschaften des Menschen und eröffnet dadurch gleichzeitig ein neues, positives Verhältnis zur Welt und des einzelnen zu sich selbst, gerade zu seiner Leiblichkeit und der Einbindung in diese Welt.

Dieser christliche Weg zur wahrhaften Humanisierung des Menschen kann insofern ein ‚Umweg' genannt werden, als er theologisch vermittelt ist, die Kirche voraussetzt als konkreten Ort der Realisierung. Insofern gilt hier wie bei der Frage der Aufhebung der Klassengegensätze, daß die Dualismen – ob sie gesellschaftlicher oder anthropologischer Natur sind – innerhalb des Christentums versöhnt werden können, aber immer unter der Voraussetzung, daß ihre Versöhnung im praktischen Leben geschieht und sich durchsetzt. Und in diesem grundlegenden Punkt scheint die Erwartung des Chrysostomus im Laufe seiner Tätigkeit immer geringer geworden zu sein. Als gelebte, neue Praxis hat er fast ausschließlich das Leben der Mönche vor Augen. Von diesem faktischen Zustand her ist es auch erklärlich, warum die von ihm gegebene Lösung weitgehend ohne inhaltliche Füllung bleibt, und warum so wenig von einem versöhnten Leben der Christen in der Welt in seinen Predigten begegnet.[160]

a) Umorientierung der Leidenschaften

Die philosophische Tradition führt die bestehenden Verhältnisse in der Gesellschaft auf den Menschen als den Verursacher zurück, näherhin auf die ihn bewegenden Leidenschaften und Begierden. Sie glaubte ihrer nicht anders Herr werden zu können als durch Ausrottung bzw. Mäßigung. Ihre elementare Mächtigkeit beantwortet sie nicht nur mit Negation, sondern gerät dadurch selbst in einen Dualismus, der die Welt und den einzelnen spaltet und unversöhnt läßt, weil die vitalste Kraft und Möglichkeit des Menschen ausgeklammert bleibt. Nicht nur der Mensch wird definiert als Leib und Seele, auch die Dinge der Welt werden getrennt gesehen als Äußerlichkeiten, die den Menschen um seine Freiheit und das Ziel seines Lebens bringen können.

Das Neue, das Chrysostomus dagegen setzt, ist nicht nur eine positive Bewertung der Leidenschaften,[161] sofern sie nicht zerstörerisch wir-

[160] Innerhalb der Homilien zur Apostelgeschichte äußert sich Chrysostomus darüber zunehmend skeptischer, vgl. Hom. 8, 3 in Act (PG 60, 74f.), ebd. 24, 3 (189).

[161] Eine positive Wertung des Zornes (Hom. 2, 4 in Hebr) gewinnt er anhand paulinischer Aussagen in Gal 4, 18 und 1 Cor 12, 31: Er gesteht ihm manchmal

ken, sondern zum Nutzen des Nächsten, sondern die Anerkenntnis ihrer vitalen Kraft auf ein bestimmtes Ziel oder Gut hin. Obwohl Chrysostomus innerhalb der christlichen Tradition nicht der erste ist, der es unternimmt, Leidenschaften des Menschen auf diese Weise neu zu bewerten,[162] kommt ihm doch das Verdienst zu, an ihnen den Maßstab für das dem Menschen und damit dem Christen Mögliche und zu Erreichende genommen zu haben. Indem er – und darin knüpft er an ursprüngliche jesuanische Tradition an – die Leidenschaft des Menschen, die er zur Erreichung bestimmter Güter einsetzt, als Kriterium dafür ansieht, was Christen – wären sie von ihrer Sache ähnlich überzeugt – tun könnten, eröffnet er einen Weg, der weitab von der Angst vor den Leidenschaften ihre menschliche Kraft wahrnimmt und ihnen einen Ort zuweisen kann.

Ausgangspunkt ist die Einsicht in den ambivalenten Charakter der menschlichen Leidenschaften, der erst dann in das Blickfeld rückt, wenn sie nicht in sich – also nicht als κίνησις ψυχῆς ἄλογος καὶ παρὰ φύσιν[163] – betrachtet und bewertet werden, sondern in Beziehung auf den Nächsten und den Nutzen für ihn[164] und auf andere Güter als ihrem Ziel.[165] Dadurch ist der Blickpunkt, unter dem in der philosophischen Tradition die Affekte behandelt wurden, grundsätzlich verscho-

einen Nutzen zu, und zwar dann, wenn einer mit Recht zürnt (PG 63, 25). Seneca (De ira I, 7, 1) ist grundsätzlich anderer Meinung. Die Frage: „Ist etwa der Zorn, obwohl er nicht naturgemäß ist, hinzunehmen, weil er oft nützlich ist?" beantwortet er (Ebd. I, 9, 1): „deinde nihil habet in se utile" und (Ebd. II, 13, 8): „debet ira removeri, tota dimittatur" (Rosenbach II, 114/246); vgl. Plutarch, De coh. ira 10f. (Helmbold VI, 125ff.).

[162] Zur Diskussion der Naturgemäßheit und Nützlichkeit des Zornes vgl. Lactantius, de ira dei 18. 21.

[163] So definiert Zeno die Leidenschaft des Menschen (SVF I, 50). Der häufige Vergleich des von den Leidenschaften beherrschten Menschen mit den Tieren ist das sachliche Analogat zur negativen Definition der Leidenschaften in der antiken Tradition, auch bei Chrysostomus (Sermo 3, 1 in Gen): ὁ τοίνυν τὰ κατὰ φύσιν ἐκβάλλων, καὶ τὰ παρὰ φύσιν ἐντιθεὶς τῇ τοῦ θηρίου ψυχῇ, ἐν τῇ ἑαυτοῦ ψυχῇ τὸ κατὰ φύσιν οὐ δυνήσῃ διατηρῆσαι . . . (PG 54, 591).

[164] Chrysostomus (Hom. 6 de laud. Pauli) beruft sich einerseits auf die Erschaffung der Leidenschaft durch Gott, andererseits auf ihren Nutzen, der in der Besserung der Sünder besteht: εἰ γὰρ μὴ δεῖ κεχρῆσθαι τῷ πάθει, μηδὲ καιροῦ καλοῦντος, εἰκῇ καὶ μάτην ἔγκειται. Διὸ καὶ ὁ δημιουργὸς τοῦτο κατεφύτευσε πρὸς διόρθωσιν τὸν ἁμαρτάνοντα... οὕτω τὸ τῆς ὀργῆς... ἵνα αὐτῇ χρησώμεθα (PG 50, 508). Auch andere Leidenschaften können positiv gewendet werden (Hom. 2, 4 in Hebr): πάλιν ὁ ζῆλος καλὸν καὶ ἡ ἐπιθυμία . . . (PG 63, 25).

[165] Auch der Theaterleidenschaft versucht er eine neue Wendung, ein neues Ziel zu geben (Hom. 60, 3 in Joh): „Laßt uns den auf den Besuch des Theaters bewiesenen Eifer auf die Gefängnisse übertragen" (PG 59, 336). Die Möglichkeit, einen Habsüchtigen von der Liebe zum Geld abzubringen, kann nicht allein darin bestehen, ihn davon zu überzeugen, daß sie schlecht ist und tausend Übel nach sich zieht, sondern (Hom. 3, 1 in 1 Cor) „man muß ihm etwas anderes Anziehenderes dafür anbieten" (PG 61, 196).

ben: Nicht mehr der einzelne, seine Ruhe der Seele oder Unangefochtenheit stehen im Mittelpunkt, sondern der andere und gleichzeitig die mit den menschlichen Affekten gegebenen Möglichkeiten, wenn sie sich neu ausrichten lassen:[166] Die Heftigkeit der menschlichen Leidenschaft, die sich auf alle möglichen irdischen und vergänglichen Dinge richtet, kann sich von einem anderen Gut anziehen lassen und sie mit derselben Intensität erstreben. Das Phänomen als solches ist zwar auch der philosophischen Tradition bekannt,[167] wird aber nicht als menschliche Möglichkeit gewertet.
Die Maßlosigkeit der Leidenschaft, deren der Mensch fähig ist und die im profanen Leben überall am Werk ist und Erstaunliches und Großes leistet,[168] wird von Chrysostomus zum Maß dessen erhoben, wozu die Christen ebenfalls fähig wären.[169]
Es ist nicht nur polemische Absicht, wenn er die Christen in ihrem Verhalten zu Gott und dem Nächsten unter dieses Maß stellt;[170]

[166] Die Heilung von der eitlen Ruhmsucht und ihrer Sklaverei kann nur darin bestehen (Hom. 17, 5 in Rom), daß „wir einen anderen Ruhm erstreben als den wahren Ruhm" (PG 60, 572).

[167] Libanius (Or. 25, 22) charakterisiert den ‚Geldliebhaber' so: „Nichts genügt ihnen, sie wollen, daß ihnen *alles* zu Gold wird, gieren *immer* nach Geld, sie preisen Nestor glücklich, nicht Herakles, sie wagen *alles,* nehmen auf sich, gehaßt zu werden, die Freunde zu verlieren und nur noch Feinde zu haben" (Foerster II, 547).

[168] Als Beispiel wählt er (Hom. 7, 2 in 2 Tim) den Habgierigen: „Für das Geld nehmen die Menschen alles auf sich: schlaflose Nächte, weite Reisen, Gefahren, Haß und Nachstellung . . ." (PG 62, 639), oder an anderer Stelle (Hom. 9, 6 in Mt): „Der eine zieht übers Meer, der andere wird wegen des Geldes umgebracht" (PG 57, 183); den Tatbestand beschreibt auch Lucian (Kynic. 9): „Dieses so hochgeschätzte Gold und Silber, diese prächtigen Paläste, diese reichen und aufs künstlichste gearbeiteten Kleider – mit wieviel Mühe muß euch das alles angeschafft werden! Wie viele tausend Menschen büßen darüber ihre Gesundheit, ihre Glieder und selbst ihr Leben ein . . ." (Macleod VIII, 294f.). Chrysostomus scheut sich nicht, auch die Räuber und Kriegsgewinnler als ‚Vorbild' anzuführen (Hom. 10, 5 in 2 Tim): „Der Räuber ist *immer* auf der Lauer, entbehrt den Schlaf, denkt und sorgt, daß er sich im rechten Augenblick auf die Beute stürzt . . ." (PG 62, 661).

[169] Er veranschaulicht die Liebe zu Gott anhand der Liebe zu einer Frau (Hom. 24, 5 in Rom): „Wenn einer in eine Frau verliebt ist, hat er keine Empfindung mehr für die Mühsale des täglichen Lebens; wer aber die göttliche und reine Liebe in sich trägt – bedenke, welche Lust der genießen wird" (PG 60, 622). Das eindrücklichste Beispiel begegnet (Hom. 79, 4 in Joh): „Hast du nicht Verliebte beobachtet? Hast du nicht gesehen, wie die für liederliche Frauen alles ertragen, wie sie sich von einer solchen Person stoßen, schlagen, verlachen und beschimpfen lassen, wie sie, wenn sie einmal nur freundlich und nett tut, glücklich sind, alles Frühere vergessen . . . Wie wir solche Frauen liebten, so laßt uns einander lieben und bei gegenseitigem Ertragen nichts für schwer halten. Aber was sage ich: So sollen wir Gott lieben. Ihr schaudert, wenn ihr hört, daß ich in bezug auf Gott das Maß der Liebe verlange (μέτρον ἀγάπης), das ihr einer liederlichen Frau beweist" (PG 59, 431). Zur Liebe als Tyrann und Krankheit vgl. Libanius, or. 25, 26f.

[170] Von einer Spiritualisierung scheint Chrysostomus weit entfernt, wenn er das Verhältnis vom Wollen und realem Tun beschreibt (Hom. 14, 3 in 1 Cor): „Wenn

vielmehr ist Chrysostomus von der Unvergleichlichkeit und Anziehungskraft des Christlichen so überzeugt, daß ihm diese Sache mehr wert und erstrebenswerter zu sein scheint als alle übrigen Güter.[171]
Die Christen müßten sich für ihre Sache mit der gleichen Leidenschaft einsetzen wie die anderen Menschen in der Gesellschaft, die einem Gut nachstreben. Daß er als Beispiele die Verliebten, die Räuber und Gauner und Kaufleute anzieht, deren Leidenschaft er an anderen Stellen zusammen mit der philosophischen Tradition ausreißen möchte, verweist auf einen Zusammenhang mit genuin christlicher Tradition, wie sie zuerst in den Gleichnissen Jesu begegnet.[172]
Die menschliche Leidenschaft läßt sich in ihrer Ambivalenz,[173] wenn ihr andere, anziehendere Ziele vorgesetzt werden, auch an der Sache des Christlichen orientieren.
Obwohl sich Chrysostomus hier rein traditionsgeschichtlich der peripatetischen Position gegenüber den Leidenschaften anzunähern scheint,[174] so liegt das Unterscheidende seiner Aussagen doch darin, daß er die Unbedingtheit der Leidenschaften in ihrem Übermaß auf ein neues Ziel hinlenken will. Die Christen sollen sich ‚ganz' dem Nächsten und dem Dienst Gottes widmen.[175] Ein Weniger ist der Sache des Christlichen nicht angemessen und hält darüberhinaus nicht dem Maß stand, das Menschen in der Gesellschaft aufstellen.
Wie in der Frage des ‚Alles verlassen' Chrysostomus auf die Philoso-

einer heiraten will, genügt es da, wenn er es nur will? ... er sucht Brautwerber ... So begnügt sich auch ein Kaufmann nicht damit, zu Hause zu sitzen, sondern er mietet ein Schiff ... Ist es nicht unsinnig, wo es gilt, den Himmel zu erwerben, es beim bloßen Wollen bewenden zu lassen" (PG 61, 177)?

[171] Die Gottesliebe hat als Folge für den Menschen (Hom. 24, 4 in Rom) u. a. auch die Güter, die für die Antike die Erfüllung und Glückseligkeit und Ziel des Lebens darstellen: „Diese ist die Basileia der Himmel, diese der Genuß der Güter, diese die Lust, diese die Heiterkeit, Freude, diese die Glückseligkeit" (PG 60, 622).

[172] Vgl. das Gleichnis vom Schalksknecht Lk 16, 1–9, das Gleichnis von der penetranten Witwe Lk 18, 1–5 par.

[173] So führt er aus (Hom. 28, 3 in Act): „Die Leidenschaft und die Scham können uns hinbringen zur Sünde und zum Rechttum. Wir sind mächtig, wenn wir wollen, unsere Richtung des Wollens zu bestimmen" (PG 60, 212); vgl. auch Hom. 20, 4 in Mt (PG 57, 291). An anderer Stelle führt er aus (Expos. in Ps 61, 1): „Mit demselben Eifer, mit derselben Begierde, mit denen ihr das Böse verfolgt, obwohl ihr davon Strafe und keinen Vorteil erntet, verfolgt die Tugend" (PG 55, 291).

[174] Vgl. Seneca, Ad. Helv. XI, 4 (Rosenbach II, 330), ders., Ep. 116,1 (SVF III, 108). Chrysostomus differenziert im Sinne der gemäßigten Tradition (Expos. in Ps 98, 4): „Auch das Streben, wenn man es auf das Notwendige hinlenkt, ist dir zum Heilmittel des Heils geworden; wenn es aber maßlos wird, ist es dir zum Grund des Untergangs geworden." (PG 55, 491)

[175] Polemisch hält er den Christen vor (Hom. 2, 9 de verbis apostoli, habentes eundem spiritum): „... daß die Kaufleute nichts von den Gütern vernachlässigen, daß wir aber in keiner Weise dieselbe Liebe um die wahren Güter an den Tag legen" (PG 51, 280).

phen als das für Christen gültige Maß verweist, so dient ihm auch hier das intensiv gelebte profane Leben der Gesellschaft als Kriterium für das den Christen Mögliche. Das ist insofern von Bedeutung, als auf diesem Umweg nach dem Verständnis des Chrysostomus der Dualismus, ohne den die philosophische Tradition der Leidenschaften nicht Herr werden konnte, in seinen verschiedenen Formen aufgehoben werden könnte.

Das Ziel, auf das hin die Leidenschaft des Christen orientiert werden soll, kann verschieden umschrieben werden. Chrysostomus verwendet sowohl antik-philosophische[176] wie christliche Begrifflichkeit;[177] ihre Eigentümlichkeit besteht darin, daß sie ein Entweder-Oder-Verhältnis impliziert: Der Vorrang des einen Gutes relativiert das andere.

Dies führt nach dem christlichen Selbstverständnis, wie es Chrysostomus artikuliert, nur scheinbar zu einem Dualismus zwischen dem ‚Gegenwärtigen' und ‚Zukünftigen', zwischen Himmel und Erde, Leib und Seele. Sosehr ein solcher im Gefolge der Übernahme der antiken, besonders der neuplatonischen Tradition in das Christentum eingegangen ist – der Grund ist nicht darin zu suchen, daß das Christentum selbst dualistisch angelegt wäre, sondern daß sich das antike Welt- und Selbstverständnis unverwandelt durchgehalten hat. Bei Chrysostomus jedenfalls kann deutlich werden, daß die Aporien der Antike im Christentum vermittelbar sind.

Der Drehpunkt dieser Vermittlung wird erst sichtbar, wenn man die Aussagen heranzieht, die bei aller terminologischen Abhängigkeit

[176] Als allgemeinste Form begegnet die ständige Aufforderung (Hom. 8, 5 in 1 Cor), das Gegenwärtige zu lassen und sich dem Zukünftigen zuzuwenden (PG 61, 75), vgl. auch De comp. II, 2 (PG 47, 414), Expos. in PS 41, 7 (PG 55, 165f.). Mit diesem Verständnis bewegt sich Chrysostomus ganz innerhalb der antiken Tradition, vgl. Dio Chrysostomus (Or. 9, 20): „Viele brachte er dazu, das Gegenwärtige zu verachten" (Cohoon I, 414), vgl. auch Lucian, Harmonid. 4; ders. Necyom. 21. Zum Sprachgebrauch vgl. Xenophon (Conv. 4, 47): Man glaube, daß die Götter alles wüßten, das Gegenwärtige und das Kommende (τὰ τὲ ὄντα καὶ τὰ μέλλοντα) (Marchant). Als Umschreibung können dienen (Hom. 33, 10 in Mt): πράγματα-ὀνόματα, σκία-πράγματα ἀκίνητα (PG 47, 320).

[177] Auch die Vermischung gemein-antiker und christlicher Terminologie begegnet (Expos. in Ps 109, 9): „Das ist die beste und erste Lehre: das Wissen, daß wir Fremde sind in bezug auf das gegenwärtige Leben ... Wer nämlich ein Fremder ist in der gegenwärtigen Welt, wird ein Bürger der oberen Welt sein. Wer als Fremdling dieser Welt nicht gern bei den gegenwärtigen Dingen verweilt, wird sich nicht um sein Haus sorgen ... So wird einer, der das Kommende liebt, sich nicht vom Gegenwärtigen niederbeugen lassen" (PG 55, 278). An anderer Stelle spricht er (Hom. de angusta porta et in orat. dom. 3) von der „Liebe zum Kommenden und der Begierde nach der Basileia" (τῶν μελλόντων τὸν ἔρωτα καὶ τὴν ἐπουρανίου βασιλείας ἐπιθυμίαν (PG 51, 46).

von der philosophischen Tradition das radikal Christliche zur Sprache bringen.[178]
Diese Differenz der Aussagen begegnete schon im Zusammenhang der Kritik der gesellschaftlichen Verhältnisse von arm und reich, von Sklaven und Freien. Die weitgehende Übereinstimmung mit der antiken Tradition stand in unvermitteltem Gegensatz zur christlichen Lösung. Etwas Ähnliches ist auch hier festzustellen:
Sosehr die Umschreibung des Zieles menschlicher Leidenschaft von der Welt und allem Irdischen wegzuziehen scheint, geschieht darin selbst die Vermittlung. In den Lobreden auf Paulus führt Chrysostomus aus:

> „Nichts anderes war für ihn erstrebenswert, als Gott zu gefallen. Ich sage das nicht, weil er nichts Gegenwärtiges erstrebte, sondern nicht einmal etwas Zukünftiges".[179]

Im Zusammenhang derselben Stelle sagt er über Paulus:

> „Dies war nämlich für ihn die größte und einzige Qual: von dieser Liebe getrennt zu sein; das war für ihn die Hölle, dies die einzige Strafe, dies wie tausend Übel. Wie es ihm als das Leben erschien, diese Liebe zu erreichen, als die Welt, die Engel, dies als das Gegenwärtige, das Zukünftige, als die Basileia, als Verheißung, als unendliches Gut".[180]

In der Auslegung zum Römerbrief sagt er in Anlehnung an Ps. 72,24 „Was habe ich im Himmel und was auf der Erde außer dir gewollt?":

> „Das heißt, weder im Himmel noch auf der Erde unten wünsche ich mir etwas anderes als dich allein. Das ist Liebe, das ist Freundschaft. Wenn wir solche Liebe hegen, dann gibt es für uns weder Gegenwart noch Zukunft . . .".[181]

Das dualistische Denkschema, wie es Chrysostomus vorgegeben war, dient hier dazu, angesichts der alles übertreffenden ‚Liebe zu Gott' seine Inadäquatheit offenkundig zu machen; der Vorrang der Gottesliebe – der gegenüber alles übrige irrelevant wird – hebt die hergebrachte Ordnung und Weltanschauung aus den Angeln: Sie ist aufgehoben, auch in dem Sinne, daß es keine Trennung von Gegen-

[178] Die Vermutung, daß die antike Tradition, soweit sie moralisch-ethisch bestimmt war, sich mit der christlichen Tradition zu einem fast unentwirrbaren Gemisch vermengt hat, kann an dieser Stelle nur geäußert werden.

[179] Hom. 2 de laud. Pauli: καὶ οὐ λέγω τῶν παρόντων οὐδὲν, ἀλλ' οὐδὲ τῶν μελλόντων (PG 50, 480).

[180] Ebd.: . . . τοῦτο ζωὴ, τοῦτο κόσμος, τοῦτο ἄγγελος, τοῦτο παρόντα, τοῦτο μέλλοντα, τοῦτο βασιλεία, τοῦτο ἐπαγγελία, τοῦτο τὰ μύρια ἀγαθά.

[181] Hom. 5, 7 in Rom: ἂν οὕτω φιλήσωμεν, οὐ τὰ παρόντα μόνον, ἀλλ' οὐδὲ τὰ μέλλοντα πρὸς τὸ φιλτρὸν ἐκεῖνο ἡγησόμεθά τι εἶναι (PG 60, 432).

wart und Zukunft mehr geben kann. Als das höchste der Güter stellt sie alle übrigen nicht nur in den Schatten, sondern restituiert ihren ihnen zukommenden Wert und orientiert den Menschen in seinem Streben.
Dieselbe Leidenschaft, die den Menschen auf die Stufe der Tiere herunterzuziehen imstande ist, kann ihn gleichermaßen, auch wenn er noch auf der Erde lebt, zu einem Bewohner des Himmels machen.[182] Im Vergleich mit dieser Liebe erst erscheint alles übrige gering; sie zu verlieren, erscheint als Verlust schlechthin, als die Hölle.[183]
M. a .W. die herkömmlichen Dualismen verlieren ihre Bedeutung durch den dominierenden Unterschied, der besteht zwischen der Ferne bzw. Nähe zur Liebe Gottes. Insofern ihr der Vorrang zukommt,[184] kann nichts anderes damit gleichgesetzt werden oder konkurrieren; es wird gleich gültig.
Das Schwergewicht der menschlichen Leidenschaft impliziert also den einzigen Dualismus, den es jenseits aller Weltanschauung und anthropologischen Vorverständnissen noch geben kann. Und er ist nicht primär Sache des Verstandes,[185] sondern des Wollens. Daß das Ziel als ‚Himmel' und ‚Jenseits'[186] erscheint, ist nur als Umschreibung für die Unverfügbarkeit und den Geschenkcharakter der Liebe Gottes zu verstehen; es sind Chiffren für ihre Transzendenz und Unvergleichkeit gegenüber allen übrigen Werten, ohne deswegen weltlos zu sein: Sie realisiert sich irdisch.

[182] Vgl. Hom. 3, 3 in Col (PG 62, 322); Hom. 28, 6 in Gen (PG 53, 259).

[183] Diese Interpretation der Hölle begegnet bei Chrysostomus oft, so (Hom. 15, 5 in Rom): „Nur eines fürchtete er (scil. Paulus): aus jener Liebe herauszufallen. Das schien ihm schrecklicher als die Hölle, und das Bleiben in ihr begehrenswerter als die Basileia" (PG 60, 546); vgl. Hom. 23, 7 in Mt (PG 57, 317); diese Deutung begegnet schon: Ad Theod. I, 12 (PG 47, 292f.).

[184] Der Mensch gibt notwendig einem Gut den Vorrang; so formuliert Chrysostomus in der Auslegung von Mt 6, 24 (Hom. 11, 5 in 1 Tim): οὐ δύνανται οἱ δύο ἐρώτες μίαν παρέχειν ψυχήν (PG 62, 432). Deswegen ist das Ziel seiner Leidenschaft das Ergebnis seiner Wahl, vgl. das häufige Vorkommen von προτιμᾶν, so in: Hom. 5, 7 in Rom (PG 60, 432), dem das καταφρονεῖν korrespondiert, so in: Hom. 21, 1 in Mt (PG 57, 294f.). Der Grund dieses Vorranges wird in der abschließenden Deutung des Vater-unser deutlich (Hom. de angusta porta et in orat. dom. 3): οὐκ ἐπειδὴ ἐν τοῖς οὐρανοῖς μόνον ὁ θεος, ἀλλ' ἵνα ἡμᾶς κάτω περὶ γῆν καλινδουμένους ἀποπνεῦσει εἰς οὐρανοὺς (PG 51, 45). Insofern hat die den Vätern angelastete Weltverachtung nochmals einen anderen Klang: Bei aller formalen und terminologischen Ähnlichkeit ist sie das Ergebnis einer Umwertung des für den Menschen Erstrebenswerten, das gleichwohl ein auf der Erde antreffbares Gut bleibt.

[185] Obwohl auch Chrysostomus die Bestimmtheit des Menschen durch den Verstand durchaus anerkennt (vgl. Expos. in Ps 48, 7 [PG 55, 233], Hom. 8, 5 in 1 Cor [PG 61, 74]), ist der Wille die dominierende Kraft des Menschen.

[186] Vgl. Hom. 11, 2 in 1 Tim (PG 62, 556).

Auffällig an diesem theologisch begründeten Versuch, der menschlichen Leidenschaft ein neues Ziel zu geben,[187] ist die Motivation. Sie liegt jenseits moralischer Ermahnung und der Verheißung von Lohn oder der Drohung von Strafen.[188] Die Liebe zu Gott soll um ihrer selbst willen, nicht wegen eines anderen Gutes erstrebt werden.[189] Hier zeigt sich bei aller inhaltlichen Differenz eine Kontinuität mit der antiken Tradition; auch die Tugend,[190] das Gute sollen um ihrer selbst willen erstrebt und gewählt werden, nicht wegen einem Nutzen, nicht wegen Furcht oder Hoffnung auf ein anderes Gut.[191]
In der christlichen Agape läßt Chrysostomus die antike Tugendlehre und ihre Motivation und Verheißung konvergieren: In ihr als dem absoluten Ziel ist sie aufgehoben.[192]

[187] Chrysostomus übernimmt die vorgegebene Begrifflichkeit, vgl. die Definition von πόθος durch Andronicus (Περὶ παθῶν 4): πόθος δὲ ἐπιθυμία κατὰ ἔρωτα ἀπόντος (SVF III, 97) und überträgt sie (Hom. 32, 5 in Gen) auf ein neues Ziel: ὁ τοῦ θεοῦ πόθος (PG 53, 289). Nicht der Begriff wird neu interpretiert, sondern das Ziel.

[188] Exemplarisch läßt sich dies an der Interpretation der ‚drei Jünglinge im Feuerofen' zeigen (Hom. 4, 10 in Mt): „Denn nicht um Lohn oder Gegengabe haben sie so gehandelt, sondern einzig aus Liebe" (PG 57, 52), oder (Hom. 6, 4 in Tit): „Sie gingen nämlich nicht in den Feuerofen, um daraus befreit zu werden, sondern um darin zu sterben" (PG 62, 700). Die Erwartung von Lohn qualifiziert er (Hom. 7, 6 in 1 Cor) als Krämergeist und sklavische Gesinnung (PG 60, 430). Die Unterscheidung von vollkommener und unvollkommener Liebe sucht diese Unterscheidung zu mildern und den christlichen Normalfall zum Sonderfall zu machen.

[189] So heißt es (Hom. 6, 3 in Act): τοῦτό ἐστι φιλεῖν τὸν Χριστὸν, τοῦτο μὴ μισθωρὸν εἶναι, μηδὲ πραγματείαν καὶ καπηλείαν ἡγεῖσθαι, ἀλλ ὄντως ἐνάρετον εἶναι, καὶ διὰ τὸ τῷ θεῷ φίλον πάντα ποιεῖν (PG 60, 60) und (Hom. 8, 2 in Eph): οὐ διὰ τοῦτο καλὸν τὸ δεδέσθαι διὰ τὸν Χριστὸν, ὅτβασιλείαν προξενεῖ τὸ πρᾶγμα, ἀλλ' ὅτι διὰ τὸν Χριστὸν γίνεται (PG 62, 58).

[190] Die Meinung der Stoa nach Diogenes Laertius (VII, 127) über die Wahl der Tugend lautete: καὶ αὐτὴν δι' (αὐτὴν) αἱρετὸν εἶναι (scil. ἀρετήν)· αἰσχυνόμεθα γοῦν ἐφ' οἷς κακῶς πράττομεν, ὡς ἂν μόνον τὸ καλὸν εἰδότες ἀγαθὸν (SVF III, 11), ebenso nach Cicero (De fin. III, 36): „omne autem, quod honestum sit, id esse propter se expetendum – haec est tuenda maxime – Stoicis" (SVF III, 12).

[191] Vgl. Diogenes Laertinus, VII, 89 (SVF III, 11). Unter dieser Rücksicht unterscheidet Aristoteles verschiedene Arten der Freundschaft aufgrund der Lust, des Nutzens und der Tugend (Eth. Nic. VIII, 13 1162b 8): ἐν τῇ κατὰ τὸ χρήσιμον φιλίᾳ ... οἱ μὲν γὰρ δι' ἀρετὴν ὄντες εὖ δρᾶν. Ähnlich Jamblich (Protr. IX, 59a) trifft anhand der Güter eine ähnliche Unterscheidung: τὰ μὲν γὰρ δι' ἕτερον ἀγαπώμενα ... οὐδὲν οὖν δεινὸν, ἂν μὴ φαίνηται χρησίμη οὖσα μηδ' ὠφέλιμος· οὐ γὰρ ὠφέλιμον ἀλλ' ἀγαθὴν αὐτὴν εἶναι φαμὲν, οὐδὲ δι' ἕτερον ἀλλὰ δι' αὐτὴν αἱρεῖσθαι αὐτὴν προσήκει (Pistelli 52f.).

[192] So führt er aus (Hom. 3 de laud. Pauli): „Die Agape ist die Mutter aller Güter, und Anfang und Ziel von allem" (PG 50, 486); das Leben der Tugend kann er gleichwohl als Inbegriff des Christlichem am Beispiel der Apostel bezeichnen (Hom. 24, 3 in Mt): „Was könnte dem an Seligkeit gleichkommen? nicht Reichtum, nicht Körperkraft, nicht Ruhm, nicht Macht, nichts von alledem ... sondern allein der Besitz der Tugend" (PG 57, 323). Beide Stellen interpretieren sich gegenseitig als gleich gültig. Christliches Leben kann verstanden werden (Hom. 28, 6 in Gen) als Lauf ‚gemäß der Tugend' in den Himmel (τὸν κατ' ἀρετὴν δρόμον)" (PG 53, 259).

Insofern erscheinen ἀγάπη und ἀρετή als austauschbare Begriffe. Die Qualität der Tugend dient als Interpretament für die christliche Liebe und ihre Einzigartigkeit. In der Orientierung der menschlichen Leidenschaft an der Tugend[193] bzw. an der christlichen Agape liegt die Glückseligkeit des Menschen selbst.
Zusammenfassend kann gesagt werden: Chrysostomus räumt der Leidenschaft des Menschen einen viel positiveren Stellenwert ein als die antike Tradition, setzt ihr aber ein in ihrer Absolutheit analoges Ziel wie die philosophische Tradition: Die Glückseligkeit liegt in ihr selbst, nicht in etwas anderem. Insofern wird der Satz ‚Alle wollen glücklich leben', nicht negiert, sondern in das Zentrum der christlichen Reflexion und des Selbstverständnisses aufgenommen und mit dem innersten und stärksten Impetus des Menschen verbunden.
Inwiefern die christliche Agape nicht den exklusiven Charakter der Antike impliziert, sondern inklusiv gegenüber dem Nächsten und der Welt verstanden wird, soll im folgenden gezeigt werden. Denn die Frage stellt sich, ob neben dem absoluten Gut, das der Mensch erstreben soll, die relativen Güter – auch der Leib – ihren Platz behaupten können; ob sie irrelevant werden oder ob eine Versöhnung möglich ist.

b) Aufhebung der Dualismen

Wenn man bedenkt, daß es innerhalb des umfangreichen Predigtwerkes des Chrysostomus nicht sehr zahlreiche Stellen gibt, die von einer solchen Radikalität des christlich Gebotenen und daher Möglichen ausgehen,[194] und hinzunimmt, was ihm als erfahrbare Wirklichkeit begegnet,[195] könnte der Eindruck entstehen, der von ihm festgehaltene und anhand biblischer Exempla immer wieder erinnerte christliche Weg sei die antike Tradition selbst, nur unter einem neuen

[193] Zweckfreiheit kennzeichnet sowohl den stoisch verstandenen Weg der Tugend zur Glückseligkeit nach Stobaeus (Ecl. II, 77): τέλος δὲ φάσιν εἶναι τὸ εὐδαιμονεῖν, οὗ ἕνεκα πάντα πράττεται, αὐτὸ δὲ πράττεται μὲν οὐδενὸς δὲ ἕνεκα. τοῦτο δὲ ὑπάρχειν ἐν τῷ κατ' ἀρετὴν ζῆν, ἐν τῷ ὁμολογουμένως ζῆν, ἔτι, ταὐτοῦ ὄντος, ἐν τῷ κατὰ φύσιν ζῆν als Weg nach der Natur (SVF III, 6) wie den Weg der Gottesliebe nach Chrysostomus (Hom. 5, 7 in Rom) zur Glückseligkeit: δεῖ πάντα διὰ τὸν Χριστὸν ποιεῖν ... φιλήσωμεν τοίνυν αὐτὸν ὡς φιλεῖν χρή· τοῦτο γὰρ ὁ μέγας μισθὸς, τοῦτο βασιλεία καὶ ἡδονὴ, τοῦτο τρυφὴ καὶ δόξα καὶ τιμὴ, τοῦτο φῶς ... ἡ μυριομακαριότης (PG 60, 431).

[194] Chrysostomus fragt sich einmal verwundert (Hom. 6, 7 in Rom), wieso er seinen Zuhörern die von ihm vorgetragene Radikalität überhaupt zumuten kann: „Ich weiß gar nicht, wie ich zu solchen Worten hingerissen wurde, von Menschen, die nicht einmal die Macht und den Ruhm verachten, zu verlangen, dies wegen der Basileia Christi zu verachten" (PG 60, 431), vgl. Hom. 77, 3 in Joh (PG 59, 418).

[195] Vgl. Hom. 6, 4 in Mt (PG 57, 67).

Vorzeichen. Sosehr dies für den überwiegenden Teil seiner Homilien vorausgesetzt werden kann, und er sich in der traditionellen Tugendlehre als einem geschichtslosen Raum bewegt, passen sich diesem Duktus und Denken einige Stellen nicht an und verweigern die Harmonisierung, die von biblischer Tradition unmittelbar beeinflußt sind.

Chrysostomus erscheint überhaupt – ähnlich wie die meisten seiner Homilien – gespalten in einen biblischen Exegeten und einen, der das Tradierte seinen Hörern in der ihnen verständlichen Sprache und ihrer Situation entsprechend nahezubringen versucht. Die Stellen, wo er den Versuch macht, das ursprünglich Christliche zur Sprache zu bringen und in das 4. Jahrhundert hinein zu übersetzen, fallen z. T. polemisch aus,[196] z. T. eignet ihnen der Charakter der erinnerten Opposition: In den gegenwärtigen Verhältnissen unter den Christen erkennt er nicht mehr – oder nur noch bei den Mönchen – die alte, christliche Wahrheit. Insofern spiegeln seine Homilien die realen Verhältnisse der Kirche seiner Zeit wider: Die christliche Lösung und der christliche Weg zur Humanisierung erscheinen vermischt und bis zur Unkenntlichkeit verstellt von der antiken Tradition.

Für Chrysostomus reduzieren sich die Dualismen, wenn er radikal christlich und theologisch redet, auf einen einzigen. Metaphorisch bezeichnet er ihn als ‚Himmel-Hölle', inhaltlich ist er definiert als Verhältnis der Nähe oder Ferne zur christlichen Agape. Sosehr die Bestimmung dieses Verhältnisses vom Willen des einzelnen,[197] seiner Leidenschaft abhängig ist, erscheint es nicht als eines, das der einzelne selbst und allein lösen könnte und müßte, obwohl sich nach antikem und christlichem Verständnis das Glück des Menschen an diesem Verhältnis zur Agape bzw. Tugend entscheidet.

Es ist schon darauf verwiesen worden, daß Chrysostomus gegenüber dem antiken Fatalismus die Lehre vom freien Willen des Menschen anführt, um die Verantwortlichkeit für sein Tun festzuhalten und gleichzeitig dadurch einen Freiraum offenzulegen, innerhalb dessen es dem Menschen möglich ist, den Schwerpunkt seines Willens zu verlagern.[198] Neben diese innerliche Seite tritt nun nach christlichem

[196] Er gebraucht z. B. oft die stereotype Wendung „Welche Entschuldigung haben wir da noch?", angesichts der vorgebrachten biblischen und gleichzeitigen Exempla, vgl. Hom. 11,7 in Mt (PG 57, 200) u. ö.

[197] Dieses Moment betont Chrysostomus immer wieder (Hom. 87, 3 in Joh): εἰ γὰρ νῦν ἀκούοντες οὕτως ἀκκαινόμεθα καὶ ἐπιθυμοῦμεν ... οὐδὲν δύσκολον, ἐὰν θέλωμεν, οὐδὲν φόρτικον, ἐὰν προσέχωμεν ... μόνον ἂν τὸν πόθον ἐκεῖ τείνωμεν, ἂν πρὸς τὴν ἀγάπην ἐκείνην βλέπωμεν ... ποθούμενος δὲ ... ἂν οὕτω τὸν Χριστὸν ἀγαπήσωμεν, πάντα τὰ ἐνταῦθα σκιὰ, πάντα εἰκὼν φανεῖται καὶ ὄναρ (PG 59, 476).

[198] Die Entscheidung liegt im Willen des Menschen (Hom. 1, 7 in Isaiam): εἶτε δεικνὺς ὅτι εὔκολον ἡ ἀρετὴ, ἐν τῷ θέλειν αὐτὴν τίθησι μόνον ... καὶ φαύλους μετιόντες ὡς τοὺς σπουδαίους (PG 56, 22). Dabei kann der Mensch selbst wenn nicht alles, so doch

Verständnis eine äußere, soziale hinzu, die den einzelnen nicht in einem heroischen Kampf um die Tugend und gegen die Leidenschaften beläßt – obwohl auch Chrysostomus diesen ‚inneren Kampfplatz' beschreibt – sondern ihn in einen neuen Zusammenhang stellt.
Dies kann verschieden formuliert und beschrieben werden, der gemeinsame Nenner ist das Thema der Veränderbarkeit des Menschen: Inwieweit es möglich ist, die herkömmlichen Dualismen in der christlichen Agape zu versöhnen, wenn sie nicht nur formal an die Stelle der Tugend gesetzt wird, sondern auch konkret geschichtlich einen Weg zur Versöhnung impliziert.
Das Spezifische der christlichen Agape besteht nun darin, daß sie nicht nur eine Idee oder ein Postulat oder eine Utopie ist, sondern trotz menschlicher Unvollkommenheit und dem Defizit an moralischer Leistung sich geschichtlich inkarniert und manifest wird als Kirche. Insofern die Kirche als ein soziales Miteinander vorgegeben ist, das die Form von Gesellschaft hat, erfährt sich der einzelne als Teil dieses neuen Ganzen und darin aufgehoben.
Dieser ekklesiologische Kontext muß immer mitbedacht werden – auch wenn er nach den Worten des Chrysostomus innerhalb seiner Kirche kaum realisiert wird und präsent ist – wenn verständlich werden soll, wie eine christliche Versöhnung der Dualismen möglich ist.
Konkret wird dieser Zusammenhang für den einzelnen auf verschiedene Weise erfahrbar, nicht nur wenn er unter der Kanzel sitzt und zusammen mit anderen den Predigten zuhört. Chrysostomus ist sich durchaus bewußt, daß die große Zahl der Gläubigen der Überschaubarkeit abträglich ist. Als Bischof kennt er die einzelnen und ihre Schwierigkeiten nicht; die Mitbewohner des Hauses, Sklaven, Freunde, die sich in den persönlichen Belangen des einzelnen auskennen, sollen stattdessen das Charisma der Ermahnung wahrnehmen und die Kluft zwischen dem Reden und Tun schließen helfen.[199] So wenig Chrysostomus auch in diesem Punkt originell zu nennen ist,[200] bleibt

vieles tun (Hom. 2, 2 in inscr. Act): πρᾶξις ἐστὶν ἐπιεικῆ εἶναι, σώφρονα μέτριον, ὀργῆς κρατεῖν, ἐπιθυμίας καταγωνίζεσθαι, ἐλεημοσύνας ποιεῖν, φιλανθρωπίαν ἐπιδείκνυσθαι, ἅπασαν ἀσκεῖν ἀρετήν. τοῦτο πρᾶξις ἐστὶ, καὶ πόνος, καὶ ἱδρῶς ἡμέτερος ... πρᾶξις ἐστὶ ἐκ τῆς ἡμετέρας προαιρέσεως τὴν ἀρχὴν ἔχουσα (PG 51, 80).

[199] Er schlägt vor (Hom. 17, 7 in Mt): „Würdest du z. B. im Haus vielen Personen auftragen, auf dich Acht zu geben, etwa deinem Sklaven, deiner Frau, deinem Freunde, so würdest du mit Leichtigkeit deine schlechte Gewohnheit ablegen, wenn man dir von allen Seiten zusetzte und dich aufmerksam machte. Wenn du auf diese Weise dich zu bessern anfängst ... brauchst du nicht zu verzweifeln" (PG 57, 263f.). Denselben Gedanken trägt er an anderer Stelle (Hom. 30, 2. 3 in Hebr) in Anlehnung an das paulinische ἀλλήλοις οἰκοδομεῖν nach 1 Thes 5, 11 vor und übersetzt dies in philosophische Begrifflichkeit: διορθοῦν, κατορθοῦν (PG 63, 211f.).

[200] Aristoteles (Eth. Nic. IX, 12 1171b 29–1172a 15) beschreibt die Freundschaft als Gemeinschaft und Leben in Gemeinschaft (κοινωνία γὰρ ἡ φιλία ... συζῆν γὰρ

doch festzustellen, daß er den Freundschaftsdienst, sich gegenseitig zu nützen und zu bessern,[201] auf die Christen allgemein, also auch auf Sklaven und Herren, überträgt.
In Anlehnung an die biblische und kirchliche Tradition radikalisiert Chrysostomus diesen Gedanken: Nicht nur in der gegenseitigen Ermahnung, die der einzelne Christ innerhalb der Hausgemeinschaft erfährt, wird der Zusammenhang offenbar, in den der einzelne eingebettet ist und und der es ihm ermöglicht, über seine Gewohnheiten und Leidenschaften Herr zu werden. Die vorgelebte Praxis biblischer und kirchlicher Vorbilder[202] wird zum Maß erhoben und stellt für Chrysostomus gleichzeitig die geschichtliche Bedingung dafür dar, daß es den übrigen Christen auch real möglich ist, ebenso christlich zu leben.[203] Die anschaubare Präsenz einiger eröffnet den übrigen Christen erst den Weg, selbst zu einem veränderten Leben und damit zur Versöhnung zu kommen.
Insofern kann man sagen: Der Weg zur Humanisierung ist zwar theologisch formulierbar und aus der Tradition ableitbar, aber die humanisierende Wirkung ist vornehmlich abhängig von der vorgelebten Praxis;[204] denn an ihr wird in konkrete Wirklichkeit übersetzt, wie eine christliche Versöhnung der Dualismen aussieht.
Von diesem Ansatz her wird die Kritik an den Asketen, die sich aus der Gesellschaft zurückziehen, nochmals verständlich: Sie verweigern

βουλόμενοι μετὰ τῶν φίλων), und dies impliziert auch gegenseitige Besserung: γίνεται οὖν ἡ μὲν τῶν φαύλων φιλία μοχθηρά (...) ... δοκοῦσι δὲ ... καὶ διορθοῦντες ἀλλήλους.

[201] Auch hier (Hom. 30, 2 in Hebr) ist zu beobachten, daß die Idee der Freundschaft verallgemeinert wird und auf die Kirche übertragen. Die Gemeinsamkeit, die nach Diogenes Laertius (VII, 124) von der Stoa als Bedingung für die Freundschaft aufgestellt worden war (Hicks II, 228), gilt im eminenten Sinne für die Glieder der Kirche.

[202] Er verweist auf die Diskrepanz von christlichem Glauben und gelebter Praxis (Hom. 4, 7f. in Mt.): „Den Getauften sollte man nicht nur an seiner Gabe erkennen, sondern auch daran, daß er ein neues Leben beginnt"; sonst führen die Christen eher das Leben von wilden Tieren als von Menschen. Um des wahren Zustandes inne zu werden, sollen sie – wie sie es beim Friseur gewohnt sind – einen Spiegel zur Hand nehmen, einen „geistlichen Spiegel, der noch viel besser ist als jener; denn er zeigt uns nicht nur unsere Häßlichkeit, sondern er verwandelt sie auch in eine unvergleichliche Schönheit, wenn wir nur wollen. Dieser Spiegel ist die Erinnerung an edle Männer, die Geschichte ihres glückseligen Lebens. Gerade dafür dient dieser Spiegel, daß er die Veränderung leicht macht" (PG 57, 48f.). Als konkrete Beispiele werden u. a. Paulus und die drei Jünglinge im Feuerofen genannt.

[203] Die humanisierende Wirkung des Christentums kann Chrysostomus (Hom. 3, 2 de diabolo tent.) in Anlehnung an das Gleichnis vom Sauerteig nach Mk 13, 33 reflektieren: „Deswegen ließ Gott die Guten mit den Schlechten miteinander leben, damit sie auch jene zu ihrer eigenen Tugend führen" (PG 49, 266).

[204] Er beklagt (Hom. 24, 4 in Act) die große Zahl der Christen, die keine anschaubaren Vorbilder und keine Orientierung mehr für ihre eigene Praxis haben: „Deswegen wird auch die Jugend nicht mehr zum Bewundern angeregt" (PG 60, 189).

den übrigen Christen damit die Chance, selbst zu sehen, wie das Leben in der Welt mit dem Christlichen zu vermitteln ist. Sie sind nur auf ihr eigenes Heil bedacht und vergessen ihre Brüder.
Andererseits ist Chrysostomus skeptisch gegenüber der großen Zahl der Christen und dem Pochen auf die bloße Quantität. Eine Humanisierung der vielen erscheint ihm nur möglich durch die ganze christliche Praxis der wenigen.[205] Deshalb stellt er den Christen immer wieder die biblischen und kirchlichen Vorbilder vor Augen; denn nur auf diese Weise kann er ihnen vermitteln, wie sie selbst leben könnten, wenn sie nur wollten. Insofern erscheint bei Chrysostomus die christlich mögliche Aufhebung der antiken Dualismen im Zusammenhang der Erinnerung an frühere Vorbilder, wie etwa Paulus oder Aquila und Priscilla oder alttestamentliche Propheten,[206] während er sich sonst meist mit bloßer moralischer Unterweisung begnügt, wie sie dem Diatriben-Stil entspricht. Die Diskrepanz, die bei Chrysostomus durchgängig zu beobachten ist, daß er die philosophische ‚Lösung' gleichermaßen wie die christliche vorträgt, resultiert also in erster Linie nicht aus dem fehlenden Vermögen der Unterscheidung, sondern aus der für ihn anschaubaren Diskrepanz von ursprünglich christlicher Praxis und dem jetzigen Leben der Christen.
Hier wird ein Dilemma sichtbar, das die geschichtliche Situation des Chrysostomus kennzeichnet: Wenn nach christlichem Verständnis

[205] Während der Antiochenischen Wirren, als durch den Kaiser die Zerstörung der Stadt drohte, predigt Chrysostomus (Hom. 6, 7 ad pop. Ant.) und spielt auf Gen 18, 22f. an: „Wenn unter uns nur Zehn wären, die recht handeln, würden aus den Zehn schnell Hundert, und aus den Hundert würden bald Fünfhundert, und daraus Tausend, aus den Tausend würde die ganze Stadt" (PG 49, 51). In derselben Homilie führt er auch das biblische Gleichnis vom Licht an, um die Wirkweise der ‚zehn Gerechten' darzutun: „So wie man zehn Lampen aufstellt, kann einer mit Licht das ganze Haus erfüllen: So können aufgrund ihres geistlichen Wirkens, wenn nur Zehn rechttun, sie uns Sicherheit bringen." Diesen Zusammenhang erläutert er an anderer Stelle (Hom. 11, 7 in Mt) anhand des Bildes vom Spreu und Weizen: „. . . trennen wir uns nicht von unseren Brüdern, auch wenn sie nur gering an Zahl und armselig sind; auch das Getreide ist ja der Menge nach geringer als die Spreu, der Natur nach aber wertvoller . . . Um solches Getreides willen ist Gott langmütig gegen die Spreu, damit sie durch den Umgang mit ihnen sich bessern. Deshalb wird noch nicht Gericht gehalten, damit sie vom Bösen zur Tugend verändert werden" (PG 57, 200). vgl. Hom. de capto Eutrop. 2 (PG 52, 398).

[206] Formal bewegt sich Chrysostomus ganz in der antiken Exempla-Tradition, wenn er den Christen Vorbilder vorstellt; ähnlich verfährt Plutarch in: Mulierum virtutes (Babbitt III, 473ff.); Seneca (De tranquil. an. VII, 1ff.) erläutert seine Ausführungen zum Verhältnis zum Besitz durch Bion, Diogenes, Pompeius (Rosenbach II, 134f.); Beispiele zur Verbannung finden sich Ad Helv. VII, 1ff.. Chrysostomus ersetzt – auch hier gibt es eine innerchristliche Tradition, die schon im Neuen Testament anfängt – die antiken Beispiele durch christliche bzw. Personen aus dem Alten Testament, vgl. quod nemo laeditur (PG 52, 470f.), Hom. 19, 5 in 1 Cor (PG 61, 158) u. ö.

eine humanisierende Wirkung für den einzelnen Christen in der Welt zur Bedingung hat, daß er anschaubare Vorbilder vor Augen hat, die ihm vorleben, was versöhntes Leben bedeutet, dann kann Chrysostomus nur auf die Mönche verweisen – die nicht in der Welt leben – und auf die biblischen Vorbilder, die nicht mehr anschaubar sind. Von daher scheint das zwiespältige Verhältnis zum Mönchtum erklärbar und auch die am asketisch-mönchischen Weg orientierte Beschreibung des christlichen Lebens in der Gesellschaft. Die Konkretion hat ihre Grenze an der nicht bzw. kaum vorfindbaren Praxis des christlichen Lebens in der Gesellschaft; aufgrund der vorgegebenen christlichen Tradition zeichnet Chrysostomus einen möglichen Weg zur Aufhebung der Dualismen, ohne ihn mit neuem Inhalt auffüllen zu können. Das Prinzip läßt sich in aller Deutlichkeit erheben.

c) Kirche als Ort der Versöhnung

Sosehr Chrysostomus in der Nachfolge der antiken Tradition die christliche Agape in die Nähe – bis zur Identifikation[207] – der Tugend rückt, ist sie in ihrer Funktion als Höchstwert dadurch unterschieden, daß sie einen geschichtlichen Ort hat und die vielen einzelnen, insofern sie diese erstreben, zu einer neuen Gemeinschaft führt. Sie ist nicht nur das Ziel des Willens und der Leidenschaft des einzelnen, sondern gleichzeitig ein Element der Verbindung der einzelnen untereinander.[208] Sie hat die geschichtlich antreffbare Gestalt der Kirche.

Das Faktum der Vorgegebenheit der Kirche ist für Chrysostomus das Grunddatum, von dem ausgehend eine umfassende Versöhnung des einzelnen möglich wird, auch wenn sie nur an vergangenen Vorbildern anschaubar gemacht werden kann. Aber der Zusammenhang des einzelnen Christen mit der Tradition läßt – unter der Voraussetzung, daß er sich auf dieselben Bedingungen einläßt wie etwa Paulus – auch für ihn die Aufhebung der vielfältigen Dualismen zu einer realen Möglichkeit werden. So bewahrt er als Exeget und Theologe einerseits die genuine christliche Tradition, findet aber unter den Christen, die in der Welt leben, kaum noch Adressaten, die in der Lage oder willens wären, die ursprüngliche und ganze Form des Christlichen zu praktizieren.[209]

[207] Vgl. Hom. 9, 4 in Eph (PG 62, 73f.).

[208] Die Liebe zu Gott soll sich auf alle Christen erstrecken (Hom. 53, 3 in Gen): „Mit der Liebe zu Gott wird einhergehen auch die Liebe zum Nächsten" (PG 54, 483).

[209] Wie aus seinem ausführlichen Briefwechsel hervorgeht, bildet z. B. Olympias eine Ausnahme. Diese Frau ist eng mit der Biographie und den Ereignissen um die Verbannung des Chrysostomus verbunden. Aber aus den Briefen, die er ihr aus der zweiten Verbannung schreibt, geht doch deutlich hervor, daß die Lebensform der Olympias und der um sie versammelten Jungfrauen nahezu identisch ist mit der asketisch-philosophischen – auch wenn sie nicht nur um ihr eigenes Wohl besorgt

aa) Von Leib und Seele

Sosehr Chrysostomus bezüglich des Dualismus von Leib und Seele des Menschen in der antiken Tradition verwurzelt ist[210] und wie selbstverständlich ihre Vorstellungen aufnimmt,[211] sieht er sich einerseits durch die Häretiker herausgefordert, die Leiblichkeit des Menschen – und darin implizit das In-der-Welt-sein – zu verteidigen,[212] andererseits kann er aufgrund der christlichen Tradition auf neue Weise die Einheit des Menschen formulieren. Diese steht in umittelbarem Zusammenhang mit der Umorientierung der Leidenschaften auf das neue Ziel der Agape: Sofern sie angestrebt wird – ähnlich wie Besitz oder Ruhm oder eine Frau – und sofern sie mit aller Leidenschaftlichkeit angestrebt wird, hebt sie selbst den metaphysischen Dualismus in einer neuen Einheit auf: Sie besteht in der Einheit des Wollens und in der Ausrichtung des Lebens auf das angestrebte Ziel bzw. auf die Sache des Christlichen.[213] Zur Kennzeichnung dieser Vermittlung des Menschen mit sich selbst verwendet Chrysostomus den traditionell-christlichen Begriff des ‚Ganz'.[214]

Das bedeutet zunächst, daß die Suche nach der Einheit des Menschen mit sich selbst kein theoretisches Problem ist, sondern eine Resultante seines Lebensvollzuges: Insoweit er das Schwergewicht seines geistigen und leiblichen Tuns auf einen Punkt hin versammelt, ist er einer. Die Aufhebung des anthropologischen Dualismus erscheint so als ein praktisches Problem, das mit der gesamten Orientierung des Lebens

ist. Dies wird deutlich, wenn man liest (Ep. 2, 4), wie Chrysostomus begründet, warum er ihr den Status einer Jungfrau zuerkannt hat; wenn er (Ebd. 5) als ihre Tugenden ‚Genügsamkeit in Speisen, Fasten, Nachtwachen' und (Ebd. 6) ihre Gleichgültigkeit gegenüber der Kleiderpracht rühmt (PG 52, 559f.).

[210] Zur gemeinantiken Auffassung über die Minderwertigkeit des Leibes gegenüber der Seele vgl. Hom. 21, 6 in Gen (PG 54, 183) mit Jamblich, Protr. V, 26A, 28A (Pistelli 27.29).

[211] Zur Unsterblichkeit der Seele vgl. Sermo 1, 2 de Anna (PG 54, 635) und Hom. 63, 3 in Joh (PG 59, 352) mit Platon, Phaedr. 245c. Auch die Dreiteilung der Seelenkraft, wie sie Jamblich noch (Protr. V, 29A) vorträgt, hat bei Chrysostomus (Hom. 17, 1f. in Eph) Parallelen (PG 62, 117f.).

[212] In dieser Auseinandersetzung formuliert er (Hom. 39, 8 in 1 Cor): „Groß ist der Zusammenhalt der Seele mit dem Leib; dies ist vom Schöpfer so eingerichtet, damit nicht einige durch Überredung dahin gelangen können, daß wir ihn wie etwas Fremdes hassen" (PG 61, 345). Vgl. Comm. in Gal 1, 4 (PG 618f.).

[213] So führt er aus (Hom. 28, 6 in Gen): „Wenn einer von der Liebe zu Gott entflammt ist . . . richtet er immer darauf seine Gedanken; auf der Erde weilend, und doch im Himmel beheimatet, verrichtet er alles und läßt sich auch von nichts Menschlichem von der Tugend abbringen. Mit der Seele diesem Lauf hingegeben, läßt er alles Niedrige im Lauf hinter sich und gibt sich *ganz* dem Laufe hin" (PG 53, 259). Vgl. Hom. in illud, si esuriet inimicus 4 (PG 51, 178).

[214] Bei der Beschreibung der apostolischen Aufgabe und der Weise der Realisierung durch die ersten Apostel sagt er (Hom. 6, 5 in Mt): „Und *ganz* übergaben sie sich Gott und widmeten sich Tag und Nacht der Lehre des Wortes" (PG 57, 68).

in Zusammenhang steht. Diesen Sachverhalt kann Chrysostomus sowohl in Anlehnung an antik-philosophische[215] wie paulinische Tradition aussagen[216] – als Bedingung ist das Maß des ‚Ganz' gegeben, das wiederum erst dem ‚Leib' und der ‚Seele' ihren ihnen zukommenden Stellenwert zuweist.[217]
Insofern erscheint die Einheit des Menschen theologisch vermittelt, als der Impetus zur Ganzheit von außen an ihn herantritt als die Möglichkeit, sich ganz daran zu orientieren und mit aller Leidenschaft zu verfolgen, und gleichzeitig als Weg zu einer differenzierten Einheit: Leib und Seele werden nicht gleich, sondern erscheinen als gleichgewichtige Mitbeteiligte an einer ihnen unverfügbaren Sache.
So nennt Chrysostomus den Leib ‚Mitempfänger des Lohnes', weil er an der Mühe des Lebens beteiligt war;[218] der Leib erfüllt Funktionen, die für die Seele lebensnotwendig sind:[219] Beide müssen zusammenwirken, auch wenn er zugibt, daß er die Seele gegenüber dem Leib für höherwertig ansieht.[220]
Interessant in diesem Zusammenhang ist die Exegese von Gal 5,17: Er referiert zunächst häretische Meinungen, die aus dem Gegensatz zwischen ‚Fleisch' und ‚Geist' nach Paulus den antiken Dualismus von Leib und Seele heraushören wollen.[221] Nachdem Chrysostomus den paulinischen Sprachgebrauch und die Wortbedeutung erklärt hat, interpretiert er nun seinerseits das von Paulus Gemeinte in seiner Sprache und reduziert den biblischen Dualismus ‚Leben nach dem Fleisch' und ‚Leben nach dem Geist' auf den Gegensatz von Tugend und Schlechtigkeit,[222] die vom Willen des Menschen abhängig sind.

[215] So kann er fragen (Hom. 21, 6 in Gen): „Sind wir nicht aus zwei Substanzen zusammengesetzt – aus Leib und aus Seele" (PG 53, 183)?

[216] Interessanterweise verwendet Chrysostomus als Gegenbegriff zum paulinischen σάρξ (Hom. 23, 4 in Gen) ἀρετή (PG 53, 201). Damit geht er insofern völlig mit Paulus konform, als dieser keinen metaphysischen Dualismus kennt und nach jüdischem Verständnis auch nicht meinen kann.

[217] Vgl. Hom. 17, 4 in 1 Cor (PG 61, 144).

[218] Hom. 66, 3 in Joh (PG 59, 368).

[219] So begründet er den Nutzen der einzelnen Glieder und damit auch des Leibes insgesamt (Comm. in Gal 5, 17): „Wenn aber der Glaube aus dem Hören kommt – wie sollen wir hören können ohne Ohren? Und auch die Verkündigung und das Herumreisen geschieht durch die Zunge und durch die Füße" (PG 61, 672).

[220] Ebd. „Ich sage auch, daß das Fleisch geringer ist als die Seele, aber auch, daß es ebenfalls gut ist. Dasjenige, das geringer ist als ein Gutes, ist selbst ein Gutes" (671).

[221] Ebd. „So entgegnen einige und sagen, der Apostel teile den Menschen in zwei Teile, wie wenn er aus zwei Wesen bestünde . . ." (671).

[222] Gegenüber dem metaphysischen Dualismus stellt Chrysostomus deutlich den christlich wohl verstandenen Gegensatz heraus (Ebd.): „Die sind es, die miteinander streiten, die Tugend und die Schlechtigkeit, nicht die Seele und der Leib" (672).

Hier wird eine Grundtendenz deutlich: Nach dem Verständnis des Chrysostomus ist der Mensch nicht metaphysisch definiert als Leib und Seele, d. h. als Natur, sondern ist wesentlich bestimmt durch seinen Willen und die Richtung, die er sich vorgibt. Aufgrund dieser Anlage, sein Leben entweder der Tugend oder der Schlechtigkeit zuzuordnen, der Liebe zu Gott oder der Ferne, erweist er sich als Herr über sein eigenes Leben und wird er in die ganze Verantwortung genommen, ohne die Möglichkeit zu haben, diese anonymen Mächten und Gegebenheiten anzulasten.[223]

So korrespondiert dem ‚alles verlassen' als der christlichen Lösung zur Aufhebung der Klassen von arm und reich und damit zur Eröffnung einer Fülle für alle das ‚Ganz' als christliche Lösung des anthropologischen Dualismus. Die totale Hinwendung zur Agape betrifft eben nicht nur den Leib oder nur die Seele des Menschen, sondern den ganzen Menschen. Diese Ausrichtung des Menschen und die darin geschehende Einheit beschreibt Chrysostomus als Veränderung, Revolutionierung des Menschen: Insofern sie keine partielle, sondern nur eine ganzheitliche sein kann, ist sie nur in der Weise aussagbar, daß sie als Abbruch der bisherigen und Beginn einer neuen Existenzweise erscheint. Zur Beschreibung dieses Vorganges verwendet Chrysostomus zumeist Bilder und Begriffe der biblischen Tradition,[224] aber auch solche, die der patristischen Denkweise entnommen sind.[225] Ihre Eigenart besteht darin, daß der anthropologische Dualismus dabei völlig außer Betracht bleibt, und an seiner

[223] Es läßt sich durchgängig beobachten, wie sehr Chrysostomus bestrebt ist, der offensichtlich herrschenden Meinung, die Verantwortung für das Böse und die Verhältnisse in der Gesellschaft nicht dem freien Willen des Menschen, sondern der Natur oder dem Schicksal anzulasten, entgegenzuwirken. Insofern betreibt er Aufklärung und widersetzt sich einer fatalistisch angekränkelten Weltdeutung, indem er auf die Basis der Veränderung im Menschen verweist, vgl. Hom. 12, 7 in Rom (PG 60, 500).

[224] So erläutert er sie im Zusammenhang (Hom. 11, 5 in Rom) der Explikation der vierfachen Bedeutung von ‚Tod' (PG 6, 488f.).

[225] So kann er (Hom. 3, 3 in Col) die Tauschtheologie auf den Menschen wenden: „Gott ließ die Engel zu den Menschen niedersteigen und er führte die Menschen zu den Engeln hinauf" (PG 62, 321). Eine Mischung der Aussageweise bietet die Auslegung von Rom 6, 4 (Hom. 10, 4 in Rom): „An dieser Stelle enthält die ethische Lehre auch eine Andeutung des Dogmas von der Auferstehung. Er selbst verlangt mit Berufung auf die zukünftige von uns eine andere Auferstehung, eine neue Ordnung des irdischen Lebens, die Frucht des umgeänderten Wandels. Wenn der Unzüchtige enthaltsam, der Reiche barmherzig . . . wird, so ist das auch eine Auferstehung und ein Vorspiel jener anderen. Wieso? Weil die Sünde tot . . . das alte Leben verschwunden und das neue engelgleiche eingetreten ist. Wenn du aber von einem neuen Leben hörst, so mußt du an eine bedeutende Veränderung, eine große Umwandlung (ἐναλλαγήν, μεταβολήν) denken" (PG 60, 480). Das ‚engelgleiche Leben' ist nicht auf die Mönche eingeengt, sondern ist der christliche Normalfall.

Stelle nur ein theologischer Dualismus erscheint: als Möglichkeit des Menschen, zwischen zwei Weisen des Lebens zu wählen und daraus die Folgen zu ziehen.
Der theologische Ort dieser Neudefinition der Dualismen ist die Taufe als der Eintritt des Menschen in die Kirche – nicht der physische Tod oder die Trennung von Leib und Seele[226]. Diesem Zeitpunkt kommt insofern große Bedeutung zu, als dadurch angezeigt wird, daß Chrysostomus bei aller Eingebundenheit in das antike Weltbild die Neudefinition des Menschen als Vorgang mitten in seinem irdischen Leben ansiedelt und nicht erst nach dem physischen Tod. Als eindrücklichstes und zugleich mißverständlichstes Bild verwendet er die Veränderung des Menschen zum ‚Engel'.[227] Sosehr dies zunächst als örtliche Verpflanzung von der Erde in den Himmel erscheint,[228] ist damit nicht das Hinter-sich-lassen der irdischen, weltlichen Existenz gemeint,[229] auch nicht der Verbundenheit von Leib und Seele,[230] sondern die Verlagerung des Schwergewichts menschlicher Existenz und Strebens vom Gegenwärtigen weg auf die ‚künftigen', ‚geistigen' Güter.[231] Dies bedeutet zunächst die Negation des Vorranges des Gegenwärtigen zugunsten des Zukünftigen. Aber nur insofern sich der Mensch willentlich diesem vorgegebenen Werte-Dualismus anschließt, findet er den Ausweg aus dem eigenen Zwiespalt zu einer neuen Ganzheit.

[226] Vgl. Hom. 23, 4 in Act (PG 60, 181).

[227] In der antihäretischen Auseinandersetzung (Comm. in Gal 1, 4) fragt er: „Wie kann das gegenwärtige Leben böse sein . . . in dem aus Menschen Engel geworden sind" (PG 61, 619)? Ähnlich redet er an anderer Stelle (Hom. 23, 4 in Act): „Bedenke, wieviele nach der Taufe Engel statt Menschen geworden sind." (PG 60, 182). J. Korbacher mißversteht die Sprache des Chrysostomus, weil er sie moralisch und nicht theologisch auslegt (Außerhalb der Kirche kein Heil, 57f.), ‚Engel' sind für Chrysostomus Chiffren für die Bewohner des Himmels. Aber indem mit der Offenbarung die Bewohner des Himmels auf die Erde, und umgekehrt die Menschen in den Himmel hinaufgestiegen sind, geschah eine Vermittlung zwischen der ‚Welt Gottes' und der Welt des Menschen, die geschichtlich antreffbar ist in der Inkarnation Christi und der Kirche. Hier hat die Engelmetapher ihre Sinnspitze.

[228] Vgl. Hom. 3, 3 in Col (PG 62, 321).

[229] Das Spezifische der christlichen Tradition besteht nach Chrysostomus gerade darin, daß Christus ‚Fleisch' angenommen hat und daß in der Konsequenz davon (Hom. 12, 4 in Mt) der Himmel auf die Erde heruntergekommen ist, so daß die Menschen befähigt sind, schon vor dem Tod die Erde zu bewohnen, als wäre sie der Himmel (PG 57, 206). Die Auferstehung, die mit der Taufe beginnt, setzt gerade die leibliche Existenz voraus.

[230] Die Verbundenheit von Leib und Seele (Comm. in Gal 5, 17) ist die Bedingung dafür, daß der Mensch Gott überhaupt begegnen kann (PG 61, 671f.).

[231] Vgl. dazu Hom. 6, 5 in Mt (PG 57, 68); Hom. de angusta porta et in orat. dom. 3 (PG 51, 45); Hom. in illud, si esuriet inimicus 5 (PG 51, 178).

bb) Von Himmel und Erde

Die Versöhnung des Menschen mit sich selbst, das Finden seiner Ganzheit erscheint als Ergebnis der Vermittlung. Sie geschieht nicht durch ihn selbst, sondern durch das totale Hingegeben-sein an die ihm vorgegebene ‚Agape' oder ‚Tugend' oder die Verkündigung des Evangeliums. Dadurch wird er als ganzer in eine neue Existenzweise erhoben, der ‚Engel', ohne deswegen seinem leiblichen Leben und den natürlichen Verhältnissen der Welt und Gesellschaft entrückt zu sein. Vielmehr geschieht die Veränderung am einzelnen mitten darin als Einbruch der Welt und Lebensordnung Gottes – oder als Aufsteigen des Menschen in die Welt Gottes. Beide Versuche, den Vorgang der Gleichzeitigkeit zu benennen, sind identisch und beschreiben die Veränderung, die mit dem Menschen und seiner Welt vor sich geht, wenn in sie die Welt Gottes einbricht.

Die geschichtliche Weise der Vermittlung läßt sich an der Auslegung des ‚Vater unser' innerhalb der Exegese des Matthäus-Evangeliums zeigen. Im Anschluß an die 2. Bitte führt Chrysostomus aus:

„Der Herr hieß uns nach den zukünftigen Dingen uns sehnen
und auf den Abgang aus dieser Welt warten.
Solange aber der Zeitpunkt dafür noch nicht da ist,
sollen wir uns bemühen,
schon *hier* das gleiche Leben zu führen
wie die Bewohner des Himmels
(καὶ ἐνταῦθα ... τὴν αὐτὴν τοῖς ἄνω πολιτείαν).
Wir sollen nach dem Himmel streben, sagt er,
und nach den Gütern des Himmels,
darüber hinaus aber sollen wir auch vorher schon
die Erde zum Himmel machen,
und auf der Erde lebend
ein Leben führen wie dort ...
(καὶ ἐν αὐτῇ διατρίβοντας ὡς ἐκεῖ πολιτευομένους).
Das Leben auf dieser Erde ist nämlich kein Hindernis,
die Vollkommenheit der himmlischen Mächte zu erreichen;
vielmehr kann man schon hier so leben,
als wäre man bereits im Himmel ...
(ἀλλ' ἔνι καὶ ἐνταῦθα διατρίβοντα, ὡς ἄνω γέγονεν ἤδη ...).
Er sagt nämlich nicht:
Dein Wille geschehe in mir oder in uns,
sondern überall auf der Erde ...
damit kein Unterschied mehr sei zwischen Himmel und Erde.
(μηδὲν ταύτῃ διαφέρειν τὸν οὐρανὸν τῆς γῆς).
Wenn das geschähe, sagt er,
wäre das Unten vom Oberen in nichts mehr getrennt ...“.[232]

In Analogie dazu, daß der Mensch, um versöhnt mit sich leben zu können, ein Engel werden muß[233] und die Dinge des irdischen Lebens an die zweite Stelle setzen muß, führt nach Chrysostomus der Weg zur Versöhnung der Erde ebenfalls über einen Umweg: Die Erde muß zum Himmel werden.[234] Daß Chrysostomus nicht magisch denkt und keine Aufhebung der irdischen Gesetzmäßigkeiten erwartet, geht aus der Art und Weise hervor, wie er sich real geschichtlich den Prozeß der Vermittlung vorstellt: Die Erde wird in dem Maße zum Himmel, als Menschen den Willen Gottes tun. Dabei bleibt für Chrysostomus der ‚Himmel' der Inbegriff dessen, was Menschen an Erwartung hegen, und in diesem Sinne bleibt er transzendent, und ist nach seinem Weltbild der Abschied von der irdischen Welt die Bedingung, den Himmel zu erreichen. Insofern sind seine Aussagen weltanschaulich gebunden.

Das spezifisch Christliche kommt darin zur Sprache, daß es in der Möglichkeit der Menschen liegt, in der Ausrichtung auf dieses transzendente Ziel wenigstens anfanghaft den Himmel und seine Ordnung auf die Erde herunterzuziehen, indem sie selbst anfangen, schon auf der Erde nach der Ordnung des Himmels zu leben.

Diese eschatologische Existenzweise, die Chrysostomus nicht den Mönchen allein vorbehält, sondern von allen Christen als geboten fordert, nimmt den Zustand des ‚Künftigen' in der Weise schon real vorweg, daß das Kommende an ihr schon erscheint. Insofern könnte man sagen: Humanisierung geschieht insofern, als Menschen bereit sind, mit ihrem Leben den Einbruch der Welt Gottes in dieser Welt zu bezeugen, d. h. seinen Willen tun.[235]

Zusammenfassend kann gesagt werden: Die Dualismen können nach dem Verständnis des Chrysostomus nicht unmittelbar aufgehoben werden, sondern nur auf dem scheinbaren Umweg, daß der Mensch sich als ganzer verändern läßt und etwas ihm unverfügbar Vorgegebenes, jenseits seiner Möglichkeit Liegendes anstrebt, und daß die Möglichkeit für die Welt darin liegt, daß sie zur Welt unter dem Willen Gottes wird und dadurch zu einer humanen.

Die humanisierende Wirkung, die von einer solchen Versöhnung der Dualismen ausgehen könnte, kann Chrysostomus nur in der Form

[232] Hom. 19, 5 in Mt (PG 57, 279f.); vgl. Hom. de angusta porta et in orat. dom. 4 (PG 51, 45f.).

[233] Mit den Einschränkungen gilt dies, die Chrysostomus selbst (Hom. 19, 5 in Mt) anbringt: Der Mensch kann die Apathie der Engel nicht erreichen, weil er seiner Natur nach kein Engel ist (PG 57, 280).

[234] Vgl. R. C. Petry, Christian Eschatology and social thought, 103.

[235] Die entsprechende negative Aussage (Hom. 23, 3 in Act) zielt denselben Sachverhalt an: Deswegen ist es um die Gesellschaft so schlecht bestellt, weil niemand gemäß dem Willen Gottes leben will (PG 60, 182).

des ‚Paradoxon' – nach antikem Verständnis als ‚Merkwürdigkeit' – beschreiben; denn sie beruht auf der Bedingung, die Humanisierung der irdischen Verhältnisse und des Menschen dadurch zu erreichen, daß es nicht erstes Ziel ist, menschenfreundlicher zu sein[236] und auf die Hinwendung zur Welt zu bauen, sondern auf den Einbruch der ‚Welt Gottes' zu setzen. So sehr dies als ‚Weltverachtung' und ‚Weltflucht' erscheint und auch in der Weise artikuliert wird, liegt nach dem Verständnis des Chrysostomus doch in dieser Verlagerung des Schwergewichts menschlicher Bemühungen die einzige Möglichkeit, die Welt und den Menschen zu humanisieren.[237]
Dadurch wird die irdische Ordnung wiederhergestellt, die dem Menschen das richtige Verhältnis zu den Dingen erst ermöglicht[238] und ihn frei macht.[239] Dadurch wird eine neue Anhänglichkeit an die Welt und das Leben in ihr Recht eingesetzt.[240]

cc) Von Individuum und Gemeinschaft

In verschiedenen Zusammenhängen der Untersuchung – z. B. dem Ausgleich von reich und arm – konnte deutlich gemacht werden, daß nach dem Verständnis des Chrysostomus die christliche Lösung zur Humanisierung nur wirksam wird, wenn sie nicht nur von einem

[236] Zur Bedeutung und Applikation des Begriffs vgl. L. J. Daly, Themistius' concept of Philanthropia, in: Byzantion 45 (1975) 22–40. Er legt dar, wie sehr der Begriff am Idealbild des Kaisers entwickelt und daran der jeweilige Kaiser gemessen wird. Die Übertragung des Begriffes auf Gott bei Chrysostomus untersuchte M. Zitnik, Θεὸς φιλάνθρωπος bei Johannes Chrysostomus, in: Orientalia Christiana Periodica 41 (1975) 76–118.

[237] Die Möglichkeit, von der Habsucht befreit zu werden, sieht er in der Redeweise Jesu (Hom. 21, 1 in Mt als Auslegung von Mt 6, 24) vorgezeichnet: „Siehst du, wie der Herr allmählich die Zuhörer von den irdischen Dingen abzieht, indem er wiederholt auf die Verachtung des Besitzes zu sprechen kommt und so die Tyrannei der Habsucht bricht. Was gäbe es Schrecklicheres, . . . wenn wir wegen des Geldes von der Knechtschaft Christi ausgeschlossen würden. Und was wäre erstrebenswerter, als wenn wir das Geld verachteten und dafür die vollkommene Zuwendung und Liebe zu ihm besäßen" (PG 57, 294f.). Dieselbe Grundeinsicht spricht erstaunlicherweise J. Habermas aus: „Unter den modernen Gesellschaften wird nur diejenige, die Wesentliches ihrer religiösen, über das bloß Menschliche hinausweisenden Überlieferung in die Bezirke der Profanität einbringt, auch die Substanz des Humanen retten können" (Die verkleidete Tora. Rede zum 80. Geburtstag von Gershom Scholem, in: Merkur 32 [1978] 104). Ähnlich äußert sich J. Ratzinger im Zusammenhang der Würdigung der Platonischen Ideenlehre: „Die ‚Realität' ist nur dann sinnvoll zu gestalten, wenn die Idealität Realität ist" (Eschatologie und Utopie, in: Internationale katholische Zeitschrift 2 [1977] 97–110, hier 103).

[238] Vgl. Hom. 5, 5 in Mt (PG 57, 62).

[239] Vgl. Hom. 68, 3 in Mt (PG 58, 643).

[240] Von Paulus sagt er (Hom. 15, 5 in Rom): „Er liebte nämlich Christus nicht wegen der Güter Christi, sondern wegen ihm jene und er schaute einzig auf ihn" (PG 60, 546).

getan wird, sondern von einer Mehrzahl von Christen: Aus der freiwilligen Armut entsteht nur dann Überfluß, wenn mehrere ihren Besitz zur Verfügung stellen.[241] Dasselbe gilt für alle Tugenden: Wenn sie nicht von mehreren gleichzeitig und zusammen geübt werden, bleiben sie wirkungslos. Chrysostomus spricht deswegen den allein lebenden Asketen das Recht ab, ihre Existenz als christlich verstehen zu können. Sie verbleiben auf dem Status, der als charakteristisch für die antike Tradition gelten kann: daß der einzelne sein eigenes Heil, seine Glückseligkeit sucht und primär nicht das Heil des anderen.
Zudem konnte gezeigt werden, wie nahe bis zur gegenseitigen Identifikation Chrysostomus die ‚Arete' an die christliche ‚Agape' heranrückt und von dem Streben danach und der Ausrichtung des Lebens an diesem Höchstwert gleichermaßen die Glückseligkeit des Menschen abhängig sieht. Insofern scheint eine Kontinuität zwischen antiker und christlicher Tradition unmittelbar gegeben: Die Agape als Interpretament der Arete nimmt ihre Funktionen in sich auf. So ließe sich die Frage der Aufhebung der Dualismen als Teilproblem der Frage der Humanisierung abhandeln, ohne sich genötigt zu sehen, nach der spezifischen Eigenart der christlichen Agape im Unterschied zur Arete Ausschau zu halten. Die antike wie die christliche Tradition stimmen darin überein, daß eine Versöhnung nur möglich ist – wie immer sie dann im einzelnen definiert und vorgesellt wird – über ein den zu Versöhnenden Transzendentes.
So wurde zur Zeit des Chrysostomus – und weitgehend bis heute – die christliche Agape in Analogie zur Tugend verstanden, d. h. als Weg zur individuellen Vollendung.
Chrysostomus selbst bietet genügend Anhaltspunkte für ein solches Verständnis; an vielen Stellen identifiziert er christliches Leben mit dem Leben nach der Tugend und verbleibt damit innerhalb des Strebens nach individuellem Heil, das er grundsätzlich zwar ablehnt, das er aber auch immer wieder predigt, weil er wahrnimmt, daß das ursprüngliche Verständnis von Agape den Christen seiner Zeit weitgehend unbekannt geworden ist.[242] Ihre Eigenart und Wirksamkeit

[241] Chrysostomus zitiert als Einwand auf die Forderung nach Genügsamkeit die Meinung vieler (Hom. 19, 3 in 2 Cor): „Was soll's! Wenn ich alles preisgegeben habe, bin ich aus Not auf die Hilfe der anderen angewiesen" (PG 61, 534). Daraus erhellt einerseits, daß kaum Christen bereit waren, ihr Vermögen zu teilen, andererseits aber auch, daß dies nicht möglich ist, solange es nicht viele tun; sonst wird der ‚freiwillig' Arme zum Sozialfall.

[242] Er stellt fest (Hom. 40, 3 in Act): „Jetzt ist die Agape in Gefahr. Von ihr ist uns nur das Wort erhalten geblieben, die Praxis nirgends, sondern untereinander sind wir geteilt und zerrissen" (PG 60, 285). Ähnlich beklagt er (Hom. 5, 4 in 2 Thes): „Das ist der Grund für alle Übelstände in der Kirche, daß die Agape nicht mehr ist. Dies hat alle großen und leuchtenden Erscheinungen in der Kirche vollständig zerstört, deren wir uns rühmen können müßten" (PG 62, 497).

kommt erst zum Vorschein, wenn sie nicht von einem oder wenigen getan wird, sondern von vielen zugleich; dann wäre die Welt wahrhaft eine humane Welt, und die Menschen untereinander wie Freunde.[243]

An vielen Stellen seiner Homilien beschreibt Chrysostomus, was an Veränderung und Humanisierung möglich wäre, wenn die Agape herrschte;[244] denn die gemeinsam vollzogene Umorientierung der Leidenschaft von Menschen auf eine ‚Sache' hin ermöglicht unter ihnen ein Maß an Übereinstimmung und Gemeinsamkeit, das die naturgegebenen Verbindungen und Abhängigkeiten[245] nicht einfach nur quantitativ übertrifft, sondern eine qualitativ andere Gestalt hat, nämlich als Kirche.

Es ist nun offensichtlich, daß Chrysostomus die Kirche als ‚Leib Christi' zwar vor allem von der paulinischen Theologie herleitet und interpretiert, aber gleichzeitig Elemente der antiken Tradition miteinbezieht, um für das Verständnis seiner Hörer darzulegen, inwiefern sich Kirche als der Ort darstellt, in dem und durch den das im Menschen angelegte Streben nach Einheit zu seinem Ende gekommen ist.

[243] Die realen Konsequenzen schildert er seinen Zuhörern plastisch (Hom. 32, 5 in 1 Cor): „Damit ihr auch den Wert und die Schönheit dieser Tugend (scil. der Agape) erkennt, so wollen wir sie mit Worten schildern, weil wir sie in der Wirklichkeit nirgends erblicken, und laßt uns bedenken, welch große Güter daraus hervorgingen, falls sie *überall* herrschte . . ." und (Ebd. 6): „Du darfst aber nicht etwa nur *einen* Liebenden annehmen, sondern alle zugleich, und dann wirst du die Macht der Liebe erkennen" (PG 61, 271f.).

[244] So kann er sagen (Ebd.): „Dann bedürfte es keiner Gesetze, keiner Gerichte, keiner Strafen – nichts von alledem. Wenn nämlich alle liebten und geliebt würden, so würde niemand ein Unrecht begehen, sondern Mord, Schlachten, Kriege, Aufruhr, Raub, Geiz und alle Übel würden verschwinden, und das Laster würde selbst dem Namen nach unbekannt sein" (271) und „Wäre die Agape vorhanden, gäbe es keine Armut und keinen übermäßigen Reichtum, sondern nur das Glück, das aus beiden erwächst" (272). Vgl. Hom. 87, 4 in Joh (PG 59, 425). Obwohl Chrysostomus die ‚Agape' eine Tugend nennt, sie also individualistisch verstanden werden könnte, zeigt der Umkreis der Folgen, die er beschreibt, daß sie eine soziale Dimension hat und ihren ‚Ort' in der Kirche – insofern die Christen die vielen wären, die durch deren Realisierung auch die Wirkungen hervorbringen könnten.

[245] Als natürliche Pfänder der Eintracht (ὁμονοία) nennt er (Hom. 34, 1 in 1 Cor): Eltern-, Kinder-, Gattenliebe, Verbundenheit durch Verwandtschaft, darüber hinaus die Abhängigkeit durch Arbeitsteilung und Verkehr, das Zusammenkomen durch Sprache und Wohnort; alle diese natürlichen Gegebenheiten begründen den Trend zur Einheit und Übereinstimmung unter den Menschen (PG 61, 290f.); vgl. Hom. 40, 4 in Act (PG 60, 286). Das Zustandekommen von Freundschaften als die Konkretisierung des allgemeinen Strebens nach Einheit bezeichnet er (Hom. 1, 3 in Col) als φυσικὰς/βιωτικὰς προφάσεις im Unterschied zur πνευματικὴ ἀγάπη unter Christen (PG 62, 303). Die Einheit und Verbundenheit ist schon in der Ordnung der Schöpfung angelegt (Hom. 25, 4 in 1 Cor): „Gott wollte die Menschen nämlich untereinander verbinden" (PG 61, 210).

Die Eingebundenheit in die antike Tradition erscheint zunächst als Polemik: Chrysostomus kritisiert das gegenseitige Verhalten der Christen, weil es bestimmt bleibt von den natürlichen Beweggründen zur Einheit[246] und deswegen die neue Qualität der Einheit, wie sie in der Kirche möglich wäre, nicht im entferntesten erreicht. Er beklagt, daß die Tugend der Freundschaft in der Kirche nicht mehr zu finden ist.[247]

Eine positive Aufnahme und Verallgemeinerung erfährt der Gedanke der natürlichen Verbundenheit und Abhängigkeit der Menschen untereinander, wie er innerhalb der antiken Gesellschaftstheorien entwickelt wurde.[248] Chrysostomus wendet dieses Verständnis, wie es überhaupt zu Vergesellschaftung kommen konnte, und wie eine Gesellschaft trotz aller zerstörerischen Kräfte des Menschen[249] bestehen kann, ins Christliche, indem er in der natürlichen Einheit und dem Streben danach ein Naturgesetz, vom Schöpfer gegeben, erblickt,[250] das darin seine Sinnspitze hat, daß der Mensch das für sich Nützliche und Notwendige nur erreichen kann, wenn er es erstrebt

[246] Die Christen realisieren nicht, was ihnen als Spezifisches zukäme (Hom. 59, 5 in Mt): „Darum sind wir so schwach ... weil wir nicht versiegelt sind durch die Agape gemäß dem Willen Gottes, sondern für uns andere Gründe der Freundschaft suchen: die einen auf der Basis der Verwandtschaft, andere ... des täglichen Umgangs, der Nachbarschaft. Von jedem anderen Motiv lassen wir uns leiten zur Freundschaft, nur nicht von der Gottesfurcht. Und doch sollte sie allein Freundschaften knüpfen. Heutzutage aber geschieht das Gegenteil: Mit Juden und Heiden halten wir eher Freundschaft als mit den Kindern der Kirche" (PG 58, 581); vgl. auch Hom. 25, 4 in 1 Cor (PG 61, 211). Zum Verhältnis von Juden und Christen vgl. B. Kötting, Die Entwicklung im Osten bis Justinian, in: Kirche und Synagoge, 136–167, bes. 165.

[247] Nachdem er die christliche Freundschaft beschrieben hat, sagt er (Hom. 2, 3 in 1 Thes): „Ich kann mir wohl denken, daß die meisten von euch dies alles nicht begriffen haben, redete ich ja von etwas, das jetzt nur mehr im Himmel zu finden ist. Es verhält sich damit ungefähr so, wie wenn ich von einer indischen Pflanze redete, die keiner von euch aus eigener Anschauung kennt. Keine Beschreibung ... könnte ein anschauliches Bild und einen klaren Begriff davon geben" (PG 62, 405).

[248] Vgl. Aristoteles, Pol. I 1252b 15, 1253a 1ff.

[249] Epikurs Gesellschaftstheorie muß nicht pessimistisch genannt werden, sondern realistisch. Chrysostomus übernimmt sie z. T. und verbindet sie mit dem christlichen Grundwissen davon, daß der Mensch aus sich allein zur Vergemeinschaftung unfähig ist und der Erlösung bedarf. In dieser Übereinstimmung bzw. Rezeption zeigt sich, wie viel näher sich der Versuch, das christliche Selbstverständnis neu auszulegen, an die kritische, philosophische und gesellschaftskritische Tradition anlehnen konnte als an religiöse. So weit allerdings, wie Epikur nach Epiktet (Arrianus, Dissert. II, 20, 6) ging: den Menschen jede natürliche Gemeinschaft abzusprechen (Epicurea 318), ging Chrysostomus aufgrund der intendierten Naturordnung nicht.

[250] Vgl. Hom. 25, 4 in 1 Cor (PG 61, 210). Aristoteles (Pol. 1252 b 27f.) begründet die Entstehung der Städte wie der primären Gemeinschaften ebenfalls mit der Natur.

als Vorteil für den anderen:[251] Das Leben der Menschen untereinander erscheint so verbunden und ineinander verflochten, daß niemand sein ‚Heil' finden kann, sondern nur auf indirektem Weg als Glück des anderen.

So sehr es den Anschein hat, als stände diese Herleitung des Altruismus des Menschen im Gegensatz zu dem, was Chrysostomus an anderen Stellen über die Entstehung und die bleibende Notwendigkeit des Staates anführt, läßt sich dieser Widerspruch doch auflösen, wenn man als Quelle dieses Gedankens nicht antike Gesellschaftstheorien annimmt, sondern den theologischen Begriff von Kirche.

Für diese Herleitung kann geltend gemacht werden, daß 1. Chrysostomus durchgängig in seinen Homilien und Schriften das Wesen des Christentums darin sieht, daß der einzelne sein Heil nicht finden kann, ohne das Heil des anderen zu suchen;[252] daß er 2. eine Terminologie verwendet, die deutlich christlichen Charakter hat;[253] daß er 3. die Einheit des Individuums und der Gemeinschaft, die das Hauptproblem der antiken Gesellschaftstheorie und der Politeia Platons war, zwar mittels Interpretamenten aus der antiken Tradition beschreibt und anschaulich macht,[254] aber orientiert ist am theologischen Begriff von Kirche.

Dieser Umstand gewinnt insofern Bedeutung für das Verständnis des Chrysostomus, als darin implizit enthalten ist, daß er die Weise der

[251] Dieser Gedanke ist für Chrysostomus zentral und konvergiert mit dem Ziel antiker Gesellschaftstheorie. Er bildet die Basis für die Vermittlung von Individuum und Gemeinschaft überhaupt und speziell für die Vermittlung in der Kirche, vgl. Hom. 59, 5 in Mt (PG 59, 581), Hom. 25, 3.4 in 1 Cor (PG 61, 210), wo er Beispiele aus dem täglichen Leben anführt – vom Hausbrand, von Seenot – um anschaulich zu machen, wie der Bestand und das Heil des einen vom anderen abhängig ist, und wie dadurch Gemeinschaft entsteht.

[252] Er wendet diesen Grundgedanken in vielen Variationen an, so auf die Ehre, die einem widerfährt und des anderen Neid erregen könnte (Hom. 27, 4 in 2 Cor): „Du hörst das Lob des Bruders aus dem Munde von Männern und Frauen und grämst dich? Füge zu ihrem Lob noch das deine hinzu, so wirst du auch *dich* loben. Wolltest du aber das Lob deines Bruders zunichte machen, so hast du ernstlich gegen dich *selbst* gesprochen" (PG 61, 589), und auf die Feindschaft (Hom. 10, 1 in Eph): „Wer dem Nächsten nachstellt, stellt in erster Linie sich *selbst* nach" (PG 62, 76).

[253] Die Zusammenhänge sind immer ekklesiologisch bestimmt: In Hom. 10, 1 in Eph legt er Eph 4, 4f. („Ein Leib, ein Geist . . .) aus, in Hom. 27, 4 in 2 Cor begegnet eine große Klage über die Zerrissenheit der Glieder der Kirche durch Neid: „Wie lange zernagen wir noch die Wurzel der Kirche. Denn wie einen entseelten Leib sehe ich jetzt die ganze Kirche daliegen . . . wie keines der Glieder mehr seinen Dienst erfüllt" (PG 61, 528). Auch die Begrifflichkeit σῶμα, μέλος, πλήσιον verweisen auf den christlich und kirchlich bestimmten Hintergrund der entwickelten Gedanken.

[254] Die Konvergenz von antiker Freundschaft und kirchlicher Gemeinschaft zeigt sich auch darin, daß sie begrifflich und im Duktus einer Homilie ineinander übergehen, so in: Hom. 2, 3f. in 2 Thes (PG 62, 403f.), Hom. 40, 3 in Act (PG 60, 285).

Versöhnung von Individuum und Gemeinschaft, wie sie in der Kirche möglich wäre, in Analogie zu gesellschaftlichen Entwürfen beschreibt. D. h. nicht nur, daß er Kirche als eine Art von Gesellschaft versteht, sondern daß sie der Ort wäre, wo die Aporie des Problems von Einzelinteresse und Gemeinschaft aufgehoben werden könnte. Die vorgegebene Größe, anhand deren Chrysostomus die Aufhebung dieses Dualismus beschreibt, ist die Kirche als ‚Leib Christi'.

Was als kennzeichnend für die Neuorientierung des Menschen an der ‚Agape' deutlich werden konnte – daß sie als solche nicht in ein Jenseits zum Menschen hinzielt, sondern ihn in einer differenzierten Einheit restituiert; daß seine Welt nicht einfach mit der Welt Gottes, dem ‚Himmel' gleichgesetzt wird, sondern daß sie zum Himmel erst durch den Menschen gemacht werden soll – gilt in ähnlicher Weise auch für die Vermittlung von Individuum und Gemeinschaft.

Auch sie hat zur Bedingung, daß der einzelne sich zuerst und vorrangig um die Versöhnung des anderen sorgen muß. M. a. W. die Liebe zu Gott erscheint – analog dem ‚ganzen' Hingegeben-sein an die Verkündigung des Evangeliums, dem ganzen Streben nach dem Himmel, dem Leben als ‚Engel' – geschichtlich als Liebe zum Nächsten: Indem sie grundsätzlich nicht bei sich selbst bleibt, sondern sich ganz auf Gott richtet, wird sie erst geschichtlich wirksam. Soweit nun Chrysostomus nicht von einem vorgegebenen, fertigen Begriff von Kirche ausgeht,[255] sondern ihn vor seinen Zuhörern pädagogisch klug und paränetisch entfaltet, geht er von dem realen Zustand aus, in dem sich die Christen befinden. Dieser besteht darin, daß sie faktisch verschieden sind und untereinander eine Spannweite von Gegensätzlichkeiten aufweisen, die nicht zu befrieden sind. Die Leidenschaften der Christen sind auf alles andere gerichtet als auf den Vorteil und das Heil des anderen; der Nationalität, dem Rang, der Herkunft und dem Besitzstand und der Bildung nach sind sie verschieden. Es herrscht Ungleichheit.

Diese wird nicht von Chrysostomus negiert oder in einer Gleichheit aufgehoben. Die Unterschiedenheit der einzelnen wird als bleibende Bedingung und inneres Moment der Einheit festgehalten. Die Vermittlung geschieht über ein Gemeinsames, das Chrysostomus in Analogie und in der Konkretisierung der Agape definiert als ‚Aufbau

[255] Eine Umschreibung mit Hilfe antiker Terminologie begegnet (Hom. 1, 1 in 1 Thes): ἐπειδὴ δὲ ὄνομα πλήθους ἐστὶν ὡς τὰ πολλὰ τὸ τῆς Ἐκκλησίας ὄνομα καὶ σύστημα ἤδη συνκεκροτημένος (PG 61, 616) und (Comm. in Gal 1, 2): τὸ γὰρ τῆς Ἐκκλησίας ὄνομα συμφωνίας ὄνομα καὶ ὁμονοίας ἐστὶ (PG 62, 398); vgl. Sermo 9, 2 in Gen (PG 54, 623), Hom. 5, 3 in 1 Thes (PG 62, 427). Chrysostomus glaubt die Kirche als eine Größe, in der die Einheit der vielen Einzelnen Realität ist (Hom. 65, 1 in Joh): „Was heißt: ‚Damit er zusammenführe die Nahen und die Fernen?' Er machte einen Leib. Wer in Rom wohnt, hält die Inder für sein eigen Glied" (PG 59, 361).

von Kirche'.[256] Hier hat die Forderung, sein individuelles Heil im Heil des anderen zu suchen, ihrem konkreten Ort,[257] und wird es dem einzelnen erst möglich, diese Forderung zu erfüllen. Denn indem er zum Aufbau der Kirche beiträgt, baut er den anderen auf und umgekehrt: Indem er den anderen fördert, wächst das Gemeinsame, an dem jeder als Glied gleichen Anteil hat.[258] Die Vermittlung des Eigeninteresses mit dem des anderen geschieht also über das jedem gemeinsame Anliegen, Kirche aufzubauen. Darin sieht Chrysostomus den Weg, eine Einheit untereinander herzustellen, ohne daß dadurch die Verschiedenheit der einzelnen Schaden litte. So kann er in der Auslegung von 1 Kor 12,21ff. sagen:

„Wann der Leib aufgebaut wird,
hat niemand in Nichts einem anderen etwas voraus;
denn nicht das schafft den Leib,
das Mehr- oder Minder-sein,
sondern das Viele- und Verschieden-sein.
So trägst du, wenn du bedeutender bist,
zum Aufbau des Leibes bei,
wie auch jener, der geringer ist.
So wird seine Geringheit dadurch,
daß er den Leib aufbauen muß, dir gleichwertig
in bezug auf diese schöne Sache."[259]

Die Einheit untereinander soll also nicht zur Gleichheit verändert werden, sondern das übergeordnete gemeinsame Interesse stellt jeden in seiner individuellen Eigenart in den Dienst dieser gemeinsamen Sache und macht ihn erst zu einem unersetzlich einmaligen Glied am Ganzen.[260] Mit Hilfe traditioneller Bilder[261] versucht Chryso-

[256] Zur Bedeutung, die dem Auftrag an Petrus nach Joh. 21, 15ff. innerhalb der Predigten zukommt, vgl. Hom. 77, 6 in Mt (PG 58, 709f.), Hom. 88, 1 in Joh (PG 59, 477f.), Hom. 29, 5 in Rom (PG 60, 660) u. ö.

[257] In der Auslegung von Eph 4, 3 führt er aus (Hom. 9, 3 in Eph): „So will er, daß wir einander zugetan sind – nicht einfach, daß wir Frieden halten, nicht einfach, daß wir uns lieben, sondern daß wir in allem eine Seele sind" (PG 62, 73), ähnlich (Hom. 31, 2 in 1 Cor): „Nicht allein, daß wir nicht voneinander getrennt sind . . . sondern daß wir in Agape und Eintracht leben" (PG 61, 260). So kann er auch (Hom. 11, 4 in Col) einen Zusammenhang herstellen zwischen der Ehre der Kirche und der Ehre des einzelnen (PG 62, 379f.).

[258] Vgl. Comm. in Gal 6, 1 (PG 61, 674).

[259] Hom. 31, 3 in 1 Cor (PG 61, 260).

[260] J. Korbacher mißversteht die Vermittlung von Individuum und Gemeinschaft in der Kirche als Gefährdung für den einzelnen. „Der einzelne spielt also durch seinen Beitrag zur Gemeinschaftsbildung keine besondere Rolle. Dem entspricht, daß Heil und Ehre der Kirche über dem Wohl des einzelnen stehen" (Außerhalb der Kirche kein Heil, 67).

[261] So überträgt er (Comm. in Gal 1, 6) das Bild von der Einheit und Verschiedenheit der Teile, die ein Haus ausmachen, auf den Leib mit den differenzierten Gliedern

stomus immer wieder, die unter den Christen mögliche Einheit zu beschreiben. Die Vielheit und Unterschiedenheit der einzelnen ist kein Hindernis, sondern die bleibende Bedingung der zu gewinnenden Übereinstimmung;[262] denn insofern sich jeder gleichermaßen und in seiner individuellen Eigenart an der gemeinsamen Sache beteiligt, erscheint der Beitrag des einzelnen als ‚gleichwertig', ohne daß er gleich würde. „Die Verschiedenheit ist es am meisten, die aus sich die Gleichwertigkeit entläßt",[263] so kann Chrysostomus die Vermittlung paradox umschreiben. Aber sie geschieht nur dadurch real, daß jeder sich gleichermaßen als Glied am Leib der Kirche versteht.[264]
So kann nochmals deutlich werden, daß die Versöhnung von Individuum und Gemeinschaft nach dem Verständnis des Chrysostomus nur dadurch ermöglicht wird, daß nicht nur ein einzelner auf das Wohl des Nächsten bedacht ist, sondern wenn dies viele zugleich tun. Zur Definition von der Kirche gehört die Vielheit.[265] Insofern ist sie vorgestellt nach Analogie der Gesellschaft, und gewinnt die in ihr mögliche Versöhnung der Gegensätze die Qualität von ‚neuer Gesellschaft'.
Die Umorientierung der menschlichen Leidenschaften gewinnt so eine soziale Dimension: Insofern sie auf die ‚Agape' ausgerichtet sind, die geschichtlich als gemeinsamer Aufbau von Kirche erscheint, ist das egoistische Interesse des einzelnen mit dem vorrangigen Anliegen der vielen anderen harmonisiert; das Interesse vieler ist identisch und

(PG 61, 674); vgl. auch Hom. 3, 4 in Col (PG 62, 322). Er erinnert (Hom. 20, 4 in Eph) an die Einheit der frühen Gemeinden (PG 62, 111); Hom. 3, 1 in Act (PG 60, 34) wie Augustinus (En. in Ps 131, 5): „Quam multa milia crediderunt . . . sed quid de illis dicit scriptura? Certe facti sunt templum dei; num tantum templum dei singuli, sed et omnes templum dei simul. Facti sunt ergo locus domini . . . Erat illis anima una et cor unum in deum" (PL 37, 1718).

262 Die dialektische Einheit ist in dem Leib-sein der Kirche real vermittelt (Hom. 30, 3 in 1 Cor): εἰ μὴ ἦν ἐν ὑμῖν πολλὴ ἡ διαφορὰ, οὐκ ἂν ἦτε σῶμα· σῶμα δὲ οὐκ ὄντες, οὐκ ἂν ἦτε ἓν· ἓν δὲ οὐκ ὄντες, οὐκ ἂν ἦτε ἰσότιμοι. Ὥστε οὖν εἰ πάντες ἰσότιμοι ἦτε, οὐκ ἂν ἦτε σῶμα· οὐκ ὄντες δὲ σῶμα, οὐκ ἂν ἦτε ἕν. οὐκ ὄντες δὲ ἓν, πῶς ἂν ἦτε ἰσότιμοι; . . . σῶμα δὲ ὄντες, πάντες ἔστε ἓν, καὶ οὐδὲν ἀλλήλων διαφέρετε κατὰ τὸ σῶμα εἶναι (PG 61, 253).

263 Ebd.: Ὥστε ἡ διαφορὰ αὕτη μάλιστα ἐστὶν ἡ ποιοῦσα τὴν ἰσοτιμίαν.

264 Von diesem Grundgedanken ausgehend, kann Chrysostomus z. B. auch die differenzierte Gleichwertigkeit und Einheit von Mann und Frau in der Ehe ableiten, gerade weil sie verschiedene Funktionen ausüben, wie er – sicher in Anlehnung an antike Vorstellungen – (Hom. quales duc. sint uxores) diese Aufgaben umschreibt (PG 51, 230f.). Ihre Gleichheit resultiert aus der gemeinsamen Gliedschaft in der Kirche oder der Teilhabe an der Tugend, vgl. Hom. in illud, propter fornic. ux. 1 (PG 51, 214), Sermo 5, 3 in Gen (PG 54, 602).

265 Vgl. Hom. in illud Pauli, oportet haereses esse 4 (PG 51, 258), Hom. 31, 2 in 1 Cor (PG 61, 260).

verbindet sie elementar zur Einheit.[266] Der Egoismus kann sich als Altruismus am wirksamsten realisieren und ist darin aufgehoben. Chrysostomus beschreibt die möglichen Folgen einer solchen Versöhnung des Antagonismus von Individuum und Gemeinschaft sehr plastisch und eindringlich; sie würde eine Revolution der Verhältnisse unter den Christen nach sich ziehen: Es gäbe keinen Armen und keinen Reichen mehr, keine Sklaven, keine verschiedene Wertung von Mann und Frau, keine Herrschenden und keine Untertanen.[267] Die Möglichkeiten, die sonst ein einzelner hat und die gleichzeitig seine Beschränkung darstellen, wären um ein Vielfaches erweitert und gesteigert zur Ubiquität;[268] der einzelne wäre, ohne etwas einzubüßen, um die Fähigkeiten der anderen bereichert.

Zusammenfassend läßt sich sagen: Chrysostomus setzt, wenn er den christlichen Weg zur Humanisierung des Menschen und seiner Verhältnisse beschreiben will, bei den Kräften an, die den Menschen elementar bestimmen. Er nimmt ihre Mächtigkeit wie die antike Tradition wahr und versucht zugleich, sie auf ein neues Ziel zu lenken. So sehr diese Umorientierung Sache des einzelnen bleibt, wird sie erst geschichtlich wirksam, wenn sie von vielen gleichzeitig und gleich radikal vollzogen wird. Nur auf diese Weise kann sichtbar werden, worin das spezifisch Christliche dieser Lösung liegt, die sich formal in der Nähe der antiken Tradition bewegt. Chrysostomus benutzt zwar Vorstellungen und Begriffe aus der antiken Freund-

[266] Um dies als möglich zu erweisen, erinnert Chrysostomus (Hom. 20, 4 in Eph) an die frühen Gemeinden: „Sie waren fünftausend, und niemand sah seinen Besitz als Eigentum an, sondern sie stellten ihn sich gegenseitig zur Verfügung" (PG 62, 111); vgl. Hom. 3, 1 in Act (PG 60, 34); Hom. 32, 6 in Mt (PG 57, 386); Hom. 9, 3 in Eph (PG 63, 73). Neben dem paulinischen Bild von der Einheit des Leibes ist Apg 4, 32 wichtig und inspirierend geblieben. Daß auch ein sprachlicher Zusammenhang dieser Grundstelle mit Aristoteles (Eth. Nic. IX, 8 1168 b 7f.): μία ψυχὴ καὶ κοινὰ τὰ φίλων neben der Übernahme der Freundschaftsmetapher besteht, kann hier nur vermutet werden. In allgemeiner Form reflektiert Chrysostomus (Hom. 9, 3 in Eph) dieselbe Sache als ‚Einheit des Geistes': „Deswegen wurde nämlich der Geist verliehen, damit die durch Abstammung und Sitten Getrennten zur Einheit geführt würden. Der Greis und der Jüngling, das Kind und der Erwachsene, die Frau und der Mann und jede Seele wird Eines . . ." (PG 62, 72).

[267] Vgl. Hom. 32, 5f. in 1 Cor (PG 61, 271f.), Expos. in Ps 48, 2 (PG 55, 223). Eine allgemeinere Formulierung begegnet (Comm. in Gal 6, 1): „Da es den Menschen nicht gibt ohne Unterschiede . . . sondern man soll die Minderheit des anderen tragen!" (PG 61, 674). So denkt er sich die Aufhebung der Unterschiede. Sie werden nicht negiert, sondern durch den anderen aufgehoben, der sie ausgleicht.

[268] Anhand der antiken Freundschaft beschreibt er die möglichen Verhältnisse innerhalb der Kirche (Hom. 37, 3 in Act): Ausgehend von dem Gemeinplatz, daß „Freunde nötig sind" fährt er fort: „Deswegen vermag das Gesamt der Kirche mehr . . . wenn schon zwei Großes vermögen, um wieviel mehr dann viele" (PG 60, 266)? Vgl. Hom. 78, in Joh (PG 59, 425) und Hom. 2, 3f. in 1 Cor (PG 61, 403f.).

schafts- und Gesellschaftslehre, appliziert sie aber auf die Kirche. Als vorgegebene sichtbare Größe ist sie für ihn der Ort, wo die Neuorientierung des Menschen ihre reale, irdische Dimension entfaltet und humanisierend und versöhnend sich auswirkt, weil in ihr die ‚Agape' Gottes geschichtlich vermittelt ist. Insofern führt die neue Ausrichtung nur scheinbar aus der Welt und der Geselschaft heraus; vielmehr zeigt sich, daß nach dem Verständnis des Chrysostomus die Veränderung des Menschen und seiner Verhältnisse nur auf diesem Weg erreichbar erscheint. Indem er Kirche aufbaut, gewinnt er Anteil an dem ‚Mittleren', das als irdisch sichtbare Versammlung von Menschen[269] zugleich der ‚Leib Christi' ist.[270]
Insofern ist die Kirche der Ort der Versöhnung: für den einzelnen in seiner Gespaltenheit zwischen dem Streben nach den Dingen des Leibes oder der Seele; für die Weltlichkeit insgesamt, indem sie selbst als Ort der Präsenz des ‚Himmels' erscheint; für den Antagonismus zwischen Eigeninteresse und Gemeinschaft, indem im Aufbau von Kirche als des gemeinsam Gewollten beide bis zur Identität vermittelt sind.

[269] Der Gedanke der Vermittlung vieler zu einem neuen Ganzen ist für Chrysostomus schon im Begriff von Kirche impliziert (Hom. in dict. Pauli, oportet haereses esse 4): Ἐκκλησία γὰρ διὰ τοῦτο λέγεται, ὅτι κοινῇ πάντας ὑποδέχεται (PG 51, 258).

[270] Hom. 8, 4 in Col: μίαν ἔχει (τὸ σῶμα) μορφὴν βασιλικὴν τὴν τοῦ Χριστοῦ (PG 62, 357).

Schlußteil

KIRCHE ALS HUMANE GESELLSCHAFT

Es gibt keine Möglichkeit nachzuprüfen, inwieweit sich das Leben der Christen von Antiochien und Konstantinopel durch die Predigten des Chrysostomus verändert hat. Als einzige, wenn auch subjektive Quelle stehen wiederum nur die Homilien des Chrysostomus zur Verfügung. In ihnen finden sich zahlreiche Belege, die als Reflexion der nicht geschehenen Veränderung verstanden werden können.
Sosehr Chrysostomus auf der einen Seite beklagt, daß sich das Christentum bei den Christen selbst nicht durchsetzt, und in ihrem Leben nicht sichtbar wird, daß sie unter einer anderen Ordnung stehen, bleibt er sich andererseits bewußt, daß die innerkirchliche Humanisierung nicht das Primäre und nicht Selbstzweck ist. Nach seinem Verständnis haben die Christen eine Aufgabe gegenüber der übrigen, noch heidnischen Gesellschaft zu erfüllen; indem sie ihr Christentum praktizieren und dadurch als realisierbar erweisen, eröffnen sie den Heiden einen Zugang zur Kirche und ihrem Glauben. Indem Chrysostomus das Leben der Christen unter der Perspektive der Heiden betrachtet, inwieweit es ihnen anziehend und als Bereicherung erscheinen könnte, formuliert er indirekt – und im Hinblick auf die Christen meistens polemisch – worin die humanisierende Wirkung des Christentums bestehen müßte. In dem missionarischen Auftrag, unter den Chrysostomus alle Christen gleichermaßen gestellt sieht, verdichtet sich die ganze Frage der Humanisierung nochmals neu. Denn in der humanisierenden Wirkung ‚nach außen‘ kann nur zum Vorschein und zum Tragen kommen, was an Veränderung unter den Christen selbst geschehen ist.
Die Glaubwürdigkeit und Anziehungskraft der christlichen Praxis für die Heiden wird von Chrysostomus zum Maßstab dessen erhoben, wie die Christen leben, und wie die realen Verhältnisse unter ihnen selbst verändert sein müßten.
In der Formulierung der missionarischen Aufgabe der Christen insgesamt gegenüber der Gesellschaft erscheint der Grundansatz, von dem das christliche Selbstverständnis des Chrysostomus bestimmt ist: Wie der einzelne sich nicht als Christ verstehen kann, wenn er nicht am Heil des anderen mitwirkt, so kann sich die Kirche ihrer Aufgabe gegenüber der Gesellschaft nicht entziehen. Aber sie kann sie nur

wahrnehmen und erfüllen, wenn sie als Kirche zugleich sichtbare Zeichen einer anderen, neuen Gesellschaft vorzuweisen hat.
Von dieser Funktion der Kirche in der Gesellschaft her erfährt die Frage der humanisierenden Wirkung ihre Zuspitzung und gewinnt sie auch ihre geschichtliche Bestimmung und inhaltliche Füllung. Dadurch kann auch nochmals verständlich werden, daß sich bei Chrysostomus antike und christliche Traditionen ständig überschneiden und gleichzeitig präsent sind, und daß er aus beiden Traditionssträngen versucht, eine Synthese zu gewinnen, die ihre innere Affinität offenbar macht.
Dies schließt die Kritik und die Abweisung von Tendenzen nicht aus, die mit dem christlichen Selbstverständnis nicht zu vereinbaren sind. Als Hauptpunkt der Kritik erwies sich immer wieder der Versuch, das individuelle Heil ohne Rücksicht auf die anderen und das Ganze der Gesellschaft zu erstreben. Chrysostomus lehnt den Auszug einzelner aus der Gesellschaft um ihrer Ruhe und Tugend willen ab,[1] weil er als den Ort des Christlichen die Gesellschaft selbst ansieht.
Hier kann nochmals deutlich werden, wieweit das Christentum nach seinem Verständnis davon entfernt ist, ‚weltlos' und ‚weltflüchtig' zu sein, sosehr er den Anschein erweckt, als wollte er alle Christen in den Himmel versetzt sehen; die Grundrichtung ist umgekehrt: Die Erde soll zum Himmel gemacht werden.

1. Das ‚neue Leben' der Christen als Wunder

Wirkungsgeschichtlich betrachtet, hat sich der Versuch des Chrysostomus, das ganze Christentum mit dem Leben in der Welt zu vermitteln, nicht durchsetzen lassen; es sind die Mönchsgemeinschaften, die das christliche Selbstverständnis in der Form von neuer Gesellschaft leben.[2] Obwohl Chrysostomus dieses Auseinanderfallen von Christen-

[1] Dies liegt in der Konsequenz seines Grundansatzes, den er innerhalb seiner Homilien immer wieder vorträgt (Hom. 26, 4 in Rom): „Solches (scil. in die Wüste gehen) will Christus nicht. Was will er? ‚Lasset euer Licht leuchten vor den Menschen – nicht vor den Bergen, nicht vor der Wüste" (PG 60, 644) und (Hom. 43, 5 in Mt): „Ich möchte lieber, daß diejenigen durch ihr christliches Leben glänzen, die mitten in den Städten wohnen als jene, die sich in die Gebirge zurückgezogen haben. Warum? Weil hier der Nutzen groß wäre" (PG 58, 463). Vgl. Hom. 6, 4 in 1 Cor (PG 61, 53f.).

[2] Die Beschreibung der mönchischen Praxis macht dies deutlich (Hom. 72, 3 in Mt). Hier ist die Aufhebung der Klassen Realität geworden: „Es gibt hier weder arm noch reich. Alle haben den gleichen Tisch, alle die gleiche Kost, die gleiche Kleidung, die gleiche Behausung, die gleiche Lebensweise." Als Basis nennt er (Ebd. 4): „Alle haben eine Seele" (PG 58, 671). Vgl. auch Hom. 69, 4 in Mt (PG 57, 653), Hom. 14, 3f. in 1 Tim (PG 62, 757). Die Differenz zu der oben beschriebenen Einheit aus „Alten und Jungen, Kindern und Erwachsenen, Mann und Frau", die für die Kirche insgesamt gelten soll, kann nicht beseitigt werden.

tum und Welt miterlebt, und ihm die Unvereinbarkeit radikalen christlichen Lebens mit dem Leben innerhalb der Gesellschaft vorgehalten wird,[3] hat er daran festgehalten, daß es möglich und geboten ist,[4] ohne den bürgerlichen Stand aufzugeben, christlich zu leben. Dabei beruft er sich nicht nur auf den gemeinchristlichen Auftrag[5] und biblische Vorbilder,[6] sondern vor allem auf den missionarischen Auftrag der Christen gegenüber den Heiden und ihren gesellschaftlichen Verhältnissen: Unter denselben Bedingungen wie sie lebend, sollen die Christen im Unterschied dazu in ihrer Praxis vorleben, unter welcher Voraussetzung und in welcher Weise die Verhältnisse humaner gestaltet werden können.[7] Wenn Chrysostomus die Christen gleichsam mit den Augen der Heiden anschaut, so erhebt er keine Forderungen, die grundsätzlich über das schon Gesagte hinausgingen;[8] er konzentriert sich vielmehr auf einen zentralen Punkt, den er

[3] Bedenken gegen diese Form werden Chrysostomus (Hom. 2, 3 in illud, vidi dominum) mittels der ‚Absage' bei der Taufe vorgetragen: „Wie kann ich das, wenn ich nicht der Frau entsage, wenn ich nicht den Kindern entsage ... den Geschäften" (PG 56, 122f.)? Andererseits begegnet die positive Aufforderung (Hom. 43, 5 in Mt): „Ich verlange ja nichts, was zu schwer wäre; ich sage nicht: du sollst nicht heiraten; ich sage nicht: verlasse die Stadt und gib alle gesellschaftlichen Verpflichtungen auf. Bleibe vielmehr darin und übe die Tugend dort" (PG 58, 463).

[4] So kann er sagen (Hom. 26, 4 in Rom): „Wenn es nicht möglich wäre, mitten in der Stadt christlich zu leben, dann wäre das ein schwerer Vorwurf gegen das Christentum, wenn es uns befiehlt, die Städte zu verlassen und in die Wüste zu gehen. Zeige mir, wie ein Mann, der ein Haus, eine Frau und Kinder hat, christlich leben kann" (PG 60, 644).

[5] Die Christen sollen inmitten der heidnischen Gesellschaft bleiben (Hom. 41, 4 in Gen): „Ich sage nicht, daß ihr mit den Heiden nicht zusammenleben sollt, sondern daß ihr bei eurer spezifischen Tugend bleibt, und unter sie vermischt, wollen wir sie zum Glauben ziehen und ihnen durch die Lehre unseres Lebens zur Hilfe werden" (PG 52, 374). Vgl. auch Hom. 10, 4 in 1 Tim (PG 62, 551), Hom. 3, 2 de diabolo tent. (PG 49, 266).

[6] Vgl. Hom. 2, 3 in illud, vidi dominum (PG 56, 123), Hom. in illud, salutate Prisc. et Aquil. (PG 51, 190 f.), Hom. 21, 4 in Gen (PG 53,180).

[7] Über diese Form der Mission, an der sich alle beteiligen können, wundert sich J. Korbacher: „Einige Male spricht Chrysostomus sogar davon, daß sich der Laie um die Gewinnung von Ungläubigen bemühen müsse" (Außerhalb der Kirche kein Heil, 73). Hier ist ein Verständnis maßgebend, das Chrysostomus nicht angemessen scheint; denn dieser geht davon aus, daß der überzeugende Erweis für die Wahrheit des Christentums in der Praxis erbracht werden muß und traut ihr zu, die Heiden zum Glauben zu bewegen – nicht in erster Linie der Lehre. Deswegen ist sich Chrysostomus (Hom. 48, 8 in Act) auch darüber im klaren, daß die Attraktivität der Häretiker von ihrer Lebensweise primär herstammt und nicht von ihrer abweichenden Lehre (PG 60, 331).

[8] So sagt er (Hom. 43, 5 in Mt): „Wenn sie (scil. die Heiden) sehen, daß wir sanftmütig, frei von Zorn, von Neid und Habsucht sind und in jeder Hinsicht tun, was recht ist ..." (PG 58, 264) und (Hom. 32, 7 in Mt): „Wenn du dich von der Hartherzigkeit zur Milde bekehrst ..." (PG 57, 387). Meistens äußert er sich polemisch (Hom. 72, 4 in Joh): „Wenn der Heide dich vor dem Tod zittern sieht, wie kann er deine

mehr formal nennt, als daß er ihn inhaltlich füllen könnte und wollte: die Glaubwürdigkeit des Christentums, die nur dann gegeben ist, wenn das Leben mit dem Glauben übereinstimmt.[9] Hierin sieht Chrysostomus den einzigen realen Hebel, daß sich das Christentum humanisierend auf die Gesellschaft auswirken könnte.[10] Sonst muß den Heiden das ganze Christentum als Märchen erscheinen,[11] und fühlen sie sich vom Christentum abgestoßen.[12]

Aussagen über die Auferstehung annehmen? Wenn er dich als Sklaven der Herrschsucht und anderer Leidenschaften sieht, dann verharrt er um so hartnäckiger in seinen heidnischen Ansichten" (PG 59, 394) oder (Hom. 12, 5 in Mt): „Wenn wir, die berufen sind, die Heiden zur Verachtung alles Irdischen anzuhalten, am meisten aber von allen die Begierde danach entfachen, wie werden wir selbst Rettung finden, wenn wir für das Verderben anderer Rechenschaft ablegen müssen" (PG 37, 208)? Chrysostomus geht soweit zu behaupten (Hom. 10, 3 in 1 Tim), daß sich das Leben der Christen faktisch nicht von dem der Heiden unterscheidet: „Die Heiden sehen, daß wir nach denselben Gütern gieren, demselben nachjagen, zu herrschen, geehrt zu werden ... sie sehen, daß wir den Reichtum gleichermaßen bewundern, mehr noch als sie nach dem Ruhm fragen. Wie sollen sie uns glauben" (PG 62, 551)? Er kritisiert die unter den Christen herrschenden abergläubischen Praktiken (Hom. 8, 5 in Col), indem er diesem Treiben den aufgeklärten Heiden (Ἕλλην νοοῦν) gegenüberstellt (PG 62, 358). Ein Testfall für die Glaubwürdigkeit muß für die Heiden die Behandlung der Sklavenfrage gewesen sein (Hom. 19, 4 in 1 Cor): ob ein Sklave, ohne seinen Stand aufzugeben, auch Christ sein könne, d. h. von seinen christlichen Herren daran nicht gehindert werde (PG 51, 157). Offensichtlich wurde dies nicht immer ermöglicht. Vgl. auch Hom. 4, 3 in Tit (PG 62, 648f.).

[9] In der Praxis entscheidet die Glaubwürdigkeit (Hom. 4, 3 in Tit): „Die Heiden beurteilen die christliche Theorie nicht nach der Theorie, sondern die Theorie nach den Taten und dem Leben" (PG 62, 485) und (Hom. 3, 5 in 1 Cor): „Dies ist der große Wettstreit ... der durch Taten. Denn wenn wir auch mit Worten ‚philosophieren', aber kein besseres Leben vorzuweisen haben, ist der Nutzen gleich Null" (PG 61, 28) und polemisch (Hom. 10, 3 in 1 Tim): „Wenn er wahrnimmt, daß wir nur mit Worten Philosophie treiben, nicht auch mit der Tat ..." (PG 62, 555).

[10] Die gleichzeitige Präsenz von Christen und Heiden ist das Wirkungsprinzip, das Chrysostomus vor Augen hat (Hom. 3, 2 de diabolo tent.), „damit sie jene zu ihrer eigenen Tugend hinführen" (PG 49, 266). Als Folge beschreibt er (Hom. 43, 5 in Mt): „So werden auch die Heiden besser" (PG 58, 264) und als Bedingung nennt er (Hom. 18, 3 in 1 Cor), wenn sie auf einen Mann schauen können, der die Tugend übt (PG 61, 148). So kann er allgemein sagen (Hom. 10, 4 in 1 Tim): „Deshalb hat uns Gott aufgestellt, damit wir Sterne seien, damit wir als Lehrer der anderen auftreten, damit wir wie Sauerteig wirken, damit wir unter den Heiden leben wie Erwachsene unter unmündigen Kindern, wie Geistliche unter Fleischlichen, damit diese Nutzen davon haben" (PG 61, 551). Die Wirkung wäre sicher (Hom. 11, 3 in Act): „Wer möchte da noch Heide bleiben (scil. wenn die Christen ihren Besitz miteinander teilten)? Keiner, meine ich" (PG 60, 97).

[11] Das Argument, das er gegen die philosophischen Systeme verwendet, wendet er auch gegen die Christen selbst (Hom. 62, 4 in Joh) im Zusammenhang mit der Kritik an den Trauerbräuchen, die sich bei ihnen erhalten haben: „Müssen die Heiden nicht darüber lachen. Sie werden sagen: Es gibt keine Auferstehung. Der Glaube der Christen ist Spott, Betrug und Täuschung ... Ihre Lehren sind nur Fabeln" (PG 59, 317).

[12] Er läßt einen Heiden sagen (Hom. 72, 4 in Joh): „ ‚Zeige uns deinen Glauben durch Werke'. Aber wir tun es nicht, vielmehr sehen uns die Heiden gleich wilden Tieren

Interessant in diesem Zusammenhang ist die Neuinterpretation des Wunderbegriffs. Chrysostomus gesteht der apostolischen Zeit durchaus zu, daß sie sich durch Wunder ausgezeichnet habe wie Totenerweckungen und Dämonenaustreibungen.[13] Aber er sieht ihre Notwendigkeit und ihre Realität in diesem massiven Sinne nicht mehr gegeben: Sie würden niemand mehr überzeugen können, weil ihnen das Fundament, die Agape, fehlt.[14] M. a. W. Chrysostomus reduziert die Wunder, wie sie im Neuen Testament berichtet werden, sollen sie zu seiner Zeit nicht in den Verdacht geraten, bloße spektakuläre Mirakel gewesen zu sein, auf ihre Grundbedeutung: Daß sie Ausdruck dafür sind, was geschieht, auch sichtbar, wenn Menschen christlich leben.[15] Sie bieten den Heiden das ‚Schauspiel' des Himmels.[16]
Bei aller Polemik und Kritik, die Chrysostomus immer wieder vorbringt, hält er daran fest, daß dem Christentum nur dann eine humanisierende Wirkung beschieden sein kann, wenn die Christen ein ‚neues Leben' beginnen und überzeugend für die Heiden in die Praxis umsetzen.[17] Darin sieht Chrysostomus die einzig legitime Neuinterpretation der alten Wunder.

aneinander angreifen und nennen uns die ‚Pest der Welt' " (PG 59, 394). In der Auseinandersetzung um das Bettelwesen und die Frage, ob arbeitsfähige Männer als Asketen sich durch geistliche Werke entschuldigen können, zitiert er die Meinung der Heiden (Hom. 6, 1 in 1 Thes): „Diese wollen mit der Lehre Christi ein Geschäft machen" (Χριστεμπόρους) (PG 62, 430).

[13] Vgl. Hom. 2, 2 in inscr. Act (PG 51, 80). Die Frage „Warum gibt es heute niemand mehr, der Tote erweckt, Kranke heilt?", beantwortet er mit einer Gegenfrage (Hom. 8, 5 in Col): „Warum gibt es niemand mehr, der dieses Leben verachtet? Warum dienen wir Gott um des Lohnes willen" (PG 62, 358)? Vgl. Expos. in Ps 61, 2 (PG 55, 293).

[14] Über den Stellenwert der Wunder führt er aus (Hom. 74, 4 in Joh): „Allerdings haben die Wunder die ganze Welt bekehrt, aber erst nachdem die Agape vorausgegangen war. Ohne Agape hätten auch die Wunder nichts vermocht; dadurch daß sie ein Herz und eine Seele waren, erwarben sie sich sofort den Namen braver und guter Männer . . .; denn jetzt besteht das einzige Ärgernis für die Heiden darin, daß unter uns keine Agape herrscht" (PG 59, 394). ‚Agape' hat bei Chrysostomus immer diesen ekklesiologischen Inhalt und die Beziehung zur Einheit vieler. So ist (Hom. 32, 7 in Mt) das Kennzeichen der Christen nicht, daß sie Tote erwecken, sondern ihre Einheit (PG 57, 386). Vgl. Hom. 3, 6 in Hebr (PG 63, 35f.).

[15] Wunder sind sekundäre Folge. So kann er sagen (Hom. 6, 4 in 1 Cor): „Denn zur Zeit der Apostel glaubte man nicht nur wegen der Wunder; viele wurden auch durch das Leben der Christen angezogen." Und er fährt nach der Zitation von Mt 6, 16 und Apg 4, 32. 35 fort: „Und sie führten ein engelgleiches Leben. Wenn dies auch jetzt geschähe, würden wir die ganze Welt bekehren – auch ohne Wunder" (PG 61, 52f.).

[16] Hom. 43, 5 in Mt (PG 58, 263).

[17] Überzeugend ist nur eine neue christliche Praxis (Hom. 10, 4 in 1 Tim): „Es bedürfte keiner Worte, wenn unser Leben ein solches Licht verbreiten würde; es bedürfte keiner Lehrer, wenn wir mit unseren Taten predigen würden; es gäbe keinen Heiden mehr, wären wir Christen, wie es nötig ist" (PG 62, 551). Vgl. Hom. 18, 3 in 1 Cor (PG 61, 149).

Wenn man die Implikationen bedenkt, die der Begriff der Agape und des ‚neuen Lebens' bei Chrysostomus hat, kann zusammenfassend gesagt werden: In dem Maße sich das Christentum selbst bei den Christen durchsetzt, verändern sich auch die Verhältnisse in der übrigen Gesellschaft. Wenn die Heiden sehen, „wieviel ihnen an Schönem vorenthalten ist",[18] dann werden sie vom Christentum angezogen und herausgefordert wie von einem unübersehbaren Beispiel.

Für Chrysostomus ist die Gewinnung von Heiden mehr als das Geben von Almosen, weil sich in der Anziehungskraft und der Übertragbarkeit des Christentums erst erweist, ob es als Form von Gesellschaft von der übrigen Gesellschaft als Herausforderung und Grund zum Staunen angenommen wird und nicht als Ärgernis.[19]

Chrysostomus ist weit davon entfernt, christliche Grundsätze oder Forderungen, die er an die Christen glaubt stellen zu können, mit Hilfe des Staates oder seiner Gesetzgebung in der Gesellschaft durchzusetzen. So sorgfältig er zwischen der Kirche und dem ‚Draußen' zu unterscheiden weiß, so wenig denkt er daran, mit Gewalt der übrigen Gesellschaft das Christentum aufzudrängen.[20] Er vertraut auf die Überzeugungskraft allein, die von der Lebensform der Christen ausgehen müßte.

Mit diesem Verständnis von Mission steht Chrysostomus an einem Wendepunkt der Geschichte der Ausbreitung des Christentums. Die Mönche werden die Missionare; Mission wird zum Sonderfall des Christlichen wie das radikale Christ-sein selbst.

Chrysostomus sieht diese Entwicklung bereits eingetreten: Die Christen stellen schon die Mehrheit der Stadtbevölkerung,[21] die Gemeinden sind zu groß, als daß einer den anderen noch kennen könnte;[22] die Form der Mission nach außen wird invertiert auf die Kirche selbst durch den Gegenpol des Mönchtums.[23] Trotzdem hält Chrysostomus

[18] Hom. 43, 5 in Mt (PG 58, 263).

[19] Vgl. Hom. 3, 5 in 1 Cor (PG 61, 29). Er bezeichnet (Hom. 33, 7 in Mt) die Aufhebung der Sklaverei und der Armut, wie sie unter Christen möglich wären, als Folge des Besitzes der Tugend und als Wunder (PG 57, 387).

[20] Auch Heiden und Häretiker sind in das christliche Liebesgebot eingeschlossen, wenn auch in differenzierter Form (Hom. 3, 6 in Hebr.): „Wer sie (scil die Agape) besitzt, liebt alle Glaubensgenossen wie wirkliche Brüder, die Häretiker, Heiden und Juden wie natürliche Brüder" (PG 63, 36).

[21] Das Vorbild des Paulus vor Augen, sagt er (Hom. 10, 3 in 1 Tim): „Einer war Paulus ... wenn wir alle solche wären ... Siehe, die Christen sind gegenüber den Heiden in der Mehrzahl" (PG 62, 551).

[22] Vgl. Hom. 40, 4 in Act (PG 60, 286).

[23] J. Ratzinger kommt retrospektiv zu einem ähnlichen Wirkungsprinzip: „Die Kirche hat zunächst den Strukturwandel von der kleinen Herde zur Weltkirche durchgemacht. Sie deckt sich seit dem Mittelalter mit der Welt. Heute ist diese Rechnung nur Schein ... Aber Gott benutzt die Wenigen gleichsam als den archimedischen Punkt,

grundsätzlich an der Möglichkeit fest, daß jeder Christ auch innerhalb der Gesellschaft ein ‚neues Leben' führen kann, und es zum Stoff der Verkündigung werden kann, wenn es sich verändern läßt. So korrespondiert dem Entwurf von einer neuen christlichen Praxis ein neues Bild des Humanen, dem noch kurz nachgefragt werden soll.

2. Christliche Humanität

Entsprechend der Vielfalt der Traditionen, in der Chrysostomus beheimatet ist, kann nicht erwartet werden, daß er einen fertigen, abgerundeten Entwurf christlicher Humanität bietet. Es lassen sich bestenfalls Aspekte erheben, die sich nur schwer zu einem Gesamtbild fügen.

Auf einen Grundansatz wurde im Verlauf der Arbeit schon oft hingewiesen: wie sehr Chrysostomus das spezifisch Christliche darin erkennt, daß der einzelne nicht zuerst auf seine eigene Glückseligkeit bedacht sein soll, sondern auf die des anderen. Daß diese Grundorientierung im Gegensatz zum antiken Ansatz von Humanität steht, konnte anhand der Auseinandersetzung mit dem sich selbst in Ruhe und Unangefochtenheit genügenden Asketentum gezeigt werden. Aber sie hat schon vor Chrysostomus die christlichen Theologen bewegt und ist auf verschiedene Bereiche appliziert worden.[24]

Es ist vor allem Lactantius, und in seinem Gefolge Ambrosius, gewesen, die auf christlicher Seite versucht haben, in Auseinandersetzung mit stoischer Humanität zu definieren, was christliche Humanität sein könnte. Ein wesentlicher Kontroverspunkt war dabei die Frage, ob das ‚Erbarmen', die ‚Barmherzigkeit' zur Bestimmung des Menschen gehört oder nicht.[25]

von wo aus er die Vielen aus den Angeln hebt, als den Hebel, mit dem er sie an sich zieht" (Die neuen Heiden und die Kirche. Ein Vortrag, in: Hochland 51 (1958/59) 6. 9.

[24] A. M. Ritter (Christentum und Eigentum bei Klemens von Alexandrien auf dem Hintergrund der frühchristlichen Armenfrömmigkeit und der Ethik der kaiserzeitlichen Stoa, in: ZKG 85 (1975) 1–26 führt einen Vergleich der Schrift des Klemens ‚Quis dives salvetur' durch mit Senecas Schrift ‚De vita beata'. Er kommt zu dem Ergebnis, daß die Grundorientierung bei Klemens und Seneca trotz aller Ähnlichkeiten verschieden ist: Bei Seneca bleibt die Freiheit des einzelnen letztes Kriterium in der Frage von Armut und Reichtum, die Frage wird „rein individual-ethisch" (15) abgehandelt; es gilt „die Autonomie des sich selbst genügsamen Individuums" statt „der Bedürfnisse des Nächsten" (17), während Klemens die Freiheit des einzelen dem Bedürfnis des Nächsten zu- und unterordnet. Deswegen konzediert er Klemens „ein Gespür dafür, was eigentlich Evangelium ist" (24f.).

[25] Die Frage scheint innerhalb der Antike selbst kontrovers gewesen zu sein, so sagt Seneca (De clem. II, 4): „Ad rem pertinet quaerere hoc loco, quid sit misericordia. plerique enim ut virtutem eam laudant et bonum hominem vocant misericordem." Seine eigene Meinung dagegen ist eindeutig: „Et hoc vitium animi est." (SVF III, 110).

Bei Lactantius und Ambrosius wird misericordia zu einem mit humanitas austauschbaren Begriff;[26] humanitas aktualisiert sich vor allem in der misericordia, d. h. in den Werken der Barmherzigkeit,[27] und wird zur Bestimmung am Menschen selbst.[28]

Auch wenn Chrysostomus selbst keine Anzeichen mehr für eine polemische Auseinandersetzung mit der Stoa bietet, ist sein Verständnis von Humanität davon wesentlich mitgeprägt; Mensch-sein identifiziert er mit ‚Erbarmen‘ und ‚Philanthropie‘: Es sind Begriffe, die zusammen auftreten und deckungsgleich sind,[29] und die er gemäß der philosophischen Tradition gegenüber dem ‚tierischen‘ Verhalten des Menschen abhebt.[30]

So kann er sagen, daß das Mitleiden dem Menschen von Natur aus zukomme[31], und daß er aufhöre, Mensch zu sein ohne diese Eigen-

Die positive Wertung der ‚misericordia‘ hat sich in Verbindung mit der ‚Homoiosis‘-Lehre und biblischer Tradition zu einem Neuen verbunden, vgl. J. Stelzenberger, Die Beziehungen der frühchristlichen Sittenlehre zur Ethik der Stoa, 262ff.

[26] Lactantius (Div. inst. VI, 11, 1): „Conservanda est igitur humanitas, si homines recte dici velimus. Id autem ipsum, conservare humanitatem, quid aliud est quam diligere hominem, quia homo sit et idem quod nos sumus“ (PL 6, 671B)? Was unter ‚diligere‘ zu verstehen ist, faltet er (Ebd. 12, 16–18) aus: „alere pauperes ac redimere captivos ... qui autem facit alieno et ignoto, is vere dignus est laude, quoniam ut faceret sola ductus est humanitate“ (679 AB) und (III, 23, 9): „... (homo) accipit ... miserationis adfectum qui plane vocatur humanitas, qua nosmet invicem tueremur“ (423 B). Ein ähnliches Verständnis begegnet bei Ambrosius (De off. III, 3, 20): „subvenire ... non habenti humanitas est“ (PL 16, 151 A) und (Ebd. III, 3, 16): „considera o homo, unde nomen sumpseris? ab humo utique ... Inde appellata humanitas specialis et domestica virtus hominis“ (149 A).

[27] Humanität in diesem Verständnis sieht Ambrosius (De off. II, 21, 103) realisiert: „est enim publica species humanitatis ut peregrinus hospitio non egeat, suscipiatur officiose, pateat advenienti ianua“ (131 A).

[28] So Augustinus (Sermo 174 I, 1): „nam et homo dicitur humanus qui se exhibet hominem et maxime qui hospitio suscipit hominem“ (PL 38, 940); Hiernoymus (Ep. 55, 3.4) weitet ‚humanitas‘ aus auf ‚omne genus hominum‘ (PL 22, 564). Vgl. H. Pétre, Caritas. Etude sur le vocabulaire latin de la charité chrètienne, bes. 212–221.

[29] So kann er (Hom. 4, 5 in Phil) sagen: „Das nämlich heißt ‚Mensch‘ – sich erbarmend“ (PG 62, 212) und (Hom. 52, 4 in Mt): „Nichts hält so sehr dieses Leben zusammen ... wenn du Erbarmen, Verwandtschaft und Menschenfreundlichkeit aufhebst ... Dies soll der Mensch vor allem lernen, denn das heißt ‚Mensch‘ “ (PG 58, 524). Vgl. auch Expos. in Ps 48, 4 (PG 55, 228), Hom. 9, 4 in 1 Cor (PG 61, 81).

[30] Der Mensch, der bloß die Hände und Füße eines Menschen hat, wird von dem unterschieden (Hom. 2, 1 ad illum. catech.), der Frömmigkeit und Tugend übt (PG 49, 232). Die Ähnlichkeit mit Gott findet der Mensch nicht (Hom. in illud, non est in homine 4) dadurch, daß er ißt und trinkt, sondern wenn er Gerechtigkeit übt, Menschenfreundlichkeit erweist ... sich des Nächsten erbarmt und jede Tugend verfolgt (PG 56, 159). Vgl. auch Hom. in dictum illud, ne timueris 1 (PG 55, 500).

[31] Mitleiden ist eine natürliche Eigenschaft des Menschen (Hom. 4, 4 in Phil): πολλὰ γὰρ καὶ φυσικὰ ἀγαθὰ ἔχομεν πρὸς τὴν ἀρετήν· οἷον πρὸς ἐλεημοσύνην ἀπὸ φύσεως κινούμεθα πάντες ἄνθρωποι, καὶ οὐδὲν οὕτως ἀγαθὸν ἐν τῇ φύσει ἡμῶν ἐστὶ ἄλλο ὡς τοῦτο (PG 62, 210). Mitleiden erhält hier als natürliche Eigenschaft einen ähnlichen

schaft.[32] Von diesem Ansatz her begründet er die Verpflichtung, Almosen zu geben, und gleichermaßen die Aufforderung, mit den Händen zu arbeiten, um anderen noch davon mitteilen zu können.[33] Im Sinne der Homoiosis-Lehre läßt er diese Gedanken gipfeln in dem Satz, daß die Liebe unter Menschen das Gemeinsame ist, das sie mit Gott verbindet.[34]

Die Anknüpfung an die humane Tradition der Antike und ihre Ausweitung und teilweise Umorientierung wird hier deutlich. Aber damit ist noch nicht er ganze Umkreis dessen umschrieben, was nach Chrysostomus Humanität zu nennen wäre, auch wenn die Begrifflichkeit eingeengt erscheint auf die dem Menschen von sich aus mögliche Humanität. Sie fiele noch unter die ‚Praxis' des Menschen und berührte noch nicht das spezifisch christliche ‚Thauma'.

Einen speziellen Begriff dafür hat Chrysostomus weder vorgefunden noch entwickelt; er bedient sich meist einer metaphorischen Redeweise. Danach besteht das Eigene christlicher Humanität nicht in besonderen, spektakulären Taten, sondern in der Bereitstellung von Bedingungen, die dazu befähigen, sich neu zu verhalten.

Im weitesten Sinne sind diese umschrieben durch die Gliedschaft in der Kirche. Ihre theologischen Implikationen, für die Chrysostomus verschiedene Vorstellungen heranzieht,[35] um den dadurch gesetzten

Stellenwert wie die Scham. Zu ihrer Stellung im System der Ethik vgl. Aristoteles (Eth. Nic. IV, 9 1128b 10ff.), der die Scham in der Natur begründet sieht.

[32] Vgl. Hom. 52, 4 in Mt (PG 58, 524).

[33] Das Problem der Handarbeit und ihrer Neubewertung scheint von hierher bei Chrysostomus seine Auflösung gefunden zu haben. Denn wenn er auf diese Frage eingeht, stehen seine Ausführungen immer im Zusammenhang der Polemik gegen solche Christen bzw. Asketen, die mit Berufung auf Paulus ihre Untätigkeit und ihr Leben vom Betteln begründen, vgl. Hom. 6, 1 in 1 Thes (PG 62, 429f.) und Hom. 44, 1 in Joh (PG 59, 249). Inwieweit epikureischer Einfluß vorliegt, wonach ebenfalls (Fr. 14) das Betteln abgelehnt wird (Epicurea 96), kann hier unberücksichtigt bleiben. Nur herrscht Übereinstimmung darin, den kynischen Weg – wenn auch aus verschiedener Motivation – abzulehnen. Die häufige Hervorhebung der Handarbeit des Paulus, die Polemik gegenüber Asketen und Schwärmern, die das Gebot der Handarbeit im Sinne ‚geistlicher Werke' interpretieren, verbindet Chrysostomus unmittelbar mit der Schrift Augustins ‚De opere monachorum". Der Anlaß der Schrift (I, 1f.), die Vereinbarkeit geistlicher Werke mit körperlicher Arbeit (XVII, 20), das Argument, die faulen Asketen schädigten den guten Ruf des ganzen Standes (XXVIII, 36) (Arbesmann 1f. 35.58) verweisen auf eine ähnliche Problematik. Das Unterscheidende besteht darin, daß sich Chrysostomus noch an alle Christen wendet und nicht an die spezielle Gruppe der Mönche. Für die Neueinschätzung der Handarbeit gilt – was generell zur Bewertung des Lebens in der Welt festgestellt werden konnte: Die positivsten Aussagen resultieren aus der Auseinandersetzung mit extremen christlichen und schwärmerischen Fehlinterpretationen.

[34] Vgl. Hom. de laud. Pauli 3 (PG 50, 483).

[35] Er entfaltet (Hom. 6, 4 in Col) das Bild von der Wiedergeburt und der Neuschöpfung. Der in den Genesis-Homilien vorherrschenden Deutung der Schöpfung des Men-

Neuanfang anzuzeigen, gipfeln darin zu behaupten, daß der Christ im Raum der Kirche instandgesetzt ist, wahrhaft human und frei zu sein. Objektiv beschreibt er dies als reale Veränderung durch die Zugehörigkeit zur Kirche,[36] als Versetzt-werden in den Himmel oder unter die Engel,[27] subjektiv erscheint dies als dem Menschen gegebene Möglichkeit, die bisher geltende Basis seiner Humanität, nämlich die ‚Natur', aufzuheben und neu zu begründen auf dem Willen Gottes, d. h. auf dem Bild des Menschen, wie es von Gott her gedacht ist.[38]
Dies bedeutet keine Negation der irdischen Existenz oder der naturgegebenen Befindlichkeit des Menschen in der Welt,[39] sondern die Neukonstituierung eines befreiten Menschen und eines befriedeten Lebens. An einem Punkt soll dies veranschaulicht werden.
In der Auslegung der Bergpredigt setzt Chrysostomus das humane Verhalten von dem christlich möglichen ab, so daß der Unterschied deutlich werden kann. Im Anschluß an das Gebot, „sich nicht zu sorgen" (Mt 6,28ff.) und die biblischen Beispiele von den ‚Vögeln des Himmels' und den ‚Blumen des Feldes' beschreibt er die Lebensweise, die sich an dieser Stelle orientiert.
Zunächst tritt er der Meinung entgegen, die eine solche Existenzform für unrealisierbar hält: Der Vergleich mit den Vögeln treffe auf den Menschen nicht zu; „denn wer den freien Willen anregen wollte, der durfte nicht von natürlichen Vorzügen ausgehen; für die Vögel ist dies eben ganz natürlich".[40] Die ironische Erwiderung („Christus sagte ja nicht: ‚Seht, wie die Vögel fliegen!' Das kann der Mensch nicht nachahmen. Daß sie sich aber ernähren, ohne sich darum Sorgen zu machen, das bringen auch wir ganz leicht zustande, wenn wir wollen.") hebt zunächst auf den freien Willen des Menschen ab, dem

schen als seiner Einsetzung in die Herrschaft (vgl. Sermo 5, 2 in Gen (PG 54, 602), Sermo 2, 2 in Gen (PG 54, 589) wird antithetisch entgegengesetzt: „Jetzt heißt es nicht mehr: ‚Laßt uns den Menschen machen ...', sondern: ‚Er gab ihnen Macht, Kinder Gottes zu werden.' Und: „Gott hat den wiedergeborenen Menschen nicht beauftragt, das Paradies zu hüten, sondern im Himmel zu wandeln." (PG 62, 341f.). Vgl. auch Hom. 8, 2 in Col (PG 62, 353).

[36] Die Arche ist Typ und zugleich Antityp der Kirche (Hom. 6, 7 de Lazaro): „Die Arche hat vernunftlose Tiere aufgenommen und gerettet, und diese blieben, was sie waren; wenn aber die Kirche Menschen aufnimmt, die ihre Vernunft verloren haben, rettet sie diese nicht nur, sondern verändert sie auch. Die Arche hat Raben aufgenommen und Raben entlassen; die Kirche nimmt Raben auf und entläßt Tauben." (PG 48, 1037).

[37] Aus aktuellem Anlaß nach einem Erdbeben (Hom. post terrae mot.), wenn die Menschen durch eine solche Katastrophe erschüttert sind, kann er dies eindringlich machen: „Engel statt Menschen seid ihr geworden, in den Himmel seid ihr eingetreten." Er belegt dies durch die momentane Veränderung unter den Christen, die eingetreten ist (PG 50, 715).

[38] Vgl. Expos. in Ps 60, 2 (PG 55, 282).

[39] Vgl. Hom. 2, 1 de S. Pent. (PG 50, 464).

[40] Hom. 21, 2 in Mt (PG 57, 297).

es grundsätzlich möglich ist, die Sorglosigkeit zu erreichen, die den Vögeln von Natur zukommt. Als Beispiele führt er neben den Mönchen die Apostel und die Fünftausend bzw. Dreitausend in Jerusalem nach Apg 2,4sff. und 4,32ff. an:[41] Sie verließen und verkauften alles, ohne sich Sorgen zu machen. Damit will Chrysostomus keine allgemeine Untätigkeit oder blindes Vertrauen auf irrationalen Ersatz sanktionieren,[42] sondern die Freiheit des Christen von der Sorge und Angst um die tägliche Lebens- und Existenzsicherung herausstellen. Die notwendigen Dinge wie Essen und Kleidung erhalten sie in reichlichem Maße, wenn ihre Sorge nicht diesen Dingen gilt, sondern sie sich um die ‚himmlischen Güter' sorgen, verdichtet in dem Logion Mt 6,33: „Suchet zuerst die Basileia Gottes, und alles übrige wird euch dazugegeben werden." So kann er sagen:

> „Nicht deshalb, will der Herr sagen, habe ich euch befohlen, nicht ängstlich besorgt zu sein und nicht zu bitten, damit ihr im Elend lebt und nackt umhergeht, sondern damit ihr auch an diesen Dingen keinen Mangel leidet."[43]

Das Leben der Christen soll sich nicht darin erschöpfen, um die bloße Existenz besorgt zu sein; davon wird es befreit, um sich dem Notwendigeren, der Herrschaft Gottes, zuwenden zu können[44] und so das „Glück der Seele, den Besitz der Philosophie und die Unangefochtenheit der Frömmigkeit"[45] zu erlangen. Die vorrangige Sorge um diese Sache befreit real von der Sorge um die eigene Existenz und die irdischen Dinge; sie strömen im reichen Maße jedem zu.[46]

Die Umorientierung der Sorge bzw. der Leidenschaften des Menschen erscheint so nicht als eine bloß moralische Forderung, die notwendig unerfüllt bleiben muß, soll noch menschliches Leben überhaupt möglich bleiben, sondern als ein gangbarer Weg zur Befreiung des Menschen,[47] die sich auf alle Bereiche des individuellen und sozialen Lebens erstreckt. Sosehr Chrysostomus immer wieder betont, daß es der freien Entscheidung des einzelnen anheimgestellt ist, dies zu wollen oder nicht zu wollen, kann er andererseits behaupten, die Befreiung und Befriedung des Menschen sei ganz das Werk Gottes.[48]

[41] Hom. 21, 3 in Mt (PG 57, 298).
[42] Ebd.
[43] Hom. 22, 3 in Mt (PG 57, 303).
[44] Hom. 21, 2 in Mt (PG 57, 296).
[45] Ebd.
[46] Hom. 11, 2 in 1 Tim (PG 62, 555f.).
[47] Allgemein formuliert er (Hom. 21, 2 in Mt): „Das ist ja das erste Erfordernis einer guten Gesetzgebung, das Nützliche nicht bloß vorzuschreiben, sondern auch möglich zu machen."(296)
[48] Hom. 21, 3 in Mt (298).

Bezüglich der notwendigen Dinge zum Leben führt er zwar aus, daß sie dem zuteil werden, der seine erste Sorge nicht darauf richtet, also nach antiker Redeweise sie ‚verachtet'; daneben stellt er als biblische Bedingung das ‚Alles-verlassen'. Beide Bedingungen schließen sich nicht aus, sondern ergänzen sich in der Weise, daß die antike ‚Verachtung' der äußeren, weltlichen Dinge erst dann ‚Befreiung', Humanisierung bedeutet, wenn sie sich innerhalb der Kirche vollzieht. Sonst ist die Frage: „Wenn wir alles weggeben – wie werden wir noch leben können?"[49], voll berechtigt, und hat die Geringschätzung der notwendigen Dinge keinen erkennbaren Sinn.

Nur auf diesem Hintergrund ist auch verständlich, wieso die Restitution des Notwendigen für den einzelnen ein Werk Gottes genannt werden kann; nur wenn viele oder mehrere zugleich alles verlassen, und ihre erste Sorge der ‚Herrschaft Gottes' gilt, entsteht ein befreiter Raum, wo die zerstörende Kraft der menschlichen Leidenschaften aufgehoben ist, wo die Rangunterschiede irrelevant werden. Auf dieser vorgegebenen Basis erst kann sich christliche Humanität entfalten und kann sich der einzelne verändern; er kann nicht mehr sagen: „Ich bin ein- für allemal zum Sklaven geworden, ich bin von Geldgier beherrscht; denn er zeigt, daß eine Umkehr möglich ist, und daß man, wie vom Ersten zum Zweiten, so auch vom Zweiten zum Ersten kommen könne."[50] Nicht moralische Leistung steht hier im Vordergrund, sondern die Vorgabe von Kirche als eines Raumes, innerhalb dessen Umkehr möglich ist, weil hier die Umorientierung der Sorge des Menschen ihn von aller Sorge frei macht in Bezug auf die irdischen Dinge und sich selbst.

Gegenüber dieser Lebensweise in Freiheit, die sich verdinglicht als reale Sorglosigkeit, bleibt die Humanität, wie sie im Anschluß an die antike Tradition gefordert wird, qualitativ zurück. Chrysostomus ist dieser Unterschied durchaus bewußt. Nachdem er das Leben der Apostel und Mönche als Realisierung der behandelten Stellen der Bergpredigt beschrieben hat, fährt er fort:

> „Doch ist es vorläufig für euch genug, wenn ihr gelernt habt, nicht mehr habsüchtig zu sein, und daß das Almosen ein gutes Werk ist, und wenn ihr euch bewußt seid, daß man von seinem Eigentum anderen mitteilen soll . . . Für jetzt also wollen wir wenigstens den überflüssigen Luxus ablegen, mit dem zufrieden sein, was uns genügt . . ."[51]

Der Unterschied besteht nicht in erster Linie in der inhaltlichen Bestimmung dessen, was humanes Verhalten genannt wird, sondern

[49] Hom. 21, 2 in Mt (296).
[50] Hom. 21, 1 in Mt (PG 57, 295).
[51] Hom. 21, 4 in Mt (PG 57, 299).

in ihrer Bedingung und Ermöglichung. Im zweiten Fall wendet sich Chrysostomus an den einzelnen und seinen moralischen Leistungswillen. Er fordert humanes Verhalten, wie es auch die philosophische Tradition getan hat und wie es als christliche Philanthropie rezipiert wurde.
Im ersten Fall erhält die dem Menschen mögliche Humanität eine neue Basis, auf der sie sich entfalten kann: die Vorgabe eines befreiten Raumes – der Kirche –, in dem der einzelne die Freiheit von seinen zerstörerischen Leidenschaften gewinnen kann, weil sie, neu orientiert, real und irdisch erfüllt werden.

3. Zusammenfassung: Die humanisierende Wirkung des Christentums

Durch die traditionsgeschichtlich orientierte Methode der Untersuchung war es möglich, in einigen Schwerpunktthemen der Predigten des Chrysostomus nachzuweisen, wie eng seine Vorstellungen über die humanisierende Wirkung des Christentums mit der antiken humanen Tradition verbunden sind. Man kann sogar sagen: Der Großteil seiner Predigten besteht in der Fortsetzung und Übernahme der antiken Tradition, besonders der Popularphilosophie und Wanderprediger-Philosophen mit ihren Standardthemen und Lösungen. Diese scheinbar ungebrochene Kontinuität hat ihren tieferen Grund darin, daß das Publikum unter seiner Kanzel kein wesentlich anderes war als die Zuhörer eines Dio Chrysostomus. Zwar sind sie Christen, aber das Christentum in der Gestalt der Volks- und Staatskirche hat ihr Leben unverändert gelassen. So spiegeln seine Predigten die Verhältnisse unter den Christen der Stadt wider und lassen erkennen, daß sich ihr Leben und Verhalten kaum oder nicht von dem der Heiden unterscheidet.
So besteht die ‚Lösung', die Chrysostomus meistens bietet, analog der philosophischen, in dem Weg der Tugend und Moral als dem Weg zur Befreiung des einzelnen und zum Erreichen der individuellen Vollkommenheit. Dabei ließ sich beobachten, daß Chrysostomus sich in wesentlichen Punkten an bestimmte philosophische Traditionen und Schulen anlehnt, etwa die epikureische bezüglich der Einteilung der Leidenschaften und der Beurteilung der Funktion des Staates.
Den Bruch mit der am Individuum orientierten Ethik vollzieht Chrysostomus in der Auseinandersetzung mit dem christlichen Asketentum; darin geschieht implizit die Konfrontation und Absetzung von der antiken Grundausrichtung der Humanität: Sie wird als unchristlich qualifiziert, weil sie um das eigene Selbst kreist und keine soziale, für andere wirksame humanisierende Kraft entfaltet.
Diese grundsätzliche Kritik hindert Chrysostomus aber nicht daran, faktisch den individuellen Weg der Tugend zu predigen und als

christliche Lösung für die Veränderung der Verhältnisse vorzustellen.
Das Hinzukommen der Forderung, Almosen zu geben und die ‚Werke der Barmherzigkeit' zu üben, hebt die Kontinuität zur humanen Tradition der Antike nicht auf, sondern fügt ihr Elemente ein, die zwar neu sind, aber der dominierenden Tendenz sich zuordnen. Eine reale Veränderung der Verhältnisse konnte auf diese Weise und von einer solchen Basis aus nicht geschehen. Und die Predigten des Chrysostomus lassen es unzweifelhaft erscheinen, daß die Widersprüche der antiken Gesellschaft, die Klassen von arm und reich, von Sklaven und Freien, auch unter den Christen unverändert fortbestehen. Die humanisierende Wirkung des Christentums in der beginnenden Volks- und Massenkirche erschöpft sich weitgehend darin, die humanen Anliegen der Antike unter christlichem Vorzeichen zu rezipieren und zu vertreten. Die Ethik der Popularphilosophen erscheint so als Vorbild und Maß des christlich Möglichen; ihr ist innerhalb der Kirche eine lange Wirkungsgeschichte beschieden.[52]
Neben dieser am einzelnen orientierten Lösung begegnet durchgängig bei Chrysostomus eine andere. Sie hat ihr Vorbild und Maß an dem gleichzeitigen Mönchtum und den frühen Gemeinden. Ihre Eigenart besteht darin, daß die sonst vertretene individuelle Lösung aufgehoben ist in eine gemeinsam vollzogene. Es konnte gezeigt werden, wie sehr das Mönchtum selbst und seine Einschätzung durch Chrysostomus ambivalent bleiben – auch hinsichtlich der Verwurzelung dieser Neuerscheinung in der Antike. Aber das Neuartige dieses Phänomens scheint doch darin zu liegen, daß es eine schöpferische Synthese der antiken und christlichen Tradition darstellt. Der individuelle Heilsweg, der zum Asketentum führte, ist in einem gemeinsamen aufgehoben und gewinnt dadurch erst den Charakter des Christlichen – als Kirche. Dieses Kriterium legt Chrysostomus an und es bildet die Basis für die von ihm vertretene radikal-christliche Lösung, der gegenüber die antik-individualistische als eine Art Vorstufe erscheint.
Kirche ist nach dem Verständnis des Chrysostomus der ‚Ort', an dem das Christentum seine humanisierende Wirkung entfaltet; denn als eine Art von Gesellschaft kann sie die vielfältigen individuellen Strebungen vermitteln und auf ein neues Ziel hin versammeln, so daß die sozial gemachten Unterschiede irrelevant werden, und die zerstörerischen Kräfte des Menschen, die für die ungerechten und kranken Verhältnisse verantwortlich sind, verwandelt werden zu humanisie-

[52] W. D. Hauschild glaubt eine Parallelentwicklung konstatieren zu können: „Der Hellenisierung des Christentums im dogmatischen Bereich entspreche eine solche im ethischen" (Christentum und Eigentum, 38).

renden. In der Kirche wird der einzelne radikal verändert, und dadurch erst die ungerechten Verhältnisse. Die Möglichkeit dazu sieht Chrysostomus darin, daß die legitimen Bedürfnisse, wie sie sich in den Leidenschaften der Menschen melden, auch irdisch und real erfüllt werden können. Er ist davon überzeugt, daß die Habsucht aufgehoben werden kann in der Fülle, die entsteht, wenn viele gleichzeitig ‚alles verlassen' und freiwillig den Ausgleich herstellen; daß die gesellschaftliche Ungleichheit beseitigt werden kann, wenn Herren und Sklaven sich gleichermaßen der neuen ‚Herrschaft Gottes' fügen und dadurch ‚gleich' und ‚gleichwertige' Mit-Sklaven werden; daß die Freiheit darin besteht und dadurch real hergestellt wird, irdisch die Lösung ‚Kirche' zu wollen und dadurch die Erde zum Himmel zu machen.
Die christliche Lösung stellt Chrysostomus bewußt neben die utopischen Gesellschaftsentwürfe der Antike; das Mönchtum stellt ‚die Stadt der Tugend' dar, die Lucian als bloßes Bild entwirft. Insofern kann gesagt werden, daß nach dem Verständnis des Chrysostomus die Kirche der Ort ist, wo die antike Tradition mit der christlichen vermittelt ist – in dem Sinne, daß die Kirche den Utopien und den humanen Anliegen einen realen Ort der Verwirklichung bietet. ‚Christlich' zu leben kann deswegen als ‚philosophisch' zu leben interpretiert werden; ‚Tugend' kann als erstrebter Höchstwert neben die ‚Agape' treten, weil die antike Tradition in der Kirche beheimatet und verwurzelt werden konnte.
Hier zeigt sich vielleicht am deutlichsten, mit welchem Recht sich das Christentum legitimer Weise als Erbin der antiken Tradition verstehen konnte und für sich beanspruchte, sie zu erfüllen. Die Kirche bildet den Konvergenzpunkt antiker und christlicher Tradition und erweist die Affinität beider.
Seine humanisierende Wirkung hat das Christentum zur Zeit des Chrysostomus nicht in der allgemeinen Kirche entfalten können. Die Mönchsgemeinden bildeten sich als ‚Gegenpol' an den Rändern einer christlich werdenden Gesellschaft. Nur hier waren die Klassen von arm und reich aufgehoben, gab es keine Sklaven und Herren, herrschte Gleichheit.
Als Bischof und Prediger hat Chrysostomus versucht, diese humanisierende Wirkung auf die Stadtgemeinden zu übertragen.[53] Er wollte keine Klöster. Es ist ihm, für uns erkennbar, nicht gelungen. Aber nur an ihnen war anschaubar, worin die humanisierende Wirkung des

[53] H. U. v. Balthasar nennt Johannes Chrysostomus „als Beispiel für die Motivierung des Kampfes für soziale Gerechtigkeit ohne Zuhilfenahme fremder Interpretationsfilter. Sein mit letztem Einsatz geführter ‚praktischer' Kampf hat ihn übrigens nicht gehindert, einer der größten ‚theoretischen' Interpreten des Wortes Gottes zu sein" (Heilsgeschichtliche Überlegungen zur Befreiungstheologie, in: Theologie der Befreiung, Einsiedeln 1977, 171 A. 4.

Christentums zu seiner Zeit bestehen konnte. In seinen Predigten hat er gegen den allgemeinen Trend das Spezifische des Christentums als neue Gesellschaft zu bewahren versucht.
Anders zwar als bei Basilius, der zum theologischen Begründer des Mönchtums wird, spiegelt sich in den Homilien des Chrysostomus derselbe Prozeß wider, der zur Doppelgestalt des Christlichen führt und auf Jahrhunderte bestimmend bleibt:
In der Volks- und Massenkriche des ausgehenden 4. Jahrhunderts lebt faktisch – und das machen die Homilien des Chrysostomus deutlich – die Tradition der antiken Philosophie und die darin implizierte Ethik fort; insofern diese keine ‚Religion' war, sondern eine von Mythologie befreite, aufgeklärte ‚Lebenslehre' – eine Philosophie – konnte sie aufgenommen werden und wurde ‚religionskritisch' gewendet, weil das Objekt dieser Kritik primär der Mensch selbst blieb und die Eigenschaften an ihm, die die unmenschlichen Verhältnisse hervorbringen und bestehen lassen. Humanisierung in diesem Zusammenhang bedeutet deswegen vor allem die Veränderung des einzelnen zur Tugend, die zwar auch soziale Folgen hat (‚Mitteilen', Erbarmen usw.), aber doch an der individuellen Vollkommenheit orientiert bleibt und sich nicht auf die Verhältnisse insgesamt auswirken kann.
Insofern setzen die ‚Werke der Barmherzigkeit' und die christlich besser begründete und motivierte Menschlichkeit die antike Tradition im Christentum fort: Unter dem Blickpunkt der Humanisierung betrachtet, verbleibt die Volks- und Massenkirche auf dem strukruell gleichen Stand wie die antike Tradition. M. a. W. diese wird zur ‚Religion' der Kirche und bringt ihre Aporien mit in sie ein.
Im Mönchtum gelingt eine neue Synthese, weil hier die antike Tradition auf schöpferische Weise christlich rezipiert wird, d. h. nicht individuell, sondern gemeinsam, d. h. im Ansatz ‚kirchlich' vollzogen wird und deswegen als solche humanisierend wirkt. Humanisierung ist im Mönchtum nicht etwas neben dem Christlichen Intendiertes, sondern mit der Realisierung des Christlichen – auch und gerade in einer Gestalt, die wesentlich vom antiken Verständnis des Humanen geprägt ist –, identisch und unmittelbar mitgegeben. ‚Christlich' bzw. ‚philosophisch' zu leben, ist deswegen gleichbedeutend mit ‚neue Gesellschaft' sein: Das Mönchtum invertiert innerhalb einer sich als christlich verstehenden Gesellschaft die Situation der frühen Kirche und bewahrt damit ein wesentliches Moment ihres Selbstverständnisses, das, solange diese Konstellation gegeben war, ein humanisierender Faktor von hoher Wirksamkeit geblieben ist.
Chrysostomus bewahrt das Bewußtsein davon, daß beide Gestalten des Christlichen ursprünglich zusammengehören – als neue Politeia mitten in der Gesellschaft.

Literaturverzeichnis

Aland, K., Das Konstantinische Zeitalter, in: Kirchengeschichtliche Entwürfe, Gütersloh 1960, 165–201.

Allard, P., Les esclaves Chretiens, Paris [5]1914

Altaner, B., Augustinus und Chrysostomus, in: Kleine patristische Schriften, Berlin 1967, 302–311

Amand, D. D., Fatalisme et liberté dans l'antiquité grecque, Louvain 1945

Ders., L'ascèse monastique de Saint Basile, Louvain 1949

Bacht, H., Das Vermächtnis des Ursprungs. Studien zum frühen Mönchtum I, Würzburg 1972

Balthasar, H. U. v., Heilsgeschichtliche Überlegungen zur Befreiungstheologie, in: Theologie der Befreiung, Einsiedeln 1977

Bartelink, G. J. M., Christliche Ausdrücke bei Kaiser Julian, in: VC 11 (1957) 37–48

Beck, H. G., Antike Beredtsamkeit und byzantinische Kallilogia, in: AA 15 (1969) 91–101

Bellen, H., Studien zur Sklavenflucht im römischen Kaiserreich, Wiesbaden 1971

Beyschlag, K., Christentum und Veränderung in der Alten Kirche, in: KuD 18 (1972) 25–55

Biglmair, A., Die Beteiligung der Christen am öffentlichen Leben in vorconstantinischer Zeit, München 1908

Ders., Zur Frage des Sozialismus und Kommunismus der ersten drei Jahrhunderte, in: Beiträge zur Geschichte des christlichen Altertums und der byzantinischen Literatur, Leipzig 1922, 72–93, auch in: Festgabe für A. Erhard 77–93

Bonsdorff, M. v., Zur Predigttätigkeit des Johannes Chrysostomus, Helsingfors 1922

Bömer, F., Untersuchungen über die Religion der Sklaven in Griechenland und Rom, I–IV, Wiesbaden 1956–60

Bori, P. C., Chiesa primitiva. L'imagine della communità delle orgine – Atti 2, 42–47; 4,32–37 – nella storia della chiesa antica, Brescia 1974

Braunert, H., Utopia. Antworten griechischen Denkens auf die Herausforderung durch soziale Verhältnisse (Veröffentlichungen der schleswig-holsteinischen Universitätsgesellschaft NF 51) Kiel 1969

Brändle, R., Matth. 25, 31–46 im Werk des Johannes Chrysostomus (Beiträge zur Geschichte der biblischen Exegese 22) Tübingen 1979

Brentano, L., Die wirtschaftlichen Lehren des christlichen Altertums (Sitzungsberichte der philosophisch-philologischen und historischen Klasse der Akademie der Wissenschaften) München 1903

Buckland, W. W., Roman Law on Slavery, Cambridge 1908

Burger, D. C., A complete bibliography of the Scholarship on the life and work of St. John Chrysostom, Evanston 1964

Carter, R., The future of Chrysostomic studies, in: Theology and Nachleben (Symposion on St. John Chrysostom) Thessaloniki 1973, 129–141

Chadwick, H., Early Christian thought and the classical tradition. Studies in Justin, Clement and Origen, Oxford 1971

Christophe, P., L'usage chrètienne du droit de propriete dans l'Ecriture et la tradition patristique, Paris 1963

Daly, L. J., Themistius' concept of Philanthropia, in: Byzantion 45 (1975) 22–40

Danassis, A., Johannes Chrysostomus. Pädagogisch-psychologische Ideen in seinem Werk, Bonn 1971
Dempf, A. Geistesgeschichte der altchristlichen Kultur, Stuttgart 1964
Dörries, H., Erneuerung des kirchlichen Amtes, in: Bleibendes im Wandel der Kirchengeschichte, Tübingen 1973, 1–24
Ders., Kontantinische Wende und Glaubensfreiheit, in: Wort und Stunde I, Göttingen 1966, 1–117
Elsas, Ch., Neuplatonische und gnostische Weltablehnung in der Schule Plotins, Berlin 1975
Elorduy, E., Die Sozialphilosophie der Stoa, Leipzig 1936
Eltester, E., Die Kirchen Antiochiens im IV. Jahrhundert, in: ZNW 36 (1937) 251–286
Engels, F., Zur Geschichte des Urchristentums, in: Marx–Engels über Religion, Berlin 1958
Enßlin, W., Die Religionspolitik des Kaisers Theodosius (Sitzungsberichte der Bayerischen Akademie der Wissenschaften 2) München 1953
Farner, K., Theologie des Kommunismus? Frankfurt 1969
Ders., Für die Erde geeint – für den Himmel entzweit. Neue Aufsätze zum Dialog Christentum – Marxismus, Zürich 1973
Festugière, J. A., Antiochie paienne et chrètienne, Paris 1959
Feuerbach, L., Das Wesen des Christentums, Stuttgart 1974 (Abdruck der 3. Auflage Leipzig 1848)
Flashar, H., Utopisches Denken bei den Griechen, Innsbruck 1974
Fraisse, J. C., Philia. La notion d'amitie dans la philosophie antique, Paris 1974
Frank, S., Ἀγγελικὸς βίος. Begriffsanalytische und begriffsgeschichtliche Untersuchung zum ‚engelgleichen Leben' im frühen Mönchtum, Münster 1964
Friedrich, G., Reich Gottes und Utopie, Göttingen 1974
Funk, F. X., Über Reichtum und Handel im christlichen Altertum, in: Historisch-politische Blätter CXXX, 1902
Geffcken, F. A., Kirche und Staat in ihrem Verhältnis geschichtlich entwickelt, 1875 (Abdruck Osnabrück 1965)
Geffcken, J., Kynika und Verwandtes, Heidelberg 1909
Gibbon, E., Geschichte des Verfalls und Untergangs des Römischen Reiches V, Leipzig 1805
Grillmeier, A., Mit ihm und durch ihn. Christologische Forschungen und Perspektiven, Freiburg 1975
Ders., Zur Diskussion über die Hellenisierung des Christuskerygma, in: Kerygma und Logos (Festschrift für Carl Andresen) Göttingen 1979, 226–257
Guillemin, A.-M., Seneca, Leiter der Seele, in: Römische Philosophie (Wege der Forschung CXCIII) Darmstadt 1976, 201–222
Habermas, J., Die verkleidete Tora (Rede zum 80. Geburtstag von G. Sholem), in: Merkur 32 (1978) 98–104
Haecker, Th., Christentum und Kultur, München 1949
Hager, F.-P., Die Bedeutung der griechischen Philosophie für die christliche Wahrheit und Bildung bei Tertullian und Augustin, in: AA 24 (1978) 76–84
Hahn, I., Freie Arbeit und Sklavenarbeit in der spätantiken Stadt, in: Annales Univers. Scient. sect. hist. III, Budapest 1961, 23–39
Hammann, A. Richter, S., (Hrsg.) Arm und reich in der Urkiche, Paderborn 1964
Harnack, A. v., Das Urchristentum und die soziale Frage, in: Aus Wissenschaft und Leben II, Gießen 1911, 251–273
Hauschild, W. D., Christentum und Eigentum. Zum Problem eines altkirchlichen Sozialismus, in: ZEvE 15 (1972) 34–49
Hengel, M., Eigentum und Reichtum in der frühen Kirche. Aspekte einer frühchristlichen Sozialgeschichte, Stuttgart 1973

Heussi, K. Der Ursprung des Mönchtums, Tübingen 1936
Hoffmann-Aleith, E., Das Paulus-Verständnis des Johannes Chrysostomus, in: ZNW 38 (1939) 181–188
Holl, K., Die schriftstellerische Form des griechischen Heiligenlebens, in: Gesammelte Aufsätze II, Tübingen 1928, 249–260
Ders., Über das griechische Mönchtum, II, 283–297
Holtzmann, H., Die Gütergemeinschaft der Apostelgeschichte (Straßburger Abhandlungen zur Philosophie) Tübingen 1884
Hydahl, N., Philosophie und Christentum. Eine Interpretation der Einleitung zum Dialog Justins, Kopenhagen 1966
Jaeger, W., Die Sklaverei bei Johannes Chrysostomus (Diss.) Kiel 1974
Kaczynski, R., Das Wort Gottes in Liturgie und Alltag der Gemeinden des Johannes Chrysostomus, Freiburg 1974
Kabiersch, J., Untersuchungen zum Begriff der Philanthropie bei Kaiser Julian, Wiesbaden 1960
Kiefl, F. X., Die Theorien des modernen Sozialismus über den Ursprung des Christentums, München 1915
Knecht, A., Gregor von Nazianz: Gegen die Putzsucht der Frauen. Text mit Übersetzung und motivgeschichtlichem Überblick und Kommentar, Heidelberg 1972
Kopp, G., Die Stellung des Johannes Chrysostomus zum weltlichen Leben, Münster 1905
Korbacher, J., Außerhalb der Kirche kein Heil? Eine dogmengeschichtliche Untersuchung über Kirche und Kirchenzugehörigkeit bei Johannes Chrysostomus, München 1963
Kretschmar, G., Der Weg zur Reichskirche, in: VuF 13 (1968) 1–30
Lamberz, E., Zum Verständnis von Basileios' Schrift ‚Ad Adolescentes', in: ZKG 90 (1979) 75–95
Leipoldt, J., Der soziale Gedanke in der altchristlichen Kirche, Leipzig 1952
Ders., Griechische Philosophie und frühchristliche Askese (Berichte über Verhandlungen der Sächsischen Akademie der Wissenschaften, Philosophisch-Historische Klasse 106,4) Berlin 1961, 1–67
Leraux, J. M., Jean Chrysostome et monachisme, in: Colloque de Chantilly. Jean Chrysostome et Augustin, 22.–24. septembre 1974 (Hrsg. Ch. Kannengiesser) Paris 1975, 125–144
Liebschütz, J. H., Antioch city and imperial administration in Roman Empire, Oxford 1972
Lietzmann, H., Johannes Chrysostomus, in: Kleine Schriften I, Berlin 1958, 326–347
Lohse, B., Askese und Mönchtum in der Antike und in der Alten Kirche, Münster 1969
Lorenz, R., Die Anfänge des abendländischen Mönchtums im 4. Jahrhundert, in: ZKG 77 (1966) 1–61
Maat, W. A., A Rhetorical study of St. John Chrysostom's De sacerdotio, Washington 1944
Maur, I. auf der, Mönchtum und Glaubensverkündigung in den Schriften des Johannes Chrysostomus, Freiburg/Schweiz 1959
May, G., Die großen Kappadokier und die staatliche Kirchenpolitik von Valens bis Theodosius, in: Die Kirche angesichts der konstantinischen Wende (Wege der Forschung CCCVI, Hrsg. G. Ruhbach) Darmstadt 1976, 323–336
Mendieta, A. de, L'amplification d'une thème socratique et stoicien dans l'avant-dernier traité de Jean Chrysostome, in: Byzantion 36 (1966) 353–381
Momigliano, A. (Hrsg.), The conflict between Paganism and Christianity in the Fourth Century, Oxford 1963

Mouratides, K. D., Wesen und Verfassung der Kirche nach der Lehre des Johannes Chrysostomus (Ἡ οὐσία καὶ τὸ πολίτευμα τῆς ἐκκλησίας κατὰ τὴν διδασκαλίαν Ἰωάννου τοῦ Χρυσοστόμου) Athen 1958

Müller, R., Die epikureische Gesellschaftstheorie, Berlin 1974

Naegele, A., Chrysostomus und sein Verhältnis zum Hellenismus, in: ByZ 13 (1904) 73–113

Natali, A., Christianisme et Cité à Antioche à la fin du IVe siècle d'après Jean Chrysostome, in: Colloque de Chantilly, 41–59

Nestle, D., Eleutheria. Studien zum Wesen der Freiheit bei den Griechen und im Neuen Testament I, Tübingen 1967

Newman, J. H., Predigt vom 4. 12. 1842, in: Die Kirche und die Welt (Hrsg. und übers. Th. Haecker) Leipzig 1938

Novak, N., Le chrétien devant la suffrance, Paris 1972

Opelt, I., Das Ende von Olympia. Zur Entstehungszeit der Predigten zum Hebräerbrief des Johannes Chrysostomus, in: ZKG 81 (1970) 64–69

Overbeck, F., Christentum und Kultur. Gedanken und Anmerkungen zur modernen Theologie, 1919 (Abdruck Darmstadt 1962)

Ders., Über das Verhältnis der alten Kirche zur Sclaverei im römischen Reich, in: Studien zur Geschichte der Alten Kirche, 1875 (Abdruck Darmstadt 1965) 158–230

Osborn, E. F., Justin Martyr, Tübingen 1973

Perls, H., Lexikon der platonischen Begriffe, München 1973

Peterson, E., Theologische Traktate, München 1951

Pétre, H., Caritas. Etudes sur la vocabulaire latin de la charité chrétienne, Louvain 1948

Petry, R. C., Christian Eschatology and social thought, New York 1956

Plassmann, O., Das Almosen bei Johannes Chrysostomus, München 1961

Pöhlmann, R. v., Geschichte der sozialen Frage und des Sozialismus in der antiken Welt I,II München 1912

Pohlenz, M., Griechische Freiheit. Wesen und Werden eines Lebensideals, Heidelberg 1955

Ders., Die Stoa. Geschichte einer geistigen Bewegung I,II Göttingen 1948/49

Puech, A., St. Chrysostome et les mœurs de son temps, Paris 1905

Rahner, H., Abendland. Reden und Aufsätze, Freiburg 1966

Ratzinger, J., Einführung in das Christentum, München 1971

Ders., Eschatologie und Utopie, in: Internationale katholische Zeitschrift 2 (1977) 97–110

Rentinck, P., La cura pastorale in Antiochia nel IV seculo, Roma 1970

Rolke, K. H., Die bildhaften Vergleiche in den Fragmenten der Stoiker von Zenon bis Panaitios, Hildesheim 1975

Ritter, M. A., Das Charismaverständnis bei Johannes Chrysostomus. Ein Beitrag zur Erforschung der griechisch-orientalischen Ekklesiologie in der Frühzeit der Reichskirche, Göttingen 1972

Ders., M. A., Christentum und Eigentum bei Klemens von Alexandrien auf dem Hintergrund der frühchristlichen Armenfrömmigkeit und der Ethik der Kaiserzeit, in: ZKG 86 (1975) 1–25

Savramis, D., Theologie und Gesellschaft, München 1971

Schilling, O., Reichtum und Eigentum in der altkirchlichen Literatur, Freiburg 1908

Ders., Der kirchliche Eigentumsbegriff, Freiburg 1920

Schmidt, C., Die bürgerliche Gesellschaft in der alten Welt und ihre Umgestaltung durch das Christentum, Leipzig 1858

Schneemelcher, W., Kirche und Staat im 4. Jahrhundert, in: Die Kirche angesichts der konstantinischen Wende (Wege der Forschung CCCVI) Darmstadt 1976, 123–148

Ders., Das konstantinische Zeitalter. Kritisch-historische Bemerkungen zu einem modernen Schlagwort, in: Kleronomia 6 (1974) 36–60
Schubert, V., Pronoia und Logos. Die Rechtfertigung der Weltordnung bei Plotin (Epimeleia. Beiträge zur Philosophie 11) München 1968
Schwartz, E. Kaiser Konstantin und die christliche Kirche, Leipzig 1913
Schweizer, E., Zum Sklavenproblem im Neuen Testament, in: Evangelische Theologie 32 (1972) 502–505
Soden, H. v., Christentum und Kultur in der geschichtlichen Entwicklung ihrer Beziehungen (Sammlung gemeinverständlicher Vorträge und Schriften aus dem Gebiet der Theologie und Religionsgeschichte) Tübingen 1933
Stäublin, Ch., Untersuchungen zur Methode und Herkunft der antiochenischen Exegese, Köln-Bonn 1974
Stelzenberger, J., Die Beziehungen der frühchristlichen Sittenlehre zur Ethik der Stoa, München 1933
Stockmeier, P., Theologie und Kult des Kreuzes bei Johannes Chrysostomus. Ein Beitrag zum Verständnis des Kreuzes im 4. Jahrhundert, Trier 1966
Ders., Frühes Christentum und Humanismus, in: Humanismus zwischen Christentum und Marxismus, München 1973
Ders., Aspekte zur Ausbildung des Klerus in der Spätantike, in: MThZ 27 (1976) 217–232
Ders., Glaube und Paideia, in: ThQ 147 (1967) 432–452
Stuhlmacher, P., Der Brief an Philemon, Köln 1975
Tröltsch, E., Die Soziallehren der christlichen Kirchen und Gruppen, Tübingen 1912
Uhlhorn, G., Christliche Liebestätigkeit in der alten Kirche, Stuttgart 1895
Verosta, S., Johannes Chrysostomus. Staatsphilosoph und Geschichtstheologe, Graz 1968
Vööbus, A., History of Ascetism in the Syrian Orient. Early Monasticism in Mesopotamia and Syria (COSCO 197) Louvain 1960
Vogt, J., Sklaverei und Humanität. Studien zur antiken Sklaverei und ihrer Erforschung, Wiesbaden 1972
Ders. (Hrsg.), Bibliographie zur antiken Sklaverei, Bochum 1971
Ders., Wege zur Menschlichkeit in der antiken Sklaverei (Rektoratsrede 9. Mai 1958), Tübingen 1958
Warkotsch, A., Antike Philosophie im Urteil der Kirchenväter. Christlicher Glaube im Widerstreit der Philosophen, München 1973
Wifstrand, A., Die alte Kirche und die griechische Bildung, München 1967
Zincone, S., Richezza et povertà nelle omilie di Giovanni Chrysostomo, L'Aquila 1973
Zitnik, M., Θεὸς φιλάνθρωπος bei Johannes Chrysostomus, in: OrChrP 41 (1975) 76–118

STELLENREGISTER DER ANTIKEN AUTOREN

Quellensammlungen

Epicurea	H. Usener, Stuttgart 19
Fragmente der Vorsokratiker	H. Diels, W. Kranz, 195
Stoicorum veterum fragmenta I–IV	J. v. Armin, Stuttgart 1

(Wegen der Lesbarkeit sind nicht alle Texte original wiedergegeben; die Über-zungen lehnen sich teils an vorhandene an, teils wurden sie neu angefertigt.)

Münsterische Beiträge zur Theologie